공작 부인은 오늘만 산다

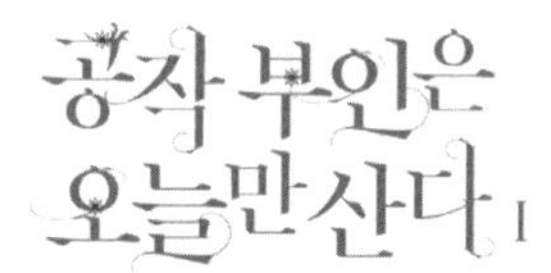

초판 1쇄 인쇄일 2023년 03월 03일
초판 1쇄 발행일 2023년 03월 16일

지은이 | 개스켈
펴낸이 | 김기선

편집부 | 박신혜, 김수린, 한혜정, 강연정, 이아림, 강지원, 김수정, 황신애, 김은희
표지디자인 | 우물
내지디자인 | 한주희

펴낸곳 | 주식회사 와이엠북스(YMBOOKS)
출판등록 | 2021년 5월 27일 (제2021-000014호)
주소 | 서울특별시 중랑구 신내역로3길 40-36 B동 710호 (신내동)
전화 | 02)906-7768 / 팩스 | 02)906-7769
E-mail | ymbooks@nate.com

ISBN 979-11-322-6935-9 (04810)
ISBN 979-11-322-6934-2 (set)

값 13,000원

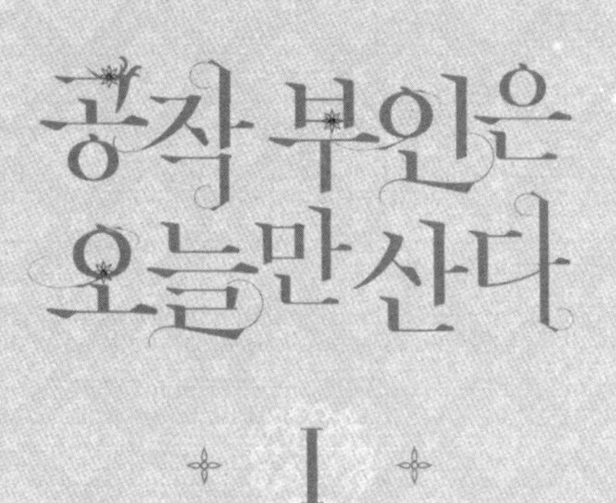

I

개스켈 장편소설

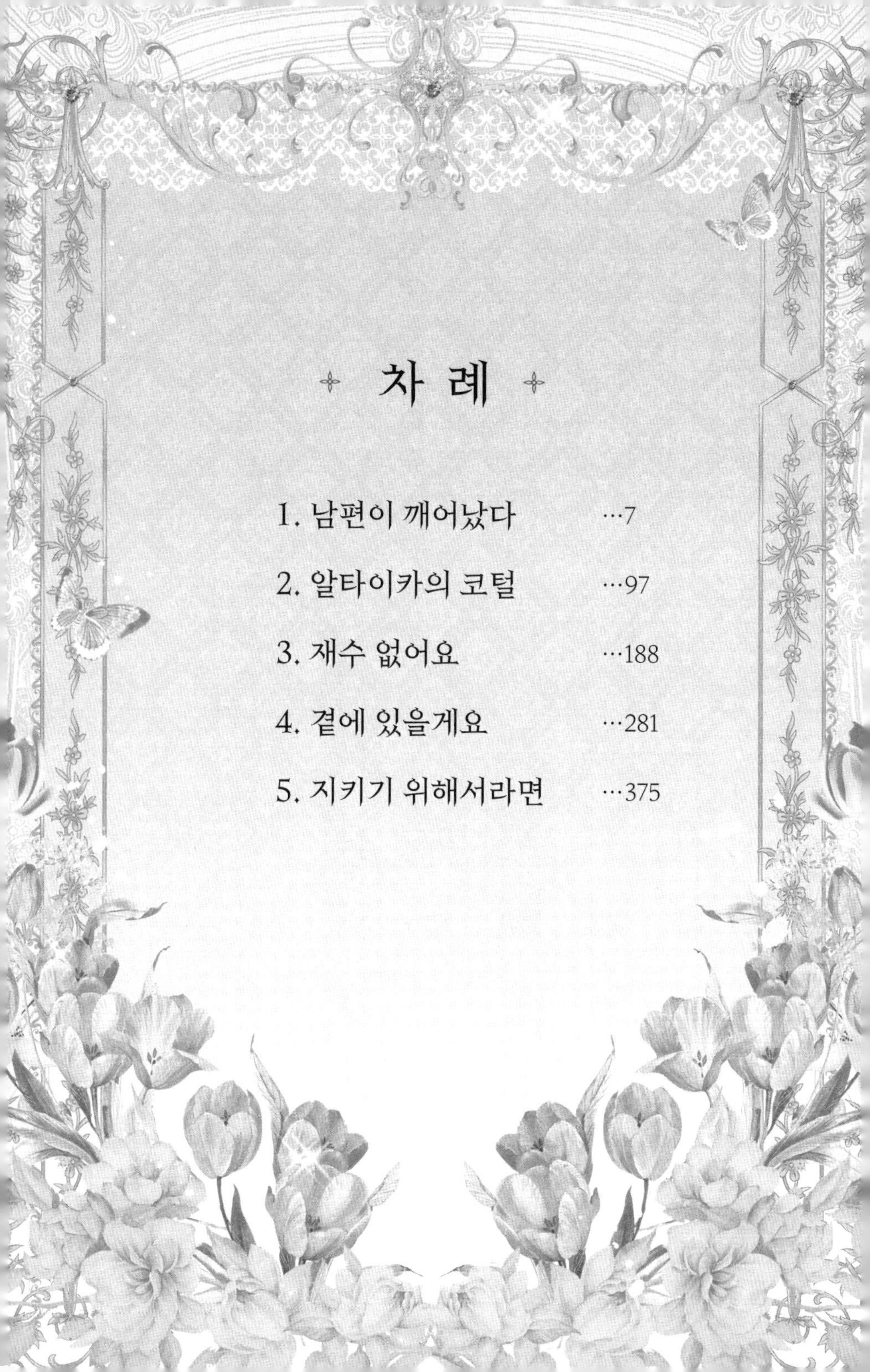

차례

1. 남편이 깨어났다

스베르겐 제국력 321년. 볼슈타크 2세 재위 7년의 봄.

갓 싹이 튼 다크 오팔 바질 모종 이파리 위로 선연한 핏방울이 뚝뚝 떨어졌다.

"어머!"

깜짝 놀란 프리다의 손이 코에 닿기도 전, 주변 사람들이 먼저 야단법석 소란을 떨며 그녀 옆으로 모여들었다.

"마, 마님. 괜찮으십니까?"

"아이고, 이걸 어째. 피가 나십니다, 피가."

들고 있던 바질 모종을 땅에 팽개친 리카르도 몰리가 허둥지둥 달려와 그녀 앞에 무릎을 꿇었다. 평생 검을 들고 살아온 오십이 넘은 사내의 흙 묻은 손이 갈팡질팡 길을 잃고 허공을 맴돌았다. 그녀의 주위에서 허브를 심고 있던 하인들도 벌떡 일어나 발을 동동 굴렀다.

어느 틈엔가 다가온 리카르도의 아들 도미닉이 목에 두르고 있던 천을 잽싸게 풀어 그녀에게 건넸다.

"우선 이걸로 막고 계세요. 너희들은 가만있지 말고 물이라도 떠 와!"

"예. 얼른 다녀오겠습니다."

그의 지시를 받은 하인들이 부리나케 밭을 벗어났다.

"아버지, 뭐 해요? 의사 안 불러오고."

아들의 채근에 리카르도가 성안으로 뛰어 들어가려 몸을 틀었다. 하지만 그는 너풀대는 옷 끄트머리를 붙드는 프리다 때문에 오도 가도 못한 채 그 자리에 멈춰 서고 말았다. 프리다가 고개를 젓자, 그녀의 이마 위로 길게 늘어트려진 차양이 우아하게 찰랑였다.

"괜찮아요, 리카르도 님. 겨우 코피인걸요. 별일 아니니까 그냥 계세요."

리카르도는 마치 태양이 저녁에 떠서 아침에 진다는 말을 들은 것 같은 표정을 지으며 소리쳤다.

"우리 귀하디귀하신 공작 부인께서 코피가 나셨는데 이게 별일이지 어떻게 별일이 아닙니까? 아주 대단한 별일이고말고요. 잠시만 기다리세요. 내 얼른 의사를 불러올 테니."

다급히 몸을 움직이면서도, 프리다의 손을 옷에서 떼어 놓는 손길은 어린아이를 다루듯 조심스러웠다. 리카르도는 조금만 참으라며 한 번 더 당부를 건넨 후 쏜살같이 성안으로 사라졌다.

"공작 부인께선 가만 계십시오. 그러다 또 전처럼 쓰러지십니다. 여기로 앉으세요. 어서요."

입고 있던 상의를 벗어 바닥에 깐 도미닉이 그녀에게 어서 앉으라며 재촉했다.

"그게 언제 적 일인데……."

프리다는 긴 한숨을 내쉬며 다리를 펴고 그의 옷 위에 앉았다. 안 그랬다가는 그녀를 둘러업고 당장 성안으로 들어가겠다 할 사람이라.

사실 딱 한 번이었다. 지난 삼 년 동안 그들 앞에서 쓰러진 건 정말 딱 한 번. 북부 태생인 프리다가 이곳 남쪽 지방의 강렬한 태양에 적응하지 못한 탓에 어쩌다 보니.

그런데 그날 이후 몰리 부자는 그녀가 하루에 한 번씩 픽픽 쓰러지는 병약한 여자라도 되는 것처럼 굴었다. 하기야 험준하기로 이름 높은 라파스 산맥 남쪽 밀라보 용병 출신이 아닌가. 그들 눈엔 자기들의 반 토막도 안 되는 프리다가 걸어 다니는 것 자체가 신기할지도.

프리다는 도미닉이 건넨 천으로 코를 꾹 누르며 거추장스러운 차양을 모자 위로 살짝 걷었다.

"피가 멈추지 않으십니까?"

도미닉은 벌건 피로 물들어 가는 천과 프리다를 번갈아 보며, 그의 부친처럼 어찌할 바를 몰라 이리저리 서성댔다. 이 가녀린 몸에 피가 있으면 뭐 얼마나 있다고 저리 줄줄 흐르는 건지, 원. 그의 손바닥보다 작은 얼굴이 온통 핏빛으로 변하는 걸 보고 있자니 안타까운 마음에 절로 손이 꼼지락거려졌다. 이대론 안 되겠다 싶었는지 도미닉이 프리다 앞으로 잽싸게 등을 돌렸다.

"안 되겠습니다. 제게 업히세요. 의사를 기다리느니 그 편이 빠르겠습니다. 얼른요."

프리다는 도미닉의 등에 업히는 대신 옅은 보랏빛 눈동자를 반짝거리며 그에게 당부를 건넸다.

"도미닉. 뮤리엘에겐 비밀이에요. 알게 되면 또 며칠이고 날 방에만 가둬 둘 거라고요."

말을 끝내기가 무섭게 프리다의 어깨 뒤에서 목소리가 들려왔다. 여인의 것이라기엔 지나치게 스산하고 묵직한 음성이었다.

"비밀을 만들고 싶으셨다면 몰리 단장처럼 시끄러운 인간을 내성으로 보내지 마셨어야죠."

이미 뮤리엘이 도착한 것을 알고 있었던 도미닉이 프리다의 귀에 나지막이 충고를 건넸다.

"사흘은 성안에서 꼼짝도 안 하겠다고 먼저 선수 치세요. 저번처럼 일주일이나 갇혀 계시는 것보다는 낫잖아요."

도미닉이 눈을 찡긋거리며 물러서자 프리다는 어깨를 잔뜩 움츠린 채 슬며시 뒤를 돌았다. 친정에서부터 프리다를 따라온 호위 기사, 뮤리엘 로시발트가 목소리만큼 서늘한 회색 눈을 부릅뜨고 그녀를 응시하고 있었다.

"아가씨, 제가 분명 일주일에 이틀 이상 밖에 나오시는 건 안 된다고……."

"좀 비켜 보시오. 급한데 왜 길을 막고 난리야."

어느 틈에 도착한 리카르도가 냉철하고 자비 없기로 유명한 여기사를 툭 옆으로 밀쳐 냈다. 어깨에 메고 온 의사를 냅다 흙 밭으로 집어 던진 그는 쩌렁쩌렁 온 성이 떠나가라 고함을 쳤다.

"어서 공작 부인을 살펴라! 만약 우리 부인께서 잘못되시면 네놈 목부터 분질러 버릴 테다."

따사로운 공기를 가득 품은 봄바람이 시끌벅적한 소란 한복판으로 살랑살랑 불어왔다.

지혈이 빨리 이뤄진 덕분에 공작 부인의 코피 소동은 짧은 외출 금지로 일단락됐다.

"약속하세요. 사흘은 조용히 성안에만 계시는 겁니다."

"알았어. 알았다니까."

바구니 가득 알록달록한 꽃들을 채우고 있던 프리다는 뮤리엘의 닦달을 듣는 둥 마는 둥 대충 고개만 끄덕였다.

"여긴 어쩜 이렇게 다양한 꽃이 필까? 북부에선 본 적 없는 꽃이 지천이야. 뮤리엘도 이런 거 처음 보지?"

"아니요. 전 많이 봤습니다."

"진짜? 이상하네. 뮤리엘이 본 걸 왜 난 못 봤지?"

"아가씨께선 저택 안에만 계셨으니까요."

"아……."

맞아. 그랬었지. 혼잣말을 중얼거린 프리다가 꽃으로 가득 찬 바구니를 들어 보이며 빙긋 미소 지었다.

"예쁘지, 뮤리엘? 공작님도 좋아하시겠지?"

웬만하면 맞장구를 쳐 주고 싶지만, 이 질문엔 뭐라고 대답해야 할지 모르겠다. 프리다의 남편, 리하르트 공작은 삼 년 전 머리를 다친 후 의식 불명이 되었다.

그날 이후 지금까지 깨어나지 못하고 있는 그 남자가 어떻게, 무슨 방법으로 이 꽃을 좋아할 수 있단 말인가. 뮤리엘의 심드렁한 표정에서 답을 읽어 낸 프리다는 입술을 씰룩거리며 그녀를 지나쳐 걸어갔다.

"의식은 없지만 숨은 쉬신단 말이야. 그럼 향기도 맡을 수 있을지 모르잖아."

"뭐, 그럴지도요."

"가끔 내 말을 알아들으시는 거 아닌가 싶을 때도 있다니까. 어젯밤엔 손가락을…… 봐 봐. 이렇게, 이렇게 움직이셨어."

뮤리엘은 검지를 꼼지락꼼지락 들어 보이는 프리다를 측은하게 바라보았다. 그래. 저런 희망이라도 품고 살아야지. 비록 그 모양 그 꼴이어도 남편은 남편. 의식이 없는 공작의 곁을 지키자면, 헛된 희망이라도 없는 것보단 나을 것이다.

얇은 봄 커튼을 통과한 어슴푸레한 황갈색 햇살이 비치는 복도 끝. 공작 부부의 침실 앞에 도착한 프리다는 그때까지 쓰고 있던 차양이 달린 모자를 벗었다. 핏줄이 드문드문 보일 정도로 투명한 하얀 피부. 눈부시게 새하얀 머리칼. 신비로운 보랏빛 눈동자가 차례차례 모습을 드러냈다.

모자를 벗고 뮤리엘을 마주한 프리다가 이거 보라며 피가 완전히 멎은 하얀 코를 손끝으로 꾹꾹 눌러 보였다.

"뮤리엘. 나 정말 아무렇지도 않아. 진짜야."

하지만 이 천진한 얼굴에 수없이 속아 온 여기사는 자비를 베풀 뜻이 조금도 없었다.

"사흘. 그 이하로는 절대 안 됩니다. 명심하세요. 아가씨는 보통 사람들과는…… 다르십니다."

프리다가 다르다는 말을 싫어하는 걸 알지만 어쩔 수가 없었다. 사실은 사실이니까. 지나치게 무모하고 용감한 이 아가씨를 말리려면 저라도 진실을 외면해선 안 되니까.

"알았어. 알았다고. 알아들었으니까 더는 말하지 마."

뮤리엘의 말에 마음이 상한 프리다는 섭섭한 마음을 실어 쾅 소리가 나도록 세게 문을 닫았다.

"누가 그걸 모르나? 쳇……."

그리고 언제나 그렇듯 습관적으로 침대부터 응시하다 깜짝 놀라 손에 들고 있던 꽃바구니를 놓치고 말았다.

"어!"

털썩 떨어진 바구니 안에서 빠져나온 꽃들이 바닥으로 어지럽게 흩어졌다.

"고, 공작님?"

아침까지, 아니, 삼 년이나 잠들어 있던 남편이 뮌하임 성에 유일하게 남은 캐노피 침대 위에 앉아 그녀를 바라보고 있었다.

다니엘 리하르트 공작의 의식은 순식간에 예고도 없이 돌아왔다.

"으음……."

가장 먼저 돌아온 후각이 불에 그을린 나무에서 나는 희미한 탄 냄새를 맡았다. 그다음은 촉각. 온화한 기운을 담은 바람이 살랑대며 연달아 코끝을 간지럽혔다. 두 가지 감각과 함께 기억 저편에 숨죽이고 있던 가냘픈 목소리 하나가 그의 머리를 관통해 지나갔다.

"……스띠아. 헤스띠아…… 엉엉."

칭얼거리는 작은 여자아이의 목소리는 청각마저 돌아온 그가 잡아낸 주변의 소음에 섞여 잠시 잠깐 머물렀다 떠났다.

"그만 울어. 운다고 죽은 사람이 돌아오진 않아."

뒤이어 퉁명스럽게 답했던 소년 시절 제 목소리가 떠오르지 않았다면 이내 잊혔을 정도로 아주 잠깐. 그다음엔 느닷없이 돌아가신 어머니의 음성까지 떠밀려 들었다.

"살아남아, 다니엘. 살아 있다는 게 중요한 거야. 어떤 순간이 와도 목숨만 붙여 놔."

그러나 두서없이 밀려든 기억의 조각들은 흔적도 없이 흩어져 그의 곁을 떠났다. 동시에 지난 삼 년간 단 한 번도 움찔댄 적 없던 다니엘의 눈꺼풀이 서서히 들어 올려졌다. 물푸레나무가 그려진 낯익은 천장의 무늬가 점점 또렷해졌고, 주변의 형태가 제 모양을 찾았다.

깜박…… 깜박…….

두어 번 눈을 감았다 뜬 후에야 알았다. 자신이 공작령 유트레히트의 펜하임 성, 제 침실에 누워 있다는걸.

'훗, 또…… 살아남은 건가.'

이쯤 되면 거의 불사신의 반열에 오른 게 아닌가 싶다. 참으로 질긴 본인의 생명력에 감탄하며 어깨를 일으키려던 다니엘은 예상치 못한 몸의 반응에 당황했다.

비에 흠뻑 젖은 가죽 부츠처럼 뻣뻣하고 묵직한, 이 어색한 몸뚱어리는 뭐지? 그가 기억하는 한 이런 느낌은 처음이라 적당한 단어를 찾기가 어려웠다. 찌뿌둥하다? 쑤신다? 아니, 내 몸이 내 몸이 아닌 것 같다?

악명 높은 한겨울의 알타스 산속에서 한 달 가까이 노숙했을 때도 이렇게 힘들진 않았다. 힘들긴커녕 찬 바닥에서 밤을 보내고도 누구보다 먼저 일어나 펄펄 날아다녔다. 나뭇잎 사이를 파고드는 작은 새의 날갯짓 하나까지 다 알아챌 만큼 예민했고. 오죽했으면 용병단장 리카르도가 주군의 몸엔 귀족이 아니라 산적의 피가 섞인 거 아니냐고 놀려 댔을까.

다니엘은 제 것이 맞지만 제 것 같지 않은 팔을 움직여 보려 손끝에 바짝 힘을 주었다. 손가락을 몇 번 꼼지락거리다 주먹을 쥐었다 펴자 뻣뻣하던 손의 움직임이 부드러워지며 팔의 감각이 돌아왔다.

발목도 천천히 움직여 봤다. 다행히 그곳은 금세 감각이 느껴졌다. 다니엘은 팔을 움직여 손바닥으로 침대를 짚은 후 힘을 줘 밀었다.

"끄응……."

볼썽사나운 소리와 함께 어깨가 들리더니 이내 등이 세워졌다.

"하아, 하아. 후우……."

창문이 열려 있나 보다. 은은한 꽃향기가 스며든 바람이 목덜미에 흐르는 땀을 식혀 주며 살갗을 스쳤다.

"음……."

다시 힘을 주자 이번에 가까스로 팔이 들렸다. 다니엘은 힘겹게 들어 올린 손으로 이마를 감싸고 필사적으로 기억을 더듬어 갔다. 마지막으로 기억하는 장면이 뭐였더라. 아, 빌어먹을 아서 노팅겐이 도미닉에게 창을 집어 던졌었지. 그걸 보고 앞뒤 가릴 틈도 없이 말 위에서 몸을 날렸고. 그러다 어딘가에 머리를 쿵…….

꽝!

기척도 없이 문이 열리는 소리에 다니엘은 반사적으로 허리춤으로 손을 가져가며 고개를 들었다. 낯선 침입자를 상대할 검을 차고 있지 않다는 사실에 당혹스러운 것도 잠시. 막 방 안으로 들어서는 자의 모습을 확인한 다니엘의 눈이 가늘게 일그러졌다. 겨우 되찾은 시각을 다시 잃어버리는 게 아닐까 걱정될 정도로 눈부시게 새하얀 여자가 그의 눈앞에 나타났기 때문이다.

'뭐야. 나, 살아난 게 아니라 죽은 거였나.'

순간 천사를 본 듯해 본인의 생사에 의문이 들었다.

"고, 공작님?"

하지만 천사가 스베르겐어를 한다는 얘기를 못 들어 봤는데.

"세상에나……. 설마 깨어나신 거예요?"

그제야 생각났다. 도망친 노팅겐 공작의 아들을 찾았다는 소식을 전달받기 전, 자신이 어디에 있었는지가. 다니엘은 다른 누구도 아닌 바로 자신의 결혼식장에 있었다. 아마 알타스 숲의 청량한 풀 냄새를 가득 안고 들어온 저 여자와 함께였으리라. 그녀가 누구인지 깨달은 다니엘은 지끈거리는 이마를 감싸며 시큰둥하게 답했다.

"내가 묻고 싶은 말인데."

남편이 깨어났다. 삼 년이나 의식이 없던 공작령 유트레히트의 영주, '다니엘 요하네스 리하르트 공작'이. 공작 성의 의사 안톤은 프리다에게 다니엘이 무사히 깨어났다는 사실을 재차 확인해 주었다. 의사는 꼼꼼히 공작의 용태를 살피느라 몇 시간, 몰리 부자에게 한참 동안 질문 세례를 받느라 또 몇 시간이나 침실을 떠나지 못했다.

방문을 나설 때쯤엔 거의 넋이 나가 있었으나, 안톤은 그 와중에도 프리다의 코피가 잘 멈춘 게 맞는지 한 번 더 확인하는 것을 잊지 않았다. 프리다는 침대에 허리를 세우고 앉은 공작에게 눈길을 고정한 채 의사를 향해 대충 손을 내저었다.

"난 괜찮아요, 안톤. 그대가 처방해 준 오이풀이 효과가 좋더라고요."

"오이풀에 피를 빨리 멈추도록 도와주는 효능이 있긴 하지만 임시방편일 뿐입니다. 약 꼬박꼬박 드시고, 최소 사흘은 절대 밭에 나오시면 안 됩니다. 아시겠지요?"

프리다를 살피는 의사의 눈엔 존경심이 철철 넘쳐흘렀다. 오늘 낮, 다짜고짜 저를 둘러업는 리카르도 단장 때문에 약 가방도 못 챙기고 밭으로 끌려 나갔다. 빈손이었던 그가 오이풀로 재빨리 공작 부인의 코피를 멎게 할 수 있었던 것도 따지고 보면 다 그녀의 덕이다. 영지 사람들이 허리가 부러져라 파고 다듬은 밭에 갖가지 허브 모종들과 약초들이 심겨 있기에 가능했으니까.

스베르겐 제국 남부에 있는 '공작령 유트레히트'의 영주는 황제의 이복형 '다니엘 요하네스 리하르트' 공작이다. 그러나 현재 그의 영지에서는 공작 부인인 '프리다'의 말이 곧 법이나 마찬가지였다.

지난 세월 이 땅은 영주인 리하르트 공작의 무신경 속에 버려졌었다. 그러다 삼 년 전 공작 부인을 맞이한 후에야 사람이 살 만한 곳으로 변해 갔다. 서쪽으로는 알타스, 남쪽으로는 라파스 산맥에 둘러싸인 유트레히트는 도로는 물론, 근처에 항구를 세울 바다도 없어 모든 무역을 동쪽에 인접한 바이마르에 의존해 왔다.

남부라 기후만 좋았지, 공작령은 농지로 쓸 땅이 거의 없는 산악 지대. 영지민들은 주로 사냥이나 채집으로 먹고살았다. 그나마 겨울이 짧기 망정이지 아니었다면 죄다 굶어 죽거나, 얼어 죽었을지도. 그 와중에 영주인 리하르트 공작은 황실의 부름을 받아 허구한 날 전쟁터를 전전하느라 영지에 머무는 날이 거의 없었다.

그나마도 삼 년 전부터는 아예 병석에 드러누웠고. 영주도 없는 이 척박한 땅을 포기하지 않고, 몇 년에 걸쳐 농지로 만든 사람이 바로 공작 부인이다. 그런 이유로 이곳에서 프리다를 존경하지 않는 이는 없었다. 의사는 괜찮다는 말과는 달리 살포시 부어오른 콧등을 보며 걱정스레 물었다.

"아프진 않으십니까?"

"아프긴요. 누구한테 맞은 것도 아닌걸요."

핏기라곤 없는 창백한 얼굴을 하고도 프리다는 눈이 부시도록 해맑게 웃었다. 그러나 우아한 공작 부인 흉내도 잠시뿐.

"아니, 감히 어느 죽일 놈이 우리 귀한 공작 부인께 손을 대요, 대길?"

"엄마야……."

대번에 고함을 치는 리카르도 몰리, 공작령을 지키는 용병단장의 고성에 놀라 거미줄에 걸린 나비처럼 움찔 경련을 일으켰다.

"부인께 그런 무례를 저지르는 놈이 있다면 제가 손모가지를 분질러 버릴 겁니다."

언제 들어도 적응되지 않는 우렁찬 목소리다. 소스라치게 놀란 프리다는 연달아 흠칫 어깨를 떨었다. 그 모습을 본 도미닉이 한숨을 푹 쉬며 아버지의 팔을 당겼다.

"아버지. 목소리 좀 낮추세요. 부인께서 놀라시잖아요. 그러다 지난번처럼 기절하시겠어요."

"아이쿠 이런. 많이 놀라셨습니까? 어지럽진 않으시고요?"

대번에 나긋나긋한 말투로 돌변하는 부친의 모습에 도미닉이 혀를 끌끌 차며 돌아섰다.

그 순간, 프리다의 눈에 도미닉의 어깨 너머로 이마를 찡그리고 있는 리하르트 공작의 표정이 선연하게 들어왔다. 눈을 가리는 머리칼이 거추장스러웠는지 공작이 입김을 훅 불었다.

그러나 들썩였던 머리칼이 힘없이 내려와 또 눈을 덮었고 '젠장' 하고 귀족답지 않은 말투로 투덜거리는 소리가 들렸다.

프리다는 의사에게 고생 많았다는 인사를 전한 후, 서둘러 방 밖으로 내보냈다. 그리고 나란히 선 건장한 몰리 부자의 틈 사이로 연신 공작을 흘깃거렸다.

새하얀 제 머리칼과 확연하게 대비되는 검은 머리와 어두운 적갈색 눈동자. 도미닉 말로는 화가 나면 눈동자의 붉은빛이 선명해져 마치 핏빛 같다던데 사실일까. 앉아 있는 남편의 몸은 몇 년이나 누워 있었다는 게 믿기지 않을 정도로 건장하고 다부졌다. 좀 말랐을 뿐, 공작령의 용병단원 누구와 비교해도 뒤지지 않을 탄탄한 몸이다.

눈을 감고 있을 때도 그랬지만, 눈을 뜨니 무엇 하나 뚜렷한 것 없는 흐릿한 저와는 너무나 다른 외모였다. 공작에게 달라붙은 프리다의 눈길이 쉽사리 떨어지지 않았다. 그때, 주군이 깨어났다는 소식을 듣자마자 득달같이 달려와 침대 옆을 지키고 서 있던 리카르도가 공작을 보며 혀를 끌끌 찼다.

"바위에 머리 좀 부딪쳤다고 삼 년이나 의식을 잃다니. 제가 주군을 너무 곱게 길렀나 봅니다. 사내가 이리 나약해서야 원. 쯧쯧."

그를 삼 년이나 겪고 난 지금, 프리다는 저 말이 '그동안 많이 걱정했었다'는 소리란 걸 안다. 공작님은 이 세상 누구보다 강한 분이니 금세 털고 일어날 거란 말을 매일 하던 분이니까. 그런데 몰리 단장의 말을 들은 공작의 눈동자가…….

'오…… 붉어진다. 붉어져.'

소문대로 공작의 눈이 순식간에 붉은빛으로 이글거렸다. 낌새가 심상치 않음을 깨달은 도미닉이 부친의 팔뚝을 툭 치며 말렸다.

"그만하세요, 아버지. 나약하다니요. 주군께서는 저를 구하시려다 이리되신 겁니다."

'역시 도미닉.'

어쩜 저리 듣는 사람 기분 나쁘지 않도록 말을 정감 있게 하는지. 리하르트 공작보다 두 살이 많다는 도미닉은 성정이 온화하고 말주변이 좋았다.

그 능력은 주로 부친이 저지른 사건, 사고를 해결하는 데 쓰이곤 했는데 그가 나서면 어떤 분란도 원만히 타협되곤 했다.

팔짱을 낀 채 침대맡에 등을 기대고 앉아 있던 공작의 기분이 나아졌는지 눈동자에 드리워졌던 붉은빛이 확연히 사그라들었다. 그러나 평화로운 분위기도 잠시. 프리다는 세 사람 사이에 다정하고 훈훈한 분위기가 유지되기란 애초에 불가능하다는 걸 단박에 깨달았다.

"물론, 용기와 만용을 분간 못 하고 치기 어린 행동을 하는 습관은 고치셔야겠지만요. 뭐, 이리 혹독하게 배우셨으니 더는 목숨 아까운 줄 모르고 남의 일에 무분별하게 나서는 어리석은 짓은 안 하시겠죠."

"죽고 싶나, 도미닉 몰리? 모가지를 꺾어 뒤통수가 어깨에 닿게 해 줘?"

"와……."

프리다의 입에서 말릴 새도 없이 툭 감탄사가 튀어나왔다. 세상에 존재하는 모든 욕설을 다 해 봤다고 으스대던 리카르도 님에게서도 들어 보지 못한 새로운 발상의 욕설이다. 표현력과 창의력, 실현 가능성에서 오는 공포심까지 고려해 봤을 때 단연코 한 수 위의 수준이고.

"빌어먹……."

뒤늦게야 프리다의 시선을 깨달은 다니엘이 작은 목소리로 마무리하지 못한 말을 삼키며 입을 다물었다.

눈을 뜨자마자 펼쳐진 장면들과 상황은 안 그래도 혼란한 다니엘의 머리를 더 뒤죽박죽으로 만들었다. 평생 머리칼이 눈을 가리도록 둬 본 적이 없었기에 치렁치렁한 검은 가닥부터 거슬렸다. 덥수룩한 검은 머리칼을 쓸어 넘기지 못할 정도로 팔에 힘이 들어가지 않는다는 사실도 어이없긴 마찬가지.

갑자기 이는 어지럼증도 낯설었다. 잠시 눈을 감고 심호흡한 그는 이마를 찡그린 채 천장과 침대 그리고 방 안 곳곳을 당황스러운 표정으로 훑었다.

물푸레나무가 그려진 천장화만 보자면 여긴 분명 휀하임 성에 있는 그의 방이 맞다. 황명에 불려 다니느라 영지에서 보낸 세월이 얼마 안 된다지만, 아무렴 제 방을 모를까. 그런데 방 안 곳곳에 놓인 울긋불긋한 저 꽃들은 도대체 뭐냐고. 도미닉이 미치지 않고서야 제 방을 이 꼴로 놔뒀을 리는 없는데.

"하!"

잔잔한 꽃무늬가 새겨진 이불과 정성스럽게 모양을 잡아 묶은 침대 커튼까지 보고 나니 절로 헛웃음이 터졌다. 다니엘은 도미닉을 향해 눈을 치켜뜨며 투덜거렸다.

"대체 이 쓸데없는 것들은 다 뭐……."

그러나 제게 박혀 떠날 줄 모르는 보라색 눈동자를 깨닫곤 다시 말을 꾹 삼켰다. 연이어 말을 하려다 마는 다니엘의 모습에 도미닉이 입술을 씰룩이며 피식거렸다. 성질 같아선 진즉에 한바탕 큰소리를 치고도 남았을 주군 다니엘이 인내를 하고 있다.

이리 눈을 뜬 것만도 반가운데 공작 부인의 눈치를 볼 만큼 이성이 남아 있다는 것이 다행스러워 맘이 놓였다. 드디어 주군이 돌아왔다. 감격스러운 심정이 고스란히 짓궂은 놀림으로 표출되어 쏟아져 나왔다.

"이젠 공작 부인도 계시니 제발 말씀을 좀 가려서 하십시오. 명색이 스베르겐의 고귀한 '십이 공작' 가문 중에서도 으뜸이신 리하르트 공작께서 어찌 용병단에서나 쓰던 말버릇을 계속 쓰십니까? 저희도 그리는 안 합니다. 안 그렇습니까, 아버지?"

부친 리카르도 역시 같은 마음인 듯 입가에서 능글능글한 미소가 떠나지 않았다.

"그렇고말고. 우린 그렇게 막돼먹은 인간들이 아니라고. 조만간 공작령의 기사가 될 몸들이 부랑아들이나 쓸 험한 말을 쓰면 안 되지. 암."

다니엘은 눈을 반쯤 가린 머리칼 사이로 살벌하게 몰리 부자를 노려봤다. 원래도 그의 속을 박박 긁는 재주가 뛰어난 몰리 부자지만, 지난 삼 년 새 그 능력이 더 배가된 듯하다.

다만 지금은 그가 몹시도 피곤하여 그들의 말장난을 받아 줄 기분이 아니다. 그러니 작작 좀 하고 이만 꺼지라는 눈빛을 보냈다. 그런데 꺼졌으면 하는 몰리 부자는 꿈쩍도 안 하고, 대신 그 옆에서 눈을 초롱초롱 빛내고 있던 하얀 여자가 몸을 들썩였다.

"저…… 공작님께선 좀 쉬셔야 할 것 같은데요. 의사도 당분간은 안정을 취하시라고 했고."

조심스럽게 말하는 음성은 가늘고 낮았지만, 발음이 좋아 또박또박 그의 귀에 꽂혔다. 다니엘에게만 그랬던 건 아니었던지 삼 년 만에 눈을 뜬 주군을 놀려 대느라 바쁘던 부자도 그녀의 말을 바로 알아먹고 화급히 몸을 뒤로 물렸다.

"당연하지요. 공작 부인의 말씀이 맞습니다. 반가운 마음에 제가 눈치가 없었습니다."

리카르도의 가증스럽도록 정중한 태도에 다니엘은 실소를 터트렸다. 욕지거리를 섞지 않고는 단 두 마디도 대화를 이어 가는 법이 없던 인간이 아까부터 왜 저러는 거지? 팔에 제대로 힘만 들어간다면 당장 들어 올려 소름이 돋는 목덜미를 벅벅 긁고 싶었다.

"이 모든 게 다 공작 부인께서 지극정성으로 보살펴 주신 덕분입니다. 그동안 정말 고생 많으셨습니다. 진심으로 감사드립니다, 부인."

넉살 좋기로 유명한 도미닉은 예나 지금이나 변함없이 간지럽게 굴었다. 삼 년 만에 봐도 여전히 재수 없다.

"감사라니 당치 않아요. 도미닉. 전 할 일을 한 것뿐인걸요."

"아닙니다. 공작 부인 같은 아내를 두셨으니, 저희 주군께선 정말 복이 많으신 분입니다. 하하."

공작 부인……. 몰리 부자를 바라볼 때와는 사뭇 달라진 다니엘의 시선이 그들 사이에 낀 작은 여자를 향했다. 그랬다. 저 눈부시게 하얀 은발과 신비로운 보라색 눈동자를 가진 여인이 리하르트 공작 부인. 즉 자신의 아내란다.

다니엘은 몰리 부자를 문밖으로 배웅하는 여인을 보며, 그녀와 결혼식을 올리던 날을 떠올리려 애썼다. 하지만 기억나는 게 있을 리가. 식장에 잠시 나란히 섰을 뿐, 신부 얼굴 한 번 못 보고 결혼식장을 뛰쳐나왔는데. 생각나는 거라고 해 봐야…….

"지금이라도 이 결혼식 멈춰요. 아내 구실 못 한다고 구박당할 게 뻔하잖아요. 자식도 못 낳아 줄지 모르는데 그런 아내를 어느 남편이 곱게 보겠어요?"

그녀의 부모인 하크본 백작 부부가 이 결혼을 내켜 하지 않았다는 것 정도. 더불어…….

"햇볕 아래 설 수도 없고, 밤에는 앞도 잘 못 보잖아요. 그런 몸으로 남편과 잠자리나 제대로 하겠냐고요."

잠자리는…… 앞이 안 보여도 상관없지 않나?

'돌았나. 뭔 생각을 하는 거야.'

어이없도록 노골적이고 구체적인 상념이 기가 막혀 다니엘은 길게 한숨을 내쉬었다. 때마침 열린 창문을 타고 숲의 향기가 넘어왔다. 의식이 없는 동안에도 코는 제 기능을 했던지 얼마 머물지도 못했던 제 영지의 향기가 꽤 익숙했다. 그나저나 삼 년이나 잠들어 있었다니. 그렇다면 레오폴드가 황제가 되며 다니엘에게 영지를 하사한 지도 이제 칠 년이 되었겠군. 다니엘은 오른쪽 어깨를 침대맡에 기대고 해가 어둑어둑 지고 있는 창문 밖의 풍경을 바라보았다.

스베르겐의 황제 레오폴드 볼슈타크 2세. 그는 제게 황위를 가져다준 이복형 다니엘에게 '리하르트 공작 위'와 이 땅 '유트레히트'를 주었다. 공작령

대부분이 산으로 둘러싸여 농지로 쓸 땅이 없는 탓에 보살필 영주민도 몇 없는 척박한 땅을. 그것마저 과하다는 황태후 마그리트의 반대를 무릅썼으니 레오폴드 입장에선 큰 결단을 한 셈이긴 하다.

다니엘이 이 땅과 리하르트라는 이름을 그다지 달가워하지도, 고마워하지도 않는다는 걸 안다면 꽤 섭섭해할지도. 그러든지 말든지. 걸리적대고 귀찮은 그딴 것들 누가 달랬다고.

"저……."

망설이는 목소리가 꽤 가까운 곳에서 들렸다. 고개를 돌린 다니엘은 어느새가 침대 옆에 다가와 있는 여자를 가만히 바라보았다. 그가 천사로 착각했던 하얀 여자.

열네 살이 되던 해 외조부 마시모의 용병단을 따라 들렀던 북부의 숲. 거기서도 천사를 본 줄 알았었지. 창을 넘어온 청량한 바람과 함께 너무나 많은 기억이 한 번에 밀려들었다. 아주 오랫동안 떠오르지 않았던 기억들까지 허락도 없이.

"그대 다니엘 요하네스 리하르트는 프리다 클라우드 하크본을 아내로 맞아……."

주름 가득한 얼굴의 깡마른 사제가 읊어 대던 결혼 서약.

"헤…… 스띠아. 엉엉. 헤스띠아 언니……."

발음도 완벽하지 않은 혀 짧은 소리로 흐느끼던 꼬마 소녀의 목소리.

"프리다, 어디 있니? 프리다!"

다니엘은 뺨을 간지럽히는 머리칼을 쓸어 넘기며 씁쓸하게 입매를 비틀었다. 봄이라더니 바람은 왜 이리 빌어먹게도 따스한지 스르르 눈이 감겼다.

"저…… 공작님."

그를 부르는 소리에 다시 눈을 떴다. 반짝이는 보라색 눈동자가 다니엘을 응시하고 있었다. 이 여자는 본인이 어쩌다 허울뿐인 리하르트 공작 부인이 된 건지 알기나 할까. 다니엘은 쉔달 성의 귀족 여자들이 그에게 종종 건네던 색기 어린 눈빛과는 차원이 다른, 맑디맑은 시선을 묵묵히 받아 주었다. 그가 바라만 볼 뿐 별다른 말을 하지 않자, 여자도 쉬이 다음 말을 잇지 못했다. 결국 다니엘이 먼저 입을 열었다.

"말해요."

프리다는 그제야 기다렸다는 듯 냉큼 답을 해 왔다.

"의사가 부드러운 수프 같은 건 드셔도 된다고 했는데 시장하시면 가지고 오라고 할까요?"

"……."

다니엘이 또 입을 닫자 프리다는 눈만 껌벅이며 치마를 만지작거렸다. 삼 년 만에 깨어난 사람에게 바로 식사를 권하는 건 좀 아닌가? 초조하게 손만 꼼지락대던 프리다는 커튼이 갑자기 세게 날리는 것을 보고 후다닥 창가로 다가갔다. 어찌나 정신없이 보냈는지 해가 지는 것도 몰랐다.

"죄송해요. 제가 문 닫는 걸 깜박했네요. 밤공기가 차가운데 춥진 않으셨어요?"

창문을 단단히 닫고 돌아온 프리다는 스스럼없이 팔을 뻗어 다니엘의 가슴 위로 이불을 끌어 올렸다.

"의사가 당분간은 몸을 따뜻하게 해 드리라니까 오늘은 벽난로를 지펴야겠어요. 어? 땀을 많이 흘리셨네요. 잠시만 기다리세요. 얼른 몸을 닦아 드리고 새 옷으로 갈아입혀 드릴게요."

"당신이 말입니까?"

"네. 물론 제가……."

꽃무늬가 수놓인 이불을 정리하던 프리다와 다니엘의 시선이 부딪혔다. 저를 물끄러미 보고 있는 남자를 향한 프리다의 하얀 눈썹이 벌새의 날갯짓처럼 파들파들 쉴 새 없이 파닥였다.

"아……. 그러니까 제가 항상 하던 일이라."

민망해진 프리다가 이불을 붙들고 있던 팔을 냉큼 거둬들이곤 한 발짝 뒤로 물러섰다. 알타스의 설원에 내린 첫눈처럼 티 없이 맑고 하얗던 얼굴에 장밋빛 홍조 한 방울이 퍼졌다. 흔한 보석 목걸이 하나 없는 프리다의 가늘고 흰 목을 응시하던 다니엘이 나른하게 눈을 내리떴다.

"오늘은 이대로 쉬고 싶으니 신경 쓰지 말아요. 식사는 내일부터 하겠습니다."

"아, 그럼 어서 벽난로부터 지피라고 할게요."

"당신은 괜찮은 겁니까?"

"네?"

하인을 부르러 나가려던 프리다는 무슨 말이냐며 고개를 돌렸다. 연약한 듯 다부진 보라색 눈동자와 진중하고 강인한 적갈색 눈동자가 한동안 서로를 담은 채 각자의 눈 안에 머물렀다. 담담하면서도 봄바람처럼 차분한 사내의 음성이 프리다에게 전해졌다.

"얼굴에 핏기가 하나도 없는데 어디 아픈 곳이 있느냐고 묻는 겁니다."

프리다는 그저 하얗다는 말로는 부족한 새하얀 제 살결과 머리칼을 내려다보며 흠칫 어깨를 떨었다. 침대에서 한 발 더 떨어진 프리다는 유리창에 비친, 남들과 확연히 다른 자신의 외모를 바라보았다. 공작의 말대로 핏기라곤 없는 하얀 얼굴, 하얀 속눈썹. 오늘따라 유난스레 더 하얀 것 같은 손이 보기 싫어 옆으로 눈을 돌렸다. 이번엔 어깨 아래로 힘없이 흘러내린 평범치 않은 은빛 머리칼이 그녀의 눈에 와 박혔다.

하크본 가문엔 유독 새하얀 피부와 머리칼을 지닌 여자가 많았다. 제국 초기엔 성녀를 배출했다는 이유로 이런 독특한 외양이 귀한 대접을 받기도 했었다. 사람들은 특별한 생김새를 한 그녀들에게 성력이 있을 거라고 지레짐작해 신의 축복이 내린 가문이라고 그들을 떠받들었다. 그러나 삼백 년이 지난 지금, 하크본 가문에 내린 '축복'은 '저주'라는 말로 바뀌어 입방아에 오르내렸다.

특이한 외양을 가지고 태어난 여인들이 종종 성년이 되지 못하고 세상을 떠났기 때문이다. 프리다의 두 언니처럼. 하크본 백작가의 셋째 딸 '프리다 클라우드 하크본'. 그녀 역시 두 언니와 마찬가지로 머리끝부터 발끝까지 새하얀 피부를 지닌 채 태어났다. 색이 선명한 핏빛 눈동자를 지녔던 언니들과 달리 보라색 눈동자를 가졌다는 게 다를 뿐.

이제 어느 가문에서도 하크본가의 여식들을 데려가려 하지 않는다. 재수 없다고 멀리하는 사람도 많았다. 하크본 저택의 하녀 중에도 프리다의 옆에 오지 않으려고 하는 이들이 부지기수였다.

불현듯 공작이 오늘 그녀의 얼굴을 처음 보았다는 사실을 깨달았다. 결혼식 때는 베일로 얼굴을 가린 채로 나란히 섰을 뿐이다. 그마저도 공작이 바로 결혼식장을 떠나는 바람에 아주 잠깐이었고.

그러니 공작이 제게 거부감을 느끼는 건 너무도 당연하다. 알아서 미리 조심했어야 했건만, 그녀를 별다른 편견 없이 대하는 공작령 사람들과 지내다 보니 저도 모르게 방심했던 것 같다. 프리다는 당황한 속내를 감추기 위해 어색하게 입꼬리를 끌어 올렸다.

"아니요. 저는 괜찮습니다. 걱정해 주셔서 감사합니다, 공작님."

하얀 눈썹 아래 자리한 보랏빛 눈동자가 파르르 떨렸다. 프리다의 얼굴에 진득하게 달라붙어 있던 다니엘의 눈이 한참 만에야 돌려졌다. 급격하게 피곤이 몰려온 목소리가 낮게 가라앉았다.

"앞으로 내 수발은 하인들을 시키세요. 부인께서 직접 하실 필요 없습니다."

프리다는 입술을 꽉 깨물었다. 어찌 보면 당연하다. 그가 아닌 누구라도 보통 사람들과 다른 그녀를 보면 경계심을 가질 테니까.

"네, 알겠습니다. 제가 공작님께 실례되는 일을 했네요. 불쾌하셨다면…… 죄송합니다."

그 말에 겨우 힘이 들어간 손으로 거추장스러운 머리칼을 쓸어 넘기던 다니엘이 동작을 멈췄다.

"뭐가 말입니까?"

"네?"

"난 불쾌했다고 말한 기억이 없는 것 같은데. 내가 그랬습니까?"

"아니요. 그건 아니지만……."

다니엘은 자꾸만 조금씩 뭔가가 어긋나는 이 상황이 갑갑해졌다. 호기심 어린 눈을 보석처럼 반짝이던 여자가 왜 갑자기 다 죽어 가는 목소리로 고개를 숙이는지도 모르겠고. 이때껏 살면서 침대 위에 앉아서 대화해 본 적이 없었기에 불편하기도 했다.

이불을 젖힌 다니엘은 침대 아래로 발을 내렸다. 다행히 몸이 완전히 굳진 않았는지 하반신에 힘이 들어갔다. 감각을 익히기 위해 바닥에 잠시 발을 딛고 기다리던 그는 곧 힘주어 허리를 쭉 폈다. 손으로 기둥을 잡고 버텨야 했지만, 어렵지 않게 한 번에 몸을 일으킬 수 있었다.

"그, 그렇게 갑자기 무리하시면 안 되는데……."

다니엘의 돌발 행동에 놀라 달려오던 프리다는 순식간에 훌쩍 높아져 버린 남자의 눈을 찾아 고개를 들었다. 속이 훤히 들여다보일 정도로 맑은 신비한 연보라색 눈동자가 점점 커졌다. 그 장면을 우두커니 내려다보던 다니엘이 천천히 입을 뗐다.

"난 결혼식도 제대로 마치지 않고 사라졌다가 의식 불명이 되어 나타났습니다. 부인께선 그런 저를 삼 년이나 돌봤고. 실례가 되고, 불쾌한 일이라면 내가 더 많이 만들었을 것 같은데요."

"아, 아니에요. 공작님은 그저 얌전히 잠만 주무셨어요."

프리다가 양손을 펴 흔들자 헐겁게 묶은 탓에 흘러내린 새하얀 머리칼이 어깨에서 춤을 추듯 팔랑거렸다.

"불쾌한 일 같은 건 하나도 만들지 않으셨어요. 오히려 제가 서툴러서 매번 실수한걸요. 가끔은 면도하다 턱에 상처도 내곤 했……. 죄송합니다."

잠시 들렸던 프리다의 고개가 다시 땅으로 처박혔다. 사실 가끔이 아니라 자주 있었던 일이다. 오죽했으면 면도하는 법을 가르쳐 준 도미닉이 이러다 공작님이 과다 출혈로 사망하시겠다며 혀를 내둘렀을까. 어디 쥐구멍이라도 있으면 들어가고 싶은 심정이 된 프리다의 목소리가 빠르게 작아졌다.

"제 말은 공작님 몸에 허락도 없이 함부로 손을 대서 불쾌하셨다면 죄송하다는 뜻이었습니다."

"당황스럽긴 하지만 불쾌하진 않습니다. 그러니 부인께서 죄송하실 까닭도 없습니다."

가까이 다가온 여자의 몸에선 흙냄새와 풀 냄새가 났다. 보통의 귀족 여인들에게선 맡을 수 없는. 도대체 자신이 잠들어 있는 동안 이 가녀린 여인에게 무슨 일이 있었던 거지?

"이곳 생활이 부인께 힘들었을 듯하여 염려된 것뿐입니다. 혈색이 너무 창백하셔서."

혈색이…… 창백해? 난 원래 이렇게 타고난 건데. 공작의 반응에서 이상한 점을 깨달은 프리다의 미간에 진한 주름이 생겼다.

"저…… 공작님. 혹시……."

설마 그럴 리가 없는데. 이 제국에 하크본 백작가의 여인들에게 어떤 문제가 있는지 모르는 사람이 있을 리가.

"제게 심각한 문제가 있다는 건 알고 계시는 거죠?"

"……."

무표정한 공작의 얼굴에서 무지함을 확인한 프리다는 한 발짝 더 뒷걸음질을 쳤다. 뭐야? 정말 모른다고? 하크본 가문의 여자들에 대해서 아무것도? 침착한 다니엘과 달리 프리다는 어쩔 줄 몰라 하며 그 앞을 서성거렸다. 이마를 감싼 손이 그녀의 목소리와 함께 바들바들 떨렸다.

"만약 모르셨다면 이건 사기 결혼이에요."

꿈속에서조차 상상하지 못한 일이다. 프리다는 놀란 가슴을 진정시키려 애쓰며 다급히 외쳤다.

"공작님이 제 상황을 모르고 결혼하신 거라면, 이건 아주 대단히 큰 문제라고요!"

당황해 어쩔 줄 모르는 그녀와 달리 리하르트 공작은 무감했고 작은 동요조차 없었다. 몰리 부자 앞에서 살벌한 욕지거리를 내뱉던 남자와는 완전히 다른 사람 같았다. 답답해진 프리다의 말이 마구 빨라졌다.

"하크본 가문에서 저처럼 태어난 여자들은 스무 살을 넘기지 못했어요. 그러니까 저도 언제 어떻게 될지도 모르고, 또……."

"당신 언니 헤스티아처럼 말입니까?"

프리다는 자신이 엄격한 교육을 받고 자란 유서 깊고 전통 있는 귀족 가문의 여식이란 걸 잊고 입을 쩍 벌리고 말았다.

"우, 우리 언니를 아세요?"

"모릅니다."

서 있는 게 힘들어진 다니엘은 시큰둥하게 대답하며 다시 침대 위에 걸터앉았다.

"부인의 이름이 헤스티아가 아니라 '프리다'라는 건 압니다."

그러곤 그에게서 눈을 떼지 못하는 프리다를 보며 무심히 덧붙였다.

"사기 결혼이 맞다는 것도."

"……."

다니엘에게 아무것도 몰랐냐고 따질 때보다 더 커진 보라색 눈이 혼란스럽게 흔들렸다. 정말 상대를 맥 빠지게 만드는 순진무구한 눈이다. 다니엘이 아닌 본인이 사기 결혼을 당했다는 사실은 짐작도 못 하는 무지한 눈.

그녀가 말한 하크본 가문 여식들의 문제. 그걸 문제라고 할 수 있는지는 모르겠지만 들어 본 적은 있다. 하지만 그쯤은 이 거지 같은 스베르겐 제국 최고의 트러블 메이커인 리하르트 공작 가문이 가진 문제에 비하면 티끌도 되지 않는 수준이다.

사 년 전 겨울, 제국의 북부 세력을 등에 업은 노팅겐 공작이 반란을 일으켰다. 좀 잠잠하다 싶었던 지긋지긋한 황위 싸움이 또 시작된 것이다. 그때도, 그전에도 다니엘은 도발이 끊이지 않는 스베르겐 제국의 온 영토를 돌아다녀야 했다.

삼백 년 전, 로슈만 대륙에 스베르겐 제국을 세운 초대 황제 '카를 1세'는 열 명의 아내에게서 열여덟 명의 후사를 봤다. 초대 황제는 그 자식들을 이용해 땅과 세력을 확장해 나갔다. 제국 역사를 통틀어 흰 노르딕 십자 무늬가 새겨진 스베르겐의 파란 깃발이 가장 많이 나부낀 시절이었다고 한다.

카를 1세가 죽자 다음 황위는 장자인 '볼슈타크 1세'에게 이어졌고, 그는 여섯 명의 부인에게서 열두 자식을 얻었다. 볼슈타크 1세는 자식들에게 직접 작명한 열두 개의 성과 공작 작위를 하사했다. 후세 사람들이 '십이 공작'이라고 부르는 가문의 시조가 바로 그들이다.

이후 볼슈타크 1세는 후일 제국을 혼란의 구렁텅이로 밀어 넣게 되는, 조금은 터무니없는 공표를 한다.

"다음 황위는 태어난 순서에 상관없이 열두 아이 중 가장 현명하고 뛰어난 사내아이가 잇게 될 것이다."

황실 역사서에는 기록되어 있지 않으나 당시 황제의 총애를 받던 넷째 부인 밀리나의 간청 때문이었다는 것이 정설이다. 그녀가 황제의 다섯째 아들이자 자신의 장자인 '뷜로 공작'으로 후계를 잇게 하고 싶어 베갯머리송사를 했다고. 그러나 제국의 황위는 일곱째인 올덴부르크 공작에게 이어졌다. 두 해도 지나지 않아 열째인 로쉴트 공작에게. 그다음 해엔 아홉째 '레히나르'에게.

그렇게 볼슈타크 1세 사후 십 년도 지나지 않아 네 가문이 황위를 거쳤지만, 모두 암투에 휘말려 대가 끊겼다. 뷜로 공작 가문은 제일 먼저 멸문이 되어 역사에서 사라졌다. 망할 스베르겐 노인네들. 뭔 놈의 자식을 그렇게 많이도 낳아서 사람을 피곤하게 만드냐고.

이후로도 지금은 링겐 제국이 된 알타스 서쪽 땅의 주인이던 하이델 가문을 비롯해 줄줄이 멸문의 길을 걸었다. 결국 그 대단하신 십이 공작도 이제 다섯뿐인가. 아니, 노팅겐 공작이 다니엘의 손에 죽었으니 이제 네 개 남았군. 리하르트, 바이첸, 라이닝겐, 폰하임.

이 지긋지긋한 싸움은 현 황제의 가문 '리하르트'와 황태후 마그리트의 '바이첸' 가문만 남을 때까지 계속될지도 모른다. 그러니 다니엘 자신이 언제 어디서 죽을지야 아무도 모르는 일. 프리다는 이런 개차반인 집구석에 시집을 온 것이다. 그것도 본인의 의지도 아니고 황태후가 등 떠밀어 온 거 다 아는데 사기 결혼은 무슨. 사기를 당했다면, 그건 다니엘이 아니라 후사를 볼 수 없다는 이유로 그의 아내가 된 저 여자다.

"자식도 못 낳아 줄지 모르는데 그런 아내를 어느 남편이 곱게 보겠어요?"

다니엘은 결혼식 당일 하크본 백작 부인이 하는 말을 엿듣고서야 황태후가 이 결혼을 밀어붙인 이유를 알았다. 어쩐지 전쟁 통에 있는 자신을 기어이 끌어내더라니.

도망친 노팅겐 공작의 아들을 찾았다는 소식에 신부의 얼굴 한 번 보지 않고 도망치듯 결혼식장을 빠져나왔다. 사실은 보기 싫어서였다. 꼬일 대로 꼬인 제 인생에 억지로 발을 들이게 된 불쌍한 여자의 얼굴이.

잠시 창문 밖을 응시하고 있던 다니엘이 눈이 프리다에게 돌아왔다. 하고픈 말이 많아 뭐부터 해야 할지 모르겠다는 듯 초조한 표정의 여인에게. 어떻게 감정이 저토록 여실히 얼굴에 드러나는지 모르겠다.

저 여자의 부모는 살기 위해선 속내를 쉬이 드러내지 말아야 한다고 가르쳐 주지 않았나?

지금까지도 그래 왔고 앞으로도 순탄할 리 없는, 제 옆에 남기엔 너무나 구김살 없는 여자. 오늘 처음 본 제 아내에 대한 정의를 마치고 나니 급격하게 피곤이 몰려왔다. 다니엘은 서서히 힘이 빠져나가는 주먹을 거듭 쥐었다 펴며 감각을 찾으려 애썼다.

"오늘 대화는 여기까지만 합시다. 아시겠지만 내가 아직은 안정이 필요한 몸이라."

"아!"

외마디 소리를 지른 프리다가 후다닥 달려와 이미 앉아 있는 다니엘의 팔을 붙들었다. 그러곤 그녀의 행동을 이해하지 못해 엉거주춤한 그를 부축해 침대로 밀었다.

"너무 멀쩡하셔서 제가 깜빡했잖아요. 공작님은 환자세요. 아직 몸이 정상이 아니시라고요. 얼른 침대에 누우세요. 힘들면 제게 기대시고요."

슬쩍 힘만 줘 기대도 바닥에 나뒹굴게 생겨선 누가 누구에게 기대란 건지. 아니나 다를까. 다니엘이 팔을 빼자 그 반동만으로도 프리다의 몸이 맥없이 휘청였다. 흔들리는 프리다의 어깨를 무심히 잡아 준 다니엘은 알아서 침대 위로 올랐다. 그런데…….

새삼 보이는 여기도 꽃무늬, 저기도 꽃무늬. 이불이고 커튼이고 죄다 알록달록 꽃밭이다. 몰랐다면 모를까. 아무리 몸이 천근만근이어도 도저히 이 방에 머물 마음이 생기지 않았다. 짧은 한숨을 쉰 다니엘은 눕는 대신 다시 침대에 걸터앉으며 이마를 감쌌다.

"하인들을 불러 내가 머물 방을 따로 준비하라고 해 주겠습니까? 이 방은 맘에 들면 부인이 쓰세요."

제 방이 어쩌다 이렇게 됐는지는 모르겠지만, 물어보고 싶지도 않다.

"하아……."

평소라면 욕설이 튀어나오고 남았을 입에서 깊은 탄식만이 흘러나왔다.

"저……."

머뭇대는 말소리에 다니엘은 당장 바닥으로 처박혀도 이상하지 않을 만큼 무거운 머리를 들었다. 이번엔 또 무슨 얘기를 하려는지. 치마를 만지작대는 손길이 퍽 분주하고 정신 사나웠다. 다니엘은 이마를 감싸고 있던 손을 내려 깍지를 꼈다.

"하시려는 얘기는 하인부터 부르고 나서 들으면 안 되겠습니까? 좀 피곤하네요."

"그게…… 현재 뮌하임 성에는 공작님께서 따로 머무르실 방이 없어서요."

"……."

대꾸할 말이 없어진 다니엘은 뮌하임 성의 구조를 떠올려 봤다. 그가 아는 한 관리가 안 돼서 그렇지 빈방이 넘쳐 날 텐데 저게 무슨 소리지?

한참 동안 손가락을 꼼지락대던 프리다가 목 끝부터 발끝까지 몸을 칭칭 감싼 하늘색 드레스 자락을 꽉 쥐며 주름을 만들었다. 목 밖으로 나오는 게 아니라 다시 빨려 들어가는 건가 싶을 만큼 작은 목소리가 얇은 입술 사이로 흘러나왔다.

"제, 제가 다 팔았거든요."

"……방을 말입니까?"

"아, 아니요."

도리질을 치는 고갯짓이 어찌나 다급한지 저러다 가는 목이 부러지는 건 아닌가 걱정될 정도였다.

"가구를요. 농지를 만들 인력을 구하느라 돈이 필요했거든요. 그래서 지금 뮌하임 성에 공작님이 주무실 만한 침대는 이것 하나뿐이에요."

가늘디가는 프리다의 손끝이 다니엘이 앉아 있는 침대를 가리켰다. 웬만한 일에는 당황하는 법이 없는 다니엘이었지만 이번엔 제법 놀랐다. 가구를 팔아? 농지를 만들어? 이게 다 무슨 소리야? 게다가 이 큰 성에 남은 침대가 이거 하나라고? 사람이 둘인데 침대가 하나면, 나머지 한 사람은 어디서 잤다는 거야?

"그럼 당신은 그동안 어디서 잤다는……."

하얀 눈썹이 또 벌새의 날갯짓처럼 파닥거렸다. 뭐, 뭐야, 저 반응은? 설마……? 말도 안 되는 답이 번쩍 떠올랐다.

"공작님 옆에서 같이 잤는데요."

"하!"

설마 했던 답을 듣자 진한 탄식이 터져 나왔다. 다니엘은 순간 야만스러운 밀라보 출신이라는 말을 듣지 말라며 혹독하게 저를 가르쳤던 어머니의 교육을 잊고 여자 앞에서 욕설을 내뱉을 뻔했다.

온 성안의 가구를 다 팔아 치운 와중에도 다행히 다니엘의 집무실은 살아남아 있었다. 하도 기가 찬 일을 겪어서 그런지 삼 년 동안 굳어 있던 근육이 한 번에 풀려 버린 기분이다.

다니엘은 집무실 의자에 털썩 앉으며 한 손을 들어 이마를 감쌌다. 저녁 식사를 하다 말고 불려 온 몰리 부자가 그 앞에 넓은 그림자를 만들며 나란히 섰다.

"말해."

다니엘의 짧은 한마디에 도미닉이 턱을 긁적거렸다.

"어디서부터 할까요? 주군께서 제 앞으로 날아오는 창을 쳐 내다 중심을 잃고 머리부터 땅에 박은 거? 아니면 피가 철철 흐르는 주군의 머리를 감싸 안은 제가 흐느끼며……."

"진짜 흐느끼게 해 줄까, 도미닉?"

살벌하도록 차가운 목소리를 들은 리카르도가 피식 웃으며 아들의 뒤통수를 탁 하고 후려쳤다.

"내가 뭐랬냐. 주군께서 회복하는 데 반나절도 안 걸릴 거라고 했지? 아무렴 누구 핏줄이신데. 야리야리한 스베르겐 귀족 것들하고는 뼈대가 다르시다니까."

도미닉이 엉겁결에 맞은 뒤통수를 부여잡으며 아버지를 노려봤다.

"뭔 소리예요, 아버지. 어제까지도 공작 부인만도 못한 나약한 인간이라고 욕했으면서."

"그거야 부인 혼자 너무 고생하는 게 안타까워서 그런 거지. 너도 그랬잖아. 주군께서 계속 저러고 계시면, 어디 튼실한 놈 찾아서 확 시집이나 보내 버리자고."

꽝! 여전히 이마를 감싸고 있는 다니엘의 왼손 대신 오른쪽 주먹이 책상을 내리쳤다. 흐트러짐 없이 반듯하게 앉은 자세 그대로, 다니엘은 이번에도 짧게 한마디를 툭 내뱉었다.

"말해."

그리고 익히 몰리 부자가 듣고 겪어 왔던 살기 가득한 말투로 덧붙였다.

"그 시끄러운 아가리들 영원히 닥치게 해 버리기 전에."

다니엘의 거친 경고를 듣고도 두 사람은 전혀 위축되지 않았다. 다만 웃음기를 거둬들인 리카르도가 네가 하라는 듯 아들의 어깨를 툭 건드렸다. 큼큼, 목을 가다듬은 도미닉이 더는 깐족대지 않고 바로 입을 열었다.

"의식이 없으신 주군께선 하크본 백작가에서 한 달간 치료를 받으셨습니다. 백작가의 의사는 더는 손쓸 도리가 없다고 했고요. 계속 영지를 비울 수도 없어 저희가 주군을 모시고 돌아가겠다고 했더니, 부인께서 함께 가겠다며 순순히 따라나섰습니다."

리카르도가 그때를 떠올리며 지그시 눈을 감고 추임새를 넣었다.

"정말 용감하신 분입니다. 영지로 오는 그 험한 길 내내 힘들다, 무섭다는 불평 한마디가 없으셨다니까요. 막말로 백작가에 그냥 남겠다고 하신다 해도 누가 뭐랄 사람도 없었는데 고생을 사서 하신 거죠."

아버지의 추임새가 끝나자마자 도미닉이 바로 거들었다.

"진짜 고생은 영지에 오고 나서부터였죠. 말이 좋아 공작령이고, 공작 성이지 제대로 된 방이 있길 합니까, 세금을 낼 영지민들이 있길 합니까? 이건 뭐, 그냥 용병단 숙소죠, 숙소."

"내 말이. 몸도 약한 분이 이 험한 곳에서 어찌 되실까 봐 얼마나 마음을 졸였는데."

입이 트인 부자는 이후로도 주절주절 삼 년 동안의 일을 떠들어 댔다. 그중 절반 이상이 공작 부인에 대한 찬사였다. 공작 부인은 영지를 꾸려 나가려면 우선 영지민이 정착할 땅을 마련해야 한다며 대대적인 벌목 사업을 시작했다고 한다.

알타스 자락의 울창한 산림을 정리하자면 인부를 모아야 했고, 그렇게 모인 사람들에게 임금을 주기 위해 팔 수 있는 건 모두 팔았다고. 현재는 다니엘이 처음 공작령을 하사받을 때보다 영지민이 다섯 배 정도 늘었단다. 작년 추수철부터는 세금도 조금씩 걷게 되었다나.

"작년에 일궈 놓은 땅에 올해부턴 허브를 심고 있습니다. 그게 꽤 비싸게 팔린다네요."

"우리 부인께선 모르는 게 없으시다니까. 바이마르에서 온 상인 놈이 이리저리 트집 잡으며 잘난 체하고 빼기다가 아주 찍소리도 못 하고 돈을 내놨잖아."

"리카르도 몰리."

저를 부르는 스산한 음성에 놀란 리카르도가 얼른 다니엘에게 시선을 돌렸다. 주군이 이름과 성을 붙여 부를 때는 기분이 아주 거지 같을 때라는 걸 기억해 낸 그가 슬그머니 어깨를 뒤로 물렸다.

"자네 입으로 내게 뭐라고 했었지?"

"제, 제가 뭘 말입니까?"

아니나 다를까 완벽하게 붉어진 눈동자가 그를 덮쳤다.

"얼마 살지도 못할 여자, 결혼식과 동시에 장례식 치르고 싶지 않으면 손끝 하나 대지 말라고 했어, 안 했어? 나한텐 그래 놓고 그 연약한 여자한테 뭘 시켜? 허브를 심어? 상인을 만나? 제정신이야? 돌았어? 내가 아니라 자네 머리가 깨졌던 거 아냐?"

이마를 감싸고 있는 다니엘의 손이 좀처럼 떨어지지 않았다. 제 주군의 상태를 살피는 도미닉의 눈이 바빠졌다.

"주군, 흥분하시면 안 됩니다. 나머지 일은 제게 맡기시고, 우선 좀 쉬시는 게……."

"도미닉 몰리. 이 개자식아. 넌 뭐 하느라 이 지경이 될 때까지 두고 보고만 있었어? 네가 충분히 해결할 수 있었잖아."

"죄송합니다. 하지만 주군, 제 입장을 이해해 주시기 바랍니다."

한바탕 거하게 욕지거리를 하고도 화가 풀리지 않았는지 다니엘의 음성엔 여전히 분노가 서려 있었다.

"듣기 싫어. 둘 다 꺼져."

도미닉이 알아서 할 테니 나가 보라며 눈짓을 보내자 리카르도가 후딱 방을 나섰다. 방문이 완전히 닫히는 걸 본 도미닉이 담담히 입을 열었다.

"제가 이기적이었다는 거 압니다. 하지만 아무에게나 함부로 그곳을 보여 줄 수 없다는 제 판단에 대해선 여전히 한 치의 후회도 없습니다."

"그 판단 때문에 내가 깨어나기도 전에 그녀가 죽었다면?"

"그거야…… 신의 뜻을 인간이 막을 수는 없는 일이지요."

눈을 감은 채 앉아 있던 다니엘의 입에서 훗 하고 옅은 실소가 터져 나왔다.

"하긴 그래야 네가 도미닉이지. 어떤 순간에도 흔들리지 않는 차가운 심장, 도미닉 몰리."

"칭찬 감사드립니다, 주군."

드디어 다니엘의 이마에서 손이 떨어졌다. 붉은 기운이 좀처럼 가시지 않은 적갈색 눈동자가 도미닉을 향했다.

"금고에 오만 번쩍거리는 것들을 쌓아 두고도 그 작은 여자를 고생시킨 것도 모자라, 시체나 다름없는 남자 옆에서 삼 년을 잠들게 만들어?"

"일 년 반입니다. 공작 부인의 방은 그나마 맨 마지막까지 지켜 드렸거든요. 부인께서 돈 되는 것부터 팔자고 우기긴 하셨지만요. 강인하고 멋진 분입니다."

잔잔한 미소를 머금고 있던 도미닉의 입가가 돌연 싸늘해졌다.

"하지만 제게 주군보다 우선하는 건 없습니다. 그러니 혹 금고를 열 작정이시라면 지금이라도 생각을 돌리시길 간청드립니다. 공작 부인께선 유약한 외양과 달리 추진력이 대단하신 분입니다. 금고의 정체를 알게 된다면 몇 년 안에 공작령을 스베르겐 최고의 땅으로 부흥시키고 말 겁니다."

책상 앞으로 다가온 도미닉이 다니엘에게 가까이 몸을 숙이고 속삭였다. 라파스 남쪽인들 특유의 짙은 암갈색 눈동자가 차분하게 깜박였다.

"주군이 깨어났다는 소식이 이미 쉔달 성으로 향하고 있을 겁니다. 이 와중에 유트레히트가 번성하는 꼴을 황태후가 가만두고 볼 것 같습니까? 주군께선 죽는 날까지 황제의 사냥개로 불려 다니게 될 겁니다."

도미닉에게 다니엘은 주군이자 형제다. 비록 의식은 없어도 다니엘이 죽지 않았음을 알았기에 지난 삼 년을 버텼다. 아니라면 쉔달 성으로 달려가 있는 대로 분풀이를 해 대다 목숨을 잃었을지도 모른다.

"라우라 님의 당부를 잊지 마세요. 살아 있는 것보다 중요한 건 없습니다. 당분간은 죽은 듯 지내세요, 주군."

죽은 듯이라. 이미 충분히 그리 지내지 않았던가. 그 증거로 난생처음 이토록 흐물거리는 몸이 되었는데.

"도미닉."

다니엘이 뭔가를 달라며 손짓하자 도미닉이 긴 한숨을 내쉬곤 목에 걸고 있던 가죽 줄을 빼내 그의 손에 올렸다. 가죽 줄 끝에 달린 투박하고 긴 열쇠가 다니엘의 손바닥 위에서 반짝거렸다. 삼 년 전, 그의 손으로 직접 잠근 금고의 철문을 열 수 있는 유일한 수단.

이걸 유약하지만 추진력이 있다는 제 아내에게 건네면 황실의 주목을 받게 될 거라고? 이 척박한 땅을 부흥시켜? 우스운 소리. 도대체 그 작고 연약한 몸으로 뭘 할 수 있다고.

"도미닉, 네 말이 맞아. 살아 있는 것보다 중요한 건 없지."

다니엘은 열쇠를 손에 꼭 쥐고 자리에서 일어났다.

"그러니 살아 있는 동안 마음껏 하고 싶은 대로 살게 내버려 두자고."

옅은 현기증이 일어 잠시 책상을 붙들고 호흡을 가다듬었다. 부축하려 드는 도미닉의 손길을 가볍게 쳐 낸 다니엘이 다소 가라앉은 목소리로 중얼거렸다.

"어차피…… 얼마 살지도 못한다며."

옆으로 비켜선 도미닉의 표정이 일순간 굳었지만, 이내 원래대로 돌아왔다.

쿵쿵쿵, 심장이 쉴 새 없이 두근댔다. 양손을 비비며 안절부절못하고 복도를 서성거리던 프리다는 저 멀리서 뮤리엘이 다가오자 치맛단을 들고 냅다 뛰었다.

"드, 들었어? 무슨 얘기를 나누시는지 들려?"

"아니요."

전부터 느꼈지만 웬하임 성의 문들은 하나같이 불필요하게 두껍고 튼튼하다. 울창한 산림으로 이뤄진 알타스 자락에서 오랜 세월 뿌리내린 나무들이 쑥쑥 두껍게 잘 자라서 그렇다나. 오죽하면 프리다가 성안의 가구들을 팔아 치울 때 뮤리엘이 문짝부터 뜯어 팔자고 했을까. 아무것도 듣지 못했다는 뮤리엘의 말에 프리다의 하얀 얼굴이 대번에 울상이 되었다.

"엄청 화가 나신 게 분명해. 그렇지 않고서야 그 몸으로 벌써 움직이는 게 말이 되냐고. 심지어 두 발로 이렇게, 성큼성큼 걸으셨다니까?"

뮤리엘은 허리를 일자로 세우고 다리를 쩍쩍 벌리는 흉내를 내는 프리다를 심드렁하게 바라보았다. 삼 년 동안 잠들어 있던 리하르트 공작이 깨어났다는 소식을 들은 건 막 정오가 지난 시각. 이제 겨우 해가 지기 시작했는데 벌써 혼자 걷고, 집무실로 몰리 부자를 부를 정도로 회복이 됐다니. 리하르트 공작은 소문보다 훨씬 더 괴물일지도 모른다.

그러나 그건 그거고, 뮤리엘에게 중요한 건 이 철딱서니 없는 어린 공작부인이다. 프리다의 팔을 붙든 뮤리엘이 그녀를 거의 질질 끌다시피 당기며 계단으로 걸어갔다. 프리다는 뮤리엘에게 끌려가며 징징거렸다.

"어디 가는데? 뮤리엘, 나 이럴 시간 없단 말이야."

"저녁 안 드셨잖아요. 우선 배부터 채우고 고민하세요."

"내가 지금 밥이 넘어가겠냐고. 주인 몰래 성 살림을 몽땅 팔아 치운 게 걸렸는데."

"그 주인이 돈 한 푼 안 벌어 오고 삼 년을 주무셨으니까요."

프리다가 뮤리엘에게 잡히지 않은 팔로 계단 난간을 잡고 버티자 그녀가 가볍게 허리를 들어 안았다.

여자지만 도미닉과 키가 거의 비슷한 큰 덩치의 뮤리엘에겐 프리다 하나 드는 것쯤은 일도 아니다. 어려서부터 하도 뮤리엘에게 들려 다닌 탓에 익숙해진 프리다도 금세 포기하고 팔의 힘을 풀었다.

"손님방 몇 개는 남겨 놓을 걸 그랬나. 침대까지 싹 팔아 치운 건 좀 너무 했지?"

"이 산골짜기에 누가 온다고 손님방이 필요해요? 그리고 막말로 그 돈으로 아가씨가 보석을 샀어요, 옷을 샀어요? 결혼할 때 들고 온 것까지 싹싹 털어서 인부들 퍼 주셔 놓고."

"그거야, 공작령은 이제 내가 살아갈 내 땅이니까……."

저놈의 내 땅 타령은. 이곳에 와서 처음 알았다. 프리다 아가씨가 이토록 땅 욕심이 많은지. 뮤리엘은 혀를 차며 맛있는 냄새가 진동하는 주방 문을 열었다.

공작 부인이 식당도 아닌 주방으로 들어오는데 하인 누구도 놀라거나 여긴 웬일이시냐며 묻는 자가 없었다. 두 해 전, 프리다의 눈에 띄어 펜하임 성의 주방장이 된 아델이 그녀를 보자마자 사람 얼굴만 한 빵 한 덩어리와 수프, 갖가지 구운 채소를 내려놓았다.

"안 그래도 방으로 가져다드려야 하나 고민 중이었어요, 마님. 공작님께서 드실 수프는 따로 끓였는데 지금 올릴까요?"

"아니. 식사는 내일부터 하시겠대. 오랜만에 하시는 식사니까 부담이 가지 않는 걸로 신경 좀 써 줘, 아델."

"아이고. 공작님은 걱정하지 마시고, 마님이나 어서 드세요. 오늘은 코피까지 나셨다면서요."

프리다의 손에 숟가락을 쥐여 주는 손길에 애정이 가득했다. 아델은 프리다의 수프 그릇에 빵을 잘게 잘라 넣어 주며 어서 드시라고 그녀를 재촉해 댔다. 어느 틈에 나타난 하녀 마틸다도 방금 짜 온 신선한 우유가 담긴 큰 잔을 프리다 앞에 내밀었다.

프리다가 수프 한 그릇을 다 비우는 걸 보기 전엔 절대 자리를 떠나지 않겠다는 의지를 보이는 아델 옆에서 뮤리엘도 묵묵히 그릇을 비웠다. 제게 뭐 하나라도 더 먹이기 위해 이것저것 들이미는 사람들에게 둘러싸인 프리다의 얼굴에선 어느새 근심이 지워져 있었다. 뮤리엘이 처음 프리다와 함께 공작령에 도착했을 때만 해도 이런 날이 오리라곤 상상도 못 했었다.

"로시발트 경. 자네도 알다시피 프리다는 오래 살지 못해. 힘들다고 하면 무조건 집으로 데리고 돌아오게. 그 애도 마지막은 가족들 곁에서 맞이하고 싶을 테니."

일 년, 아니, 반년이나 버틸까 했었지. 프리다 위로 태어났던 두 아가씨처럼 스물도 넘기시지 못하면 어쩌나 조마조마했고. 더구나 펜하임 성의 환경은 최악 중에서도 아주 바닥에 가까운 최악.

이게 공작령이 맞나 싶을 정도로 뭐 하나 갖춰진 게 없는 버려진 성이었다. 리하르트 공작은 황제 볼슈타크 2세의 배다른 형제고, 그 유명하신 '십이 공작'이건만. 아무리 밀라보 출신 용병단장의 딸이 낳은 사생아라고 해도, 이 정도로 푸대접을 받고 있을 줄이야.

그나마 프리다 아가씨가 별 탈 없이 건강하게 지내기에 보고만 있었지. 아니라면 당장 모시고 하크본 백작가로 돌아갔을 것이다. 막 마지막 수프를 뜨던 뮤리엘의 섬세한 감각이 낯익은 발소리를 잡아낸 순간. 주방 문이 벌컥 열리더니 문 하나를 꽉 채우고도 남을 덩치의 리카르도 몰리 단장이 주방으로 뛰어 들어왔다.

"공작 부인, 여기 계셨군요? 한참 찾았습니다. 아이고, 이제야 식사하시는 겁니까?"

"왜요, 리카르도 님? 혹시 공작님이 절 찾으세요?"

"찾긴 하시는데 좀 기다리시라고 하죠, 뭐. 드세요. 마저 드시고 천천히 움직이셔도 됩니다. 입천장 데지 않게 후후 불어서 천천히 드세요."

아무튼 유난은.

뮤리엘이 프리다를 이 야만스러운 땅에서 지내게 두는 가장 큰 까닭이 바로 저거다. 프리다를 진심으로 아끼고 좋아하는, 공작령에 널린 저 넋 빠진 인간들.

프리다의 수프에 갓 구운 빵을 냉큼 잘라 넣어 주는 아델과 입김이 절대 닿을 리 없는 거리에서 수프를 식히겠다며 후후거리는 리카르도. 우유가 너무 식지 않게 하려고 두 손으로 컵을 꼭 쥐고 있는 하녀 마틸다를 보며 뮤리엘은 픽 웃고 말았다.

벽난로 옆 의자에 앉은 프리다의 눈이 초조하게 문을 기웃거렸다. 공작님

의 부름에 바로 달려오고 싶었지만, 리카르도는 프리다를 기어코 주저앉혀 식사를 마치게 했다. 지금은 도미닉과 얘기를 끝내려면 시간이 걸린다기에 침실에서 기다리는 중이다.

그 시간 내내 가시방석이 따로 없다. 뮤리엘 말대로 내가 뭘 잘못했나 싶어 당당해지려다가도, 성안 살림을 모조리 팔아 치운 건 좀 너무했다 싶기도 하고. 그래도 어쩔 수 없었다. 영지민을 모으자면 살 곳이 필요하고, 사람이 살려면 정착할 농지가 있어야 하니까.

울창한 산림뿐인 공작령에 농지를 만들려면 나무를 베어 내야 했기에 어마어마한 일손이 필요했다. 그 많은 인원을 구하자면 당연히 임금을 지급해야 하고. 그러자면 뭐, 있는 걸 팔 수밖에.

그래. 내가 뭘 어쨌는데? 지난 삼 년간 내가 얼마나 피땀을 흘려 가며 이 땅을 지켰는데 말이야. 겁낼 거 없어. 기죽을 거 없다고. 주먹을 불끈 쥐고 눈을 부릅뜨니 용기가 생겼다. 공작님이 오시면, 당당하게 공작 부인으로서의 책무를 다했노라 말하고 말리라.

"후우, 근데 왜 안 오시는 거지?"

테이블 위로 철퍼덕 엎어진 프리다는 그곳에 뺨을 댄 채 타닥타닥 타들어 가는 불꽃을 멍하니 바라보았다. 오늘 하루가 공작령에서 보낸 어떤 날보다 더 길게 느껴졌다. 동시에 지난 삼 년간의 일이 주마등처럼 뇌리를 스치고 지나갔다. 순간순간 살아 있음을 느꼈던 그날들이. 프리다의 입가가 배시시 벌어지며 나지막한 웅얼거림이 입술을 비집고 나왔다.

"로테 언니, 헤스티아 언니. 프리다는 이곳에서 진짜 진짜 재밌게 지내고 있어."

모두 다 나를 대단하다고 추켜세워 줘서 막 으쓱하고 그래.

"그리고 나…… 이제 스무 살이다."

하크본 백작가는 여자아이들의 생일을 챙기지 않았다. 생일을 맞는다는 건 죽음이 가까워진다는 뜻이었기에. 언니들 중 누구도 맞이하지 못했던 나이. 프리다는 아무도 모르게, 올해 스무 살이 되었다. 해냈다는 만족감과 함께 잘 버텨 낸 자신이 자랑스러웠다. 맘껏 자랑하고 넘치게 칭찬받고 싶은 기분에 젖어 나른해진 눈꺼풀이 스르르 감겼다. 꿈결일까. 벽난로의 온기에 섞인 낮고 차분한 목소리가 그녀의 귓가에 스며들었다.

"대견해, 프리다."

아델이 만들어 주는 뜨끈한 수프를 넘길 때처럼 몸 안에 따스한 기운이 가득 퍼져 나갔다.

도미닉이 건넨 열쇠를 손에 꼭 쥔 다니엘은 문밖으로 나가는 대신 집무실 벽 책장 쪽으로 걸었다. 머리보다 빨리 돌아온 몸의 기억은 다니엘을 물 흐르듯 자연스럽게 집무실과 연결된 비밀 통로 앞으로 데려다 놓았다.

한쪽 벽의 절반 이상을 차지한 넓은 책장의 오른쪽 모서리를 밀면 침실이 나오고, 왼쪽 모서리를 밀면 내성 밖으로 나가는 비밀 계단이 나온다. 주인이 잠들었던 삼 년 세월이 무색하도록 책장은 전과 똑같았다. 그가 자주 찾던 책들이 마지막으로 꽂아 놓았던 그 자리에 변함없이 놓여 있는 것도.

그러나 미묘하게 다른 점도 발견되었다. 다니엘은 책장의 오른쪽 끝으로 손을 뻗다 말고 그대로 멈췄다. 그가 다음 동작을 이어 가지 않자 도미닉이 주군의 곁으로 다가오며 물었다.

"왜 그러십니까, 주군? 혹 어지러우십니까?"

다니엘의 고요한 시선이 책장 끄트머리에 잠시 고정되었다. 넓은 책장의 양 끝에 꽂혀 있는 화려한 붉은 표지의 스베르겐 제국 역사서가 의미하는 바는 단 하나.

'이 통로는 안전하다.'

다니엘과 몰리 부자만 아는 암호다. 쓸데없이 두껍고, 더럽게 비싼 제국의 역사서는 있어야 할 자리에 놓여 있었다. 다만, 그의 기억과 다른 점 하나가 눈에 거슬렸다.

"먼지가 없군."

다니엘의 읊조림을 들은 도미닉이 '아!' 하고 짧은 감탄사를 내뱉으며 역사서의 윗부분을 손끝으로 쓱 훑었다.

"공작 부인께서 매일 쓸고 닦고 하시니까요."

도미닉의 대답에 다니엘이 눈썹을 치켜올리며 되물었다.

"직접?"

"네. 집무실과 침실은 하녀 하나를 데리고 공작 부인께서 직접 관리하십니다."

뒷짐을 진 도미닉이 다니엘 쪽으로 살짝 어깨를 틀며 속삭였다.

"좀 심하게 부지런하십니다. 보기완 달리 배포도 아주 두둑하시고."

도미닉은 뭐가 그리 즐거운지 입매를 부드럽게 끌어 올리며 싱긋 웃기까지 했다.

"주군께선 본인 물건을 다른 사람이 건드리는 거 싫어하신다, 일전에 멋대로 방에 들어온 하인 손모가지를 분지른 적도 있다, 그러니 그냥 놔두시라. 아무리 말씀드려도 물건만 제자리에만 두면 되는 거 아니냐면서 겁도 안 먹으시더라고요."

고집은 또 얼마나 세신지 모른다며 고개를 절레절레 흔들면서도 도미닉의 입가엔 미소가 떠나지 않았다. 그러다 문득 서늘한 기운을 느낀 그는 후다닥 목을 돌려 다니엘을 바라보았다. 아니나 다를까. 붉은빛이 진해진 적갈색 눈동자가 그를 노려보며 말했다.

"내가 언제?"

"네?"

"내가 언제 하인 손모가지를 분질렀어? 하인으로 위장한 황태후의 첩자였지."

그거나, 그거나. 뭐가 다른가? 황당해진 도미닉은 슬그머니 한 발 뒤로 물러서며 천천히 머리를 끄덕였다.

"그, 그렇죠. 정확히 말하면."

다니엘과 형제처럼 붙어 지내며 허물없이 커 온 도미닉이다. 덕분에 이 맹수의 날카로운 발톱을 피하는 법을 남들보다 하나 정도는 더 알았고. 명줄을 유지하고 싶다면 눈동자가 붉어지는 다니엘 리하르트는 무조건 피해야 한다.

"도미닉."

한겨울의 알타스 숲속 같은 스산한 음성이 그의 이름을 불렀다. 도미닉은 자신이 어느 틈엔가 세 걸음 이상 뒤로 물러섰음을 깨달았다.

"네, 주군."

"혓바닥 뽑아 버리기 전에 입조심해."

싸늘하게 일갈한 다니엘이 책장의 오른쪽 모서리를 밀었다. 끼익. 삼 년 동안 굳게 닫혀 있던 책장이 제법 요란한 소리를 내며 열렸다. 책장 뒤에 나타난 계단으로 올라서는 다니엘을 보며 도미닉은 입을 다문 채 눈만 껌벅거렸다. 통로를 밝히는 벽등이 모두 꺼져 있음에도 다니엘은 일말의 주저함 없이 캄캄한 어둠 속으로 발을 내디뎠다. 그가 완전히 사라지고 난 후에야 꽉 다물려 있던 도미닉의 입이 떨어졌다.

"아니, 내가 뭘 어쨌다고? 아무튼 저놈의 더러운 성질머리."

사람들이 리하르트 공작을 두려워하는 건 그가 내뱉는 단어의 살벌함 때문이 아니다.

'다니엘 요하네스 리하르트는 빈말을 모른다.'

진정한 다니엘의 모습을 아는 자들의 입을 통해 전해진 이 문장 하나가 모든 걸 표현해 줄지도. 도미닉은 잠깐이나마 바짝 긴장했던 자신이 어이없어 실소를 터트리고 말았다.

"다니엘 자식. 정신 돌아온 거 맞네, 맞아."

삼 년의 시간은 뼛속 깊이 새겨진 감각을 지워 내기엔 부족했던 모양이다. 어둠만 남은 계단을 오르고, 통로를 걷는 데 빛은 필요 없었다. 다니엘은 손에 쥔 열쇠를 만지작거리며 제 침실을 향해 느리지만 방향을 잃지 않고 걸었다. 침착한 걸음걸이엔 조금의 흐트러짐도 없었다. 돌아온 건 감각만이 아니었다. 기억과 뒤섞인 상념들이 한겨울의 눈보라처럼 대비할 겨를도 없이 순식간에 퍼부어 내렸다.

"여보, 프리다는 딸 셋 중에 유일하게 살아남은 아이예요. 그냥 우리가 데리고 살아요. 네?"

'유일하게 살아남은 아이.'

결혼식이 있던 날, 하크본 백작 부인은 곧 리하르트 공작 부인이 될 막내딸을 그렇게 불렀다.

"아내 구실 못 한다고 구박당할 게 뻔하잖아요."

절박한 음성은 자식을 향한 애정으로 가득 차 있었다. 다니엘의 어머니 라우라가 그와 도미닉에게 그랬던 것처럼.

막 전투를 치르고 달려온 탓에 몰골이 엉망이지만 않았다면, 몸을 숨기고 있던 그늘 밖으로 나가 말했을지도 모르겠다. 내가 왜 당신들 딸을 구박하겠냐고. 아내 구실 같은 거엔 애초에 관심도 없다고. 사람 꼴이 아니니 좀 씻고 옷이나 갈아입은 뒤에 들어가자는 리카르도의 만류, 그놈의 지긋지긋한 잔소리도 기억났다.

"기왕 이리된 거 결혼은 해야겠지만 초야는 좀 참아요. 얼마 살지도 못할 여자라는데 결혼식과 동시에 장례식 치르고 싶지 않으면 아예 손끝도 대지 않는 게 상책이겠소. 주군의 덩치로 덮쳤다간 그날로 죽지, 죽어. 에휴."

누가 누굴 덮쳐? 짐승처럼 키웠다고 내가 진짜 짐승인 줄 아는 거야 뭐야? 잠시 침실로 가던 걸음을 멈춘 다니엘은 신경질적으로 앞머리를 쓸어 올리며 한 손으로 벽을 짚었다. 손바닥에 따스한 기운이 스며들었다.

"의사가 당분간은 몸을 따뜻하게 해 드리라니까 오늘은 벽난로를 지펴야겠어요."

심하게 부지런하다는 그의 아내께서 침실 안을 데우고 계신 게 분명하다. 다니엘의 입에서 말릴 새도 없이 불퉁한 소리가 터져 나왔다.

"정말 돌아 버리겠네."

아내라니. 내 몸 하나 건사하는 것도 고달파 미칠 판에 아내가 웬 말이냐고. 심지어 바람만 세게 불어도 날아갈 것 같은 약해 빠진 여자라니. 황태후가 뭐라고 하든 싫다고 버틸 것을. 해 봐야 소용없는 뒤늦은 후회가 머리가 어질해지도록 아프게 들이닥쳤다.

단명하기로 유명한 하크본 가문의 딸과 온 제국에 모르는 자가 없는 황제의 사냥개 리하르트 공작의 결혼. 이 결혼이 공표되자 스베르겐 제국의 수도 '첼리노'의 사교계가 들썩였다고 한다. 황제가 다니엘에게 '십이 공작' 가문인 리하르트 공작 위를 내렸을 때보다 더 시끄러웠다고.

오죽하면 황태후 마그리트에게 야박하다는 뒷말이 달라붙었을까. 실제 지닌 성정과 달리 대외적으로는 위아래 가리지 않고 인자한 면모만을 드러내는 그 늙은 여우에게.

"후우."

다니엘은 길게 한숨을 내쉬며 침실로 통하는 벽에 머리를 박았다. 집무실 책장과 달리 거슬리는 잡음 없이 열린 벽에 틈이 생겼다. 벽 사이로 새어 나온 또렷한 빛 한 줄기가 칠흑 같던 통로를 빛과 어둠으로 갈랐다.

"로테 언니, 헤스티아 언니. 프리다는 이곳에서 진짜 진짜 재밌게 지내고 있어."

벽을 타고 들려온 음성은 그의 옆으로 스며 나온 빛줄기만큼이나 가늘었다.

"그리고 나…… 이제 스무 살이다."

힘이라곤 없는 가냘픈 목소리에서 까닭을 알 수 없는 뿌듯함이 느껴졌다.

다니엘은 저도 모르게 숨을 죽였다. 들릴 듯 말 듯 당장 꺼진다 해도 이상하지 않을 작은 속삭임이 들려온 건 한참 뒤였다.

"나…… 대견하지……."

그 말을 끝으로 더는 어떤 기척도 들려오지 않았다. 불에 타는 장작이 타닥거리는 소리만 들린 지 얼마나 됐을까. 다니엘은 꽤 시간이 흐른 뒤에야 조심스럽게 힘주어 벽을 밀었다. 그의 시야로 쏟아져 들어온 환한 불빛에 어둠이 자리를 내주고 비켜났다. 눈을 가득 채운 빛에 적응하기 위해 다니엘이 살며시 눈을 감았다 떴다.

다니엘에겐 낯설기 짝이 없는 따스한 온기가 가장 먼저 그를 반겼다. 다음엔 굽이굽이 휘어진 알타스의 산길에 쌓인 흰 눈 같은 새하얀 머리칼이 보였다. 뒷짐을 쥔 다니엘은 발소리를 죽이고 천천히 프리다의 곁으로 다가갔다.

걸음을 멈춘 그는 테이블에 뺨을 댄 채 잠들어 있는 그녀의 얼굴을 물끄러미 내려다보았다. 프리다의 하얀 속눈썹이 숨결을 따라 미세하게 떨리는 모습을. 나른하게 열린 그의 입에서 차분하고 잔잔한 목소리가 낮게 흘러나왔다.

"처음 봤을 땐……."

다니엘의 오른손이 프리다의 정수리 위에 그림자를 만들었다. 큼지막한 제 손이 새하얀 머리칼에 드리운 검은빛을 담담히 바라보던 다니엘이 이내 손을 거둬들였다.

"징징대기만 하더니."

그림자가 사라진 자리에 나지막한 칭찬 한마디가 살포시 내려앉았다.

"대견해, 프리다."

곤하게 잠든 프리다를 잠시 내려다보던 다니엘은 몇 번이나 반복해 팔을 접었다 폈다. 예전 같으면 여자 하나 안아 드는 것쯤 숨 쉬는 것보다 쉬웠을 것이나, 혹여나 하는 마음에 확신이 들 때까지 같은 동작을 되풀이했다. 그러나 걱정이 무색하게도, 여자는 깃털처럼 가벼웠다.

프리다는 침대에 옮겨 놓자 두어 번 몸을 뒤척이다 능숙하게 침대 끝에 자리를 잡고 잠들었다. 아주 잠깐 도미닉의 방으로 갈까 생각했지만, 그의 거친 잠버릇이 떠올랐다.

"제기랄."

나도 모르겠다. 오늘은 자자. 우선 자고 고민은 내일부터 하자. 삼 년 만에 깨어난 자신이 보내기엔 지나치게 바쁜 하루였으니까. 벅벅, 몇 번 얼굴을 문지른 다니엘은 프리다와 최대한 멀리 떨어진 끝자리에 몸을 뉘었다.

그러나 이런 아침을 맞이할 줄 알았다면 맹세코 도미닉의 방으로 갔을 것이다.

"우선 다리부터 주물러 드릴게요."

침대맡에 허리를 세우고 앉은 다니엘은 협상의 의지가 없음을 알리기 위해 단호하게 고개를 저었다.

"괜찮습니다."

아니, 왜 눈을 뜨자마자 사람 몸을 만지겠다고 난리냐고. 어찌나 놀랐는지 애써 찾은 의식을 다시 잃을 뻔했다.

"그렇지만 이건 공작님 의식이 없으셨을 때 매일 하던 일입니다. 의사 말이 계속 만져 줘야 몸이 굳지 않는대요."

뭐야? 그럼 지난 삼 년간 매일 자신을 주물럭거렸단 건가? 저 조막만 한 손으로? 입만 열면 황당한 얘기를, 그것도 저리 순진무구한 눈으로 아무렇지도 않게 내뱉는 것도 재주라면 재주다.

"설마 당신이 내내 나를……. 그러니까 매일 만져…… 아니, 돌봤다는 겁니까?"

어렵게 고른 단어가 제법 고상하다 싶어 어이없게도 안도가 밀려왔다.

“네. 당연하죠. 의사가 매일 하라고 했어요.”

당연하긴 뭐가 당연해. 망할 의사 자식. 잘라 버리고 말 테다. 다니엘은 짧게 ‘후’ 하고 한숨을 내쉬었다.

“빨리 회복하시려면 앞으로 더더욱 열심히 해야 해요.”

프리다는 당장이라도 그의 종아리를 움켜쥘 태세를 갖추고 손가락 열 개를 꼼지락거리며 다가왔다. 수백의 기병대 앞에서도 꼼짝하지 않던 다니엘의 어깨가 흠칫 뒤로 빠졌다. 그의 코앞까지 다가온 프리다가 흰 눈이 소복이 내려앉은 것 같은 새하얀 눈썹을 파닥거리며 물었다.

“아, 혹 제가 불편해서 그러시는 거라면 도미닉을 불러 드릴까요?”

제 몸을 주물럭대는 도미닉이라니. 그건 더 끔찍하다.

“아니요. 아닙니다.”

아내가 있는 삶이란 정말 곤란하다. 아주 많이.

“전 정말 괜찮으니 이러지 않으셔도 됩니다.”

심지어 거절을 말하는 것만으로도 죄책감을 느끼게 하는 저런 눈빛의 아내는. 다니엘은 어떻게든 이 자리를 피해야겠다는 일념으로 한층 가벼워진 다리를 접어 올렸다. 그 순간, 다니엘은 태어나 처음으로 누군가에게 눌려 주저앉혀졌다.

“아, 진짜. 동작 그만!”

얼떨결에 목소리를 높인 것도 제풀에 놀란 것도 모두 프리다였다. 그녀는 다니엘의 무릎을 꽉 잡아 눌렀던 손을 허겁지겁 떼어 냈다.

“이, 이건…… 그러니까 공작님께 드린 말이 아니라요.”

가슴께로 들려진 하얀 손이 저는 무고하다 말하듯 허둥지둥 정신 사납게 흔들렸다. 누가 봐도 제게 한 말이 맞는데 시치미를 떼도 어디서 저렇게 어설프게…….

황당해진 다니엘은 눌렸던 무릎을 다시 세울 생각도 하지 못한 채 파닥

파닥 나풀대는 작고 하얀 손을 바라볼 뿐이었다. 때마침 리카르도 단장의 우렁찬 고함 소리가 반만 열린 침실 창문을 타고 넘어왔다.

"이 머리에 똥만 들어찬 놈들. 정신 안 차려? 왜 아침부터 넋을 빼놓고 난리들이야! 제대로 열 안 맞춰? 이것들이 정말……. 일동, 동작 그만!"

난감함에 눈을 질끈 감은 프리다의 하얀 얼굴 가득 홍조가 피어났다. 리카르도 단장의 고성은 언제나 다양하고 독창적인 각종 협박, 으름장, 더불어 창의적이고 생생한 욕설을 동반했다. 펜하임 성의 아침을 저 고성과 함께 시작한 지 어느새 삼 년. 구태여 노력하지 않아도 저절로 뇌리에 박힐 수밖에.

어디 외우기만 했을까. 생경한 단어와 비유, 문장들은 프리다의 머릿속을 채우고도 모자라 가끔은 입 밖으로도 튀어나왔다. 결코 고상한 귀족 부인의 입에서 나와선 안 되는 것들이, 불쑥불쑥 의식할 새도 없이.

"역사와 전통을 자랑하는 하크본 백작 가문의 가정 교사가 봤다면 거품을 물고 쓰러질 일입니다."

처음엔 건건이 지적해 대던 뮤리엘마저 이젠 그러려니 한 지 오래다. 엉겁결에 다니엘에게 짜증을 내 버린 프리다는 파닥이던 두 손을 꼭 맞잡고 더듬더듬 입을 열었다.

"어, 음……. 제가 드리고 싶은 말은……. 공작님께서 하루라도 빨리 몸을 회복하고 싶으시다면 의사의 말을 따르셔야 한다, 뭐 그런 거죠."

솔직히 리하르트 공작의 회복력은 그녀가 가진 상식으로는 도저히 이해 불가능한 수준이다. 오늘 아침만 해도 그렇다. 어젯밤 침대에 누운 기억이 없건만 눈을 떠 보니 침대였다. 제 발로 걸어오진 않았으니 질질 끌려오거나 안겨서 왔다는 건데…….

설사 끌려왔다 해도 그렇게 할 사람은 침대 끝에 아슬아슬 걸쳐서 잠들어 있던 프리다의 남편, 리하르트 공작뿐이다. 그런데 삼 년 만에 깨어난 사람이 저를 안아서 침대까지 옮기는 게 가능해? 설마 그랬겠나 싶어 직접 확인까지 거쳤다.

"혹시 어젯밤에 공작님께서 저를 침대로 옮겨 주신 건가요?"

리하르트 공작이 가볍게 고개를 끄덕였을 때 진심으로 놀랐다. 말이 돼? 그게 가능한 일이야? 하도 기가 차 불현듯 무서워졌다. 이러다 금세 또 의식을 잃고 쓰러지면 어쩌나 싶어서. 걱정이 앞선 프리다의 눈빛과 음성이 돌연 다부지게 변했다.

"의사가 갑작스럽게 활동량을 늘리시면 무리가 올 거라고 했잖아요. 그러니 천천히, 아주 조심히 몸을 다루셔야 한다고요. 오래 잠들어 있던 몸이 놀라면 마비가 올지도 모른대요. 그래서 계속 만져 줘야 한댔어요."

프리다는 허공에 다리를 주무르는 시늉을 하며 느릿느릿 양 손가락을 꼼지락거렸다. 그녀는 지난 삼 년 동안 하루도 빠짐없이 다니엘의 몸을 만지고 주물렀다. 처음엔 손자국도 안 남던 단단한 종아리를 제대로 주무르게 되기까지 얼마나 많은 공을 들였는지 모른다.

종아리뿐일까. 그녀의 허리보다 두꺼워 보이는 허벅지, 의식은 없어도 힘줄은 불끈불끈 살아 움직이던 팔뚝. 공작의 몸이 굳지 않도록 아침저녁 땀을 뻘뻘 흘리며 주물렀다. 그뿐인가. 구석구석 몸을 닦고 낑낑거리며 옷을 갈아입힌 것도 자신이다. 초반 몇 달은 도미닉이 도와주었지만, 요령이 생긴 후론 그녀 혼자 해 온 일이다.

다른 건 몰라도 리하르트 공작을 돌보는 일만은 그녀가 이 성안에서 가장 잘한다고 자부할 수 있다. 이렇듯 아내 된 도리로 남편을 돌보겠다는데 대체 뭐가 문제냐고. 움츠러들 거 없다. 리카르도 님이 말씀하시길 움츠리면 무조건 지는 거랬다.

"공작 부인께선 덩치는 조그마하시지만, 깡이 세시니 먼저 움츠러들지만 않으시면 해볼 만합니다. 어깨를 더 넓게 쫙 펴세요. 고개도 빳빳이 드시고. 자고로 말싸움이든 몸싸움이든 무조건 초반에 기세를 잡는 놈, 아니, 잡는 사람이 이기는 겁니다."

프리다는 어깨를 양쪽으로 쫙 펴고 턱을 쭉 빼 들었다. 그다음엔 '아니꼬우면 덤벼 보든가' 하는 눈빛으로 상대를 무섭게 째려보라고 했지만…….

뭐, 이 정도만 해도 그동안 충분히 먹혔다. 만난 지 이틀 된 남편을 그렇게 노려볼 수는 없는 법이기도 하고. 프리다는 다니엘을 마주 보는 대신 그의 이마와 미간 사이에 눈을 고정하고 또박또박 말했다.

"다른 이를 부르실 게 아니라면 아내인 제가 평소처럼 의무를 다하도록 해 주세요. 불편하지 않으시도록 주의하겠습니다."

기죽을 거 없어, 프리다. 당당하게 굴어. 허리까지 꼿꼿하게 세우고 나니 나름 공작 부인다워 보여 만족스러웠다. 그런데…… 왜 공작님은 아무 말도 안 하시지? 아무리 기다려도 답이 들려오지 않자 프리다는 슬그머니 턱을 내렸다.

그녀의 기세에 눌린 기색이라곤 조금도 없는 짙은 적갈색 눈동자가 프리다를 응시하고 있었다. 움찔할 뻔했으나 빠르게 눈을 깜박이며 정신을 가다듬었다.

공작의 얼굴은 건장한 체격과 비교해 보면 오히려 선이 고운 편이다. 그런데도 밝은 머리칼과 화사한 눈동자를 가진 대다수의 스베르겐 남자들과는 결이 다른 또렷한 야성미가 느껴졌다.

얼핏 무감해 보이는 표정을 걷어 내고 소년의 천진한 미소를 끼워 넣으면 더 훌륭할 것도 같다. 아침에 눈을 떴을 때, 당황한 와중에도 한참이나 남편의 얼굴을 바라보고 있었던 것도 그 이유다. 눈을 감고 잠들어 있지 않은, 살아 움직이는 리하르트 공작이 상상보다 너무…… 심하게 잘생겨서.

"부인께선 저와 있는 게 불편하지 않으십니까?"

목소리도 참 근사하다. 가늘지도, 너무 두껍지도 않은 적당한 저음. 들뜨지 않고, 차분히 아래로 깔리는 적절한 무게를 지닌 음성이 쉽사리 흩어져 버리지 않고 긴 여운을 남긴다. 담담히 질문을 건네는 불투명한 눈동자에 담긴 감정을 눈치채지 못한 프리다는 다소 해맑게 손을 내저었다.

"네? 아, 아니요. 전혀요. 전혀 불편하지 않습니다. 공작님을 돌보는 건 아내인 제가 당연히 해야 할 일인 것을요."

"저는……."

느리게 벌어진 다니엘의 입술 새로 흘러나온 목소리에서 예상치 못했던 한기가 느껴졌다.

"불편합니다."

무표정한 낯빛과 무척이나 잘 어울리는 단호하고 냉정한 음성. 뽀얀 뺨 위로 부드럽게 흩어져 있던 프리다의 미소가 일순간 쩍 하고 얼어붙었다. 찬 바람이 불지도 않건만, 진한 냉기에 느닷없이 손끝이 시려 왔다.

내성으로 들어서던 의사 안톤은 중앙 복도를 걸어오는 남자의 모습을 보며 제 눈을 의심했다.

"고, 공작 전하?"

어제 점심 무렵 눈을 뜬 리하르트 공작이 아침 해가 겨우 산 위로 올라선 이 시간에 걷고 있었다. 두 발로 성큼성큼. 전처럼 힘이 실린 당찬 걸음은 아니었으나, 중요한 건 두 발을 땅에 대고 걷고 있다는 거다. 삼 년 만에 깨어난 남자가, 단 하루 만에. 안톤은 손에 들고 있던 약 가방을 움켜쥐고 다니엘의 곁으로 한달음에 뛰어왔다.

"전하, 이리 무리하시면 안 됩니다. 어서 방으로 돌아가 누우십시오."

"발자크를 데려와라."

"예에?"

난데없이 나타난 영주를 마주한 하인 중 몇몇이 허리를 숙이는 것도 잊은 채 멍하니 다니엘을 바라보았다. 그의 명령을 들은 안톤처럼.

"바, 발자크요? 설마 지금 말을 타시겠다는 겁니까?"

"그래. 내 애마가 아직 팔리지 않고 남아 있다면."

소스라치게 놀라는 의사의 반응을 무시한 다니엘이 걸음을 멈추고 성의 내부를 쭉 훑어 내렸다. 값나가는 것들을 모두 팔아 치웠다는 말이 떠올라서였다. 그러나 황제가 주기에 받았을 뿐, 딱히 관심을 두지 않던 성이니 달라진 점이 눈에 띌 리가. 곧바로 거둬들인 다니엘의 시선이 막 문으로 들어서는 검은 형체로 옮겨졌다.

"걱정 마십시오. 발자크는 마구간에서 곱게 늙고 있으니."

도미닉의 등장에도 심드렁한 표정엔 일말의 동요가 없었다.

"전하, 하지만……."

의사는 제 옆으로 다가오는 도미닉에게 좀 말려 보라며 애절한 눈빛을 건넸다. 과하게 애틋한 시선이 우스워 피식거리던 도미닉이 의사에게 그만가 보라고 고개를 까닥였다.

"솔직히 죽고 싶어 환장한 놈이라면 모를까, 그 괴팍한 놈을 누가 산답니까?"

말을 타는 건 절대 안 된다는 뜻인지 의사는 뒷걸음치며 물러나면서도 연신 고개를 저어 댔다. 유난스럽긴. 도미닉은 혀를 끌끌 차며 내성 밖으로 걸어 나가는 다니엘의 뒤를 따랐다.

"그놈이 주군한테나 말이지, 사실 살인 무기나 마찬가지 아닙니까? 툭하면 사람을 메다꽂아 밟기 일쑨데. 그 성미로 허구한 날 마구간 문짝을 부숴 대질 않나. 정말 공작 부인의 만류만 아니었다면 제가 진즉에 내다 버렸을 겁니다."

다니엘을 따라 나가던 도미닉이 근처에 있는 하인을 부르며 소리쳤다.

"어이, 거기! 아델에게 주군과 내 아침 식사는 마구간 옆 계곡으로 보내라고 해. 수프에 고기 듬뿍 넣어서."

그러곤 몇 걸음 앞선 다니엘의 뒤에 바짝 붙어 가며 이러쿵저러쿵 지껄여 댔다.

"갑갑하신 건 이해합니다. 몸도 근질근질하시겠죠. 하지만 의사의 말을 들으세요. 삼 년은 결코 짧은 시간이 아닙니다. 당분간은 다른 생각 하지 마시고, 체력을 회복하는 것에만 집중하세요."

별다른 대꾸를 하지 않고 마구간으로 방향을 튼 다니엘이 계속 걸어가다 도미닉에게 물었다.

"아델이 누구지?"

"아, 뮌하임 성의 주방장입니다. 그게 언제였더라? 두 해쯤 됐나……. 벌목꾼들을 따라서 온 여잔데 음식 솜씨가 좋아서 공작 부인 눈에 들었죠. 마음에 드신다며 냉큼 성에 눌러앉히시더라고요."

"뒷조사는?"

"당연히 했죠. 동부에서 살았는데 하츠펠트 공작가가 황실에 반란을 일으켰을 때 남편을 잃었답니다. 여기저기 떠돌다 이 산 구석까지 흘러들어왔고요."

내성을 돌자마자 갑자기 확 트인 시야를 마주한 다니엘이 걸음을 멈췄다. 저긴 분명 성벽과 산등성이가 연결되어 있던 곳이었는데?

푸른 나무숲이 빽빽하게 들어차 있던 자리에 층마다 색이 조금씩 다른 계단식 밭이 펼쳐져 있었다. 그것도 그의 눈길이 닿는 곳 대부분에. 설명해 보라는 무언의 명령을 담은 눈빛이 도미닉에게 와 닿았다. 그는 어깨를 가볍게 으쓱하며 입매를 치켜올렸다.

"말씀드렸잖습니까? 공작 부인께서 주군께서 잠들어 있는 동안 뭘 하셨는지."

"자세히."

듣긴 들었다. 알타스의 울창한 산림을 농지로 만들기 위해 대대적인 벌목을 하느라 성안에 여분의 침대 하나 남기지 않고 다 팔아 치웠다고. 말로 들었을 때야 그저 나무 몇 그루 베어 내고 만 줄 알았지. 이건…… 산 하나를 완전히 들어낸 거잖아. 자신이 잠들어 있는 삼 년 만에 이렇게까지 했다고? 그 작은 여자가?

다니엘의 눈에서 저를 향한 불신을 읽어 낸 도미닉이 뒷짐을 진 채 주군의 옆에 섰다. 그러곤 친절하게 설명을 보탰다. 진심으로 뒤범벅된 찬탄을 곁들여서.

"제가 뭐라고 했습니까? 우리 공작 부인께서 덩치는 주군의 반토막만 하실지 몰라도 그 배포가……."

뒷짐을 푼 도미닉이 다니엘의 얼굴을 스치며 양옆으로 팔을 쫙 펼쳤다.

"어마어마하십니다."

이후, 계곡가에 자리 잡은 두 사람 옆으로 간소한 아침 식사가 차려졌다. 도미닉이 주절주절 입을 연 건 그릇째로 호로록 수프를 들이켜고 난 후였다.

"공작령에 도착하시고 처음 몇 달은 여기저기 둘러만 보시더니, 어느 날 저를 불러서 이렇게 말씀하시더라고요."

"도미닉, 성의 동쪽 숲을 베어 내야겠어요."

"전들 상상이나 했겠습니까? 그 말이 숲 하나를 모두 치워 버리자는 뜻인지."

제 몫의 수프를 모두 다 먹고 난 다니엘은 도미닉의 접시에 담긴 빵을 집어 들었다. 몰랐는데 허기가 졌었나 보다. 눈으로 보고도 믿어지지 않는 광경을 마주하고도 건더기가 거의 없고 맛도 싱거운 환자용 수프가 꿀떡꿀떡 넘어가는 걸 보면.

다니엘은 따뜻하고 고소한 빵을 씹으며 계곡 너머로 보이는, 봐도 봐도 믿어지지 않는 전경에 눈을 주었다. 숲을 모조리 들어내고 거기에 밭을 만들다니. 눈으로 보지 않고 귀로만 들었다면 웬 허튼소리라며 비웃었을 것이다.

흐늘거리는 가지가 땅으로 처져 내려온 큰 버드나무 기둥에 허리를 기대고 앉은 도미닉의 입에서 미처 삼키지 못한 빵 부스러기가 마구 튀어나왔다.

"처음엔 나무를 몇 그루 베고, 손바닥만 한 밭이나 만드시려나 그랬죠. 그런데 귀족 아가씨라 그런가? 손이 어찌나 큰지 일을 끝도 없이 벌이는데……. 아버지나 제가 따라가기가 힘들 정도였다니까요."

"저 정도 대규모 공사를 가구 몇 개 팔아 치운 걸로 해결했다고?"

"그럴 리가요."

수프에 담긴 고기를 우걱우걱 대충 씹어 넘긴 도미닉은 '꺼억' 하고 길게 트림을 한 후 손등으로 입을 쓱 닦았다.

"지참금은 물론이고 결혼할 때 들고 오신 것 중 값나가는 건 다 팔아 치웠다고 보면 됩니다. 보석에 드레스에 구두까지. 그걸로 공사 대금을 충당하다 결국 성안의 살림을 하나하나 내다 팔았죠. 기가 막힌 건 그것뿐만이 아닙니다."

포도주로 목을 축인 도미닉이 뭔가를 떠올리며 빙긋이 웃었다.

"이건 뭐 협상하는 솜씨가 가히 사기꾼이에요, 사기꾼. 바이마르에서 불러온 상인에게 밭에 심을 씨앗을 사들이면서 그 값으로 뭘 제시했는지 아십니까?"

다시 생각해도 기가 차는지 도미닉이 미소를 유지한 채 혀를 내둘렀다.

"씨앗 값의 절반만 먼저 지불하고, 나머지 절반은 씨앗이 자라면 곡물로 갚겠다고 하셨습니다. 그러면 당신들도 이득 아니냐고 하면서 눈도 깜짝 안 하고 사기를 치는데……. 하하. 아니, 막말로 농사가 될지 안 될지도 모르는데 뭘 믿고. 정말 어디서 그런 배짱이 나오는지……."

"형은 뭘 했는데?"

"어?"

빵 한 덩어리를 더 집으러 가던 도미닉의 손이 멈칫하더니 그대로 굳어 버렸다. 남다른 친분으로 인해 도미닉이 하나 더 아는 다니엘 리하르트에 관한 지식. 이 자식이 저를 '형'이라고 친근하게 부를 땐 무조건 피하고 봐야 한다. 미처 그 지식을 되새길 틈도 없이 다니엘의 손에 덥석 손목이 잡혔다. 순식간에 벌겋게 붉어진 눈동자가 도미닉을 보며 이글이글 불을 내뿜었다.

"그 작은 여자가 제 땅도 아닌 이곳을 위해 그토록 애쓸 동안 형은 뭐 했냐고, 이 개자식아."

"야, 아, 아파."

"못 하게 말리든가, 아니면 금고라도 열어 주든가 했어야지. 가진 걸 전부 내다 파는 걸 그냥 보고 있었냐고. 형이 그러고도 사내자식이야?"

방심하다 잡힌 손목에 예상보다 강한 힘이 실리자 도미닉의 눈가가 확 일그러졌다. 아니, 천 일이 넘게 드러누워 있던 놈이 어떻게 악력이 예전 그대로야? 아무튼 무식하게 힘만 센 자식.

도미닉은 팔목을 이리저리 비틀어 겨우 다니엘의 손아귀에서 빼냈다. 검게 그을린 그의 팔에 살갗보다 검붉고 진한 자국이 뚜렷하게 남았다. 혹 부러진 건 아닌가 싶어 손목을 까닥거려 보던 도미닉이 냅다 소리를 질렀다.

"얼마나 가겠나 싶어서 그냥 두고 봤다! 저 연약한 몸으로 하면 뭘 하겠나 싶어서! 다들 얼마 살지도 못할 거라고 하기도 했고……."

"뭐?"

"그렇잖아."

벌떡 일어난 도미닉이 뒷걸음질하며 다니엘과 거리를 넓혔다. 열다섯이 되기도 전에 이미 힘의 우위에서 밀린다는 걸 깨닫고 의미 없는 반항 같은 건 꿈도 꾸지 않고 살아온 그다.

저를 형이라고 부르는 붉은 눈의 다니엘이라니. 알타스의 맹수 알타이카가 나타난들 이보다 두려울까. 주먹이 날아온다 해도 피하는 게 가능할 만큼의 충분한 거리를 벌린 후에야 도미닉이 투덜투덜 목소리를 높였다.

"하크본 가문의 여자들에 대한 소문을 모르고 본다 쳐도, 딱 봐도 비실비실하잖아. 그나마 지금은 살이나 붙었지. 삼 년 전엔 다들 일 년도 못 살 거라고 수군댔었어, 인마. 오죽했으면 아버지가 공작 부인의 생사를 확인한다고 아침저녁으로 성을 드나들었을까."

생긴 건 우락부락 세상 자비라곤 없게 생겨서 정은 어찌나 많은지. 언제 어떻게 될지 모르니 정 주지 말라고 해도 말을 들어 먹냐고.

욱신거리는 팔을 들어 눈앞을 가리는 나뭇가지를 툭 쳐 낸 도미닉이 다시 철퍼덕 자리에 주저앉았다.

“라우라의 며느리면 당신 며느리이기도 하다나 뭐라나. 웃기는 소리지. 밀라보 출신 천한 용병단장에게 고귀하신 스베르겐의 귀족 며느리가 말이 되냐고. 그런데 진짜 웃기는 게 뭔 줄 알아?”

조금 복잡한 심경이 된 도미닉이 뒷덜미를 사납게 긁적였다.

“그 귀족 아가씨가…… 이젠 진짜 가족 같아. 젠장, 사람 불편하게.”

느닷없이 버드나무 가지가 쉭쉭 소리를 내며 출렁일 만큼 세찬 바람이 불었다. 음식이 비워진 바구니가 바람에 밀려 다니엘의 뒤편으로 데굴데굴 굴러갔다.

길게 자란 머리칼이 찌른 건 눈인데 희한하게도 명치가 아파져 왔다. 불편했겠지. 자신도 이런데 아무리 ‘차가운 심장’이라 불리는 도미닉이라도 버텨 낼 재간이 있을 리가. 자꾸만 뭔가가 뒤엉키는 찝찝한 기분. 이런 기분을 해결하는 방법은 간단하다. 다니엘이 눈을 찌르는 머리칼을 손으로 움켜쥐었다.

“우선 이거부터 좀 잘라.”

치워 버릴 수 있으면 치워 내고, 아니면 선을 긋는다. 네 자리를 지키라고. 더는 넘어오지 말라고. 그것도 아니면…… 잘라 낸다. 가족이든 뭐든 예외는 없다.

반이 넘게 남은 프리다의 수프 그릇에 푹 삶아져 흐물흐물해진 고깃덩이가 또 얹어졌다. 다른 때라면 배부르니 그만 주라며 울상을 지었을 프리다였다. 그러나 지금은 턱을 괸 채 스푼으로 그릇 바닥을 콕콕 찍어 대는 중이다. 역사와 전통을 자랑하는 하크본가의 가정 교사가 봤다면 이 또한 기함

했을 행동이다. 한껏 삐져나온 후 들어갈 생각을 하지 않는 입술로 불만스럽게 투덜대는 모습도 귀족답지 않긴 마찬가지였다.

"그래. 불편하시겠지. 이해해. 이해한다고. 이해는 하는데……."

탁. 프리다의 말이 끝나기도 전에 아델이 큼지막한 칼로 정확히 감자를 반으로 두 동강 내며 말했다.

"그래도 영주님께서 그렇게 말씀하시는 건 좀 아니죠."

아델의 옆에서 수프 냄비를 휘젓고 있던 마틸다도 연신 고개를 끄덕였다.

"맞아요. 공작령이 누구 덕에 사람 살 만한 땅이 됐는데. 우리 마님이 아니었다면, 다 굶어 죽어서 성이 텅텅 비었을 거라고요."

"저, 마틸다. 그래도 그건 좀 너무……."

너무 나간 거 같다며 마틸다를 말리려는데 아델이 탁 하고 감자 하나를 더 가르며 외쳤다.

"내 말이. 지난 추수철에 돈 벌러 왔다가 눌러앉은 영주민만 몇 명인데. 그중엔 내가 살던 동부에서 온 자들도 있었다고. 말했지? 그 쌍둥이 키운다는 부부."

"어디 그뿐이게요? 약초 상인이 그러는데 공작령이 살 만해졌다는 소문이 알음알음 제국 전체에 퍼지고 있대요."

"정말?"

어느새 눈이 초롱초롱해진 프리다가 마틸다에게 사실이냐며 되물었다.

"진짜로 그런 소문이 돌고 있대?"

"그렇다니까요. 마님도 아시죠? 공작령 위쪽에 있는, 황제께서 정부한테 내려 준 그 땅이요. 약초 상인이 거기도 지나왔는데 기후도 그렇고, 작물도 여기가 훨씬 낫대요."

마틸다는 대화하는 도중에도 어서 드시라며 프리다의 앞으로 그릇을 밀어 주었다.

"게다가 거기는 황제께서 드나드시는 통에 사냥터를 만드느니 어쩌느니 하며, 하도 들쑤셔 놔서 다들 여차하면 터전을 옮기겠다고 벼르고 있다네요. 아이고, 수프가 식었어요. 이건 제가 먹을 테니 그냥 두시고, 뜨거운 걸로 바꿔 드릴게요."

"아니야, 마틸다. 괜찮아. 딱 좋아."

기분이 한결 나아진 프리다가 수프를 뜨려던 찰나, 아델의 통통한 손이 그릇을 홱 집어 갔다.

"딱 좋긴요. 식었잖아요. 마틸다, 마님께 수프 다시 떠서 드려."

아델은 바구니 가득 담긴 감자를 연이어 가르며 프리다에게 푸근한 미소를 지어 보였다.

"마님 드시기 좋게 푹 익혔으니까 고기도 꼭꼭 씹어서 다 드세요. 살이 아주 야들야들해요. 그리고 공작님이 하신 헛소리는 잊어버리세요. 남자들이란 타고나길 생각이 짧답니다."

"맞아요, 맞아. 우리 마님이 매일같이 얼마나 정성스럽게 씻겨 드리고 주무르고 하셨는데 불편하다니? 덩치나 작으신가? 무겁긴 또 오죽 무겁고."

이후로도 마틸다와 아델은 프리다에게 전폭적이고 맹목적인 지지를 보내며, 그녀 편을 들고 공작을 욕하느라 바빴다. 감자 자르는 칼을 휘두르는 아델의 팔 힘이 점점 더 세졌다. 그 증거로 반으로 갈라진 감자가 꽤 격하게 주변으로 튀어 나가 주방 바닥에 떨어졌다.

"남자는 자고로 성격이 전부인데 걱정이네요, 걱정!"

아델의 말에 마틸다가 가슴을 툭툭 치며 동의를 표했다.

"맞아요. 얼굴이 무슨 소용이에요? 자고로 이 품이 넓어야지, 품이."

주방 한쪽에 서서 말없이 그 모습을 지켜보고 있던 뮤리엘이 쯧쯧 혀를 찼다. 그때, 낯선 인기척을 느낀 뮤리엘은 슬슬 저 막 나가는 두 여자를 말려야겠다 싶어 꼬고 있던 팔짱을 풀었다.

"이제 그만하는 게 좋겠는데."

"그만하긴 뭘 그만해요? 기사님은 속상하지도 않아요? 고생만 하신 우리 마님께 고맙다는 말씀은 못 하실망정 불편하다니! 영주님께서 어떻게 그럴 수가 있으시냐고요."

사람들이 자주 드나드는 주방 문은 기척도 내지 않고 부드럽게 열렸다. 툴툴거리며 감자를 향해 칼을 내리치려던 아델은 그 자세 그대로, 문으로 들어서는 사내와 눈이 마주쳤다.

"……."

빵을 잘라 주던 마틸다도, 수프를 삼키고 있던 프리다도 순간 말문을 닫고 문을 바라보았다. 길게 자라 있던 머리칼을 잘라 시원시원한 이목구비를 드러낸 다니엘에게 모두의 시선이 모였다. 문 앞에 멈춰 선 다니엘을 지나쳐 들어오던 도미닉이 이상한 분위기를 감지하고 주춤거렸다. 그러다 얼빠진 표정을 짓고 있는 여자들 사이에서 프리다를 발견하고 반갑게 미소 지었다.

"아침 식사 중이셨군요? 천천히 드십시오. 식사를 마치시면 다시 오겠습니다."

들고 있던 스푼을 내려놓은 프리다가 다급히 의자에서 일어섰다.

"아, 아닙니다. 다 마쳤어요. 제게 무슨 하실 말씀이라도……."

"제가 아니라 주군께서 부인께 하실 말씀이 있으시다네요."

도미닉은 자리를 비켜서며 문 앞에 선 다니엘을 가리켰다. 오른손을 허리 뒤로 돌리고 선 다니엘이 식탁 위의 음식을 물끄러미 바라보다 입을 뗐다.

"잠시 시간을 내 주시겠습니까?"

"지, 지금이요?"

"아니요. 식사가 끝나신 후에 뵙지요. 도미닉. 부인께서 식사를 마치시면 집무실로 모시고 오게."

"네, 주군."

주방에 있던 여인들은 그제야 도미닉의 존재를 알아챈 듯 그에게로 눈을 돌렸다. 곧바로 짧고 가벼운 묵례를 남기고 사라진 다니엘에게로 다시 향하긴 했지만.

탁.

공중에서 멈춰 있던 아델의 칼이 그제야 도마 위로 내려왔다. 감자의 중심이 아닌 끄트머리를 아슬아슬 비켜 치며. 여전히 공작이 사라진 쪽을 눈으로 좇던 아델이 그때까지 숨을 멈추고 있던 마틸다의 허리를 툭 밀었다.

"마틸다, 내가 아까 남자는 뭐가 전부라고 했더라?"

"성격이요."

"그랬나? 성격이라고 했던가?"

"네……. 저는 자고로 품이 넓어야 한다고 했고요."

"그러게. 틀린 말은 아닌데 왜……."

저를 빤히 바라보는 아델과 마틸다의 시선을 느낀 도미닉이 고개를 갸우뚱거리며 물었다.

"왜요? 날 왜 그렇게 보는데?"

살짝 눈이 풀린 아델이 마틸다의 귀에 속삭였다.

"나는 왜 방금 도미닉 님이 안 보였을까?"

평소 도미닉의 훈훈한 외모에 호감을 느끼고 있던 마틸다도 조금 멍한 상태로 냄비를 저으며 답했다.

"저도요. 있는 줄도 몰랐네요."

묵묵히 고기를 우물거리던 프리다 역시 나지막이 중얼거렸다.

"……나도."

'그분만 보였어.'라는 말은 야들야들한 고기와 함께 목 안으로 꿀꺽 삼켰다.

도미닉을 따라 다니엘을 만나러 가는 동안 프리다는 새삼스레 가슴이 뛰었다. 삼 년 내내 보았던 창백한 얼굴에 생명력이 깃든 것뿐이건만, 사람이

그토록 달라 보이다니.

두 번 고민할 것도 없었다. 이목구비가 또렷하게 드러난 리하르트 공작은 프리다가 여태껏 만나 본 이들 중 제일 잘생긴 사내였다. 심지어 남자와 여자를 통틀어 떠올려 봐도. 덥수룩했던 머리칼이 사라진 자리에 등장한 해사한 얼굴은 소년의 미소를 곁들이지 않아도, 그 자체로 꽃이었다.

'정말 심장 떨어지는 줄 알았네. 아니, 나는 그동안 왜 몰랐지? 밤이 아니라 낮에도 눈이 침침해졌나?'

프리다는 남편의 진짜 모습을 몰라본 죄를 물기라도 하듯 애꿎은 눈을 손가락으로 마구 비벼 댔다. 음울한 분위기를 풍길 때조차 멋졌던 남편이지만, 이건 상상 이상이다. 오늘 아침 그녀에게 '당신이 불편하다'고 쌀쌀맞게 말하던 이와 같은 인물인가 의심이 들 정도다.

오전만 해도 하크본 백작가에 드나들던 상인들이 전한 얘기가 허풍이 아니었구나 싶었다. 그들은 하나같이 리하르트 공작이 무자비하기 이를 데 없는, 피에 굶주린 잔인한 사내라고 수군댔다. 도미닉이 간혹 들려준 이야기도 크게 다르지 않았다.

"비록 제 주군이시긴 하나 공작님의 성품이 좋다고 말하는 건 제 양심에 반하는 행동이라 차마……."

주군에 대한 애정이 과하다 못해 넘쳐흐르는 리카르도 님도 그 부분에서만은 도미닉과 의견이 같았다.

"공작 부인께선 꼭 명심하세요. 주군의 눈이 붉어질 기미가 보이면, 무조건 입을 닫고 튀는 겁니다. 망설이다 완전히 붉어진 눈을 마주하는 순간…… 지옥을 경험하시게 될 테니까요. 도미닉 저놈도 멋모르고 덤비다 눈깔, 아니, 눈알 잃을 뻔했잖아요."

그런 얘기를 들어서인지 처음엔 그의 몸에 손을 대기가 무서웠었다. 하지만 한 달, 두 달 미약한 숨만 내쉬는 남편은 좀 크고 무거운 갓난아기와 다를 바 없었다. 지난 삼 년간 프리다가 매일 봐 온 리하르트 공작은 그저…… 환자였다. 평생 누군가를 돌보는 입장이 되어 본 적 없는 프리다가 처음으로 온전히 책임지게 된 아픈 사람.

그런데 병상을 털고 일어난 남편이 하루 만에 최고의 미남이라 불리는 고대 신화 속 프레이르 님처럼 눈부시게 변하다니. 빠근하게 조여 오며 빨리 뛰기까지 하는 가슴을 주먹 쥔 손으로 꾹 눌러도 진정이 되지 않았다.

"아가씨."

프리다는 뒤편에서 저를 부르는 소리에 흠칫 놀라 뒤를 돌았다.

"왜, 왜? 뮤리엘?"

"심호흡하세요."

"어?"

"심호흡이요. 후우, 후우."

느릿느릿 원을 그리는 뮤리엘의 손을 따라 프리다가 크게 숨을 내쉬었다 들이마셨다. 프리다와 뮤리엘이 뒤처지자 앞서가던 도미닉이 걸음을 멈추고 돌아섰다. 복도에 서서 난데없이 들숨 날숨을 반복하고 있는 여자들을 바라보는 그의 눈썹이 꿈틀거렸다.

"지금 뭘 하시는 거냐고 여쭤도 되겠습니까?"

"프리다 아가씨는 긴장하면 숨 쉬는 걸 잊곤 하십니다."

이젠 괜찮다며 호흡을 갈무리하려는 프리다를 향해 뮤리엘이 계속하라고 수신호를 보냈다.

"열 번 더 하세요. 여기까지 오는 내내 숨 멈추고 계셨잖아요. 그러다 기절하세요."

기절이라는 말이 거슬렸는지 눈을 찡그리는 프리다를 보며 도미닉이 고개를 갸웃거렸다.

"긴장이요? 아니, 왜 갑자기 그런 걸 하셨답니까? 설마……."

도미닉이 몇 걸음 앞에 있는 공작 집무실의 육중한 갈색 문을 가리켰다.

"주군을 뵈러 가는 것 때문에요?"

가슴을 크게 들썩이던 프리다가 말없이 살짝 고개만 끄덕이자 도미닉의 미간이 선명하게 주름졌다.

"매일 보던 분에게 가는데 왜 새삼스레……."

대답 대신 뺨을 붉게 물들인 프리다는 도미닉과 뮤리엘 사이를 후다닥 지나쳤다. 그러곤 조금은 급한 손길로 문에 달린 손잡이를 톡톡 두드리더니, 허락의 답이 들려오자마자 집무실 안으로 냉큼 사라져 버렸다.

공작 부인답지 않은 잽싼 행동을 멍하니 바라보던 도미닉이 팔짱을 끼며 중얼거렸다.

"부인께서 왜 저러시는 건지 로시발트 경은 압니까?"

"모르면 바보 천치죠."

졸지에 바보 천치가 되어 놓고도 도미닉은 크게 기분이 상한 눈치는 아니었다. 삼 년 전 하크본 백작가에서 만난 이후, 이 여기사는 한결같이 시큰둥하고 냉소적인 모습을 보여 왔다.

뛰어난 검술 솜씨를 논외로 하고라도, 도미닉이 뮤리엘 로시발트라는 인간에게 예의를 갖추는 이유다. 쉽게 변하지 않는 인간이란 충분히 존경받을 만하니까. 그래서 뿌루퉁한 대꾸를 하는 대신 내내 궁금해 왔던 질문을 던졌다.

"그나저나 로시발트 경은 언제까지 부인을 아가씨라고 부를 겁니까? 엄연히 공작 부인이란 칭호가 있으신 분한테."

보통 굳게 다물려 있는 편인 여기사의 입술이 픽, 가는 바람 소리와 함께 열리며 예의 시큰둥한 목소리를 흘려보냈다.

"글쎄. 당신들이 우리 아가씨를 진짜 주군의 아내로 여길 때쯤?"

"그게 무슨 소립니까? 로시발트 경, 우린 지금도 공작 부인을……."

"더 주절댈 필요 없어요, 도미닉."

도미닉을 지나친 뮤리엘이 프리다가 들어간 문 앞에 등을 돌리고 섰다. 잔뜩 찡그린 도미닉과 달리 표정의 변화가 없는 그녀의 얼굴은 고요한 호수 같았다.

"댁들이 우리 아가씨를 평생 섬길 주군의 아내가 아니라, 언제 죽을지 모르는 안쓰러운 시한부 귀족 아가씨쯤으로 여긴다는 거 다 아니까."

반박할 여지조차 주지 않는 냉소적인 말투는 차갑고 굳건한 한겨울의 알타스 같기도 했다.

"뭐, 나중을 생각하면 어설프게 정든 다음 질질 짜는 것보다야 그 편이 낫겠지."

도미닉은 할 말을 잃은 채 저를 향하는 여기사의 서늘한 시선을 우두커니 마주 보았다.

프리다는 특유의 나뭇결이 살아 있는 알타스의 물푸레나무로 만든 책상 위에서 눈을 떼지 못하는 중이었다. 정확히는 책상 위에 놓인 열쇠에서.

열쇠의 길이는 리하르트 공작의 손바닥만 하고, 딱 봐도 꽤 무게가 나가 보였다. 공작이 그녀를 향해 내미는 걸 보면 프리다에게 주겠다는 의미인 듯했고. 프리다가 즉각 집어 들지 않고 멀뚱멀뚱 바라만 보고 있자 다니엘이 열쇠를 그녀 쪽으로 슬쩍 더 밀어냈다.

"제 개인 금고 열쇠입니다. 위치는 도미닉이 알려 드릴 겁니다."

"……저에게 주시는 건가요?"

"네."

의도를 짐작하지 못해 음성이 다소 높아진 프리다와 달리, 답하는 다니엘의 목소리는 고요하기만 했다.

"공작님의 개인 금고 열쇠를 왜 저에게 주시는 건데요?"

"도미닉에게 들으니 결혼 지참금을 전부 공작령을 개간하는 데 쓰셨다고 하더군요. 그걸 돌려드리는 겁니다."

"아……. 네."

이해했다는 듯 평온해진 눈빛으로 잠시 고개를 주억거리던 프리다의 보라색 눈동자가 다시 반짝였다.

"그런데요, 공작님. 저는 신부 측에서 가져온 지참금은 남편의 재산에 귀속되는 것으로 알고 있는데……. 남부의 재산법은 북부와 다른가요?"

남부의 재산법? 예기치 못한 질문을 들은 다니엘은 바로 답을 하지 못하고 얌전히 입을 닫았다. 열 살을 넘기자마자 외조부의 용병단에 맡겨져 여기저기 떠돌았다.

재산법이니 뭐니 하는, 단어만 들어도 골치가 지끈거리는 것들을 알 리가 있나. 전쟁터까지 예법 스승을 따라다니게 하며 교육에 열성을 보였던 모친도, 법이니 제도니 하는 것들엔 관심 가지지 말라 강조하곤 하셨다.

"그딴 것들엔 눈도 주지 마, 다니엘. 네 명줄을 줄어들게 할 뿐이니까."

모르는 게 창피한 건 아니다. 다만 그의 답을 기다리고 있는 맑은 눈동자를 오래 외면할 수 없어 대충 얼버무렸다.

"한 제국 내에 각기 다른 재산법이 존재할 리는 없으니, 알고 계신 내용이 맞을 겁니다."

"그렇다면 공작님께선 제게 지참금을 돌려주지 않으셔도 됩니다. 저는 제 돈이 아니라 우리의 돈을 다른 누구도 아닌 우리의 땅을 위해 썼으니까요."

"……우리 땅?"

생경하기 짝이 없는 단어를 들은 다니엘은 그만 아내에게 존대의 예를 갖추는 것을 잊고 말았다. 프리다는 개의치 않고 그가 되물은 단어를 재차 끄집어냈다.

"네. 우리 땅이요. 위대한 '십이 가문'이신 리하르트 공작님과 제가 머무는 이 공작령 유트레히트요."

아, 위대한 '십이 가문'. 그래, 대단하고 신성한 가문이긴 하지. 다니엘은 순간, 제 입술을 비집고 나오려던 조소를 꾹 참았다. 그러나 머리로 밀려드는 기억은 막아 내지 못했다.

"레오폴드가 하도 네 공이 크다 우기니 나도 별수 없구나. 하지만 명심하거라, 다니엘. 잠시 맡겨 두는 것뿐. 신성한 리하르트는 고작 너 따위에게 주어질 이름이 아니다. 그러니 네 어미를 본받아 과욕을 부리지 말고 분수를 지키거라."

현 황태후이자 전대 리하르트 공작 부인이었던 마그리트 님께서 한 말씀이다. 산세가 험해 따로 성벽을 쌓지 않아도 저절로 국경이 되어 버린 알타스와 라파스, 두 산맥에 둘러싸인 척박한 땅덩어리를 영지라고 내려 주며.

속내를 감추고 뒷구멍으로 일을 꾸미는 데 특출 난 바이첸 가문 출신인 황태후다. 그 오만하고 영악한 여자가 얼마나 싫었으면 탐탁지 않다는 심사를 있는 대로 표출하며 생색을 냈다. 그리 받은 땅이 뭐가 달가워 돌봤을까. 레오폴드에게 불려 다니느라 그럴 시간도 없었지만.

저 때문에 고생이 끊일 날 없는 용병단에게 쉴 곳이나 만들어 주자는 심산으로 받았을 뿐. 죽을 날이 지척이라는 여리고 귀한 공작 아가씨의 주머니를 털어 가꾸고 돌볼 땅이 아니다. 그리고 '우리 땅'이라니? 누가 '우리'라는 거야?

자리에서 벌떡 일어난 다니엘은 묵직한 열쇠를 집어 들고, 저벅저벅 책상을 돌아 프리다의 앞에 섰다. 그를 올려다보는 맑은 보랏빛 눈동자를 외면한 그는 프리다의 손바닥 위에 열쇠를 내려놓았다.

"가지고 오신 지참금이 불렌체 금화로 대략 200만 플로린쯤 된다고 들었습니다. 제가 잘못 알았을 수도 있으니 하크본가에 정확한 금액을 문의하신 후 청구하셔도 됩니다. 불렌체 금화가 싫으시면 그 외 보석이나 두카트도 있으니 원하시는……."

"두, 두카트요?"

작은 손이 별안간 열쇠를 꽉 움켜쥐었다.

"지금 두카트라고 하셨나요? 공작님의 개인 금고에 두카트가 있다고요? 현재 제국 내에서 가장 인정받는 금화인 그 두카트요?"

미처 빠져나가지 못한 다니엘의 손가락이 프리다의 손에 열쇠와 함께 잡혔다. 악력이나 있을까 싶었는데 제법 힘이 느껴지는 게 신기해 다니엘은 손을 그대로 둔 채 고개를 끄덕였다.

"네. 베네토 공국에서 만든 금화 두카트요. 플로린 금화보다 약……."

"1.5배의 가치를 인정받고 있어요. 유통된 적이 없는 새것이라면 2배도 가능하고요. 맙소사, 그 금화를 가지고 있다는 거죠?"

제국에 널리 유통되고 있는 플로린 금화보다 순도가 2%나 높아 더 대접받는 화폐, 두카트.

과거 외조부 마시모는 용병으로 일한 목숨값으로, 금화 대신 라파스 산 몇 개의 소유권을 받았다. 그 산 중 어딘가에서 금광이 발견되었고, 그것들은 베네토 공국에서 금화 두카트가 되었다. 하여 그의 금고엔 플로린보다 두카트가 더 많다. 심지어 단 한 번도 유통된 적 없는 완벽한 새 금화가.

"얼마나요? 두카트가 얼마나 있으신데요?"

방금 제 입으로 지참금을 돌려줄 필요가 없다고 말하지 않았던가? 그랬던 여인이라고는 믿을 수 없는, 탐욕에 들끓는 강렬한 눈빛이 그를 마주 보았다. 미묘하지만 분명하게 열쇠를 당기는 힘도 세졌다.

별안간 어깃장을 놓고 싶다는 감정이 모락모락 피어났다. 아직 제 손에서 떠나지 않은 열쇠를 확 도로 빼앗아 버리면 이 여자는 어떤 표정을 지을까?

아니지. 이 보랏빛 눈에 금화가 꽉 찬 금고를 담게 해 준 다음, 뺏는 게 더 재밌을지도. 더럽고 지저분한 때라곤 조금도 묻지 않은 것처럼 보이는 이 고결한 여인도 번쩍이는 그것들을 보면 탐욕을 드러내시려나? 담담하던 그의 입매가 보일 듯 말 듯 가늘게 비틀렸다.

"보고 싶습니까?"

"네, 보고 싶어요!"

뭔가를 매달고 있다는 게 신기할 정도로 가는 목을 마구 끄덕여 대는 광경이 무척이나 위태로웠다. 다니엘은 본능적으로 당장 부러져도 이상하지 않을 가녀린 목을 지탱해 주려 손을 뻗었다. 하지만 성큼 그의 앞으로 다가온 프리다로 인해 미처 다 뻗지도 못한 팔을 엉거주춤 접고 말았다.

"지금 바로 보러 가도 될까요?"

거리가 가까워지자 그를 올려다보기 위해 치켜든 고개가 한껏 뒤로 젖혀졌다. 목깃 사이로 보이는 발갛고 푸른 실핏줄은 금방이라도 터져 나갈 듯 팽팽하게 당겨졌고. 그 모습에 시선을 빼앗겨 열쇠가 자신의 손에서 완전히 떠났다는 것도 잠시 깨닫지 못했다.

묵직한 열쇠를 손에 꽉 쥔 프리다는 만면에 미소를 띠었다. 티끌만 한 더러움도 묻지 않은 새하얀 설원 같은 깨끗한 미소를. 어정쩡하게 접혀 있던 다니엘의 팔이 구불구불 흘러내리는 은색 머리칼을 향해 천천히 다시 펴졌다.

"이 열쇠를 도미닉에게 보여 주면 되는 거죠?"

금화를 볼 생각에 신이 난 프리다는 다니엘의 손끝이 제 머리칼을 만지는 줄도 몰랐다. 그녀의 머릿속은 지금 두카트로 가득 차 있었기에.

성벽 안 산등성이 하나를 농지로 만드는 데만 무려 400만 플로린의 금화가 소요됐다. 펜하임 성을 벗어나면 조금 더 개간에 적합한 땅이 있긴 했으나, 굳이 돈을 더 들여 성안에 농지를 만든 건 영주민들의 수를 파악하기 위해서였다.

성안에 일거리가 있으니 자연스레 영주민들은 펜하임 성을 들락거려야 했고, 그러자면 출입 허가증이 필수다. 그들에게 허가증을 발급하며 기존에 공작령에 머물던 영주민의 수와 늘어난 인구의 수를 기록해 나갔다.

그렇게 작성한 문서를 기반으로 지난해부터는 유트레히트가 공작령이 된 이후 처음으로 제대로 된 세금 징수를 할 수 있었고.

물론 공작령 전체를 측량하고 영주민 숫자를 파악하려면 아직 멀었다. 에휴, 그놈의 원수 같은 돈. 재정만 탄탄하다면 하고 싶은 일, 할 수 있는 사업이 수백 가지였건만. 그동안은 꼼짝없이 허브 농사가 끝나 거래가 이뤄질 계절까지 손을 놓고 있어야 했던 실정이다.

그런데 두카트라니! 우리에게 돈이 있었다니! 프리다에게 200만 플로린을 돌려주겠다고 하는 걸 보면 최소한 그 정도는 있다는 얘기다.

흥분의 강도가 점점 높아져 조바심을 참을 수 없게 된 프리다는 다니엘의 답을 듣지도 않은 채 냅다 뒤를 돌았다. 그리고 집무실 밖을 향해 목청껏 그녀를 금고까지 데려다줄 남자의 이름을 불렀다.

"도미닉! 도미……."

두 걸음도 걷지 못한 프리다의 허리가 휙, 순식간에 방향을 틀었다. 난생처음 남자의 손에 붙잡혀서.

"꺄악!"

깜짝 놀란 그녀는 눈을 질끈 감으며 팔을 움츠렸다.

"다른 사람은 필요 없습니다."

나지막한 저음이 이마 위에 내려앉더니 동시에 손에 들고 있던 열쇠가 쏙 빠져나갔다. 저를 끌어당긴 다니엘의 품속에서 프리다가 금세 휘둥그레 떠진 눈을 빠르게 깜박였다.

그 와중에도 그녀는 열쇠의 행방을 찾아 이리저리 눈동자를 굴렸다. 다니엘이 프리다의 시선 앞에 열쇠를 가져다 놓을 때까지. 열쇠를 따라 움직이는 보석을 닮은 눈동자를 내려다보던 그가 담담히 입을 열었다.

"제가 직접 모셔다드리죠."

도미닉은 집무실의 문고리를 당기려는 뮤리엘의 손목을 힘주어 잡았다.

여기사의 서늘한 회색 눈동자가 그를 차갑게 응시했다.

"놓으시오. 방금 안에서 아가씨의 비명이……."

"잠깐 들렸다 말았지요. 당신도 듣고, 나도 들은 것처럼."

단단히 틀어쥐지 않았다면, 잡은 순간 뿌리쳐지고도 남았을 것이다. 도미닉은 즉각 제 손을 내치고도 남을 힘을 누르기 위해 뮤리엘의 손목을 더 꽉 붙들었다.

"경거망동하지 마시오, 로시발트 경. 여기는 당신이 마음껏 활개를 치고 다녀도 되는 하크본 백작가가 아닙니다."

"난 프리다 아가씨의 호위 기사요. 아가씨의 안전을 지켜야 할 의무가……."

"지금 댁의 아가씨와 같이 있는 분이야말로 제국에서 가장 안전한 분이죠. 검 실력으로도, 현재 위치로도. 뭐 주군께서 오랫동안 존재감이 없으셨던 건 사실이니 그대의 주제넘음을 이해 못 하는 바는 아닙니다만."

능력만큼 판단력도 뛰어난 여기사의 손에서 천천히 힘이 빠져나갔다. 그제야 손목을 놓은 도미닉이 피식거리며 집무실 문을 손가락으로 가리켰다.

"로시발트 경의 아가씨는 지금 이 안에서 삼 년 만에 깨어난 부군과 함께 계십니다. 살 만큼 산 부부도 아닌데, 설마 벌써 서로 죽이고 싶어 할 리는 없잖소. 남녀 간의 가벼운 마찰이라면 몰라도."

슬그머니 뮤리엘 가까이 고개를 들이민 도미닉이 조용히 속삭였다.

"따지고 보면 신혼이나 마찬가진데 좀 모른 척해 줍시다."

"그리 가벼이 말하지 마시오. 우리 아가씨는……."

"네네. 다른 분이죠. 평범하지 않은 분. 압니다, 알아요."

"아가씨의 몸은……."

꼿꼿이 허리를 세운 자세를 흐트러트리지 않은 뮤리엘이 초조한 티를 감추지 못하고 적갈색 앞머리를 쓸어 넘겼다. 저 비명이 부부간의 가벼운 마찰 때문이었다 해도, 그것 또한 결코 작은 문제가 아니다.

"이미 댁들이 짐작하는 것보다 훨씬 더 한계치를 넘었단 말입니다. 안 그래도 무리를 하고 계시는데 이보다 더한 상황을 만들 순 없잖아."

"글쎄올시다. 댁의 아가씨도 그걸 원하실까요?"

도미닉이 능글능글 웃으며 팔짱을 낀 채 문을 막듯이 등을 기댔다.

"하크본 백작 영애로서는 어땠는지 몰라도, 내가 아는 리하르트 공작 부인이라면 기꺼이 더한 상황에 몸을 던지고도 모자라 더, 더, 더한 상황도 만들어 낼 분 같던데."

"그러니까 말려야지. 하루라도 더 버티시려면."

"내 말이 그 말입니다. 그걸 공작 부인께서 원하시겠느냐고요. 얌전히 방에 틀어박혀 죽을 날만을 기다리는 무미건조한 삶을."

도미닉이 그렇게 모시는 분을 모르느냐며 혀를 끌끌 찼다. 그러나 뒤이어 들려오는 작은 떨림을 담은 목소리에 빠르게 장난기를 지워 냈다.

"그게 어때서? 그렇게라도 하루 더 사는 게 뭐가 나빠?"

저런 절절한 충심을 듣고도 엉큼을 떨 만큼 개자식은 아니었으니까.

"당신이나 그대의 대단하신 주군께는 그딴 것쯤 하나도 중요하지 않겠지. 아가씨가 잘못되신다 해도 언제든 새로 채울 수 있는 공작 부인 자리, 누가 있든 아무 상관없을 테니까."

워낙 집안 대대로 기사 가문이기도 했지만, 타고나길 강골인 뮤리엘은 도미닉과 비교해도 덩치에서 크게 밀리지 않았다. 밀라보인 특유의 날렵하고 가는 턱선을 지닌 도미닉에 비하면 얼굴선은 오히려 그녀가 더 굵었다.

뮤리엘이 걸음을 옮겨 창문을 가리고 서자 도미닉의 얼굴에 그림자가 드리웠다. 언제나 느끼는 거지만 이 검은 머리, 암갈색 눈의 사내에겐 그늘이 어울린다. 시도 때도 없이 능글거리는 미소가 그의 표정에서 거의 떠나는 법이 없다고 해도.

"내 말이 틀린가? 가증 떠는 재주 하나는 타고나신 차가운 심장, 도미닉 몰리?"

뮤리엘에게 제 본성을 들켰다는 거야 진즉에 알았다. 솔직히 피부처럼 머릿속도 하얀 건 아닐까 의심되는 공작 부인을 제외하면 누가 모를까 싶지만. 예의 뻔뻔한 미소를 입가에 건 도미닉이 한 발 옆으로 비켜 주며 뒤쪽으로 고개를 까닥였다.

“뭐, 그리 아끼시는 아가씨보다 먼저 죽고 싶으시면 이 문을 열고 들어가 보시든가. 로시발트 경의 말대로 난 심장이 차가운 놈이라 남의 불행을 구태여 막지는 않거든.”

벌컥, 망설임 없이 문을 민 뮤리엘은 텅 빈 집무실과 마주했다. 의외의 장면에 당혹감을 감추지 못한 그녀는 화급히 뒤따라온 도미닉을 돌아봤다.

“어디로 가신 거지?”

“글쎄. 창밖으로 뛰어내리셨나? 아니면 바닥을 뚫고 내려가셨나?”

“장난은 이제 그만하시오.”

여유롭게 집무실 안으로 들어오던 도미닉의 시선이 텅 비어 있는 책상과 한쪽 벽을 차지한 책장에 번갈아 닿았다.

‘이 녀석 봐라. 같이 갔다 이거지?’

짧은 실소를 터트리던 그의 입매에 이내 싸늘함이 서렸다.

“내 보기엔 그대의 아가씨보다 로시발트 경의 명줄을 더 걱정해야 할 것 같은데.”

뮤리엘을 바라보는 암갈색 눈동자도 더는 웃고 있지 않았다.

“들어 알 텐데? 내 주군께서 어떤 분인지.”

로시발트 집안의 이름을 단 기사들은 제국의 전쟁터 어디에나 있었다. 도미닉이 본 사내들만도 족히 수십 명. 다른 이라면 몰라도, 그 이름난 기사 가문의 일원인 뮤리엘이 다니엘 리하르트가 어떤 사내인지 모를 리 없다. 알면서도 저러는 거면 백치인 거고.

도미닉은 절레절레 고개를 흔들며 주인이 사라진 집무실 문밖으로 걸음을 옮겼다. 바쁜 와중이었으나 그녀에게 충고 한마디를 더 남기는 친절을 보여 줄 여유는 있었다.

"내 심장은 차갑기나 하지. 내 주군께선 아예 심장이 없는 분이거든."

거대한 나무 문이 여전히 갈피를 잡지 못하고 있는 뮤리엘의 눈앞에서 쾅 소리를 내며 닫혔다.

사내의 손에 들린 등잔불은 바람이 들지 않는 어두운 공간에 반듯한 두 개의 그림자를 만들어 냈다. 다니엘은 제 뒤를 따라오던 검은 그림자가 점점 뒤처지자 걸음을 멈추고 말없이 그녀를 기다렸다.

한 발 그리고 또 한 발. 여자는 느리고 조심스러웠다. 문득 하크본 백작 부인의 목소리가 기억나지 않았다면, 인내심을 발휘하기 어려웠을지도 모른다.

"햇볕 아래 설 수도 없고, 밤에는 앞도 잘 못 보잖아요."

그녀가 어둠을 힘들어한다는 깨달음은 느려지는 그림자를 본 후에야 찾아왔다. 그때라도 돌아갈걸 그랬나. 다니엘은 뒤를 돌아 그와 겨우 두어 걸음 떨어져 있는 프리다를 바라보았다.

"지금이라도 돌아가시겠습니까?"

한 발짝 뗄 때마다 벽을 손으로 짚으며 어정어정 걷고 있으면서도, 프리다는 다부지게 머리를 저었다.

"아니요. 괜찮습니다. 집무실에 밖으로 통하는 비밀 문이 있을 거라고는 상상도 못 했어요."

눈 안에 두려움을 담고도 그녀는 또 해맑게 웃었다. 조금 전 어이없는 이유를 들어 다니엘이 이곳을 안내하게 만들 때처럼.

"제가 직접 모셔다드리죠."

“저……. 그런데 공작님, 혹시 금고가 멀리 있나요? 실은 제가 내일까지는 내성 안에서 꼼짝할 수가 없는 몸이라서요.”

“어째서 그렇습니까?”

“뮤리엘이 외출 금지령을 내렸어요. 하루라도 어겼다가는 날짜가 배로 늘어나요.”

“뮤리엘?”

“제 호위 기사요. 뮤리엘 로시발트 경.”

들어 본 적 있다. 황실 기사단장을 여럿 배출해 낸 유명한 로시발트 가문의 여기사. 그녀가 뭐라고 했든 영주인 자신이 부인을 데리고 나서는 데 문제가 될 건 없었다. 그저 조금 귀찮았다. 소문 속 여기사를 만나는 것도, 문밖에서 기다리고 있을 도미닉에게 제 마음이 바뀌었음을 설명하는 일도. 결심을 마친 다니엘은 우아하게 프리다를 향해 손을 뻗었다.

“원하신다면 조용히 다녀올 방법이 없진 않습니다. 가시죠.”

책장의 왼쪽 모서리를 밀 때만 해도 신기하다며 종알거리던 프리다는 정작 복도에 들어서자 조용해졌다. 다니엘에겐 필요 없는 등잔불도 일부러 들고 왔건만 제 아내를 안심시키기엔 부족했나 보다. 프리다가 제 곁에 바짝 붙을 때까지 기다리고 있던 다니엘이 그녀에게 불빛이 너울거리는 등잔을 건넸다.

“들어요.”

다니엘이 건네는 등잔을 멀뚱히 내려다보던 프리다가 조심히 손잡이를 쥐었다. 계속 뒤처지니 차라리 앞장서라는 뜻인가?

“아, 네……. 제가 들게요.”

무슨 의미든 유일한 빛이 가까워지자 마음이 놓였다. 주변이 어두워지면 앞을 잘 보지 못하는 터라 프리다는 어둠이 무서웠다. 뮤리엘이 그녀가 남들과 다르다고 말할 때면 못내 서운했는데 이젠 인정할 수밖에 없겠다.

그녀의 타고난 모자람이 타인에게 방해가 되고 있다는걸. 차라리 제가 앞서가는 게 한시라도 이곳을 빨리 빠져나가는 방법이겠다 싶어 등잔을 최대한 가까이 들어 올렸다. 그때, 다니엘의 낮고 차분한 음성이 어두운 통로에 잔잔히 울려 퍼졌다.

"꽉 안아요."

"네?"

안아? 뭘? 그녀를 내려다보는 다니엘의 얼굴이 흔들리는 등잔불을 따라 빛과 어둠으로 시시각각 바뀌었다.

"내 목, 꽉 안으라고."

"그게 무슨……. 꺄악!"

갑자기 프리다의 몸이 공중으로 붕 떴다. 프리다는 그녀를 안아 드는 다니엘의 목을 얼떨결에 오른팔로 꽉 끌어안았다. 다행히 왼손에 들고 있던 등잔을 놓치지는 않았지만, 촛불이 크게 휘청였다. 그녀의 심장도 같이.

"더 꽉, 안아요."

다니엘의 옷 위로 느껴지는 요란하고 정신 사나운 진동은 시간이 갈수록 더 심해졌다. 두근두근, 두근두근, 두근두근. 헛웃음이 나올 정도로 가벼운 여자의 미약한 존재감을 맹렬하게 뛰는 심장 박동이 대신할 모양이다.

'주인만큼 솔직한 심장이군.'

전쟁터를 내달리며 발에 걸리는 것들을 죄다 뭉개 버리던 애마 발자크도 이보다는 얌전했던 것 같다. 검은 그림자 속의 다니엘이 소리 없는 실소를 흘렸다. 등잔을 최대한 그의 눈높이에 맞춰 주려 애쓰는 모습도 우습긴 매한가지다.

다니엘의 앞길을 밝혀 줄 요량으로 하는 행동인 듯한데, 아무짝에도 쓸모없는 헛수고임을 모르는 게 분명하다. 기우뚱거리는 등잔의 균형을 바로잡기 위해 손가락에 고집스럽게 힘을 주고 있는 걸 보면.

미로처럼 여러 갈래로 얽히고설키게 설계된 이 통로는 그가 성을 하사받은 이후 유일하게 돈을 들인 곳이다. 그를 감시하는 불청객들의 눈을 피할 목적으로 만든 터라 제법 공을 들였다.

성안 다섯 개의 방에 비밀 통로를 설치했다. 공작 부부의 침실과 집무실, 그리고 도미닉조차 모르는 곳이 두 개 더. 그곳들을 통해 이 통로로 들어올 순 있어도 외부로 나가는 문은 단 하나. 길의 끝에서 빛을 찾을 수 있는 곳은 여기뿐이다.

리카르도, 도미닉, 그리고 다니엘. 단 세 명을 제외하곤 누구도 이곳에서 살아 나갈 수 없다. 겁도 없이 들어왔다간 높은 확률로 길을 잃고 몇 날 며칠을 굶주리다가 죽게 될 테니. 일부러 천천히 걷고 있음에도 불빛은 여지없이 출렁였고, 그때마다 여자의 홀쭉한 손목에 빳빳하게 힘줄이 섰다.

저 때문에 그러고 있는 거면 괜한 짓 하지 말라고 할까 싶었지만, 그러기엔 등잔의 손잡이를 꽉 쥐고 있는 가는 손가락이 너무 절실해 보였다. 비웃음마저 죄책감이 들 정도로. 쉼 없이 뛰는 심장이, 어둠이 두려워 두리번대는 목이 서두르라고 그의 걸음을 재촉했다.

멀리 통로의 끝을 알리는 나무 문을 본 순간, 전에 없이 밭은 한숨이 내쉬어졌다. 숨소리에 놀랐는지 품 안의 아내가 갓 잡은 물고기처럼 파닥거렸다.

"이, 이제 내려 주셔도 됩니다."

"그러지 말라고 하셔도 그럴 겁니다."

다니엘은 손을 뻗으면 문고리를 잡을 수 있을 만큼 가까운 거리에 도착해서야 프리다를 바닥에 내려놓았다. 내내 거슬리던 등잔불을 재빨리 꺼 버린 탓에 그는 아내의 뺨이 붉게 달아올랐음을 알아채지 못했다.

문고리를 잡기 전, 다니엘은 프리다의 등을 제 가슴 앞으로 바짝 당겼다.

"눈 감아요."

이유를 되물을 여유도 주지 않은 그가 손을 들어 프리다의 시야를 가렸다. 손이 어찌나 큰지 프리다의 얼굴을 완전히 가리고도 남았다.

"갑자기 빛을 보면 어지러울 겁니다."

끼이익. 귀를 긁어 대는 날카로운 소음과 함께 문이 열렸다. 동시에 크고 넓은 다니엘의 손을 타고 은은한 햇살이 넘어왔다. 지치고 겁먹은 그녀를 안아 들고 온 것도 모자라, 강한 햇볕으로부터 눈을 가려 주고 있는 남편처럼 배려심 넘치는 따스하고 온화한 햇살이었다.

리하르트 공작은 저보다 약한 자를 보살피는 데 익숙해 보였다. 프리다가 아무리 원하고 바라도 결코 가질 수 없는, 애초에 강인하게 태어난 자의 여유가 철철 흘러넘쳤다.

'이 남자는…… 강하구나.'

멋지고, 부럽고, 고맙고 샘이 났다. 슬프지도 않은데 괜스레 눈가가 시큰거렸다. 울컥 치미는 낯선 감정을 다스리며 멀뚱히 서 있는 프리다의 귓속으로, 이번엔 남편의 숨결이 밀려들었다.

"잠시 눈을 감았다 떠 보세요. 햇빛을 보기가 훨씬 수월해질 겁니다."

아마 눈을 감으라는 자신의 말을 듣지 못했다고 여기는 것 같았다. 한없이 정중한 낮은 목소리가 스치듯, 아주 짧게 닿았을 뿐인데도 귓불이 아예 녹아 없어져 버리는 게 아닌가 싶을 만큼 뜨거웠다.

두근두근, 두근두근. 주인은 심란해 죽겠는데 심장은 눈치도 없이 세차게 날뛰었다. 소리를 감추려 일부러 숨을 참아 봤지만, 오히려 자꾸만 더 속도가 빨라졌다. 살갗을 뚫고 나올 기세로 마구 쿵쾅거리는 가슴이 진정하라고 해도 당최 말을 듣지 않는다. 질끈 감은 눈꺼풀조차 쿵쿵쿵 울리는 맥박을 따라 속절없이 떨렸다.

전에도 이런 날이 있긴 했었다. 연거푸 생기는 설레는 일에 미치도록 가슴 뛰던 날이. 제국의 이곳저곳을 돌아다니는 수많은 상인 중 프리다는 유독 동쪽에서 온 투르크인들을 반겼다.

운이 좋으면 일 년에 한두 번, 부모님이 외출하신 틈을 타 그들이 백작가에 도착하는 날이 있었다. 그런 날이면 프리다는 온종일 주방 식탁에 앉아 상인들이 가져온 신기한 물건을 구경하느라 바빴다.

부모님의 지시에 따라 프리다의 외출을 철저히 감시하던 까다로운 집사도 그때만은 못 본 척해 주었다. 프리다가 그 시간을 얼마나 고대하는지 알기 때문이었다. 하크본 백작가를 벗어나 본 적 없는 그녀가 담장 밖 세상의 이야기를 접할 유일한 기회였으니까.

어쩌다 부모님의 귀가가 늦어지기라도 하면, 프리다는 주방 벽난로 앞에 앉아 상인들이 들려주는 신비한 동쪽 대륙의 이야기에 빠졌다. 스베르겐 사람들과는 전혀 다른 피부색을 지닌 그들은 강한 햇볕을 피하고자 머리에 수건을 둘둘 말고 다닌다고 했다. 투르크보다 더 동쪽 어딘가에는 밤하늘에 불을 쏘아 꽃을 만들어 내는 사람도 있다고.

그러다 집사가 부모님의 늦은 귀가를 알려 오면, 프리다는 발소리를 죽이고 살금살금 침대로 걸어 들어가 자는 척을 했었다. 그녀를 살피러 온 부모님께 방망이질하는 심장 소리를 들키지 않기 위해 가슴을 꾹 누른 채.

그런데 지금이 부모님을 속였던 그때보다 더 떨렸다. 그때와 다른 점이라면 심장이 고장 나 버린 원인을 잘 모르겠다는 거다.

“이제 천천히 눈을 떠 보세요.”

다니엘의 손이 느릿느릿 멀어졌다. 그렇게 만들어진 공간 속으로 빛이 들어왔다. 조금씩, 천천히. 완전히 해방된 그녀의 보라색 눈동자가 햇살과 함께 그를 담았다. 두 사람이 걸어온 통로의 반밖에 안 되어 보이는 좁은 문 앞에서 그녀에게 손을 내밀고 있는 남편을.

“어지러우시면 제 손을 잡으십시오.”

어지러웠다. 무성한 나뭇가지 사이로 파고드는 햇살 속에 서 있는 남자가 너무나 눈부셔서. 너무…… 아름다워서. 지금껏 살아왔던 그 어느 날보다 가슴이 철렁 내려앉아서 살갗에 닿은 햇볕이 따가운 줄도 몰랐다.

프리다는 생각했다. 이런 떨림이 내내 계속된다면, 그녀는 스물한 살의 봄을 보지 못할지도 모르겠다고.

하지만 본인의 심장이 꽤, 자주, 쉽게 빨라지는 편임을 깨닫기까지는 그리 오래 걸리지 않았다. 숨 막히게 근사한 남편뿐만이 아니라 노랗고 번쩍

거리는 것이 앞에 있다면 특히 심하게 뛴다는 것도. 프리다는 어둠에 약한 제 눈을 의심하며 한 발 한 발 앞으로 나아갔다.

펜하임 성 서쪽, 용병단 숙소로 쓰는 켐버 홀 맞은편에 사람이 드나들지 않는 탑이 있다는 건 알았다. 도미닉은 처음엔 탑의 열쇠를 발견하지 못해 그냥 내버려 두었고, 후엔 구태여 열 까닭이 없어 잊고 지낸다고 했었다.

"전 영주의 정부가 유령이 되어 나타난다는 소문이 있습니다. 저기 저 꼭대기, 창문 보이시죠? 그 여자가 저기에 갇혀 살다 죽었는데 아직도 저곳에 서서 영주를 기다린다나 뭐라나."

으스스한 소문에 둘러싸여 방치되었던 탑에 이런 비밀스러운 공간이 있을 줄이야. 금화 두카트가 있다는 공작의 말은 거짓이 아니었다. 다만 두카트만 있는 게 아니라는 게 좀 달랐다. 사람의 손을 타지 않은 것이 확실한, 테두리가 말끔한 금화 더미는 그곳에 있는 것 중 하나일 뿐이었다.

"맙소사."

이 넓은 지하를 절반도 넘게 채우고 있는 저 금은보화들이 다 공작의 소유라고?

"여기 있는 건 뭐든 원하시는 만큼 사용하십시오. 제게 따로 보고하실 필요도 없습니다."

그에게 방금 한 말이 진심이냐고 되묻지 않을 수 없었다. 농담이라면 체면이고 뭐고 그의 멱살을 잡고 말리라.

"그러니까 이, 이것들이 다 공작님 거라는 말씀이신 거죠? 더불어…… 제게 사용 허가를 하신 거고요."

제발 그렇다고 말해 줘요. 내가 꿈을 꾸는 게 아니라고. 농담이라고 하면 어떡하지? 이게 꿈이면 차라리 깨지 않을 거야. 속마음이 고스란히 읽히는 정직한 눈동자를 보며 다니엘이 고개를 까닥였다.

"방금 하신 고갯짓을 제가 이 금화를 마음대로 써도 된다는 의미로 해석해도 될까요?"

"네."

"공작님 허락 없이요?"

같은 질문을 되풀이하는 바보짓을 매우 경멸하는 다니엘은 이번엔 좀 더 확실하게 고개를 끄덕였다.

"네. 정확히 그렇습니다."

어차피 비워져도 또 쌓일 금화들인데, 매번 보고를 받고 허락을 내리는 귀찮은 일은 절대 사양이다. 도미닉이 이 작은 여자의 어떤 면을 봤는지는 모르겠으나 그녀는 평생 보호만 받고 자란 귀족 아가씨, 즉 온실 속 화초다.

꽃처럼 자란 귀한 아가씨들이 손에 돈을 쥐고 하는 일이야 뻔하지. 다른 이들과 비교해 좀 색다른 편인 하크본가의 따님이라도 해도 결국은 거기서 거기일 것이다.

"와아……."

탄성을 흘린 프리다의 핏기 없는 얼굴에 순식간에 화색이 돌더니 눈까지 휘둥그레 커졌다. 여러 개의 벽등을 밝힌 불빛이 그녀의 눈동자를 황금색으로 바꿔 놓아서일까.

동그란 게 꼭 뽀득뽀득 광이 나는 금화 같다. 그 빛이 나름 어울렸지만 어쩐지 아쉬웠다. 탐욕이라고 보기에는 지나치게 순수한 기쁨을 드러내는 눈이. 줬다가 빼앗으며 그 눈에 퍼지는 실망감을 감상하려 했건만 불현듯 그러기 싫어진 자신이.

"일일이 제게 허락받으실 것 없습니다. 부인 마음대로 쓰십시오."

자신의 의도와 달라져 버린 이 상황이 모조리 마뜩잖았다. 다니엘은 가시가 걸린 듯 꺼끌꺼끌해지는 목 안으로 침을 삼켰다. 그리고 오늘 꼭 해야겠다 마음먹었던 말을 잊지 않기 위해 서둘러 한마디를 내놓았다.

"대신 조건이 있습니다."

"조, 조건이요?"

그의 말에 불안한 기색을 보이는 프리다가 못마땅해 다니엘의 눈가가 미세하게 움찔댔다. 스베르겐 땅 반을 사고도 남을 재물을 퍼 주고도, 못 미더운 인간으로 보이는 게 좀 억울해서.

"염려하실 것 없습니다. 대단치 않은 겁니다."

"대단하다고 해도 들어드려야죠. 조건이 뭔가요, 공작님? 제가 할 수 있는 거라면 뭐든 들어드리겠습니다."

굳은 의지를 보이기 위함인지 말을 끝낸 프리다가 치맛단 위로 주먹을 꽉 쥐었다. 우스울 정도로 작아 눈이 머물고 마는 하얀 주먹을. 예측과 약간씩 어긋나 그를 언짢게 만드는 하루는 이쯤이면 충분하다. 더는 그런 상황을 만들고 싶지 않은 다니엘이 다소 급하게 입을 뗐다.

"침대를 주문하세요."

사방이 꽃향기로 가득 찬 그 방 안에 더 머무르는 것은 절대 사절이다.

"지금 당장."

그 향기와 같은 체취를 지닌 아내와 한 침대에서 잠드는 밤도.

다니엘이 깨어난 지 열흘 후, 의사로부터 말을 타도 좋다는 허락이 떨어졌다. 실상 안톤으로서는 그가 뭐라고 하든 발자크를 타고 말겠다는 주군의 확고한 의지를 더 말릴 수 없으니 입을 다문 것뿐이다. 안톤의 편을 들어 줄 유일한 분이 현재 다른 일에 정신이 팔려 계시니 협조를 구하는 것도 불가능했고.

오랜만의 외출에 신이 난 발자크는 마구간에 돌아와서도 흥분이 가라앉지 않는지 계속 발을 구르며 콧김을 내뿜었다. 다니엘은 마구간을 부술 기세인 애마의 목덜미를 부드럽게 다독였다.

"진정해, 발자크. 내일은 오늘보다 오래 달리게 해 주마."

딱히 마음에 들지 않으나 수긍은 하겠다는 뜻인지 발자크는 힘찬 콧김을 그대로 뿜으며 제자리로 들어갔다. 앞니로 승마 장갑의 끝을 물어 벗으며 마구간을 나서던 다니엘은 하늘을 향해 고개를 들었다.

태양이 알타스의 봉우리 뒤로 넘어가는 광경은 무감한 그가 보기에도 꽤 절경이다. 그를 보자마자 득달같이 달려온 도미닉의 방해만 아니었다면 더 오래 눈을 뒀을 것이다.

"제가 금고 열쇠 주지 말라고 하지 않았습니까? 이제 어쩌실 겁니까?"

다니엘은 도미닉의 짙은 갈색 눈 군데군데 선 핏발을 느긋하게 감상했다. 상태가 엉망인 걸 보니 오늘도 적잖이 시달린 모양이군. 그 와중에도 어쩐 일로 깍듯이 예의를 차린다 했더니, 도미닉이 금세 본색을 드러내며 으르렁댔다.

"이대로 뒀다간 넌 일 년도 안 돼 파산이야, 이 망할 자식아!"

요사이 다니엘만 마주치면 쏟아 내는 도미닉의 잔소리가 또 시작되려나 보다.

'파산은 쉬운 줄 아나? 돈을 써 봤어야 알지, 짠돌이.'

벗어 든 장갑을 도미닉의 가슴팍으로 휙 집어 던진 다니엘이 무심히 그의 곁을 지나치며 물었다.

"침대는?"

"왔어, 왔다고. 어마하게 크고 비싼 침대가 공작 전하 방에 고이 모셔지는 거 보고 오는 길이다. 지금 그게 문제가 아니라……."

"오늘 밤부턴 편하게 주무실 수 있을 거예요."

아침나절 한 얘기가 지켜졌나 보군. 하긴 표정이 과하게 뿌듯했었지, 아마. 공작령의 주변 도로 사정을 고려하면 놀랍도록 빠른 도착이다. 바이마르의 상인에게 웃돈을 잔뜩 얹어 줬다더니 그냥 해 본 소리는 아니었던가 보다.

"내가 오늘 무슨 얘기를 들었는지 알아? 금고 안이 텅텅 비어 나가는 꼴 보기 싫으면 얼른 공작 부인 좀 말려."

"왜? 그 돈으로 황위라도 사겠대?"

원한다면 라파스 아래 작은 도시 국가들 정도는 살 수 있을지도.

"아으으!"

시큰둥한 그의 반응에 도미닉이 희한한 괴성을 지르며 제 머리칼을 마구 헝클었다.

"차라리 그랬으면 좋겠다. 나도 지긋지긋한 여기를 떠나서 편하게 좀 살아 보게. 그리고 나라는 사 놓으면 쓸데나 있지! 이건 뭐 돈을 길바닥에 뿌릴 작정을 하고 계시니……."

"길?"

평소 얄미울 정도로 차분한 도미닉의 보기 드물게 어수선한 모습이 다니엘의 발길을 붙들었다. 그가 반응을 보이자 도미닉이 잽싸게 다니엘의 앞을 막았다.

"그래, 길! 길을 넓히시겠단다. 항구와 바로 연결되는 도로를 깔겠대. 레오폴드 자식이 언제 뺏어 갈지도 모르는 이 땅에 도로 공사가 웬 말이냐고. 그것도 네 돈으로!"

도로라……. 귀족 아가씨치곤 꽤 머리에 든 게 있네. 짧은 감탄이 끝난 뒤에 찾아온 건 짜증이다. 그냥 평범한 여인들처럼 화려한 드레스나 비싼 보석 같은 거나 사 모으고 말 것이지. 뭐 하러 그런 헛짓을.

도미닉은 저를 지나쳐 다시 내성을 향해 걷기 시작하는 다니엘의 뒤를 바짝 따라붙었다.

"그래서 내가 좀 기다리시라, 그런 대규모 공사는 황제의 승인을 받아야 시작할 수 있다, 혹시 누가 아느냐, 황제께서 이복형에게 공사비라도 보태주실지, 그랬는데……."

"못 기다리겠대?"

"그뿐이었으면 너한테 말려 보라는 말도 안 꺼냈어. 아으으!"

도미닉은 예의 괴상한 소리를 다시 내지르며 뒷덜미를 잡았다.

"내가 이럴 줄 알았어. 줄줄이 일을 벌일 때부터 사고 칠 줄 알아봤다고, 내가."

의식을 잃은 다니엘을 데리고 공작령에 도착하던 날. 내내 괜찮다는 말을 입에 달고 왔던 공작 부인은 핏기 없는 해쓱한 낯으로 마차에서 내렸다. 치마를 끌고 터덜터덜 성으로 들어가는 뒷모습을 봤을 때만 해도, 내일 당장 장례식을 치르는 거 아닌가 염려했었더랬다. 그런데 웬걸. 사흘쯤 앓아누웠다 일어나더니, 온 성안을 발발거리며 하루도 쉬지 않고 돌아다녔다.

그때라도 말릴 것을. 주제넘게 나서지 말라고, 공작 부인의 자리나 지키며 다니엘 저 자식 간호나 하라고 주저앉혔어야 했는데.

정신을 차리고 보니 물러 터진 아버지는 말할 것도 없고, 용병단이고 하인들이고 모두 '우리 공작 부인', '우리 마님'……. 이 펜하임 성내에 공작 부인 편 아닌 이들이 없게 되어 버렸다.

그러니 이제 와 말을 들어 먹겠냐고. 덩치는 조막만 한 여자가 고집은 오죽 세야지. 이기지도 못할 입씨름을 온종일 하다 보니 턱이 다 아팠다. 도미닉은 뻐근해진 턱뼈를 어루만지며 투덜댔다.

"황실의 승인이 언제 떨어질지도 모르는데 그거 기다리다간 목 빠져 죽는단다. 그리고 황제의 금고가 열리길 기다리는 것보다 아버지가 욕설을 끊는 게 더 빠를 거라나? 우이씨, 맞는 말이라 반박도 못 했네."

어려서부터 책만 파고 살았다더니 무슨 말을 그리 조리 있게 하는지.

"또 뭐라고 했는지 알아? 나 참, 기가 막혀서."

떠올릴수록 어이가 없어 절로 혀 차는 소리가 터져 나왔다.

"나중에 황실에 트집이 잡혀도 물리지 못하게 공사를 빨리빨리 진행해 놔야 한대. 중단하는 것보다 차라리 완공하는 게 낫다 싶게끔. 이게 무슨……."

천재적인 발상이냐고! 순간, 말려야 한다는 걸 잊고 탄성을 내뱉으며 손뺌을 칠 뻔했다.

아찔했던 때를 떠올리느라 걸음이 뒤처진 도미닉이 다니엘의 옆으로 쪼르르 달려왔다. 그래도 속풀이도 하고, 바람도 쐐서 그런지 머리가 좀 맑아졌다. 그는 길게 심호흡을 한 후 다시 차가운 심장 도미닉 몰리가 되었다.

"무조건 말리셔야 합니다, 주군. 아마 오늘내일쯤 쉔달 성에 주군이 깨어났다는 소식이 도착할 겁니다. 그것만으로도 날을 세우고 있을 황태후의 귀에 도로 공사 승인 요청 건까지 들어가 보십시오. 무슨 이유든 만들어 내 주군을 또 전쟁터로 끌어내고 말 겁니다."

황태후라면 그러고도 남겠지. 다니엘이 리하르트 공작으로 영지에 정착하는 걸 눈 뜨고 가만히 보고만 있을 여자는 아니니까. 씁쓸하게 입매를 비틀던 다니엘은 문득 생각난 듯 도미닉을 바라봤다.

"삼 년 전에 노팅겐 공작을 꼬드긴 자가 누군진 알아냈어?"

"정황상 의심이 가는 자는 있지만, 결정적인 증거가 없습니다."

"누군데?"

바이첸 가문의 힘에 밀려 조용히 찌그러져 지내던 북부의 노팅겐 가문이다. 별 볼 일 없던 그들이 갑자기 반역을 일으킨 것이 수상해 뒷조사를 시켰었다. 자고로 어떤 전쟁이든 자금력이 기본이니 돈줄을 뒤져 보라고.

"모렌하이츠 후작이었습니다."

도미닉의 입에서 나온 이름이 의외라 다니엘은 그답지 않게 되묻고 말았다.

"누구라고?"

"발트 모렌하이츠 후작이요. 아시지 않습니까? 아스카론의 주인. 용맹한 갈색 사자라 불리는 링겐 제국의 변경백."

검을 든 사내 중에 그자가 누군지 모르는 자는 없었다. 다만 왜 여기서 그 이름이 나오지? 도미닉이 제가 아는 것은 이게 다라며 어깨를 으쓱거렸다.

"후작의 측근인 슈바벤 백작 영식과 아서 노팅겐 사이에 금전이 오고 간 흔적이 있더라고요. 돈줄의 끝에 후작이 있는 거죠."

"더 알아봐."

"글쎄요. 제가 바빠서 그거까지 알아볼 시간이 날지 모르겠네요."

"뭔 개소리야?"

다니엘이 이마를 찡그리자 도미닉이 기다렸다는 듯이 콧방귀를 꼈다.

"저를 원하는 시간, 원하는 때에 맘대로 부리고 싶으시면 공작 부인이 일을 벌이지 못하게 막으십시오. 아니면 그분 뒤치다꺼리할 사람을 새로 뽑으시든가요. 그럼 전 일이 밀려 있어서, 이만."

거만하게 고개를 쳐든 도미닉이 막 불을 밝히기 시작한 내성 안으로 총총히 사라졌다.

침실로 향하던 다니엘은 다급한 발소리에 뒤를 돌았다. 물이 가득 담긴 양동이와 여러 장의 수건을 든 하녀가 빠른 걸음으로 다가오다 그를 발견하고 허리를 푹 숙였다.

"다, 다녀오셨습니까, 공작 전하."

공작 부인의 시중을 든다며 자주 침실을 드나들었던 하녀인지라 얼굴이 눈에 익었다. 그의 시선이 하녀가 양손에 들고 있는 것들에 닿았다. 김이 나지 않는 찬물과 깨끗한 수건. 어렵지 않게 그것들의 용도를 깨달았다.

"공작 부인께서 열이 있으신가?"

하녀는 공작 부인이 아픈 것이 제 탓이라도 되는 양 머리를 푹 숙였다.

"네. 오, 오후부터 미열이 있으십니다."

"의사는?"

"그게…… 조금 전 다녀갔습니다."

"가 봐."

들어야 할 것을 모두 들은 그는 미련 없이 돌아서 제 방으로 향했다. 잠시 과거 그의 침실이었으나 지금은 공작 부인의 침실이 된 곳에 눈길이 닿았으나 이내 떨어졌다.

복도 중간에 나란히 자리한 두 개의 방은 넓고 볕이 잘 든다는 이유로 공작 부부의 침실이 되었다. 같은 색, 같은 무늬가 새겨진 투박한 나무 문 중 오른쪽 것을 밀고 들어가자 아침에 방을 나설 때와는 다른 광경이 펼쳐졌다. 며칠 동안 바닥에 깔고 잠들었던 카펫과 이불이 치워진 자리에 크고 비싸 보이는 갈색 침대가 놓여 있었다. 침대의 테두리엔 역시나 같은 색 바탕에 금색 나뭇잎이 새겨진 커튼이 걸렸다.

넓은 책장이야 원래 있던 거고, 못 보던 것들이 몇 가지 더 눈에 띄었다. 침대와 벽난로 사이엔 원형 테이블과 의자 두 개. 그림을 걸지 말라고 했던 벽 아래에 서랍장이 하나 더 놓였다. 어디에도 꽃무늬는 없었다. 그가 아내에게 금고 열쇠를 건네며 말한 조건은 이로써 다 지켜졌다.

"침대를 주문하세요. 지금 당장. 그리고 저는 오늘부터 옆방에서 지내겠습니다."

"네에? 하지만 그곳엔 책장 말고는 가구가 하나도 없는데요."

"침대가 도착할 때까지 바닥에서 자면 됩니다. 전 노숙에 익숙한 사람이니 며칠쯤은 괜찮습니다."

"안 됩니다. 공작님은 환자세요. 침실을 옮겨야 한다면 마땅히 제가……."

"부인. 이게 제 조건입니다. 제 건강이 걱정되신다면 침대 준비를 서둘러 주시면 되겠군요."

혹 잊어버릴까 봐 얼른 몇 가지 당부를 덧붙였다.

"침실 어디에도 절대 꽃은 놓지 마십시오. 꽃무늬도 안 됩니다."

의외로 빨리 수긍한 그녀에게 긴 설명은 필요치 않았다. 아내는 시간을 끌지 않고 해야 할 일에 집중하는 지극히 실리적인 면모를 지녔다. 그런 점은…… 그 여자와 비슷하다.

똑똑. 그의 상념을 적절하게 방해하는 소심한 울림. 공작 내외의 방을 연결하는 벽이 작게 울렸다. 다니엘이 아무 반응을 보이지 않자 잠잠하던 벽이 다시 '똑똑' 조금 더 크게 울렸다. 그가 이 방에 있음을 알고 있으며, 지금 꼭 보고 싶다는 의지가 다분한 두드림이었다.

'아프다더니.'

미열로는 막지 못할 만큼 제게 하고픈 말이 있는 듯한데, 지난 며칠의 경험을 바탕으로 추론하자면 심각한 얘기가 아닐 확률이 높다. 도미닉이 떠들어 댄 도로 공사 일을 상의하고 싶은 걸지도.

일일이 돈의 사용 내역을 허락받지 않아도 된다고 했음에도, 프리다는 지난 며칠 동안 하루도 빼놓지 않고 그에게 보고서를 건넸다. 단정한 글씨체로 작성된 꼼꼼한 보고서를. 그중 어디에도 보석이나 드레스, 구두 같은 단어는 없었다. 자신은 대체 어떤 여자와 결혼을 한 걸까? 바닥에 겹겹이 깔린 이불 위에 누워 잠들기 전, 가끔 그런 의문에 빠지곤 했다.

다니엘은 천천히 오직 공작과 공작 부인, 단 두 사람에게만 허락된 문이 있는 벽으로 다가갔다. 그때 또 한 번. 똑똑. 노크 소리가 끝남과 동시에 문을 당기자 프리다가 사슴처럼 맑은 눈을 깜박거리며 수줍게 웃었다.

"아, 계셨네요."

"알고 두드리신 거 아닙니까?"

그가 문을 열 때까지 두들겨 댈 심산이었으면서 능청은. 프리다는 순진무구한 외모와 달리 꽤 영악하고, 다소 뻔뻔하다. 다니엘이 지난 열흘 동안 그의 아내에 대해 파악해 낸 것들이다. 아니나 다를까. 눈앞의 여자는 속내를 들켰음에도 딱히 민망한 기색 없이 씩 웃었다.

"꼭 의논드릴 문제가 있어서요. 들어가도 될까요?"

문고리를 잡고 있던 다니엘이 옆으로 물러서며 활짝 문을 열어 주자, 프리다가 재빨리 그의 방으로 들어왔다. 그러곤 주변을 두리번거렸다.

"침대랑 가구는 마음에 드세요? 급히 구한 거지만 그래도 바이마르에서 꽤 유명한 장인이 만든 거예요. 원래는 바이마르의 영주인 안드레아 공작이 주문한 건데 제 사정을 들으시곤 흔쾌히 양보해 주셨어요. 그동안의 거래로 저와 친분이 좀 있으시거든요."

솔직히 그녀가 건넨 사용 내역엔 침대 가격이라고 보기엔 지나치다 싶은 금액이 적혀 있었다. 웃돈을 감안하더라도, 이런 일에 문외한인 그조차 과하다는 게 눈에 보일 만큼. 조금만 따져 봐도 안드레아 그자가 친분 때문이 아니라 이득을 보기 위해 넘겼다는 걸 쉽게 알 수 있다.

안드레아 공작의 의도를 알았는지는 논외로 하고라도 제 아내는 공치사가 제법 있는 편이다. 더불어 얼핏 겸손을 떠는 것 같지만 실은 입에 발린 소리라 해도 칭찬 듣는 걸 매우 좋아한다. 그런 점도 그 여자와 비슷하다.

"저와 의논하실 일이 뭡니까?"

"아, 공작령의 남부를 지나 해안까지 연결되는 도로를 건설하고 싶어서 상의드리려고요. 항구와 연결되는 도로만 생기면 지금처럼 공작령의 무역을 바이마르에 전적으로 의지하지 않아도 되니 우리에게도 나쁠 것 없……."

아내의 눈동자를 닮은 보석을 사람들이 뭐라고 불렀는지 방금 전에야 떠올랐다.

'아메티스.'

다니엘의 손등이 프리다의 이마를 살포시 덮었다. 영리하고, 영악하며, 친화력이 있고, 아름다운 여자. 그의 아내는 어떤 면에서 황태후 마그리트를 연상시켰다. 어머니를 죽음으로 몰아세울 줄도 모르고, 한때나마 우러러보았던 그 여자를.

다만…… 확연하게 다르기도 했다.

"미열이 있다던데 괜찮으십니까?"

감정을 숨기지 못하고 대번에 커지는 정직한 눈동자, 발그레하게 달아

오르는 솔직한 양 뺨이 다르다. 참으로 다행한 일이다. 아내를 보는 눈에 증오를 담지 않아도 되어서.

'쉔달 성'의 스무 번째 주인이 된 황제 '레오폴드 볼슈타크 2세'.

그는 역대 황제들이 그러하듯 밝은 금발과 선명한 파란 눈을 가진 전형적인 스베르겐인이다. 또한 고매하신 십이 공작 가문인 '리하르트'와 '바이첸', 두 집안의 혈통을 물려받은 황제다.

그런 그가 스베르겐인답게 생긴 거야 너무나 당연한 일이겠으나, 혈통을 거둬 내고라도 황제의 외모는 매우 뛰어났다. 뭐가 못마땅한지 삐딱하게 입매를 비틀고 미간을 찌푸리고 있을 때조차 고상해 보였다.

물론, 고상한 기운으로 말하자면 황제의 건너편에 앉아 있는 중년의 여인도 만만치 않았다. 바이첸 공작가의 딸로 태어나 리하르트 공작 부인이 되었고, 이젠 황태후가 된 황제의 모친. 황제와 같은 색의 금발 위에 화려한 보석 핀을 꽂은 황태후 마그리트가 붉은색이 곱게 우러난 히비스커스차가 담긴 찻잔을 들며 말했다.

"그 아이 목숨 줄이 꽤 길군요."

다니엘이 깨어났단다. 선대 리하르트 공작인 '브루노 리하르트'와 정부였던 밀라보 출신 평민 '라우라 차르도' 사이에서 태어난 황제의 이복형 '다니엘 요하네스 리하르트'가. 달갑지 않은 건 그 소식만이 아니다.

"열흘 전쯤 리하르트 공작이 깨어났다고 합니다."

닷새면 도착했어야 할 소식이 열흘이나 걸리다니.

'열흘 전이라.'

황태후는 씁쓸하고 시큼한 맛이 나는 차 맛을 충분히 음미한 후 찻잔을 소리 나지 않게 테이블에 올려놓았다. 다니엘의 의식이 없는 삼 년 동안에도 공작령의 보안은 견고히 유지되고 있었다는 얘기다.

라우라의 자식은 눈에 보이나 안 보이나 언제나 껄끄럽다. 목에 걸린 게 확실하게 느껴지는데 아무리 애를 써도 빠지지 않는 가시처럼.

생각에 빠진 어머니를 바라보는 황제 레오폴드에게서 숨길 수 없는 짜증이 배어 나왔다.

"삼 년 만에 깨어난 자식에게 너무 야박하시네요. 의붓아들도 자식이라면 자식 아닙니까?"

"라우라의 자식이죠. 제겐 황제의 사냥개, 딱 그쯤의 가치를 가진 아이일 뿐입니다."

누가 철두철미한 지성으로 무장한 바이첸 공작가의 따님 아니랄까 봐. 황제는 제 혈관에도 흐르고 있을 서늘한 바이첸가의 피가 느껴져 불현듯 소름이 돋았다.

2. 알타이카의 코털

공작의 손이 이마에 닿는 순간, 프리다는 다시금 깨달았다. 지난 며칠간 그만 보면 나대는 이 심장이 하고 싶었던 말이 뭔지.

'어떡해. 나…… 공작님을 좋아하나 봐.'

꼴깍. 마른침을 삼키며 고개를 숙이자 다니엘의 가죽 상의에 달린 작은 버클이 보였다. 하나, 둘, 셋……. 총 여섯 개 중에 위쪽 두 개가 풀려 있다. 그 안에 받쳐 입은 셔츠의 리본 매듭이 여유롭게 부푸는 가슴을 따라 느릿느릿 움직였다.

저 가슴이 얼마나 탄탄하고 넓은지 안겨 봐서 알고 있다. 리하르트 공작은 강인하고 따뜻하며 세심하고 너그럽다. 질투와 애정을 동시에 샘솟게 한다.

'이러니 어떻게 안 반해? 이렇게 멋진 남자가, 심지어 내 남편인데……. 안 좋아하는 게 더 이상한 거 아냐?'

그와 각방을 쓴 며칠 동안 겨우 안정시켜 놓았던 프리다의 심장이 버티기 어려울 만큼 욱신거렸다. 양 볼이 봄볕에 익은 보리수 열매처럼 발갛게 달아올랐다. 때마침 그녀의 이마에서 떨어진 다니엘의 손등이 가볍게 뺨을 스쳤다.

"몸이 안 좋아 보이십니다."

'어떡해, 어떡해. 당신 때문에 숨을 못 쉬겠어. 숨을 못 쉬겠다고.'

"후우…… 후우……."

프리다는 그녀가 긴장할 때마다 뮤리엘이 보여 주던 손동작을 떠올리며 천천히 길게 호흡을 내뱉었다. 그러나 미처 세 번째 심호흡을 마치기 전, 그녀의 몸이 둥실 공중으로 떠올랐다.

"엄마야……!"

프리다를 안아 든 다니엘이 공작 부부의 침실을 잇는 문을 지나 뚜벅뚜벅 걸어가더니 그녀를 조심스럽게 침대에 눕혔다. 그리고 그의 손등이 다시 이마에 닿았다.

"미열 정도가 아니네요."

다음은 볼.

"하녀가 오는 걸 봤는데 어디 갔습니까?"

마지막으로 목.

다니엘의 손이 닿는 곳마다 불을 붙인 듯 살갗이 활활 타올랐다. 꼴깍, 꼴깍. 마른침을 연이어 넘긴 후에야 겨우 입이 떨어졌다.

"식사를 가지러 주방에……."

전과 다름없이 꽃향기로 가득한 침실 안을 다니엘의 눈길이 쓰윽 훑었다. 하녀는 그렇다 치고 그림자처럼 달라붙어 유난을 떨어 대던 여기사도 안 보였다.

"로시발트 경은요?"

"도로 공사와 관련된 과거 문서를 살피고 있는……. 맞다. 안 그래도 그 말씀을 드리는 중이었는데요."

벌렁거리는 심장을 누르고 있던 프리다는 남편을 찾아갔던 목적을 떠올리곤 벌떡 몸을 일으켰다. 남편이 좋은 건 좋은 거고, 이건 이거니까.

"조금 전 말씀드린 도로 공사를 시작하려면 초기 자금이 많이……."

"누누이 말했지만 제게 일일이 보고하실 것 없으니 맘대로 하세요."

대체 같은 얘기를 몇 번을 하게 만드는 건지. 성가시다는 감정을 여실히 드러내며 주위를 둘러보는데 물이 담긴 작은 대야가 눈에 띄었다. 축축이 젖은 채 대야에 걸쳐 있는 수건도 같이. 다니엘이 그곳으로 향하는 틈을 타 허리를 세운 프리다가 계속 말을 이어 갔다.

"원칙대로 하자면 황실에 먼저 보고하고 승인을 받아야 한대요. 그런데 혹시…… 최대한 공사를 진행한 다음에 귀에 들어가게 할 방법이 있을까요?"

없긴 왜 없어. 방법이야 수만 가지지. 사실 황실의 승인은 형식적인 절차다. 병력을 모으는 일만 아니라면, 귀족들이 부를 쌓는 것에 대해 황실은 시종일관 너그러웠다.

긴 황위 다툼으로 재정이 약해지긴 했으나 스베르겐 황실은 광활한 영토를 소유하고 있었다. 십이 공작 가문이 차례차례 멸문되며 남겨진 토지가 전부 황실의 소유로 넘어왔기 때문이다.

황실은 그 땅을 일부 귀족들에게 대여해 돈을 벌었다. 세금 대부분이 면제되는 귀족들에게 토지세, 통행세를 징수하자면 대여의 명목이 가장 그럴싸했으니까.

귀족들이 부자가 될수록 값을 올릴 수 있었기에 황실의 묵인하에 제국 곳곳에 부호가 된 귀족들이 생겨났다. 십이 공작이었으나 황위 싸움에서 밀려 멸문한 남부 그라프 공작가의 땅을 대여해 무역업으로 벼락부자가 된 바이마르의 안드레아 공작 같은.

각 제국 간의 무역도 모자라 대륙 간의 무역까지 활성화된 지금, 그것들의 이동을 편하게 해 줄 도로는 곧 돈이다. 가만히 앉아 있으면 알아서 주머니를 채워 주는 도로 공사를 황실이 반대할 리 없다.

그 일을 시작하는 이가 리하르트 공작만 아니라면.

'영특한 리하르트 공작 부인께서 이미 거기까지 파악을 끝내셨나 보군.'

찬물에 적신 수건을 꾹 짠 다니엘이 침대로 다가왔다. 새하얀 얼굴 곳곳에 열꽃이 퍼진 프리다가 그를 보며 눈을 말똥말똥 굴려 댔다.

"음, 기왕이면 벌목 공사 정도는 끝난 다음에 황실에서 알았으면 좋겠어요. 그러자면 최소 내년까지는 입막음해야 하는데……. 어?"

그의 손에 붙들린 프리다의 머리와 어깨가 서서히 눕혀지다 침대에 닿았다. 종알대는 붉은 얼굴을 잠시 감상하던 다니엘이 프리다의 이마 위에 찬 수건을 올렸다. 깜박임을 잊은 아내의 눈을 찬찬히 응시하던 그는 손끝으로 이마 위에 올려진 수건을 꾹 누르며 입을 뗐다.

"공작령에서 수도로 가는 길이 꽤 험합니다. 그 길에 전령이 목숨을 잃는 건 흔한 일이니 그 핑계면 한 해 정도는 시간을 벌 수 있을 겁니다."

우리야 승인 요청서를 보내면 그만. 도착하는 건 하늘의 뜻이니 알게 뭔가? 얼어붙은 줄 알았던 눈꺼풀이 깜박거리더니 프리다의 입술이 잘 익은 조개가 열리듯 쩍 벌어졌다.

"설마…… 전령을 보낸 다음 죽이자는 말씀이세요?"

귀족 아가씨의 상상력치곤 과격하군. 무표정하던 다니엘의 입가가 미세하게 씰룩거렸다.

"그 편이 더 확실하긴 하겠네요. 뒷얘기는 열이 내린 다음에 하죠."

"하지만……."

몸을 일으키려는 프리다의 미미한 반항은 다니엘의 손가락 힘 하나로 제압됐다.

"오늘부터 조건을 추가하겠습니다."

다니엘이 프리다의 어깨를 꾹 누르며 말했다.

"조, 조건이요? 설마 금고 말씀이세요? 그렇지만 분명 제 맘대로 써도 좋다고……."

"조건이 하나뿐이라고 한 적은 없습니다만."

보라색 눈동자에 담긴 감정이 호감에서 불신으로 바뀌는 건 순식간이었다. 눈빛과 심장 소리가 정직한 제 아내는 속내를 감출 줄도 모른다. 피식.

뾰로통해진 아내를 바라보는 다니엘의 입매가 조금 전보다 더 크게 씰룩였지만, 이내 평소대로 단정해졌다.

권력과 명예, 그리고 부를 갖춘 것도 모자라 잔머리를 굴리는 재주까지 있다니. 그의 아내는 더없이 위험한 여자다. 다니엘은 프리다를 대할 때면 언제나 그렇듯 생각을 알 수 없는 무표정으로 돌아왔다.

"부인의 몸에 이상이 있는 날엔 금고 문이 열리지 않을 겁니다."

"네에?"

살짝 들썩이는 프리다의 어깨를 다니엘이 다시 꾹 눌렀다. 다소 힘이 느껴지긴 했으나 변함없이 미약한 반응을 손쉽게 진압한 그는 눈빛에 단호한 경고를 담았다.

"열쇠는 오늘부로 압수하겠습니다. 열이 내리면 그때 찾으러 오세요."

"마, 말도 안 돼요. 이건 부당합니다. 부당하다고요. 전 거의 매일 열이 있단 말이에요."

"그럼 금고 문은 오랫동안 닫혀 있게 되겠군요."

화들짝 놀란 프리다의 주먹이 치맛단으로 파고드는 것을 확인한 다니엘이 같은 곳으로 손을 뻗었다.

"실례합니다."

"고, 공작님!"

열쇠를 몸에 지니고 다닐 거란 것쯤은 이미 예상했었다. 도미닉 말에 따르면 하루에도 몇 번씩 탑을 드나들며 그때마다 헤벌쭉해져서 나온다고.

프리다의 손을 따라 치맛단 사이를 파고든 손이 쉽게 차가운 쇳덩이를 찾아냈다. 손에 잡힌 열쇠를 재빨리 빼 들자 뒤늦게 치마를 빠져나온 프리다의 손이 공중을 휘저었다.

"부디 제 무례를 용서해 주시길."

다니엘은 정중하게 허리를 숙여 사과의 말을 남긴 후 제 침실로 건너갔다.

"이런 법이 어디 있어요? 이렇게 도로 가져가는 법이 어디 있냐고요!"

뒤통수에 와 박히는 생생한 분노가 제법 사나웠다.

"이, 이 거짓말쟁이!"

단어 몇 개를 생략했을 뿐 속인 적은 없기에 억울한 부분이 있었으나 뭐, 여기까지는 예측대로다.

쨍그랑.

그런데 공작 부부의 방을 잇는 문을 닫는 순간, 예기치 않았던 소음이 들렸다. 미처 닫히지 않은 문틈을 파고든 물방울이 그의 다리를 적셨다. 소리의 강도로 짐작해 보자면 문에 부딪힌 건 필시 협탁 위에 있던 대야일 것이다.

쿡. 저도 모르게 터져 나온 웃음이 입 밖을 벗어나지 못하고 목을 찔렀다. 그러나 급히 입을 가린 주먹을 타고 억누르지 못한 웃음이 계속 터져 나왔다.

"크…… 큭큭. 큭큭큭."

대야를 던지다니. 얼마나 화가 났으면 그 가느다란 팔로 대야를 들 생각을 했을까. 흘깃 문틈으로 들여다보니 프리다는 분을 참지 못하겠는지 씩씩대며 이곳을 노려보고 있었다.

정말 볼만하군. 아니, 볼만하다는 말로는 충분치 않다. 이렇게 재미있을 줄 알았으면 진즉에 뺏어 버릴걸. 열쇠를 쥔 손으로 벽을 지탱한 다니엘은 한참이나 큭큭대며 소리를 낮추고 웃어 댔다.

그때만 해도 리하르트 공작은 몰랐을 것이다. 자신이 잠자는 맹수 알타이카의 코털을 건드렸다는걸.

"두고 봐. 내가 무슨 일이 있어도 그 열쇠, 찾아오고 말 테니까."

그것도 아주 제대로.

"후우……."

씩씩대며 각오를 다지는 프리다를 보던 뮤리엘이 길게 한숨을 내쉬며 이마를 짚었다. 하다못해 도미닉에게라도 경고를 해 줄 걸 그랬나. 이 아가씨가 보이는 것과 달리 초식 동물은 아니라고.

하긴, 눈치 빠른 도미닉이 그걸 모를 리는 없지. 고로 오늘의 사달은 순전히 자신이 어떤 여자와 결혼했는지 모르는 공작의 어설픈 도발이 낳은 참극이랄 수밖에.

한 번 더 깊은 한숨을 내뱉은 뮤리엘은 바닥에 덩그러니 놓인 대야를 주워 제자리에 올려놓은 후 혹 남은 물기가 없는지 꼼꼼하게 주변을 살폈다. 프리다가 미끄러져 넘어지기라도 하는 날엔 큰일이니까.

"공작님께서는 아가씨를 걱정해서 하신 말씀일 겁니다. 아주 안 돌려주겠다는 것도 아니고, 열이 내리면 가지러 오라고 했다면서요."

"그게 안 준다는 말과 뭐가 달라!"

버럭 고함을 치는 프리다의 눈은 여전히 매섭게 공작 부부의 침실을 잇는 문을 노려보고 있었다.

"뮤리엘도 알잖아. 난 매일 아프고, 매일 열이 나. 나한텐…… 남은 시간이 얼마 없다고."

프리다의 부모님은 딸자식을 잃을까 염려되어 하루하루를 불안에 떨며 사셨다. 언니들이 모두 세상을 떠나고 프리다 혼자 남게 되자 과보호는 거의 감금 수준이 되기에 이르렀다. 열일곱 살이 되는 동안 그녀는 하크본가의 저택 밖으로 단 한 발짝도 나서 본 적이 없다.

어렸을 때는 어땠는지 몰라도 프리다가 기억하는 한 그랬다. 햇볕에 닿으면 살갗이 따끔거리고 붉게 달아올랐기 때문에 산책은 흐린 날에만 허락됐다. 그래서 혼담이 들어왔다는 말을 들었을 때 꿈을 꾸는 건가 싶었다.

'결혼이라니. 앞으로 얼마나 살지 알 수 없는 내가 결혼을 한다니!'

황태후에 의한 정략결혼임을 알았을 땐 뛸 듯이 기뻤다. 혹 부모님이 반대하시더라도 이 결혼은 기필코 성사되고 만다는 뜻이니까. 프리다에게 결혼은 남자와 여자, 집안과 집안의 결합이라는 단순한 의미를 넘어서는 의미가 있었다. 이건 그녀가 저택 밖의 세상으로 나갈 수 있는 마지막 기회였다. 절대 놓쳐서는 안 되는.

공작령으로 향하는 마차에 타던 날, 프리다는 흥분으로 심장이 터질 것만 같았다. 눈물을 멈추지 못하는 어머니를 달래면서도 눈은 내내 웃었다. 뮤리엘이 좀 참으라고 눈치를 줄 정도로.

난생처음 겪어 보는 장거리 여행은 고됐지만 즐거웠다. 혼수상태인 남편을 마차에 태우고 오면서도 걱정은 했을지언정 힘들다거나 슬프다는 감정은 들지 않았다. 단지 살아 있는 동안 최대한 도움이 되고 싶었다. 어찌 됐든 제게 자유를 누릴 기회를 준 사람이라 고마웠으니까.

공작령에서 보낸 지난 삼 년은 깨고 싶지 않은 꿈이었다. 초반에는 뮤리엘의 감시와 잔소리가 끊이지 않았지만, 백작가에 있을 때와 비교하면 발끝에도 못 미치는 수준일 뿐. 그녀의 결정을 기다리고, 따라 주는 사람들과 매일 새로운 미래를 꿈꾸며 보냈다.

공작령에 온 뒤에 처음 알았다. 죽음을 연관시키지 않은 '미래'라는 단어가 이토록 설렘을 줄 수 있다는걸. 남편이 깨어나자 설렘은 더욱 커졌다. 리하르트 공작은 제국에 떠도는 소문과 달라도 너무 달랐다. 전쟁광이란 평가가 무색하게도 화를 내는 법이 거의 없었다.

"공작님께선 원래 저렇게 매사에 진중하세요?"

그녀가 이렇게 물었을 때 도미닉은 사레가 들린 듯 한참을 캑캑거리다 숨을 헐떡대며 말했다.

"뭐, 매사는 아니지만…… 치, 침착하신 편이죠."

다정하고 친절하며 배려심 넘치는 건 두말하면 입 아프다. 의식이 돌아오자마자 프리다가 지참금을 다 써 버린 게 마음에 걸린다며 떡하니 자신의 개인 금고까지 건넨 남편이다. 남편이 깨어난 후 부부간의 의무를 요구하면 받아들일 준비도 하고 있었건만, 그런 내색조차 하는 법이 없다.

원래 그의 침실이었던 곳을 순순히 그녀에게 내어 주고, 침대도 없는 방으로 옮겨 가 불편을 감수하는 것도 미안해 죽을 판이었다. 꽃을 가져다 놓지 말라는 건 햇볕에 닿으면 그녀가 아프고 고생할까 봐 그런 걸 거다.

잘생긴 건 말해 뭐 해? 뭐든 해 주고 싶었다. 그녀의 능력으로 가능한 거라면 무엇이든. 프리다는 결심을 다지며 다부진 표정을 지었다.

"이틀 뒤면 투르크 상인들이 도착할 거야. 그들이 말한 구근을 듬뿍 사려면 당장 돈이 필요하다고. 뮤리엘도 알잖아, 내가 전부터 눈여겨 뒀던 그거."

"아, 그거요?"

알지, 알다마다. 귀가 닳도록 들었는데. 돈만 있으면 공작령의 나무를 다 갈아엎은 후 심고 싶다던 그것. 심기만 하면 무조건 돈이 된다며 벼르고 있던 그걸 말하는 거겠지. 어쩌자고 귀족으로 태어난 아가씨가 돈 쓰는 재주가 아닌 쓸어 모으는 재주를 타고나서는.

"그 구근은 첫서리가 내리기 전, 늦은 가을에 땅속에 심어야만 다음 해 봄에 꽃을 볼 수 있대. 여름이 끝나기 전에 작게라도 밭을 다져 놔야 한다고. 시작만 해 놓으면 이건 무조건 성공이야. 귀족이란 본디 예쁘고 특이한 것에 본능적으로 눈이 돌아가는 자들이니까."

'저기요? 지금 아가씨 눈이 돌아간 것 같은데요.'

혼자만의 세상에 빠진 프리다를 보며 뮤리엘이 끌끌 혀를 찼다. 부모님 눈치가 보여 꾹꾹 누르고 살던 야망이 왜 하필 다 늦게 공작령에 와서 봇물 터지듯 뿜어져 나오냐고. 그래, 이해는 한다. 하긴 하는데…….

문제는 그게 아닐 텐데요, 아가씨? 뮤리엘은 프리다가 결정적으로 놓치고 있는 걸 말해 줄 타이밍을 번번이 놓쳤다. 그사이 프리다의 눈은 창문 밖 멀리, 그녀가 일궈 놓은 땅이 있는 곳으로 향했다.

"투르크 상인이 공작령에 올 때마다 그랬어. 볕이 잘 들고, 그늘이 없는 데다 습하지 않은 여기야말로 그 꽃을 키우기에 적합한 땅이라고. 두고 봐. 투르크 왕실의 정원에만 심을 수 있다는 그 꽃을 재배해 파는 순간, 유트레히트는 스베르겐에서 최고로 부유한 땅이 될 거야."

내가 그렇게 만들고 말 거다. 이 프리다가.

그녀도 알고 있다. 제게 남은 삶이 길지 않다는 것을. 겨우 스무 해를 견며 냈으나 언제 언니들이 있는 곳으로 갈지 모른다.

하지만 그렇다고 맥없이 앉아 그날을 기다릴 마음은 조금도 없다. 힘들게 보낸 오늘이 남은 삶을 하루 더 갉아 먹는다고 해도, 그 하루에 최선을 다하며 살자. 하크본가를 떠나 공작령에 도착한 날 이렇게 다짐했었다.

열심히 살자. 죽을 만큼 열심히 살아 보자. 자신은 짧게 머물다 가겠지만 누군가는 평생을 살아갈 이 땅에 제 생명을 갈아 넣어 보자. 그녀가 죽더라도 사람들이 '프리다'란 이름을 기억할 수 있게. 내 육신은 이곳을 떠나도 그 이름만은 남은 이들의 추억 속에 오래오래 살아 있게.

그렇다면 비록 죽는다고 해도 영원히 사라지는 건 아닐 테니까. 울컥 치미는 감정을 다스리지 못한 프리다는 이미 어두워져 아무것도 보이지 않는 창밖을 바라보며 창틀을 꼭 쥐었다. 그때, 뮤리엘이 조심스레 그녀를 불렀다.

"저…… 아가씨."

울먹인 걸 들키기 싫어 재빨리 눈가를 훔친 프리다는 싱긋 웃으며 뒤를 돌았다.

"미안. 뮤리엘. 내가 재미없는 얘기를 또 길게 했지?"

"하도 들어서 외웠습니다. 다만 이젠 침대에 드셔야 합니다. 아시죠? 구근을 사려면 금화가 필요하고, 그 금화가 있는 금고의 열쇠는 바로……."

뮤리엘이 공작의 침실이 있는 방향을 고갯짓으로 가리켰다.

"저분이 가지고 있다는 거. 열쇠를 받아 오고 싶으시면 우선 열부터 내리세요."

"상관없어."

프리다의 의미심장한 눈길이 문이 있는 벽을 뚫어져라 주시했다.

"안 주면 빼앗아서라도 도로 가져오고 말 거야."

'하아……. 그러니까 어떻게 뺏을 건데요.'

하지만 그렇게 묻는 건 소용없는 짓이다. 초식 동물의 탈을 쓴 맹수인 이 아가씨는 기필코 해내고야 말 테니.

쉔달 성에는 귀족, 하인 할 것 없이 죄다 화려한 금발에 파란 눈이 대부분이었다. 그 탓에 보일드 남작의 밝은 갈색 머리는 오히려 튀는 편에 속해서 오가는 이들의 눈길을 붙들었다. 황태후 궁 앞에서 출입 허가를 기다리던 그는 막 궁을 나서는 울리히 챔벌린 백작을 발견하자 자세를 가다듬고 허리를 숙였다.

"오랜만에 뵙습니다, 챔벌린 백작님."

"슈테판 보일드 남작! 하하, 이게 얼마 만인가? 살아 있으니 이리 보게 되는구먼."

"백작님께선 여전히 건강해 보이십니다."

챔벌린이 지팡이를 짚지 않은 손으로 손사래를 쳤다.

"건강하긴. 내 머리 하얗게 센 거 보게나. 벌써 이럴 나이가 아닌데 몇 년 새 아주 폭삭 늙었지 뭔가."

"긴 여행을 마치고 건강이 나빠지셨다 들었는데 괜찮으십니까."

"그게 언제 일인데, 이 사람아. 하긴 이 나이에 유라를 넘는 게 쉬운 일은 아니었지. 알타스 서쪽은 사람이 살 곳이 아니네. 어찌나 춥던지 그곳에 다녀온 후 겨울이면 이 무릎이 더 시큰거린다네."

기후도 기후였지만 알타스 서쪽 링겐 제국에서 있었던 일은 기억하고 싶지도 않다. 챔벌린은 얼음장같이 서늘하던 링겐의 황제를 떠올리다 저도 모르게 으스스 어깨를 떨었다. 그러다 반듯한 자세를 흐트러트리지 않고 선 사내의 자태를 찬찬히 훑었다.

리하르트 공작이 깨어났다는 소식을 들은 황태후는 공작령에 내려보낼 인물을 찾았다. 그 자리에 보일드 남작을 추천한 사람이 바로 자신이다.

"챔벌린 백작, 유트레히트에서 내 눈과 귀가 되어 줄 자가 필요합니다. 다니엘의 신뢰를 얻을 수 있는 진중한 성격이어야 합니다. 내 사람으로 붙잡아 두자면 적당한 약점과 야망이 있어야 하는데, 그러자면 첼리노의 사교계에 속하지 못한 자여야겠지요."

고르고 골라 찾아낸 인물이 백작의 먼 친척과 사돈 관계인 슈테판 보일드였다. 가진 거라곤 보잘것없는 영지. 그마저도 나이가 마흔이 되도록 자식이 없어 물려줄 사람이 없다. 명석하지만 가문이 한미하여 쉔달 성으로 그를 끌어 줄 연줄도 없다.

가난할 뿐, 똑똑한 머리를 가진 귀족치고 야망 없는 이가 있을까. 챔벌린 백작은 슈테판의 어깨를 다독이며 격려의 말을 남겼다.

"황태후 폐하께서 자네에게 거는 기대가 크시네."

"좋은 기회를 주셔서 감사합니다, 백작님."

"무슨 그런 말을. 우리가 남도 아니고, 하하."

몇 번 더 어깨를 다독인 챔벌린은 지팡이를 짚으며 그곳을 떠났다. 황태후의 노파심을 지나치다 여기지 않는 그였기에 생각이 많았다.

"백작도 내가 고작 질투 때문에 다니엘 그 아이를 경계한다고 보십니까? 아니요. 그런 것이 아닙니다. 스베르겐의 백성 대부분은 황제의 이름도 모릅니다. 혈통과 힘만 있으면 누구나 황제의 자리를 욕심낼 수 있는 나라. 그게 지금의 스베르겐입니다."

황태후의 말은 구구절절 옳았다. 지긋지긋한 황위 다툼의 결과로 백성들은 이제 누가 황제가 되든 신경 쓰지 않는다. 귀족들도 마찬가지다. 그들이 가진 부와 권력만 건드리지 않으면 누가 황위를 차지하든 상관하지 않는 지경에 이르렀다.

삼 년 전, 노팅겐 공작의 반란만 봐도 알 수 있다. 그에게 동조하는 귀족의 수가 적다 보니 노팅겐은 얼마 못 가 리하르트 공작의 손에 허무하게 목숨을 잃었다. 거칠고 야만스러우나 용맹하기로 유명한 밀라보 용병단장 출신인 조부를 둔 다니엘 리하르트.

다니엘은 엄연히 십이 공작 가문이자 현 황제의 출신인 리하르트 가문의 핏줄이다. 어쩌면 백성들은 황제인 '레오폴드 볼슈타크 2세'보다 갖가지 무용담을 만들어 낸 '다니엘 리하르트 공작'을 더 기억할지도 모른다.

'음…… 좋지 않아.'

백작의 생각에 이는 명백히 경계해야 하는 일이었다.

"휴우……."

좀처럼 열이 내리지 않는 이마를 만져 보던 프리다는 장탄식을 내쉬었다. 무리하긴 했었던가 보다. 뭐, 금화로 가득한 금고를 보고 난 이후 구름 위를 걷는 것처럼 들떴던 건 사실이니까. 하고 싶은 일이 가득한데도 못 하고 있던 판에 눈앞에서 금화가 번쩍이니 누군들 흥분하지 않겠냐고.

머릿속에 앞으로 해야 할 모든 일의 순서를 줄지어 세워 놓았던 프리다는 한시가 급했다.

우선은 열쇠부터 다시 가져와야 한다. 오늘 도착한 투르크 상인들은 선금을 주면 가을이 되기 전 그녀가 원하는 만큼의 구근을 가져다주겠다고 약속했다. 그중엔 현재 투르크에서 가장 비싸게 팔리는 구근도 있단다.

돈 좀 있다는 투르크 부자들 반응이 아주 난리도 아니라고. 이건 무조건 돈이 된다. 돈이 되는 사업이다. 그러니 무슨 일이 있어도 내일 상인들이 떠나기 전까지 선금을 줘야 한다.

"아이고……. 끙."

이마에 올려져 있던 미지근한 물수건을 치워 낸 프리다는 무거운 몸을 일으켰다. 요사이 공작은 말을 타고 꽤 멀리까지 나갔다 해가 질 무렵에나 돌아왔다. 도미닉에게 넌지시 물어보니 열쇠의 행방 같은 건 아예 모르는 눈치였다.

'설마 말을 타면서까지 그걸 들고 나가진 않았겠지?'

소리가 나지 않게 조심조심 벽으로 다가간 프리다는 발소리를 죽이고 남편의 방으로 들어갔다. 그녀가 방까지 들어와 열쇠를 훔칠 거라곤 미처 생각하지 못했을 테니 분명 서랍 어딘가에 넣어 뒀을 것이다.

프리다는 침대 옆에 놓인 협탁 서랍부터 하나씩 뒤져 나갔다. 열도 떨어지지 않은 데다 긴장까지 했더니 식은땀이 줄줄 목을 타고 흘러내렸다.

'없네……. 에이, 여기도 없잖아.'

방 안의 서랍을 다 뒤졌는데도 열쇠가 없다. 혹시나 하는 마음에 팔을 뻗어 책장의 높은 면을 뒤적거릴 때였다.

"어어? 으아악……!"

프리다는 갑자기 덜컹하고 움직이는 책장을 따라 어둠 속으로 빨려 들어갔다. 순식간에 닥친 어둠에 놀란 그녀는 죽자 살자 목청껏 소리를 높였다.

"사, 살려 주세요. 살려 줘, 뮤리엘. 뮤리엘……!"

누군가 프리다에게 세상에서 제일 무서운 것이 뭐냐고 물었다면, 그녀는 망설임 없이 어둠이라고 답했을 것이다.

"거기 누구 없어요? 살려 줘요. 제발 살려 주세요……."

막연하게 두렵던 어둠이 공포로 다가온 건 로테 언니가 죽고 난 후였다. 일찍 세상을 떠난 헤스티아 언니에 대한 기억은 희미하게 떠오르는 몇 가지. 그마저도 정확지 않고 대부분 흐릿했다.

하지만 프리다가 열세 살이 되던 해 생을 마감한 로테 언니에 대한 기억은 지금까지도 생생하다. 셋이었다 둘이 되어서이기도 했지만, 같은 외양을 가진 동질감으로 누구보다 서로에게 의지했던 자매라 더 그랬다.

부모님은 로테 언니의 마지막 모습을 보여 주지 않으셨다. 그래서 더더욱 언니의 죽음을 믿기 어려웠던 어린 프리다는 결국 모두가 잠든 밤 홀로 로테 언니를 찾아 나섰다. 그러나 한밤에 침실을 벗어났다가 맞닥트린 공포는 어린 프리다에겐 감당하기 힘든 충격이었다.

평소 딸들을 위해 밤이 되어도 대낮처럼 복도를 밝혀 두는 백작가였지만 그날만은 예외였다. 언니의 죽음으로 슬픔에 빠진 부모님과 장례식을 치르느라 바쁜 며칠을 보낸 사용인들 중 누구 하나도 복도 벽등에 관심을 두지 않았다.

언니의 빈자리가 그리워 엉엉 울며 방을 나선 프리다는 어둑어둑한 복도에서 그만 길을 잃었다. 아무것도 보이지 않는다는 걸 깨닫자 다리가 후들거렸다. 귀로는 오만소리가 다 들리는데 눈앞은 캄캄한 어둠뿐. 두렵고 무서워 단 한 발짝도 움직일 수가 없어 그대로 주저앉았다.

프리다는 그 자리에서 쭈그리고 앉아 날이 밝을 때까지 덜덜 떨었다. 로테 언니처럼 저도 언젠간 죽고 말 거란 불안은 어린 그녀를 울지도 못하게 만들었다. 그 후로 한동안 말도 잃었던 것 같다.

현실을 받아들이기까지 많은 시간이 걸렸다. 솔직히 지금도 다 받아들이긴 한 건지 모르겠다. 철이 들고 난 후 그때처럼 죽음이 두렵거나 하진 않지만, 어둠은 여전히 무섭다.

지금 이 순간, 로테 언니를 부르며 작은 몸을 웅크린 채 떨기만 했던 그날의 복도가 떠올랐다. 프리다는 더듬더듬 손을 뻗어 그녀를 이곳에 끌어다 넣고 굳게 닫혀 버린 문을 쾅쾅 내려쳤다. 그리고 그녀가 온전히 의지하는 한 사람의 이름을 계속 불렀다.

"뮤리엘. 뮤리엘. 뮤리……."

저도 모르게 호흡을 멈췄던지 가슴이 답답해졌다. 프리다는 어떻게든 숨을 쉬어 보려 앞섶을 쥐어뜯었다. 그래도 숨이 잘 쉬어지지 않자 더 세게 옷을 잡아당겼다. 부우욱. 옷이 찢기는 기괴한 소음이 어디에서 들리는지 인지하지 못할 만큼 머리가 멍해졌다. 그때였다.

철커덕. 빛이 쏟아져 들어오면서 허무하도록 쉽게 어둠이 끝났다.

"대체 여기서 뭘 하고 계신 겁니까?"

빛 속에 선 사람이 누군지는 상관없었다. 그저 한 가지 생각만 떠올랐다. 살았다. 살아났다. 나는 아직 죽지 않았다. 다행이다. 정말…… 다행이다. 공포가 사그라들자 잊고 있던 열감이 찾아왔다.

"뭐야, 왜 이래? 당신, 도대체 왜 여기서……."

희미하게 형태를 잡아 가던 사람을 끝내 인식하지 못한 채 프리다는 까무룩 의식을 놓았다. 어둠에서 해방되자 이번엔 소리가 사라졌다.

뮌하임 성 내부에 만든 비밀 통로와 이어지는 방은 총 다섯 개. 의식이 돌아온 다니엘이 가장 먼저 한 일은 자신이 그 모든 길을 완벽하게 외우고 있는지 확인하는 거였다. 겸사겸사, 멀쩡하게 밖을 나다니는 꼴을 황태후가 심어 놨을 첩자들에게 들키기도 싫었고.

그렇게 기억을 더듬어 가며 집무실을 포함한 나머지 방을 다 한 번씩 둘러봤다. 남은 건 공작 부인의 방으로 설계되었으나 현재는 그가 머물게 된 이곳뿐. 통로 끝에 다다른 다니엘은 헤매지 않았다는 사실이 만족스러워 다소 힘차게 책장의 뒤편을 밀었다.

뭔가가 이상하다고 느낀 건 미세하게 저항이 느껴지는 책장과 이곳에서 들릴 리 없는 낯익은 괴성 때문이었다.

방에 누가 있었던 건가? 잔뜩 날카로워진 다니엘의 감각이 주변을 하나하나 훑어 나갔다. 방 안 곳곳에서 어렵지 않게 침입의 흔적이 발견되었다.

서랍 몇 개가 제대로 닫히지 않았고, 심지어 열려 있는 것도 있다. 황태후가 이리 서툰 자들을 보냈을 리 없는데.

어슬렁어슬렁 방 안을 걷는 그의 귀에 책장을 긁는 소리가 들렸다. 그제야 모든 게 명료해졌다. 넋 빠진 침입자는 아마도 책장 근처에 서 있다 그가 반대편 책장을 밀고 들어오자 저 안으로 엎어진 게 틀림없다. 검을 빼 든 다니엘은 천천히 책장으로 다가갔다.

"……리에…… 뮤리엘……."

뭐? 누구? 귀에 익은 음성을 들은 다니엘은 재빨리 책장을 밀어냈다. 어둠이 비켜 나간 자리에 힘없이 가슴을 쥐어뜯는 여자가 앉아 있었다. 이게 무슨…….

"대체 여기서 뭘 하고 계신 겁니까?"

스르르. 프리다의 몸이 밑동을 베인 나무가 무너지듯 뒤로 넘어갔다. 재빨리 통로로 뛰어 들어간 다니엘은 그녀의 머리가 바닥에 닿기 직전 아슬아슬하게 어깨를 안아 들었다.

다 죽어 가는 핏기 없는 새하얀 얼굴을 마주한 다니엘은 뭔가 잘못됐음을 깨달았다.

"아니, 그 몸으로 어딜 가신 거야? 설마……."

끝내 프리다의 행방을 찾지 못한 뮤리엘은 의심쩍은 눈으로 공작의 침실로 통하는 문을 물끄러미 바라보았다. 빈틈없이 닫힌 저 문은 그녀가 열어서도, 손을 대서도 안 되는 성역이나 다름없는 곳이다. 안다, 아는데……. 자꾸만 눈길이 가는 걸 어쩌라고. 텅텅 비어 있는 침대를 원망스럽게 바라보던 뮤리엘의 시선이 다시 벽으로 돌려졌다.

조금 전 공작의 말이 마구간에 있는 걸 발견한 뮤리엘은 서둘러 이곳으로 달려왔다. 마지막으로 아가씨를 봤을 때 당장이라도 공작의 방으로 쳐들어가 일을 칠 낌새였던지라 공작의 귀환을 알려 주고 말리러 왔건만, 이 대책 없는 아가씨가 어디로 사라진 거냐고. 밤이 두려워, 해 질 무렵이 되면 방에서 나가지도 않는 분이.

혹시나 하는 마음으로 벽으로 다가간 뮤리엘은 문에 바짝 귀를 가져다 댔다. 쓸데없이 두꺼워 방음이 철저한 펜하임 성의 문과 이 벽은 다르길 바라며. 그러나 역시나 아무 소리도 들리지 않았다. 인기척이라면 제법 알아채는 편인데 건너편은 조용하고 고요하다.

이놈의 땅은 나무도 모자라 흙도 단단하고 두꺼운가? 뭐 이렇게 아무 소리도 안 들려? 툴툴거리고 있는데 벽이 아니라 밖에서 요란하게 문을 여는 소리가 들렸다. 자신이 들어오며 완전히 맞물리게 닫지 않았던지 살짝 벌어진 문틈으로 공작의 목소리가 또렷이 들려왔다.

"의사를 불러와라."

의사? 평소 성내에 있는지 없는지도 모를 만큼 존재감 없이 다니던 공작이 목소리를 높이는 것도 이상했지만, 의사라니? 삼 년이나 의식 불명이었다는 게 믿어지지 않을 정도로 깨자마자 멀쩡히 돌아다니던 공작이 왜 갑자기 의사를 찾아?

묘하게 불안해진 뮤리엘은 벌컥 문을 열고 복도로 나갔다. 심상치 않은 표정의 리하르트 공작이 사용인들을 재촉하고 있었다.

"서둘러라. 어서!"

계단 밑에선 영주의 고함을 듣고 부산스레 움직이는 하인들의 발소리가 들렸다. 말을 마치고 침실로 돌아서던 공작이 뮤리엘을 발견하고 멈춰 섰다. 스칠 때마다 인사를 나누긴 했으나 직접 대화를 나눠 본 적은 없는 터라 뮤리엘은 무슨 일이냐고 묻는 대신 꾸벅 고개를 숙였다.

"좀 들어오지, 로시발트 경."

공작이 먼저 말을 걸자 머리가 복잡해졌다. 기분이 아주, 매우 싸했다. 여기사인 그녀를 방으로 불러들이는 공작의 태도가 불쾌해서가 아니라 이 괴물 같은 사내를 당황하게 만든 상황이 유추된 탓이다. 공작의 방으로 향하는 뮤리엘의 보폭이 넓어졌다.

"아가씨!"

공작의 침대에 누워 있는 프리다를 발견한 뮤리엘은 한걸음에 내달렸다.

"아가씨. 정신 차리세요, 프리다 아가씨!"

땀에 흥건하게 젖은 채 의식을 잃은 프리다를 흔들던 뮤리엘이 다니엘을 돌아봤다.

"이게 도대체 어떻게 된 일입니까? 아가씨가 왜 여기서 의식을 잃고……."

불현듯 엉망진창으로 흐트러진 프리다의 상태가 눈에 들어왔다. 있는 대로 헝클어진 머리. 누군가의 손에 가슴 부분이 뜯긴 옷. 그 옷이 흠뻑 젖을 정도로 흘러내린 땀. 끔찍한 공포를 마주했음이 틀림없는 창백해진 얼굴.

앞뒤 정황을 따질 것도 없이, 냉철하기로 유명한 여기사의 주먹이 공작의 얼굴로 날아갔다. 퍽!

"당신, 우리 아가씨한테 무슨 짓을 한 겁니까?"

방어할 틈도 없이 일격을 당하고도 다니엘은 몸을 크게 휘청였을 뿐 쓰러지지 않고 버텼다. 연이어 날아드는 뮤리엘의 주먹을 가볍게 피한 그가 뒷걸음을 치며 눈살을 찌푸렸다.

"로시발트 경, 자네 미쳤나?"

당연히 미치지! 같은 여자로서 이 꼴을 보고 어떻게 안 미쳐? 프리다 아가씨가 겪었을 참담한 상황이 떠오르자 냉철한 여기사라는 이름에 걸맞지 않게 주먹이 앞섰다. 공작이고 뭐고, 뮤리엘은 지금 눈에 뵈는 게 없었다.

"미친 건 당신입니다, 리하르트 공작 전하! 여자가 필요하시면 진즉에 정부를 들이지 그러셨습니까? 눈이 있으면 좀 보란 말입니다. 아무리 아내라지만 우리 아가씨가 당신을 어떻게 감당한다고 이런 짓을……!"

"뭐, 뭐라고?"

이 여자가 무슨 상상을? 기가 차 할 말을 잃은 다니엘의 눈앞으로 또 주먹이 날아왔다.

"프리다 아가씨를 강제로 취하려 하신 거잖습니까? 그래서 아가씨가 의식을 놓으신 거고. 아닙니까?"

어렵지 않게 뮤리엘의 주먹을 피한 다니엘이 검을 빼 들었다. 제국에 명성이 자자한 여기사 뮤리엘 로시발트가 미친 여자였다니. 미쳐 날뛰는 것들은 자고로 반쯤 죽여 놔야 하는 법이다. 다니엘은 휘리릭, 검 자루를 돌려 손에 쥔 후 마지막 경고를 날렸다.

"그만 멈추게, 로시발트 경. 난 그다지 자비로운 인간이 아니야."

"저 역시 자비와는 거리가 멉니다. 아가씨께 위해를 끼치는 자는 누구라도 용서 못 합니다."

뮤리엘이 검을 빼 든 순간, 안톤과 도미닉이 방 안으로 뛰어 들어왔다. 서로에게 검을 겨누고 있는 두 사람을 발견한 안톤이 깜짝 놀라 도미닉의 등 뒤로 숨었다. 놀라긴 저도 마찬가지라 도미닉도 더는 안으로 들어서지 못하고 황당한 표정으로 둘을 번갈아 바라봤다.

"두 분, 뭐 하십니까? 혹시 결투? 아니, 왜요?"

뮤리엘이 다니엘에게서 눈을 떼지 않은 채 소리쳤다.

"도미닉. 당신의 대단하신 주군께서 아내를 강제로 취하려 하신 모양이오!"

진심으로 그리 믿고 있는지 검을 든 뮤리엘에게서 살기가 느껴졌다.

"나 뮤리엘 로시발트는 프리다 아가씨의 생명을 지키겠다고 맹세한 수호기사로서 죽음을 각오하고 아가씨를 보호할 의무가 있습니다. 아가씨의 생명을 위협하는 그 어떤 행위도 결단코 묵과하지 않을 겁니다."

"뭐어? 뭘 해? 맙소사. 다니엘 너……. 아니, 주군! 설마 미치신 겁니까? 머리가 다시 어떻게 되신 거 아니냐고요."

도미닉이 다니엘에게 고래고래 소리를 지르자 등 뒤에 매달려 있던 안톤까지 한 발 앞으로 나왔다.

"공작 전하! 마님께서 얼마나 연약하신 분인데……. 아이고, 이걸 어째!"

"하!"

헛웃음을 터트린 다니엘이 손에 쥐었던 검을 내렸다. 말도 안 되는 오해에 기가 막혔지만, 사실이라 한들 부부 사이에 얼마든지 있을 수 있는 일 아닌가? 내가 왜 이런 욕을 먹어야 하냐고.

어이는 없는데 머리끝부터 발끝까지 모시는 분에게 진심인 여기사를 보고 있자니 절로 화가 누그러졌다. 검집에 도로 검을 꽂은 그는 제게 꽂힌 시선들을 쭉 둘러보곤 옆에 있는 의자를 끌어다 앉았다. 뮤리엘이 그런 다니엘을 보며 분이 가시지 않은 목소리로 외쳤다.

"뭐 하시는 겁니까? 공작께선 어서 검을 드십시오."

붉은 기가 슬슬 올라오는 눈으로 뮤리엘을 바라보던 다니엘이 안톤을 향해 손가락을 까닥였다.

"의사. 뭐 해? 와서 환자 안 보고."

퍼뜩 정신을 차린 안톤이 후다닥 달려와 프리다를 살폈다. 그사이 뮤리엘이 뭐라 입을 떼려 하자 다니엘이 차가운 눈빛으로 그녀를 응시하며 말했다.

"건방은 그쯤 떨어라, 로시발트 경. 만에 하나 내가 부인을 취하려 했다 한들 뭐가 문제지? 부부간의 일에 자네가 뭔데 나서. 곱게 봐줄 때 물러나."

방심하다 맞은 입술이 터졌는지 피가 흘렀다. 다니엘이 엄지 끝으로 피를 닦으며 싸늘한 냉기를 뿜어냈다.

"진짜 죽여 버리기 전에."

젠장. 피멍울을 닦아 내는 다니엘의 동작 하나하나에 짙은 짜증이 배어났다. 다만 신경질을 길게 내진 않을 작정인 듯 입가에 맺힌 혈흔처럼 붉어졌던 눈동자가 서서히 적갈색으로 돌아왔다.

찰나지만 위험을 직감했던 도미닉이 본능적으로 뮤리엘의 팔을 잡아당기는 순간. 그와 의사가 급히 뛰어 들어오느라 미처 닫지 못했던 문밖이 다시 소란스러워졌다.

쿵, 쿵, 쿵, 쿵. 온몸의 힘을 하체에 실어 바닥으로 내딛는 무식할 정도로 정직한 발걸음. 육중하고 요란한 그 소리만으로도 이곳으로 오고 있는 자가 누군지 짐작이 갔다. 다니엘의 살벌한 경고에도 실성 직전까지 치달았던 뮤리엘의 이성을 되돌린 것 역시 뒤늦게 도착한 리카르도의 고성이었다.

"아니, 방이 왜 이렇게 개판이야?"

그제야 곳곳에 뒤져진 흔적이 남은 방 안의 전경이 뮤리엘의 눈에 들어왔다. 제대로 닫히지 않고 빼꼼히 열린 서랍. 두서없이 여기저기 옆으로 쓰러져 누운 책장 위의 책들. 그 한가운데, 사내의 욕망이라곤 찾아볼 수 없는 초연한 표정으로 앉아 있는 리하르트 공작.

자신은 이 혼돈과 아무 관계가 없다고 말하는 듯한 침착한 공작의 모습 위로 프리다의 매서운 눈초리가 겹쳐졌다. 씩씩대며 남편의 방을 노려봤었지, 아마.

"두고 봐. 내가 무슨 일이 있어도 그 열쇠, 찾아오고 말 테니까."

맙소사. 이 난장판의 주인공은 그녀의 대책 없는 아가씨임이 틀림없다.

'하아, 이 아가씨가 정말…….'

어찌나 순식간에 힘이 빠지는지 뮤리엘은 하마터면 손에 쥐고 있던 검을 바닥에 떨어트릴 뻔했다. 뭐 하나에 꽂히면 물불을 안 가리고 덤벼드는 성정을 지닌 프리다 아가씨다. 열 좀 난다고 얌전히 누워 있겠지 했던 자신이 어리석었다. 프리다가 정신을 놓기까지의 과정들이 직접 본 듯 생생하게 뮤리엘의 눈앞에 그려졌다.

생각하고 말 것도 없다. 공작이 없는 틈을 타 몰래 방을 뒤지다 그가 들이닥치자 놀라 쓰러진 걸 거다. 겁은 그렇게 많으면서 어쩌자고 이리 뻔질나게 사고를 치시는지. 아니, 일을 벌일 거면 제가 있을 때 하던가. 망이라도 봐 줬을 거 아니냐고.

울화통이 치민 뮤리엘은 손에 들고 있던 검을 사납게 검집 안으로 꽂아 넣었다. 사람이 간사하다는 게 이런 걸 두고 말하는 건가 보다. 조금 전까지만 해도 사내의 위력에 놀라 기절한 여리고 가냘픈 여인이었던 프리다가 이젠 세상에 없을 사고뭉치로 보였다.

근심 가득한 얼굴의 리카르도가 오늘도 뮤리엘을 저만치 밀쳐 내며 침대 옆으로 성큼 다가왔다.

"내가 이럴 줄 알았지. 무리하실 때부터 알아봤다고. 생긴 건 하늘하늘 버드나무 가지 같은 분이 어쩌자고 일만 시작하면 우직한 황소냐고."

애가 닳은 리카르도는 '아이고. 이걸 어째!'를 연발하며 이리저리 서성거렸다. 그러다 의자에 앉아 있는 다니엘의 정강이를 몇 차례 툭툭 건드렸지만, 차는 리카르도도 조심성 없는 발길에 차이는 공작도 서로에게 관심조차 없었다. 때마침 프리다를 살피던 안톤이 안도하며 허리를 일으켰다.

"휴우. 뭔가에 매우 놀라 정신을 잃으신 것 같은데 걱정하진 않으셔도 될 듯합니다. 맥박이 정상 속도로 회복되셨습니다."

의사의 말이 끝나자마자 리카르도가 다짜고짜 그의 멱살을 움켜쥐었다.

"뭐야? 어떤 우라질 놈이 우리 공작 부인을 놀라게 했다는 거야?"

멱살을 잡힌 채 대롱대롱 매달린 안톤의 목 위가 침대에 누워 있는 프리다만큼 하얗게 질려 갔다.

"캐, 캑캑. 그, 그걸 제가 어떻게 압니까? 제, 제가 왔을 땐 이미 정신을 잃고 쓰러져 계셨다고요. 이, 이거 좀 놓으세요. 단장님."

결국, 보다 못한 도미닉이 고개를 절레절레 흔들며 다가와 부친의 팔을 붙들었다.

"아버지. 그 손 놓으시고 진정하세요."

"진정이라니. 우리 귀한 공작 부인께서 어떤 개자식한테 겁박을 당했다는데 내가 진정하게 생겼냐고!"

도미닉이 부친의 팔을 떼어 내자 질겁한 안톤이 목을 주무르며 후다닥 뒤로 물러섰다.

"캑캑. 전 그렇게 말한 적 없습니다, 단장님."

"그게 그 말이지. 아니면 우리 부인께서 놀라 쓰러지실 일이 뭐가 있어? 누군지만 알아봐. 내 당장 그놈 손모가지를 두 동강 내고 말……."

고래고래 소리 지르며 날뛰는 리카르도, 그런 아버지를 말리는 도미닉. 그리고 한심하다는 듯 두 사람을 바라보고 있던 뮤리엘까지. 방 안 모두의 등골이 오싹해질 정도로 싸늘한 일갈이 날아들었다.

"다 나가."

사람들의 눈길이 꼿꼿하게 허리를 세우고 앉아 있는 리하르트 공작에게 모여들었다. 느슨하게 팔짱을 낀 그는 오른손 검지로 며칠 새 근육이 살포시 솟은 팔뚝을 느릿느릿 내려 찍고 있었다.

분위기가 심상치 않음을 깨달은 도미닉이 가장 먼저 움직였다. 꽉 쥐고 있는 부친의 손목을 당긴 그는 아무 말도 하지 말라는 눈빛을 보내며 뒷걸음질을 쳤다. 나머지 두 사람에게도 어서 나가라며 눈짓을 보냈다. 그러나 뮤리엘은 여전히 의식이 없는 프리다 때문에 쉬이 뒤편으로 걸음을 옮기지 못하고 망설였다.

"내게 더 들어야 할 말이라도 있나? 로시발트 경."

머뭇대는 뮤리엘에게 들려온 다니엘의 음성은 지독히도 무미건조했다. 젠장. 난감해진 여기사는 아랫입술을 꽉 깨물었다. 앞뒤 정황을 따져 보지도 않고 덮어놓고 주먹부터 휘둘렀다. 끌고 나가 목을 베라는 명령이 떨어져도 수긍하고 받아들여야 할 판이다.

평정심을 유지하는 능력만큼은 누구보다 뛰어나다 자부해 왔건만, 어쩌다 이런 실수를 했는지 모르겠다. 그녀는 입구를 등지고 앉은 다니엘의 넓은 등판을 향해 깊이 허리를 숙였다.

"아닙니다. 경거망동한 죗값은 공작 전하께서 원하시는 때, 원하시는 방식으로 치르겠습니다."

여기사의 심경에 변화가 왔음을 눈치챈 다니엘의 입매가 미세하게 뒤틀렸다.

"그러지."

명확한 건 그녀가 뭘 각오하고 있든 그 이상이 될 거라는 거다. 감히 이 다니엘을 건드린 자에게 베풀 자비 같은 건 가지고 있지 않으니. 도미닉은 뭔지 몰라도 우선 여길 피하고 보는 게 나을 것 같다는 판단을 내렸다. 그가 저게 무슨 소리냐며 속닥이는 부친의 팔을 더 세게 당겼다.

의사는 이미 문밖으로 꽁무니를 내뺀 뒤였다. 그런데 순순히 끌려 나가나 싶던 리카르도가 아들의 팔을 뿌리치더니 공작의 옆으로 다가갔다. 다니엘을 빤히 쳐다보던 그는 피멍울이 맺힌 입술 가까이 쭉 목을 뺐었다.

"주군 입술이 왜 이 모양이야? 천하의 리하르트 공작이 등신같이 누구한테 맞았을 리는 없는데 아침까지 멀쩡하던 입술이 왜 터져 있……."

"리카르도 몰리."

천천히 들어 올려진 눈꺼풀 아래 흰자에 선명한 핏빛이 번지자 흠칫 놀란 리카르도가 어깨를 뒤로 물렸다.

"꺼져."

다니엘이 두 글자뿐인 말을 끝맺기도 전, 이미 리카르도는 줄행랑을 치는 중이었다.

"당장."

눈 깜짝할 새 방이 비워지더니 공작의 침실 문이 쾅 닫혔다.

소란이 끝나고 단둘만 남은 적막한 방 안, 다니엘의 눈이 침대 위의 하얀 여인에게 닿았다. 책장 뒤에서 발견했을 당시와 크게 다를 것 없이 창백한, 하지만 곳곳에 열꽃이 핀 얼굴에. 뜯기다 만 너덜너덜해진 드레스 앞자락이 숨을 쉬기는 하는 건지 의심스러운 미약한 호흡에 들썩거렸다.

절로 미간이 찌푸려졌다. 제대로 뜯어내지도 못할 거면서 뭐 하러 저런 짓은 해서 그딴 오해를 받게 하냐고. 살면서 미친놈, 독한 놈, 피도 눈물도 없는 놈 소리는 들어 봤어도…… 여인을 강제로 어찌해 보려는 파렴치한 취급은 처음 당했다.

혐오스러운 표정으로 저를 바라보던 여기사를 떠올리자 불쑥 짜증이 치밀었다. 얼마나 황당했으면 아무리 삼 년이나 몸을 묵혔고, 부지불식간이었다 해도 날아오는 주먹 하나 피하지 못하고 얻어맞았을까. 맞은 뒤 상황은 더 기가 막혔다.

뮤리엘 로시발트가 주절대는 그 얼토당토않은 소리를 듣고만 있었다. 이 다니엘이. 받은 건 몇 배로 돌려줘야 직성이 풀리는 거지 같은 성격의 그가 말이다. 바로 의식을 잃고 침대에 누워 있는 저 여자, 도무지 어디로 튈지 예측이 안 되는 별난 리하르트 공작 부인 때문에.

"하! 방을 뒤져?"

제 아내가 그런 터무니없는 짓을 벌인 이유야 뻔하다. 그녀가 자신의 방에서 찾고 싶었을 물건이야 딱 하나니까. 금고 열쇠.

"열쇠는 오늘부로 압수하겠습니다. 열이 내리면 그때 찾으러 오세요."

며칠 동안 끙끙 앓았다고 들었다. 그가 안아 들었을 때도 열이 손에 느껴질 정도였으니 아직 낫지 않은 게 확실하고. 그 몸으로 열쇠를 찾겠다고 방을 뒤지러 온 거다.

"돌겠네. 진짜."

기가 차 저도 모르게 실소가 터졌다. 쉔달 성의 반질반질한 사내놈들에게는 못 미치더라도, 꽤 나쁘지 않다 자부하던 격을 갖춘 귀족의 거죽이 깡그리 벗겨졌다.

"당신, 제정신이야?"

금고가 어디로 도망을 가는 것도 아닌데. 분명 당신 마음대로 써도 좋다고 허락도 했는데. 뭐가 급해서 도둑고양이처럼 몰래 숨어들어 와 방을 뒤지다가 쓰러지냐고, 쓰러지길. 그깟 열쇠. 얌전히 쉬다 열이 내린 후에 찾으러 오면 될 것을. 앞머리가 눈을 가린 것도 아니건만 다니엘은 거칠게 머리를 쓸어 넘겼다.

"곱게 자란 귀족 아가씨가 웬 돈을 그리 밝혀?"

하크본 백작이면 북부의 재력가다. 설마 그 많은 재산을 다 말아먹기라도 했던가? 그래서 쪼들리며 살았나? 그럴 리가. 제국에 사는 귀족들의 정보 대부분을 손에 쥐고 있는 그의 귀에 들려온 적 없는 소식이다. 그것도 아니면 뭔데?

"어디가…… 모자란 여잔가?"

어쩌면 그럴지도. 지참금까지 털어 그녀와 상관도 없는 이 산골짜기에 농지를 만든다느니, 도로를 깐다느니 하는 걸 보면 정상은 아닌 거다. 답을 내렸으나 그 답에 쉬이 납득하지 못한 적갈색 눈동자가 오랫동안 프리다의 얼굴에 머물렀다.

성녀를 배출한 고귀한 하크본 백작가에 남은 유일한 딸. 리하르트 공작의 이름을 물려줄 자식을 낳을 수 없기에 그의 아내로 선택된 여자. 하여 매 순간 다니엘의 죄책감을 키우는 여자. 한참 동안 눈을 떼지 못하던 다니엘의 입술이 서서히 열렸다.

"당신, 도대체 정체가 뭐야?"

하고 보니 퍽 우습고 어리석은 질문이라 열린 입술 틈으로 실소가 새어 나왔다.

공작 부부의 방에는 각각 조금씩 다른 문양의 물푸레나무 천장화가 그려져 있다. 꽃이 핀 물푸레나무 그림과 새 가구에서 나는 진한 나무 향기가 말해 주는 것은 단 하나.

'이곳이 공작님의 침실이라는 거지.'

프리다는 멍하니 뜨고 있던 눈을 아예 질끈 감아 버렸다. 남편 방에 열쇠를 훔치러 들어왔다 걸린 것도 창피해 죽을 판에, 책장 뒤에 갇혀 살려 달라고 울고불고. 그것도 모자라 정신을 잃고 쓰러지다니. 언젠가 리카르도 님이 이런 상황에 적합한 단어를 알려 준 적이 있다. 개망신……. 이토록 적절한 표현이 있나. 리카르도 님은 진정 검이 아니라 언어의 달인이다.

"하아……."

민망함에 눈꺼풀에 힘을 주던 프리다는 난데없는 '탁' 소리에 깜짝 놀라 번득 눈을 떴다.

"열쇠를 찾으러 오셨던 겁니까?"

누가 어깨를 잡아당기기라도 한 것처럼 부리나케 상체를 일으켜 목을 돌렸다. 침대 가까이 의자를 당겨 앉은 다니엘이 그녀를 물끄러미 바라보고 있었다.

깜박깜박. 프리다가 마주친 눈을 여러 번 깜박이는 동안 다니엘은 그녀에게 고정된 눈길을 한순간도 흐트러트리지 않았다. 담담하고 단정한 눈빛에 깃든 온도가 퍽 차가웠을 것이다. 그리 보이길 바랐으니. 다니엘은 차분히 입을 열었다.

"부인, 혹 또다시 제 침실을 뒤지고 싶은 용기가 샘솟으시거든 부디 참으십시오."

아내에게 갖춰야 할 예의를 지키되 선을 그었다고 여겼었다. 이리 쉽게 무단으로 넘어올 줄은 몰랐지만. 선이 견고하지 않았다면 이번엔 벽을 세울 것이다. 더 두껍고 단단하게.

"저는 너그러운 사람이 아닙니다."

프리다가 뺨을 불그스름하게 붉히며 사슴을 닮은 맑은 눈을 크게 치켜떴다. 계속 보고 있다간 그놈의 빌어먹게도 마뜩잖은 죄책감을 또 느낄 것 같아 그만 외면하려던 참이었다. 크고 맑고 신비로운 보라색 눈동자가 단번에 다니엘의 코앞까지 들이닥쳤다.

"공작님, 저 좀 만져 보세요."

"……."

뭐, 뭘 하라고? 이건 또 뭔 소리야? 혼란에 빠진 다니엘의 눈이 프리다보다 더 휘둥그레 커졌다. 그가 다급히 어깨를 뒤로 물리자 멀어진 거리만큼 가까이 다가온 프리다가 제 이마를 가리켰다.

"어서요, 공작님. 여기 만져 보세요. 저 열 내렸어요."

다니엘이 움직일 기미를 보이지 않자 보다 못한 프리다가 그의 왼손을 끌어당겨 제 이마로 가져갔다.

"맞죠? 열 없죠?"

거듭 확인을 마친 프리다는 환하게 웃으며 다니엘에게서 떨어졌다. 눈을 뜬 후로 몸이 좀 가볍다 싶었는데 열이 내렸을 줄이야. 안톤이 준 약 효과가 이제야 나타나는 모양이다. 아니, 이리 쉽게 내릴 거면 진즉에 좀 내리던가. 왜 며칠씩이나 허송세월하게 만드냐고. 안 그래도 바빠 죽겠는데.

프리다는 빠르게 머리를 회전시키며 해야 할 일을 하나씩 정리해 나갔다. 우선 투르크 상인에게 건넬 선금은 5만, 아니, 3만 두카트면 충분하다. 잔금의 절반은 구근의 상태를 보고 넘기고, 나머지 절반은 내년 봄 구근이 제대로 꽃을 피워 내는지 확인 후 건네면 된다.

귀한 구근의 시험 재배는 성안에 만들어 놓은 농지에 시작할 생각이다. 동쪽 산등성이를 벌목한 밭에 아직 허브를 심지 않은 터가 남아 있으니 올해 가을엔 우선 그곳에 구근을 심어 보지 뭐. 가장 급한 건 가을까지 벌목 일을 끝낼 일꾼을 모으는 거다.

일에 속도를 내려면 사람이 지금보다 서너 배는 족히 더 필요하다. 자금은 충분하니 최대한 모을 수 있는 만큼 많이 모아야 한다. 다른 지역보다 겨울이 따뜻한 유트레히트지만, 그래도 겨울엔 나무를 베기가 힘들다. 자칫 동면에 빠진 짐승들을 깨워 일꾼들이 위험해질 수도 있고.

이른 시일 안에 농지를 만들려면 사실 화전이 가장 편하긴 하다. 비용도 적게 드니 여러모로 매력적인 방법이지만, 한번 불태워 버린 땅은 오래가지 못한다. 다음 해엔 농사를 기약할 수 없게 될 수도 있다. 그러니 돈과 시간이 들어도 벌목을 하고 그 자리에 농지를 가꾸는 게 최선이다. 벌써 봄이 반이나 지났다. 계절이 지나 서리가 내리기 전에 성 밖의 산을 개간해 마을과 농지를 만들려면 서둘러야 했다.

마음이 바쁜 프리다는 열쇠가 있는 협탁 위를 연신 흘깃거렸다. 그녀의 이마를 만져 봤으니 열이 없다는 걸 알 텐데도 열쇠를 주지 않는 남편 때문에 초조했다.

프리다는 다니엘이 직접 입으로 뱉은 약속을 재차 상기시켰다.

"저, 공작님께서 분명 열이 내리면 열쇠를 찾으러 오라고 하셨거든요. 기억나시죠?"

잠시도 가만있지 못하는 보랏빛 눈동자를 응시하던 다니엘이 천천히 고개를 끄덕였다.

"……납니다."

"그럼 지금 열쇠를 좀 돌려주시겠어요? 제가 아주 급하거든요, 공작님."

치마 위로 맞잡은 가늘고 하얀 손가락이 애가 탄 듯 연신 꼼지락거렸다. 손가락의 움직임을 타고 올라가다 보면 마주하게 되는 하얀 손목도 가늘긴 마찬가지다. 보이진 않았으나 소매 안에 감춰진 팔목도 하얗겠지. 반쯤 쥐어뜯긴 앞자락 사이로 보이는 저 살결처럼 여리고 보드라울지도.

'흣, 미친 자식.'

다니엘은 순간적으로 그를 스치고 지나간 상념이 어이없어 헛웃음을 웃고 말았다. 실상은 비웃음에 가까웠다. 벽을 단단하게 세우자고 마음먹어 놓곤 만져 보라는 말에 순간이나마 헛생각을 한 자신이 우스워서. 다니엘은 열쇠를 집어 프리다에게 건넸다.

"성안에 투르크 상인이 왔다던데 그들과 거래를 하실 겁니까?"

냉큼 열쇠를 받아 든 프리다가 만면에 미소를 띠며 가는 목을 위아래로 흔들었다.

"맞아요. 그들이 성을 떠나기 전에 올가을에 심을 구근값에 대한 선금을 주기로 했어요."

"구근이요?"

"네. 투르크엔 왕실의 정원에만 심을 수 있는 꽃이 있대요. 신기하게도 가을에 구근을 땅에 심으면 겨울을 땅속에서 보내고 봄에 꽃을 피운다네요. 그 꽃 모양이 꼭……."

팔을 치켜올린 프리다가 그녀의 머리 위로 천을 감는 시늉을 해 보였다.

"상인들이 두르는 터번을 닮았대요. 보셨죠? 투르크 상인들이 모자처럼 머리 위에 두르고 있는 천."

하얀 살결 위로 뼈마디가 드러날 정도로 열쇠를 꽉 쥔 프리다가 연신 눈을 반짝이며 말했다.

"그 꽃은 모양과 색이 여러 가진데 투르크에서 어마어마하게 비싸게 팔린대요. 희귀한 빛깔을 가진 꽃일수록 부르는 게 값이고요."

언제 아팠냐는 듯 생기 가득한 눈빛이, 활기 넘치는 목소리가 말하고 있었다. 그녀가 이 일을 진심으로 즐거워하고 있다고.

"동방의 유행이 스베르겐으로 넘어오는 건 시간문제예요. 공작령에서 이 꽃을 재배하는 데 성공만 하면 우린 어마어마한 부자가 되는 거라고요! 두고 보세요. 우리 유트레히트가 스베르겐 제국에서 가장 부유하고 살기 좋은 영지가 될 테니."

다니엘은 프리다를 이해하기 어려웠다. 도대체 왜? 그게 왜 이토록 행복한 표정을 지을 일이란 말인가. 공작령이 제국 최고의 땅이 되는 것이 그녀와 무슨 상관이라고. 정작 본인은…… 그날을 보지 못할지도 모르는데. 차마 그 말을 입에 올리지 못한 다니엘은 조금은 어리석은 질문을 꺼냈다.

"이곳이 좋으십니까?"

"그럼요. 당연하죠. 전 공작령이 너무 좋아요."

한 치의 망설임도 없이 즉각 대답이 날아왔다. 그래. 좋겠지. 좋으니 이리도 애를 쓰는 거겠지. 돈을 쏟아부어 사람을 모으고, 모인 사람들이 뿌리를 내리게 하고, 그 뿌리가 단단히 자라도록 도와주고. 좋아하지 않으면 미쳤다고 저 연약한 몸으로 공들여 이 짓을 하고 있겠는가.

더 얘기를 나눠 본들 어차피 그는 죽어도 이 여자를 이해하지 못할 것이다. 부친에 대한 어머니의 그 집요한 마음을 끝내 이해하지 못했던 것처럼. 다니엘은 대화를 끝맺기 위해 자리에서 일어났다.

그때였다. 버드나무 잎사귀에 맺힌 아침 이슬처럼 아슬아슬 위태롭게 떨리는 가녀린 목소리가 그를 붙들었다.

"고, 공작님도요. 전 공작님도 너무 좋아요."

"어머니."

스베르겐의 황제 레오폴드 볼슈타크 2세는 입 밖으로 단어를 꺼내기 전 한 번 더 고심했다.

"이건 너무……."

'야멸차다.' 아니, '매몰차다.'가 더 나으려나. 생생한 느낌 그대로를 전달하려면 '비열하다.'가 어울릴지도.

"매정합니다."

고심 끝에 꺼낸 단어는 황제가 모후에게 건네기엔 적당할지 모르겠으나, 그의 마음을 솔직히 표현하기엔 역부족이었다. 다만, 그 말을 들은 황태후는 흡족한 듯 보였다.

"다행이군요. 황제께서 그리 느끼실 정도라면 다니엘 그 아이도 제 뜻을 정확히 알아챘을 테니."

대체 누가 모친의 의도를 모를 수 있다는 건지. 레오폴드는 차마 모친 앞에서 혀를 찰 순 없어 신경질적으로 얼굴을 비볐다.

"저를 위해 노팅겐 공작과 맞서다 목숨을 잃을 뻔한 형님입니다. 삼 년 만에 무사히 깨어나신 분을 위해 축하 연회는 못 열어 줄망정 감시자부터 붙이다니요."

황제의 목소리 톤은 점점 높아져 가는 반면 황태후의 낯에선 작은 동요의 기색도 찾아볼 수 없었다.

"잊으셨습니까? 하크본 백작의 딸과 형님의 결혼식을 두고 다들 얼마나 황실을 욕했는지. 공들여 쌓아 놓은 어머니의 고귀한 인품이 한순간에 무너졌습니다. 같은 실수를 반복하실 참입니까?"

"잘됐네요. 더는 인자한 어머니인 척 가증 떨 필요가 없어졌으니."

'지금도 충분히 가증스러우십니다만.'

레오폴드는 그 말 또한 입 밖으로 내지 않기 위해 시금털털한 차를 한 번에 꿀꺽 목구멍 안으로 넘겼다. 잠깐이긴 했지만, 친아들인 그마저 깜박 속아 넘어갈 만큼 인자한 어머니인 적도 있긴 했었다.

저를 등 떠밀어 숙부인 로보프 3세를 밀어내고 황위를 뺏으라 한 이 또한 앞에 있는 어머니다. 핏줄과 핏줄이 얽히고설켜, 사방이 친척이고 일가인 스베르겐 황실이었다. 모친의 뜻을 따라 레오폴드는 제 피붙이들을 하나하나 잘라 내 가며 기어이 황위에 올랐다. 그래야만 제가 죽지 않고 살 수 있다기에.

여자란, 어머니란 정말 치 떨리게 무서운 존재다. 문득 오한을 느낀 황제는 부르르 어깨를 떨었다. 아들의 속내를 알 리 없는 황태후 마그리트는 담담히 붉은 히비스커스차를 황제의 빈 잔에 채워 주었다.

"저는 황제께서 보일드 남작을 꺼리는 까닭을 모르겠습니다. 유트레히트는 영주는 물론이고, 안주인마저 변변치 않은 땅입니다. 보일드 남작은 무도한 공작령의 기강을 바로 세우는 훌륭한 집사장이 될 겁니다."

"더불어 형님의 일거수일투족을 감시해 보고를 올리는 황실의 충실한 개도 되겠지요."

심드렁한 황제의 대꾸에 황태후는 차분히 고개를 끄덕였다.

"서로에게 좋은 일이지요."

뭐, 보일드 남작이 그 막돼먹은 용병들의 손에 죽지 않고 살아남는다면야. 포기를 모르는 모친은 보일드 남작이 죽으면 다른 자를, 그자가 죽으면 또 다른 자를 계속해서 리하르트 공작령으로 보낼 것이다. 의외로 무던한 구석이 있는 형님이 귀찮은 일을 만들지 않기를 바라는 편이 더 빠를지도.

"후우."

길게 심호흡을 한 황제 레오폴드는 어머니와의 답답한 대화를 피해 창가로 걸어갔다. 봄이 찾아온 쉔달 성의 정원은 화려한 꽃들로 가득했다. 우거진 나무숲으로 들어가는 입구에 핀, 장미를 닮았으나 장미는 아닌 보라색 꽃에 눈이 갔다.

그의 정부였던 뷔테인 남작 부인, 페트리샤가 좋아했던 꽃이다. 황태후의 눈 밖에 나 쫓겨나지 않았다면 저 꽃 속에 파묻혀 있었을 텐데.

'음……. 꽃 이름이 뭐였더라?'

레오폴드는 종달새처럼 지저귀던 정부의 청아한 음성을 기억해 내기 위해 눈가를 잔뜩 찌푸렸다. 얼마 안 가 창문을 타고 들어온 꽃향기와 함께 번개처럼 이름이 떠올랐다.

"리시안서스."

봄바람처럼 나른하게 안겨 오던 정부와 비슷한 느낌의 이름이다. 페트리샤……. 꽤 괜찮은 여자였는데. 왜 하필 어머니의 성질을 건드려선. 쯧쯧. 아쉬운 마음이 컸던지라 그녀에게 후사 없이 죽은 옌스바흐 공작의 땅을 내려

주고, 최근까지도 사냥을 핑계로 자주 들락거렸다.

'봄도 됐으니 한번 들러 볼까.'

그곳과 유트레히트는 지척이니 겸사겸사 삼 년 만에 깨어난 형님 얼굴도 보고. 결심을 마친 레오폴드는 모친을 향한 불편한 기색을 말끔히 지워 낸 후 돌아섰다. 당분간은 황제가 쉔달 성을 떠나는 걸 질색하는 모친의 비위를 잘 맞춰 드려야 할 필요가 있으니까.

"형님껜 제가 서신을 쓰겠습니다. 몸이 약한 형수님을 위해 제가 심혈을 기울여 고른 집사장을 보내겠다고 하면 뭐, 죽이시진 않겠죠."

깃펜을 들던 황제가 문득 뭔가가 떠오른 듯 모친을 빤히 쳐다보며 물었다.

"그런데 어머니. 형님과 결혼한 하크본가의 딸 말입니다. 결혼할 당시 나이가 열일곱이라고 하지 않았나요?"

"글쎄요. 그랬던 것도 같고. 어찌 그러십니까?"

그렇다면 올해 스무 살이란 말인데……. 하크본가의 딸들은 다 그 전에 죽는다고 하지 않았나? 황제는 깃펜을 든 손에 삐딱하게 얼굴을 기댔다.

"그 여자, 살아 있는 건 맞습니까?"

리하르트 공작 부인의 용기는 남편의 방을 뒤지는 데만 쓰이진 않는 듯했다. 좋아한다는 고백을 후다닥 번개처럼 내뱉고 난 프리다의 뺨이 삽시간에 울긋불긋 타올랐다. 저 상태가 지속되면 도로 열이 올랐음을 지적하며 열쇠를 빼앗아도 될 것 같다. 그러면 이 뜬금없는 고백을 거둬들이시려나.

그보다 한참이나 작은 여자에게 닿는 다니엘의 시선은 얼핏 무표정하고 건조한 듯 보였으나, 사실 그는 혼란스러웠다. 불리한 전투에서 이기고 돌아온 승리자처럼 당당한 아내 때문에.

"꼭 말하고 싶었어요. 좀 빠른 감이 없잖아 있지만, 제가 공작님을 정말 좋아하고 있는 건 사실이거든요."

같은 고백을 두 번이나 들었으니 이젠 정말 모른 체할 수도 없게 되어 버렸다. 바보 같은 질문인 걸 알면서도 다니엘은 묻고 말았다.

"절 좋아하게 된 이유가 뭡니까? 그런 감정을 느낄 만큼 부인께서 저에 대해 잘 아시는지 미처 몰랐습니다."

"공작님에 대해 많은 걸 알게 되면 오히려 좋아하지 않게 될지도 모르죠."

이건 현명하네. 다니엘 리하르트의 본질을 알면 알수록 정이 떨어질 거란 걸 벌써 눈치챘다니. 영리한 아내에 대해 진심으로 감탄하려던 찰나. 다니엘의 눈 속으로 봄 햇살을 닮은 싱그러운 미소가 쏟아져 들어왔다.

"제게 내일은 올지 안 올지 알 수 없는 미지의 시간일 뿐이에요. 그래서 전 오늘만 살아요. 오늘의 프리다가 오늘의 공작님께 고백하는 거예요. 당신을 좋아한다고."

모르는 이가 봤다면 선전 포고라 오해했을 법한 결연한 기세로, 밀린 일을 해치우듯 후다닥 고백을 마친 프리다는 수줍게 뺨을 붉혔다.

반면, 서로를 마주한 지 한 달도 안 돼 아내의 마음을 뒤흔들어 버린 치명적인 남편 다니엘의 태도는 예사로웠다. 마치 고백 비슷한 것도 들은 적 없는 사람처럼. 그도 그럴 것이 낯간지러운 미사여구로 분칠된 고백을 듣는 일엔 이골이 난 그였다.

격전이 오가는 전쟁터보다 그를 더 지치게 만들던 쉔달 성 여인들의 요란한 고백에 비하면 크게 대단치 않기도 했고. 오만 고상한 척을 하며 다가와선 한자리에 모여 짜 맞춘 듯 비슷한 소리를 늘어놓던 여자들을 떠올리자 불현듯 치가 떨렸다.

"다니엘, 사랑해요. 당신 곁에 있을 수 있다면 전 기꺼이 가문을, 제가 가진 모든 것을 버리겠어요."

비련의 주인공이라도 된 양 툭하면 가문을 버린다, 명예를 잃어도 좋다, 아무도 모르는 곳으로 도망가자. 하나같이 밀라보 출신 정부가 낳은 사생아를 선택할 시 그들이 치러야 할 희생을 알아봐 달라며 징징댔다. 색다른 맛이라도 있어야 참고 들어 줄 텐데 머리에 뭐가 들었는지 창의성도 더럽게들 없기는.

"공작님에 대해 많은 걸 알게 되면 오히려 좋아하지 않게 될지도 모르죠."

최소한 이 정도는 돼야 귀를 기울이고픈 마음이 생기지.

'재밌네.'

소녀티를 벗지 못한 스무 살 리하르트 공작 부인의 고백에 대한 다니엘의 평가는 이게 다였다. 남편의 침묵을 다르게 해석한 프리다가 주저하며 그의 눈치를 살폈다.

"혹시…… 부담스러우신가요?"

"아니라곤 못 하겠네요."

허영에 찌든 귀족 아가씨들의 철없는 농지거리와 모든 일에 진심인 아내의 고백은 엄연히 무게가 다르니까.

"어머, 부담 느끼지 마세요!"

프리다는 냅다 고개부터 내저으며 허둥지둥 침대를 벗어났다.

"그냥 제 마음이 그렇다는 걸 알려 드리고 싶었던 것뿐입니다."

"제가 부담을 느낄까 걱정되셨다면 안 하셨어도 됐을 텐데요."

"그게…… 제가 생각나면 바로바로 실천에 옮기는 성격이라서요. 오늘 못 했다가 영영 못 하게 될 수도 있다, 늘 그러고 살다 보니."

민망해진 프리다가 윗입술을 콱 씹었다. 확실히 이건 문제였다. 뭐든 한 번 꽂히면 주변을 돌아보지 않고 내달리는 것. 신중하지 못한 성격 탓도 있지만, 우선 떠올리면 저지르고 보는 편이라 갈수록 저밖에 모르는 사람이 되어 가고 있다. 아주 나쁜 습관인데 영 고쳐질 것 같지 않아 걱정이다. 자꾸만 뺨을 간지럽히는 귀찮은 머리칼을 야무지게 귀 뒤로 꽂아 넣은 프리다는 키가 큰 남편을 올려다보았다.

"공작님을 좋아하는 것과는 별개로, 전 제게 부여된 의무를 성실히 이행할 거예요. 그러니 공작님께서 걱정하실 일은 없어요."

"의무요?"

그리고 도대체 내가 무슨 걱정을, 왜 한다는 건지. 다니엘의 되물음에 프리다는 새삼 의지를 다지듯 야무지게 고개를 주억거렸다.

"네. 황태후께서 저를 선택하신 이유가 뭐든, 전 리하르트 공작가의 대를 이어야 할 의무가 있는 공작 부인이니까요. 저는 후손을 보기 위한 공작님의 노력을 적극 지지하고 협조할 겁니다. 그러니 만약 염두에 두셨던 분이 있다면 제 마음은 개의치 말고 말씀해 주세요."

삼 년 전, 리하르트 공작과의 혼인이 정해졌다는 소식을 들은 순간부터 결심했었다. 못 하는 일에 미련 갖지 않고 해야 할 일, 할 수 있는 일, 해도 되는 일에 집중하기로. 자신은 아마 공작의 자식을 낳아 주지 못할 것이다. 하지만 남편에게 자식이 생긴다면, 그 아이에게 물려줄 땅과 작위를 황태후가 쉽게 건드리지 못하게 만들 수는 있다.

누구도 얕보지 못할 부유한 공작령을 만들어 한 겹. 그 땅에 모여들어 뿌리내릴 백성들로 한 겹. 이렇게 한 겹 또 한 겹, 든든한 울타리를 만들어 열심히 두르면 가능할 것이다. 사람은 누구나 죽는다. 프리다도, 리하르트 공작도, 황태후도. 하지만 땅은, 그 땅에 뿌리내린 백성들은 특별한 이름 없이도 영원히 이어져 간다.

참나무 집 아들, 목수의 딸, 그 딸의 아들, 그 아들의 손자……. 이렇듯 평범한 생을 살아가는 이들과 함께 도미닉의 아이들, 뮤리엘의 아이들도 이 땅을 삶의 터전으로 여길 수 있게 되기를. 시간만 허락된다면 그들에게 더 튼튼한 벽을 둘러 주고 싶은데 어찌 될지는 장담을 못 하겠다.

'할 수 있는 데까진 해 봐야지.'

각오를 다진 프리다는 촉촉하게 땀이 배어 나온 손바닥을 연신 치맛단에 문질렀다. 날카로운 추위에 에인 듯 실핏줄이 드러난 하얀 손등에 무심한 다니엘의 시선이 내려앉았다. 태연히 몇 차례 눈을 깜박인 그가 프리다를 똑바로 응시하며 물었다.

"어디까지 가능합니까?"

"네?"

"제 노력에 대한 지지와 협조 말입니다. 미리 말씀드리자면 전 자식을 낳기 위해 정부를 둘 뜻이 조금도 없습니다. 사생아 소리라면 이제 지긋지긋해서요."

빠르게 파닥이는 하얀 속눈썹이 말하고 있었다. 정부에 대한 언급은 순수하게 그를 걱정하는 진심에서 우러난 말이며, 사생아인 그를 모욕하기 위해서가 아니라고.

"죄송해요. 저는 그런 뜻으로 드린 얘기가 아니었는데……."

아닌 거 안다. 뻔히 보이는데 어떻게 몰라. 그가 모르는 건 천진하기 이를 데 없는 제 아내가 오늘따라 왜 이토록 심하게 거슬리냐는 거였다.

"어쩌죠? 제 자식은 부인의 몸에서 태어나야 할 것 같은데요."

적당히 장단을 맞춰 주던 신실하고 이해심 넘치는 귀족 남편의 가면을 찢어발기고 싶을 만큼.

"그러자면 부인께서 아내의 의무에 성실히 응해 주셔야 하는데……. 궁금하네요. 부인의 적극적인 지지와 협조가 어디까지일지."

다니엘의 긴 손가락이 프리다의 머리칼 끝을 감아쥐었다. 알타스의 만년설처럼 새하얀 머리칼을 손에 쥐고야 알았다. 자신이 가끔 이 가닥들을 만져 보고 싶었다는걸.

차가웠다. 계절에 어울리지 않는 한기가 그녀의 것인지 아니면 자신의 것인지 결론 내리지 못한 다니엘은 잠시 더 손끝에 걸린 하얀 가닥들을 비볐다. 그러다 살짝 벌어진 아내의 아랫입술을 스치듯 건드렸다.

"여기까지?"

지그시 굽어보는 제 입가에 비릿한 미소가 걸려 있다는 건 아내의 눈동자를 보고야 알았다. 그닥지 않게 더 지독하게 굴고 싶어진 이유는…… 모르겠다. 함부로 선을 넘지 말라고 경고하고 싶었던 것도 같고, 좋아한다느니 의무니 하는 말에 신경질이 좀 났던 것도 같다.

입술을 떠난 손가락이 힘없이 너덜거리는 드레스 앞자락 끄트머리를 툭 건드린 순간 옅은 깨달음이 찾아왔다.

"아니면 여기?"

보일락 말락 감질나게 구는 하얀 속살이 드러난 자리에 입술을 대 보고 싶다는 욕망 때문이었을지도 모르겠다고.

보일드 남작가엔 딱히 영지라고 부를 만한 땅이 없었다. 직계 자손이 귀한 탓에 방계를 거치며 몇 대를 세습되는 과정 중에 그나마 있던 땅 대부분이 팔렸다. 슈테판이 남작 위와 함께 물려받은 건, 수도 첼리노 근처의 이 볼품없는 저택과 겨우 하인 몇을 부릴 수 있을 정도의 작은 땅이 전부였다.

다행히도 보일드가의 후손들은 대대로 읽고 쓰고 말하는 능력이 뛰어났다. 슈테판 역시 그 능력을 물려받았고. 덕분에 돈만 있고 머리는 텅 빈 귀족가 자제들의 가정 교사로 근근이 집안을 꾸려 나가고 있었다.

젊은 날엔 제가 가진 능력을 뽐내고픈 야망도 있긴 했다. 그러나 마흔이 되도록 변변치 않은 재산을 물려줄 자식마저 생기지 않으니 세상만사가 무료해졌다.

"후우……."

챔벌린 백작의 추천으로 황태후를 만나고 온 이후 슈테판의 한숨이 부쩍 늘었다.

"리하르트 공작이 깨어났다네. 그동안 공작 부인 혼자 제법 애를 쓴 모양인데 자네도 알다시피 그 집안 딸들이야 언제 어찌 될지 모르는 일 아닌가. 보일드 남작 자네가 공작령을 좀 돌봐 줬으면 싶군."

뮌하임 성의 집사장 자리를 권하는 황태후 마그리트는 시종일관 온화하고 자애로웠다.

"챔벌린 백작이 남작을 아주 높이 평가하더군. 내 자네에게 거는 기대가 크다. 아, 자네가 내 사촌 조카인 알프레도의 가정 교사도 했었다지?"

대외적으로 이성적이고 합리적인 성향으로 알려진 바이첸 가문 출신다웠다.

"그 아이가 언젠가 수도에 금고를 만들어 금 세공업자들의 재산을 관리해 주자는 의견을 낸 적이 있는데 의견의 출처가 자네였다고 들었네. 당시에도 제국에 꼭 필요한 인재라고 생각했었는데 이리 만나게 될 줄이야."

날카로운 발톱을 숨긴 채 상대방이 알아서 목을 내밀기를 기다리는 모습이 참으로 감탄스러웠다.

"공작령에 가서도 종종 내게 좋은 의견을 들려주게나. 누가 알겠나. 내가 자네를 황제 폐하의 옆으로 불러들일지."

웃기고 있네. 뒷배 없는 변변치 않은 귀족 떨거지가 무슨 수로 황제 폐하의 옆에 설 기회를 잡을 수 있다고 그딴 헛소리를. 십 년만 젊었어도 하늘이 내려 준 기회라며 기뻐했겠지. 황태후가 던져 주는 부스러기를 받아먹기 위해 열과 성을 다했을 테고.

그러나 이젠 안다. 황태후가 제안한 자리는 사냥이 끝나면 삶아질 개의 자리란 걸. 혹, 운이 나쁘면 사냥이 끝나기도 전에 리하르트 공작 손에 목이 베이고 말 거란 것도. 누가 봐도 황태후의 목적이 뻔히 보이는데 공작이 제 영역에 들어온 쥐새끼를 두고 볼 리 없다. 공작은 그 어떤 전투도, 하다

못해 모두가 가망이 없다며 말리는 것마저 마다하지 않는 전쟁광이라고 들었다.

누가 알겠는가. 공작령을 밟자마자 그 광포한 자의 손에 잡혀 늑대 밥으로 던져질지. 물려줄 재산도, 물려받을 자식도 없는데 뭐 하러 그런 위험을 감수하고 거기에 간단 말인가. 열병이라도 걸렸다 하고 그냥 나자빠져 버릴까?

양의 탈을 쓴 하이에나 같은 황태후를 속여 넘기려면 어중간한 핑계로는 어림도 없을 텐데. 심각하게 고민하는 슈테판의 나이프가 끼익 끔찍한 소리를 내며 접시를 긁었다.

"저, 슈테판……."

"아, 미안해. 마틸다. 놀랐지?"

스베르겐인 특유의 금발에 초록빛 눈동자를 가진 아내 마틸다가 괜찮다며 사뿐히 고개를 저었다.

"아니요. 당신 무슨 고민 있어요? 저녁 내내 말도 없고."

"고민은 무슨. 그런 거 없어."

포크를 내려놓은 슈테판이 식탁 위로 팔을 뻗어 아내의 손을 꼭 쥐었다. 그보다 두 살 어린 아내 마틸다는 삼십 대 후반임에도 여전히 꽃처럼 아름다웠다. 재산, 권력, 명예. 그 어느 것도 가지지 못한 슈테판에게 남은 유일한 보물. 사랑하는 아내까지 심란하게 만들고 싶지 않아 슈테판은 일부러 환하게 웃어 보였다.

"내 고민이야 언제나 하나잖아. 난 늙어 가는데 당신은 지금도 열일곱으로 보인다는 거. 이러다 사람들이 당신을 딸로 오해하면 어쩌지?"

"당신도 참."

곱게 눈웃음을 치며 슈테판을 흘겨보던 마틸다가 망설이다 입을 열었다.

"슈테판. 나 당신한테 할 말이 있어요."

"뭔데? 좋은 일인가? 표정이 나쁘지 않은데."

마틸다는 수줍게 고개를 끄덕였다.

"당신이 실망할까 봐 기다렸는데 의사가 이젠 안정기에 들어섰으니 괜찮을 거래요."

"의사? 당신, 어디 아팠던 거야?"

나이프마저 집어 던진 슈테판이 의자를 박차고 일어나 아내에게 다가갔다.

"어디가? 도대체 어디가 아픈데?"

안절부절못하는 남편과 달리 마틸다의 표정은 한없이 평화로웠다. 반달 모양으로 눈을 접은 그녀는 제 어깨를 쥐는 남편의 손을 다정하게 토닥였다.

"나, 아이 가졌어요. 슈테판."

텅 빈 연무장 안에 홀로 선 다니엘은 굳었던 팔을 단련하는 중이었다. 벽을 튕겨 나온 공이 정확히 다니엘의 장갑 낀 손 한가운데에 맞았다. 팡! 다니엘이 팔에 힘을 줘 쳐 내자 벽을 세게 때린 공이 빠른 속도로 다시 그에게 날아왔다.

팡! 세게. 팡. 천천히. 팡! 다시 세게.

강약을 조절하며 날아가던 공은 어느새 튕겨 나오는 모습이 보이지 않을 정도로 속도가 빨라졌다. 다니엘은 눈이 따라잡을 수 없을 만큼 빠른 속도로 달려드는 공을 매번 놓치지 않고 받아쳤다.

"오늘 밤. 제대로 된 아내의 의무를 기대해 봐도 되겠습니까?"

순간, 집중력이 흐트러진 그의 팔이 공 대신 허공을 때렸다. 쉭. 손이 바람을 가르고 지나간 자리에서 난데없이 한겨울 속 눈보라 소리가 들렸다. 다니엘의 평평한 가슴이 들썩이다 내려앉을 때마다 쌕쌕 거친 콧바람이 새어

나왔다. 반쯤은 장난, 나머지 반은 신경질에 가까웠던 도발이었다.

"젠장, 거기서 왜 고개를 끄덕이는 건데!"

그에 대한 아내의 답이 떠오른 그는 끼고 있던 장갑을 벗어 냅다 바닥으로 패대기를 쳤다. 겁 좀 먹으라고 경고하려던 건데 거기서 고개를 끄덕이면 어쩌자는 거냐고. 다니엘은 손등으로 턱밑에 맺힌 땀을 벅벅 닦아 냈다.

〈갑자기 몸이 좋지 않아 의무를 다하지 못하게 되었습니다. 사과드립니다.〉

그날 밤, 단정하고 가는 글씨로 쓰인 편지를 받기 전까지 긴장했던 걸 생각하면 지금도 등에 벌레가 기어가는 기분이다. 멀찌감치 떨어져 다니엘을 보고 있던 리카르도가 흙바닥 위로 굴러가는 공을 집어 들고 다가왔다.

"이제 본격적으로 검 훈련에 들어가도 괜찮을 것 같네요. 나쁘지 않습니다. 아니, 좋네요. 아주 좋아요."

"후."

짧은 심호흡으로 가뿐하게 숨을 정리한 다니엘이 마저 땀을 닦으며 돌아섰다. 우지끈! 어디서 또 나무 한 그루가 넘어가는 소리가 난다 했더니 아니나 다를까 '우르르 쾅쾅' 소란스러운 굉음이 이어졌다.

매일같이 아주 난리다, 난리. 리카르도는 소리가 나는 방향에서 눈을 떼지 못했다. 그에게 말을 거는 다니엘의 음성에 날이 바짝 서 있었다.

"용병단 훈련은 제대로 하는 거 맞아?"

"아무렴요. 곡소리 나게 돌리고 있으니 주군께선 걱정 붙들어 매세요. 튜튼에 버금가는 전설적인 기사단으로 만들어 놓을 테니."

"튜튼 좋아하네. 연무장 비워 두고 허구한 날 도끼질이나 하고 다니는 주제에."

"그것도 알고 보면 다 훈련입니다."

의식이 돌아오고 지금껏 용병단이 훈련하는 모습을 본 날을 다 세어 봐도 다섯 손가락 안이다. 검과 창 대신 삽질 아니면 도끼질이나 하고 있으면서, 뻔뻔하게 어디다 그 용맹한 기사단을 갖다 대? 헛웃음을 흘린 다니엘이 리카르도의 손에서 공을 뺏어 들었다.

털을 꽉꽉 채워 박음질한 헝겊의 실밥이 터졌는지 여기저기 새털이 삐져나와 있었다. 꼭 꽁지 빠진 닭처럼 우스꽝스러운 모양새다.

'하나같이 다 엉망진창이군.'

다니엘은 미련 없이 풀숲으로 공을 휙 집어 던졌다. 이미 삐져나왔던 하얀 털들이 바람에 몸을 맡긴 채 둥실둥실 눈앞에서 나풀거렸다. 그마저 손등으로 휘휘 치워 낸 다니엘이 리카르도를 싸늘하게 응시하며 입을 뗐다.

"하겠다고 하니 해 주긴 할 건데, 만에 하나 내 얼굴에 먹칠하는 날엔 가만 안 둘 줄 알아. 자신 없으면 기사단이고 뭐고 다 없던 걸로 하고, 하던 용병질이나 계속하든가."

리카르도가 처음으로 꺼낸 부탁이라 거절하지 않은 것뿐, 다니엘은 애초에 봉신 기사단을 두는 일에 관심 자체가 없었다.

제국에 널리고 널린 게 멋이나 낼 줄 알지 검 잡는 법도 제대로 모르는 같잖은 귀족 출신 기사들이다. 솔직히 알타스 서쪽 링겐 제국의 황실 기사단 튜튼을 제외하면, 이 대륙에 기사단이라고 이름 붙여 줄 만한 이들이 있기나 한지 의문이다.

본인이 용병단 출신이기도 했지만, 다니엘은 이것저것 따지며 허송세월하는 기사보다 실전에 강한 용병을 선호해 왔다. 그가 여태껏 살아남을 수 있었던 것도 그 때문이었고. 그래서 리카르도가 공작령의 봉신 기사가 되고 싶다고 했을 때 술에 취해 농을 하는 건 줄 알았다.

"흥. 잘난 척이 하늘을 찌르는 스베르겐 귀족 것들이 반쪽짜리 공작에게 충성을 바칠 리 없지. 그냥 우리를 봉신 기사로 써요. 주군의 외조부께서 만드신 용병단 아니오. 전쟁터에서 등을 맡기기에 이보다 더 믿음직한 이들이 어디 있답니까."

도미닉에게 그의 부친이 왜 저러는지 아냐고 물었다 비웃음만 잔뜩 샀다.

"몰라서 묻습니까? 딱 봐도 그거잖아요. 죽을 때까지 첫사랑이 낳은 아들 옆을 지키겠다는 감동적인 순애보."

단장이란 사람이 저렇게 공과 사를 구별 못 하는 게 말이 되냐고.

"맘 편하게 사는 게 제일인데 이제 그러긴 다 틀렸어. 제기랄."

쉴 새 없이 툴툴대는 도미닉의 뒤통수를 사정없이 휘갈겼던 것 같다. 다니엘은 뻐근한 어깨를 이리저리 움직이며 인상을 썼다. 그 여자도 리카르도도 대체 왜 귀찮은 일에 달려들지 못해 안달인지 이해할 수가 없다.

"기사가 되면 이젠 빼도 박도 못하고 황실에 불려 다니게 된다고. 돈벌이도 용병이 더 낫잖아. 난 상관없으니까 마음 바뀌면 말해."

"바뀔 일 없습니다. 정처 없이 떠돌아다녀야 하는 용병 짓거리 이젠 신물도 나고."

리카르도가 공을 치느라 흐트러진 다니엘의 옷매무새를 다듬어 주며 빙긋이 웃었다.

"걱정 붙들어 매시오. 우리 대단하신 리하르트 공작 전하 얼굴에 먹칠할 일 없을 테니."

오래전 어린 다니엘에게 곰 가죽을 벗겨 내는 법을 알려 주던 그때와 똑같은 인자한 미소였다. 장난스레 실룩이는 콧잔등에 새겨진 주름도 그때와 같았다.

"지금 아니면 제가 언제 '경' 소리를 들어 보겠습니까? 그리고 제국에서 가장 부유한 영지의 기사단장이 될 건데. 길게 보면 돈벌이보다 이게 낫지, 암만."

산골짜기에 처박혀 흙 파먹고 살 거냐고 구시렁댈 땐 언제고, 그놈의 부유한 영지 타령은. 리카르도에게 부유한 영지 어쩌고 하며 바람을 넣은 이가 누군지는 따로 물어볼 필요도 없었다.

다니엘은 벽에 기대 두었던 검집에서 검을 빼 들었다. 휘리릭. 검집을 빠져나온 검이 그의 손안에서 유려하게 한 바퀴를 돌았다. 손목이 지잉 하고 울리는 느낌이 미치도록 짜릿했다.

갑자기 바람이 세차게 불었다. 차양이 거칠게 흔들리며 모자가 벗겨지려 하자 프리다는 얼른 양손으로 정수리를 꾹 눌렀다. 휘날리는 차양 사이로 파고든 햇살이 눈부셔 자연스럽게 실눈이 되었다. 그녀의 오른쪽에 서 있던 도미닉이 팔을 뻗어 울창한 나무숲을 가리켰다.

"항구와 바로 이어지는 길을 내려면 저 산을 통하는 게 가장 빠릅니다. 보시는 방향 기준으로 왼쪽 끝은 바이마르, 오른쪽은 알타스와 맞닿아 있습니다. 어느 쪽으로 길을 내든 항구와의 거리는 비슷합니다."

숲이 시야를 가로막고 있어 온통 푸른 나무 말고는 아무것도 보이지 않았다. 저 빽빽한 나무들 뒤에 가 보지 못한 새로운 세상이 있다는 거지? 프리다는 눈을 감고 한 번도 본 적 없는 숲 너머에 있다는 넓은 바다를 상상해 보았다.

거의 끝나긴 했지만, 며칠 전 시작된 달거리 때문인지 사르르 아랫배가 아팠다. 그러나 바람이 담고 온 나무 향기가 더없이 청량하고 시원해 금세 기분이 나아졌다.

"알타스 너머는 링겐 제국의 새 수도가 된 즈네부와 맞닿아 있다죠?"

"네. 알타스 산맥이 링겐과 스베르겐의 국경인 셈이지요. 워낙 넓은 산맥이니 좀 깎아 낸다 한들 뭐라 할 사람도 없고, 방해받을 리도 없고. 기왕 도로를 내실 거라면 그쪽을 추천해 드리겠습니다. 안 하시면 가장 좋겠지만."

피로가 덕지덕지 엉겨 붙은 지친 얼굴의 도미닉은 말이 끝나자마자 긴 한숨을 내뱉었다. 힘들다. 힘들어 죽을 지경이다. 공작령에 몇 없는 글을 읽고 쓸 줄 아는 사람이라는 이유로 공작 부인에게 시달린 걸 생각하니 뒷골이 당겼다.

그뿐인가. 외출이 자유롭지 못한 공작 부인을 대신해 성 주변을 둘러보느라 사흘이나 노숙을 해야 했다. 오는 길에 계곡에 얼굴을 비춰 보니 눈 밑이 거뭇거뭇한 게 공작 부인이 아니라 제가 병자 같았다.

내가 왜? 기껏해야 용병 나부랭이인 내가 왜 이런 머리 쓰는 일까지 해야 하냐고! 알아 두면 보탬이 될 거라며 꾸역꾸역 글을 가르쳐 준 라우라 님이 요즘처럼 원망스러웠던 적이 없다. 아무튼, 이 겁 없는 부인이 더 큰일을 벌이기 전에 무조건 내빼고 말 테다. 결연한 의지를 드러내는 도미닉의 눈이 가늘게 일그러졌다.

그와 달리 오랜만에 성 밖을 벗어난 프리다는 기분이 아주 좋아 보였다. 햇볕이 살갗에 닿는 것을 막기 위해 머리부터 발끝까지 칭칭 빈틈없이 동여매고도 마냥 행복한 표정이다. 하얀 장갑을 낀 그녀의 손끝이 도미닉이 말한 곳과 반대 방향을 가리켰다.

"아니요. 도로는 저쪽으로 낼 거예요."

"네? 하지만 저곳은 바이마르와 닿아 있어서 자칫하다가는 영지 분쟁으로 이어질 수 있습니다."

"그러니까요."

이건 또 무슨 소리야? 아니, 왜 굳이 분쟁이 날 곳으로 도로를 깔겠다는 건데?

"생각해 봐요, 도미닉. 유트레히트에서 항구까지 이어지는 도로를 깔게 되면 누가 가장 손해를 볼 것 같아요?"

하아, 이젠 그런 것까지 알아야 하는 건가? 난 그저 검이나 휘두르는 용병일 뿐인데. 지친 표정의 도미닉이 있는 듯 없는 듯 조용히 서 있는 뮤리엘을 흘깃댔다. 그의 고뇌엔 전혀 관심 없는 회색 눈의 여기사는 공작 부인의 머리 위로 그늘을 만들어 주느라 바빴다. 도미닉은 어깨를 축 늘어트리며 힘없이 답했다.

"바이마르겠죠. 그동안 이 지역의 상권을 독점해 왔는데 이젠 그러지 못하게 됐으니."

그의 답이 만족스러웠는지 공작 부인이 짝 하고 손뼉을 쳤다.

"역시 도미닉이라니까. 그러면 이젠 내가 왜 바이마르 쪽을 선택했는지도 알겠네요?"

"네. 알 것 같습니다."

알타스 쪽으로 도로가 생기면 이는 온전히 유트레히트만을 위한 것이 된다. 바이마르로서는 경쟁자가 생기는 것이니 훼방을 놓으려 할 테고. 하지만 자신들의 땅과 연결되는 쪽에 도로가 생긴다면 이는 그들에게도 나쁘지 않은 일. 협상 여부에 따라 협조는 물론이고, 공사 비용까지 얻어 낼 수도 있다는 뜻이다. 타인을 설득하는 재주를 타고난 공작 부인에겐 그런 것쯤 어려운 일도 아니고.

'젠장, 난 왜 이런 것까지 알고 난리인 건데.'

피곤하다. 피곤해. 하루하루 격무에 시달리며 늙어 갈 험난한 미래가 예감됐다.

"하아……."

깊은 한숨을 내쉬던 도미닉은 멀리서 다가오는 말발굽 소리에 고개를 치켜들었다. 따그닥, 따그닥. 스베르겐 황실의 상징인 흰 노르딕 십자 무늬가 새겨진 파란 깃발을 단 말이 그들을 향해 힘차게 달려왔다. 눈앞의 차양을 걷어 내는 프리다의 목소리가 그녀답지 않게 차가웠다.

"드디어 황실이……."

"알았나 보네요."

프리다가 시작한 중얼거림을 마무리 지은 도미닉이 그녀에게 손을 내밀었다.

"마차에 오르세요. 오늘은 이만 돌아가는 게 좋겠습니다."

군마가 일으키는 흙먼지를 따라 눈을 돌리던 프리다가 더듬더듬 도미닉의 손을 찾으며 물었다.

"황실에서 귀찮게 굴까요? 다니엘이 깨어난 걸 알았으니 가만있지는 않겠죠?"

흥. 특유의 코웃음을 웃은 도미닉이 그녀의 팔을 이끌며 중얼거렸다.

"각오 단단히 하십시오. 무엇을 상상하시든 그 이상을 겪게 되실 테니까요."

입을 꾹 다문 채 전령이 지나간 자리를 바라보던 프리다는 도미닉의 팔을 잡고 힘차게 마차에 올랐다.

황실의 인장이 박힌 서신을 읽어 내려가는 다니엘의 표정은 언제나처럼 무덤덤하기 그지없었다. 내용을 모두 읽은 그는 프리다에게 서신을 건넸다.

"황실에서 쥐새끼를 내려 보낸다는군요."

"쥐요?"

"누굽니까?"

프리다의 질문에 도미닉의 것이 겹쳐졌다. 다니엘은 조금 전 글로 읽은 사내의 이름을 읊조렸다.

"슈테판 보일드 남작."

도미닉이 눈을 있는 대로 찡그리며 기억을 더듬었다.

"보일드라……. 보일드."

"황태후의 조카인 알프레도 바이첸의 가정 교사였습니다."

구석에 서 있던 뮤리엘의 빠른 대답에 세 사람의 이목이 쏠렸다.

"제 셋째 오라버니와 첼리노 대학 동기입니다. 아마 그자가 맞을 겁니다."

뮤리엘의 말이 끝나자 다니엘이 가볍게 고개를 끄덕였다.

"맞아. 보일드 남작 부인이 챔벌린 백작가 출신이고."

"아하."

도미닉이 그제야 이해가 된다며 감탄사를 내뱉었다.

"챔벌린 노인네의 작품이군요. 그 영감탱이 다 죽어 간다더니 아직도 황태후 곁을 들락날락하나 봅니다. 그나저나 첼리노 대학에 가정 교사 출신이면 밀서 하나는 기가 막히게 쓰겠네요."

이래도 도로 공사를 시작할 참이냐고 물으려던 도미닉의 귀에 여인의 낭랑한 음성이 들려왔다. 황제의 서신을 양손에 펼쳐 쥔 프리다가 한 줄 한 줄 문장을 소리 내어 읽었다.

"홀로 공작령을 돌보느라 애쓰신 리하르트 공작 부인의 노고를 위로하며, 작은 도움이 되고자 능력 있는 자를 집사장으로 보내려 합니다. 형님과 형수님을 걱정하는 아우의 마음을 부디 거절하지 말아 주십시오."

편지를 모두 읽은 프리다가 반짝반짝 눈을 빛내며 다니엘을 바라보았다. 기시감이 느껴졌다. 다니엘은 어렵지 않게 같은 눈빛을 언제 봤는지 기억해 냈다. 금화가 있다고 얘기했을 때도 눈빛이 꼭 저랬다. 황실이 내려 보내는 쥐새끼가 금화만큼이나 아내의 마음에 든 연유는 추측되지 않았다.

"첼리노 대학 출신이래요, 공작님. 무려 바이첸 공작가의 가정 교사까지 했고요."

그게 뭐? 그래서 어쩌라고? 다니엘이 별 반응을 보이지 않자 프리다가 양손에 편지를 꼭 쥐고 한 발 앞으로 다가왔다.

"글을 읽고 쓸 줄 아는 분입니다. 유트레히트에 문서 작성이 가능한 귀족이 생기는 거라고요."

그제야 프리다가 하는 말의 의미를 해석해 낸 도미닉이 득달같이 달려와 외쳤다.

"무조건 오라고 하세요, 주군! 쥐새끼가 아니라 귀인입니다, 귀인."

"낯짝 치워."

다니엘은 저를 대신할 새로운 희생양에 대한 기대감으로 한껏 상기된 도미닉의 얼굴을 확 밀쳤다.

"아이쿠."

그 바람에 도미닉이 뒷걸음질을 치며 크게 휘청댔다.

"어머, 괜찮아요? 도미닉."

녀석을 걱정하는 프리다의 목소리에 순간 아차 싶었지만, 다니엘은 이내 심드렁해졌다. 멀쩡한 귀족 자제인 척하는 가면이 벗겨지는 건 처음부터 시간문제였다. 따지고 보면 대단한 가면도 아니었다. 그저 그거라도 쓰고 있을 땐 예의 바르게 굴려는 노력 정도는 했었다. 항상 아내를 먼저 배려하고, 존중하며…… 또 뭐였더라.

삼 년 전에 머리를 세게 부딪히긴 했나 보다. 어머니가 머리에 새겨 놓다시피 했던 잔소리가 가물가물한 걸 보면. 하지만 기억하려 애쓰는 것도 귀찮다. 이게 다 제멋대로 선을 넘고, 속을 휘저어 버린 그녀 때문이다.

그러게, 선 너머에 얌전히 있었으면 서로 좋은 모습만 보고 좋잖아. 왜 쓸데없이 나대서는.

책상 위에 아무렇게나 걸터앉은 다니엘이 헐겁게 팔짱을 꼈다. 그 모습이 퍽 불량스러워 허리를 바로 세우던 도미닉은 피식 입술을 터트렸다.

'내가 너 얼마나 가나 했다.'

그동안 별스럽게 점잔을 떤다 했더니 이제 그 짓도 귀찮아졌나 보군. 아니나 다를까. 이어지는 다니엘의 목소리는 시종일관 건조하고 단조로운 데다 까칠했다.

"쥐새끼든 귀인이든 황제께서 보내신 사람입니다. 당분간은 데리고 있어야겠죠."

"하인들 수를 늘려야겠어요. 이제 뮌하임 성에도 그들을 관리할 수 있는 집사장이 생기게 되었으니까요."

"그 일은 부인의 뜻대로 하십시오."

"보일드 남작은 당분간은 성안에 머무르게 해야겠죠? 영지 안에는 따로 내릴 저택도 마땅치 않고……."

"그러세요."

말을 마친 다니엘이 고개만 까닥 움직여 도미닉을 불렀다.

"쥐새끼가 도착하면 당분간은 지켜만 봐. 서신을 보내는 것도 막지 말고. 황태후가 남작이 잘하고 있다고 느끼게끔 내버려 둬."

"네, 주군."

"귀족 집사장이 생겼으니 넌 내성 일에서 손 떼고, 용병단 훈련에 집중해."

"존명."

기다렸다는 듯 대답하는 도미닉의 뒤통수에 서운함을 담은 프리다의 시선이 꽂혔다. 다니엘은 온몸을 긴 옷으로 칭칭 감싸다시피 한 아내를 가만히 바라보았다.

몸이 아프다는 서신을 보냈으면 눈치껏 방 안에 틀어박혀 있든가, 핑계가 무색하게 성 밖 출입이라니. 발발거리고 다니지 못해 안달이 난 사람에게 이 일까지 맡길 계획은 아니었지만……. 이 요청 때문이라도 며칠은 성에 박혀 있겠지 싶어 막 결정을 마쳤다.

"두 달 뒤에 기사단 서임식을 할 생각입니다. 최대한 화려하고 사치스럽게 할 겁니다. 보일드 남작에게 첫 책무로 던져 주시고, 부인은 지켜만 보십시오."

"화려하고…… 사치스럽게요?"

두 단어를 반복하며 진심이냐는 듯 되묻는 프리다에게 다니엘이 즉각 그렇다고 답했다.

"네. 기사단 제복, 깃발, 말안장 모두 다 눈에 확 띄게 준비하라고 하세요."

"저희를 웃음거리로 만들 작정이십니까?"

다니엘은 도미닉의 반발을 손짓 한 번으로 가볍게 뭉개 버렸다.

"새로 온 집사장을 정신없이 바쁘게 만드십시오. 성 밖에서 무슨 일이 벌어지는지 알지 못하게. 우리가 도로 공사를 시작한다는 소문이 황실에 들어가는 걸 늦추고 싶으시다면 말입니다."

그제야 그의 말을 이해한 프리다의 목이 천천히 위아래로 출렁였다.

"아…… 네. 알겠습니다."

"제 얘기는 이걸로 끝입니다. 나가 보세요."

방을 나서는 프리다를 위해 집무실의 문고리를 잡는 뮤리엘을 다니엘이 불렀다.

"로시발트 경, 자네는 남아."

뮤리엘은 불안한 시선으로 저를 바라보는 프리다에게 괜찮다며 미소를 보냈다. 비록 속마음은 벌집에 모여드는 꿀벌들처럼 앵앵 정신 사나웠지만.

'드디어 오늘이 그날인가?'

망할 놈의 쥣값. 차라리 똑같이 한 대 얻어맞고 끝내 버리고픈 심정이었다. 그러나 기대와 달리 리하르트 공작은 따로 남은 뮤리엘에게 한동안 별다른 말이 없었다. 그저 책상에 걸터앉아 물끄러미 뮤리엘의 검을 바라보는 게 다였다.

'어쩌자는 거야, 대체?'

짧지 않은 대치 시간이 흐른 후 다니엘이 그녀의 검집을 턱으로 가리켰다.

"그 검이 '콜다르' 맞나?"

공작의 시선을 따라 검은색 검 자루를 내려다본 뮤리엘이 고개를 끄덕였다.

"네. 맞습니다. 로시발트 가문의 가보 콜다르입니다. 초대 황제이신 카를 1세께서 충직한 신하였던 로시발트 가문의 선조에게 하사하신 검입니다."

"그 검의 주인이 되려면 결투를 신청해 이겨야 한다던데."

워낙 유명한 검이다 보니 관심을 보이는 자가 많았던지라 뮤리엘은 공작이 묻지도 않은 답까지 미리 내놓았다.

"맞습니다. 다만 로시발트의 피를 물려받은 이에게만 자격이 주어집니다."

"유모로 전락한 기사가 쓰기엔 아까운 검이군."

공작의 말투에서 작은 빈정거림도 느껴지지 않는 걸 보면 진심으로 하는 소리가 분명하다. 대꾸할 말을 찾지 못한 뮤리엘은 입을 꾹 다물었다. 영 틀린 말이 아니기도 했고.

"어쩌다 자네 같은 자가 하크본 백작가의 호위 기사가 된 건가?"

공작의 얼굴에 손을 댄 죗값이 시답잖은 질문이나 받는 거라니. 뮤리엘은 귀찮은 내색을 하지 않기 위해 입술 안쪽 살을 꽉 깨물었다.

"하크본 백작님께 큰 도움을 받은 적이 있습니다. 은혜를 갚고 싶었으나 혼자 남은 따님의 호위 말고는 아무것도 원하지 않으셔서 그리되었습니다."

프리다 아가씨에 관한 얘기가 나온 김에 한마디 더 덧붙이려 했던 것뿐인데 저도 모르게 말이 많아졌다.

"이곳으로 오신 후 공작 부인께서 무리하고 계셔서 걱정입니다. 일손이 부족하니 직접 챙기시는 일도 너무 많고……."

"하크본 백작 영애는 원래 세 명이었다지? 둘은 어려서 죽었고."

누가 들으면 아무 상관없는 남의 일인 줄 알 만큼 무감한 말투였다. 기분이 상한 뮤리엘의 목소리는 그녀가 듣기에도 무척이나 냉랭했다.

"네. 두 분 모두 열여섯이 되던 해 돌아가셨다고 들었습니다. 프리다 아가씨와 같은 병을 앓으셨죠."

"병으로 죽은 게 맞나?"

눈을 찡그리며 되묻는 얼굴만 보면 하크본 백작가의 딸들이 겪는 불행을 처음 듣는 사람 같다.

병으로 죽은 게 맞냐니? 그걸 질문이라고 해? 그럼 멀쩡한 아가씨들이 그 꽃다운 나이에 자기처럼 검이라도 휘두르다 죽었겠냐고.

도미닉이 제 주군은 심장이 없는 사람이라고 하더니, 설마 소문보다 더 냉혈한인 건가? 직접 눈으로 보니 왜 그런 말을 했는지 알겠다. 뮤리엘은 침을 꼴깍꼴깍 넘기며 목 끝까지 치솟은 불통한 말을 삼켰다.

"네. 돌아가신 두 분 모두 눈동자 색을 제외하면 머리칼, 눈썹, 피부……. 모든 게 아가씨와 같았다고 합니다."

"피부 좀 하얗다고 사람이 죽는다는 게 말이 돼? 고작 그걸로? 그저 운이 나빴던 거겠지."

비웃음을 흘린 리하르트 공작이 시큰둥하게 중얼거렸다. 뮤리엘의 심장 아래서 뭔가가 울컥하고 목 위로 치밀어 올랐다. 피부 좀 하얗다고? 그 피부 때문에 프리다 아가씨는 햇빛도 제대로 못 보고, 살결이 드러나는 옷도 못 입는다. 점점 나빠지는 시력은 어떻고.

그 연약한 몸으로 우리 아가씨가 지난 삼 년 동안 당신을 돌봐 왔다. 의식도 없는 당신을 매일같이 씻겨 주고, 닦아 주고. 아무리 피곤하고 지쳐도 당신 몸 굳을까 봐 아침저녁으로 팔다리를 주물렀다고, 이 인간아.

당신이 이리 빨리 체력을 회복하고 있는 게 다 누구 덕인 줄이나 알아? 그 가냘픈 아가씨가 본인 생명을 갉아먹어 가며 살려 놨더니. 뭐? 고작 운이 나빠? 뚫린 입이라고, 그걸 말이라고 하냐고!

소리 없는 고함을 있는 대로 질러 댄 뮤리엘은 심호흡을 하며 목에 걸린 뭔가를 겨우 눌러 내렸다. 비록 오해로 인한 거였다 하지만 주먹이라도 한 번 날려 봤으니 속은 시원하다. 황제의 광견. 사악한 검은 맹수. 검을 쓰는 자들이 다니엘 리하르트 공작을 가리키는 단어다.

전쟁터에서 공작을 직접 본 적 있는 넷째 오빠는 그를 '평온한 살육자'라고도 불렀다. 마치 전쟁터가 아니라 산책이라도 즐기는 듯한 표정으로 검을 꽂아 넣는다나 뭐라나. 역시 이런 소문은 그냥 나는 게 아니다. 다 그럴 만한 이유가 있다.

"로시발트 가문엔 어려서 죽은 이가 없나?"

저건 또 뭔 소리야? 예기치 않은 질문에 결국 침착하던 뮤리엘의 표정이 무너졌다.

"당연히 있습니다. 동생도 있고, 사촌 중에서도 여럿……."

"대부분 자네 같은 적갈색 머리겠지? 눈은 회색이고. 로시발트 가문의 특성이니까."

"네."

"자네 논리대로라면, 그대도 그들과 같은 병이라고 봐야 하는 거 아닌가?"

"네? 그게⋯⋯ 무슨."

팔짱을 푼 다니엘이 부드럽게 손목을 꺾으며 책상에서 엉덩이를 떼고 일어섰다. 느릿느릿 걷는 것만으로도 공작의 존재감이 집무실 안을 가득 채웠다.

"같은 머리카락 색, 같은 피부, 비슷한 눈동자를 가진 어려서 죽은 가족. 내가 보기엔 하크본과 로시발트의 상황이 크게 달라 보이진 않는데."

"하지만 프리다 아가씨는⋯⋯."

"만약 로시발트 경 자네가 오늘 저녁에 불의의 사고로 죽는다면?"

다니엘이 뮤리엘의 앞에 와 섰다. 그는 도미닉과 키가 비슷한 뮤리엘이 눈을 살짝 치켜들어야 할 만큼 키가 컸다.

"내 아내께선 온 제국이 다 아는 단명하는 팔자의 집안 내력을 가지고도 호위 기사보다 오래 사시게 되는 거니 죽을병에 걸린 것치곤 운이 좋은 거겠군."

공작은 냉기가 철철 흐르는 얼굴로 연신 알아먹지 못할 소리를 내뱉었다.

"내 부인 걱정은 그만하고. 자네 운이나 시험해 보는 건 어때?"

"제 운이요?"

"그래, 운. 유모로 전락한 자네가 날 이기려면 실력보다 운에 기대야 하지 않겠나? 비록 내가 삼 년 동안 검을 잡지 못했다지만 말일세."

다니엘이 배부른 포식자처럼 나른하게 눈을 깜박였다.

"만약 자네가 대련에서 나를 이긴다면 소원을 하나 들어주지. 무엇이든. 아무거나. 조건 없이."

갑자기 웬 대련? 그런데 이기면 소원을 들어준다고? 뮤리엘은 제 귀를 의심하며 되물었다.

"무엇이든 말입니까?"

가볍게 고개를 끄덕인 공작의 입꼬리가 씰룩 움직였다.

"대신 내가 이기면."

뮤리엘이 여태껏 봐 온 것 중에 제일 밥맛없는 미소였다.
"콜다르는 내가 갖지."

다니엘의 팔이 굽혀질 때마다 입으로 뱉어 내는 숫자가 하나씩 늘어났다.
"오십사, 오십오."
확실히 오른팔보다 왼팔의 감각이 훨씬 더 빨리 돌아왔다. 오른팔만으로 팔 굽혀 펴기 할 때보다 왼팔로 할 때가 더 수월하게 몸이 들렸다.
"오십육, 오십칠."
얌전히 등허리에 올려진 오른팔 대신 다니엘의 체중을 실은 왼팔이 계속해서 굽혔다 펴졌다. 그때, 며칠간 개미 새끼 한 마리 지나가는 소리도 들리지 않던 조용한 벽이 울렸다. 똑똑.
육십을 끝으로 무릎을 바닥에 내린 다니엘은 이마에 흐르는 땀을 닦으며 공작 부인의 방과 이어지는 벽을 노려봤다. 똑똑.
맘대로 들어와 무단으로 뒤지고 다닐 때는 언제고, 새삼 기척은. 땀을 닦기 위해 수건을 집으려던 다니엘은 마음을 바꾸고 그대로 문을 향해 걸어갔다. 덜컥.
"공작님. 드릴 말씀이……. 어머나!"
상의를 완전히 탈의한 다니엘과 맞닥트린 프리다는 얼른 고개를 돌리고 눈을 감았다.
"왜, 오, 옷을……."
"놀라셨습니까? 삼 년 동안 절 닦고 씻긴 분이 부인이라기에 제 몸에 익숙하신 줄 알았습니다."

"그거야…… 그땐 의식이 없으셨으니까요."

그렇지. 난 죽은 놈처럼 가만있고, 당신은 그런 날 맘껏 주물럭거리고. 젠장. 막 운동을 마친 몸에 피어난 열감이 전신으로 퍼져 나갔다. 뒤로 물러난 다니엘은 침대 위에 아무렇게나 던져두었던 셔츠를 찾아 목 위로 걸쳤다.

"어쩐 일이십니까? 이 문 근처엔 얼씬도 안 하실 줄 알았는데."

"성안 사람들이 공작님께서 내일 뮤리엘하고 대련을 할 거라고 하던데, 그게 사실인가요?"

"사실입니다."

셔츠를 입는 등 뒤로 프리다의 다급한 숨결이 느껴졌다.

"공작님, 뮤리엘은 그냥 기사가 아니에요. 로시발트 가문이 배출한 기사 중에서도 가장 힘이 세고, 검술도 뛰어나서 일찍부터 황실 기사단장 감이라고 소문이 자자했대요."

휙, 몸을 돌리자 눈을 커다랗게 부릅뜬 프리다가 걱정스러운 표정으로 그를 올려다보고 있었다.

"혹 모르시나 걱정돼서……."

걱정? 주변 사람 모두가 당신이 당장 내일이라도 죽을까 봐 전전긍긍하는 판에, 지금 누가 누구를 걱정해? 한 발 한 발 천천히 프리다를 벽으로 밀어붙이며 걷던 다니엘은 그녀의 등이 벽에 닿자 머리 위로 손을 뻗어 짚었다. 프리다는 냉소를 담은 채 비틀리는 남편의 입술에 집중하느라 그의 눈에 얼핏 붉은 기가 도는 것을 보지 못했다.

"우리 부인께선 남편 소문은 못 들으셨나 보네."

벽을 짚어 품 안에 가두고 보니 안 그래도 작은 여자가 더 작게 느껴졌다. 새하얀 머리통이 어찌나 조그마한지 손바닥 하나만 펼쳐도 그 아래 충분히 숨겨지겠다 싶다. 이렇게 작은 여자가, 이토록 여린 몸으로 저보다 배는 커 보이는 그를 걱정한단다. 다른 사람도 아니고 다니엘 리하르트를. 미친개, 사냥개 등 종종 인간보단 짐승으로 불리는 그를.

"오늘의 프리다가 오늘의 공작님께 고백하는 거예요. 당신을 좋아한다고."

대수롭지 않게 흘려들었던 그 고백을 다시 떠올리고서야 어렴풋이 알 것 같았다. 지난 며칠 동안 아무 잘못도 없는 제 아내 혹은 실체도 없는 뭔가를 향해 계속 짜증이 났었던 이유를.

"공작 부인을 좋아합니다. 아주 많이요. 레오폴드보다 더 많이요."

이 빌어먹을 기억이 떠오를까 봐. 그거 좀 막아 보자고 의무니, 뭐니 시답잖은 소리를 늘어놓으며 어깃장을 놓고 싶었던 걸지도. 속내가 훤히 드러나는 이 티 없이 맑은 눈동자가 철없고 순진했던 어린 시절의 저를 떠올리게 하는 게 싫어서. 상대를 통해 못나고 옹졸한 자신을 확인하는 일은 상상보다 훨씬 더 별로다. 그리고 한심하다.

수줍게 건넨 마음을 돌려받지 못하는 것과 그 마음을 건넨 상대의 적나라한 실체를 깨닫게 되는 일 중 어느 게 더 거지 같을까. 그 두 가지를 모두 다 겪어야 하는 이 작은 여자는 무슨 죄고. 핏줄이 터질 만큼 꽉 쥐고 있던 주먹에서 허탈할 정도로 쉽게 힘이 빠져나갔다.

동시에 화가 났다. 빌어먹을 황태후. 자신과 어머니의 인생을 개판으로 만들었으면 됐지 왜 아무 상관도 없는 사람까지 끌어들여서는. 제 품에 갇힌 자그마한 아내가 무슨 생각을 하는지 알 리 없는 다니엘의 적갈색 눈에 조금씩 핏빛이 더해졌다.

'와…… 크다.'

코앞까지 들이닥친 남편에 대한 첫 느낌은 전체적으로 '크다'였다. 눈앞을 가득 채운 거대한 남자의 몸에서 풍기는 진한 땀 냄새가 신기하기도 했다. 방금 입은 셔츠가 땀에 젖어 가슴팍에 쫙 달라붙을 정도면 대체 운동을 얼마나 한 거야? 격렬한 운동 비슷한 것도 해 본 적 없는 프리다는 땀에 젖는다든가, 땀을 비 오듯 흘린다든가 하는 경험이 없었다. 그래서 갓 잡은 생선처럼 팔딱팔딱 뛰는 다니엘의 맥박이, 그의 생동감 넘치는 모든 것이 마냥 놀라웠다.

남편의 의식이 돌아온 지 아직 한 달도 채 되지 않았다. 그런데 벌써 말을 타고 하루도 빠짐없이 연무장에서 몸을 단련한다고 한다. 대단하다. 이 남자는 정말 강하구나. 새삼 그가 리카르도 님이나 뮤리엘같이 검을 쓰는 사람이라는 실감이 났다.

하긴, 처음 남편의 옷을 갈아입히며 얼마나 놀랐던가. 바위를 만지면 이런 느낌일까 싶게 단단한 살결은 손으로 눌러지지도 않았었다. 선이 고운 얼굴과는 완전히 다른 우락부락한 몸을 보고 잠시 말을 잊기도 했었지. 팔뚝이 그렇게나 굵은 사람은 처음 봤다. 이토록 건장한 사람이 숨만 쉬고 누워 있다는 게 믿어지지 않아 단둘이 있을 때면 아무도 몰래 팔뚝을 콕콕 눌러 본 적도 있다.

마지막까지 남겨 두었던 그녀의 침대를 내다 팔고 남편과 한 방에 머물기로 한 날. 죽은 사람처럼 싸늘히 잠든 그의 곁에 눕는 게 무섭기도 했었다. 그러나 남편의 곁은 의외로 온기가 있었다. 한 겨울밤 식어 버린 벽난로의 불을 다시 붙이러 가기 귀찮거나, 늑대가 유난히 울어 댄다거나, 거센 바람에 창문이 덜컹거릴 때. 옆에 사람이 있다는 것만으로도 훈훈하고 마음이 편안해졌다.

그런 날들이 영원하길 바랐던 건 아니지만, 이처럼 지척에서 남편의 진한 체취를 맡게 되는 날이 올 줄도 몰랐다. 땀방울이 맺힌 날카로운 남자의 턱이 가슴과 같은 속도로 들썩였다. 살짝 눈을 들자 마주친 목울대가 그녀의 주먹만큼이나 크게 돌출된 채로 역시나 같이 꿈틀거렸다. 턱 끝까지 숨이 찬다는 게 이런 걸 두고 하는 말이구나.

프리다는 눈앞에서 펼쳐지는 역동적인 움직임이 무척이나 낯설면서도 조금은…… 부러웠다. 때마침 턱 끝에 대롱대롱 매달려 있던 땀방울이 무게를 이기지 못하고 떨어지려는 기미가 보였다. 그녀는 얼른 소맷단을 들어 다니엘의 턱에 가져다 댔다. 독수리가 사냥감을 채듯 그의 손이 프리다의 손목을 잽싸게 붙들었다.

"뭐 하는 겁니까?"

"따, 땀을 많이 흘리셔서. 어, 공작님 눈동자가……."

프리다의 팔을 놔준 다니엘이 얼굴을 감싸며 뒤를 돌았다. 목이 마른지 물병이 있는 곳으로 걸어가는 그를 보며 프리다는 고개를 갸웃거렸다.

'이상하다. 분명 눈이 좀 붉어 보였는데.'

리카르도 님과 도미닉이 누누이 강조하고 또 강조했다. 눈이 붉어지는 리하르트 공작을 보면 무조건 피하라고. 묻지도 따지지도 말고, 입을 닫고 튀라고.

'어쩌지? 나 튀어야 하나?'

'도망간다'보다 '튄다'가 입에 붙어 버린 현재의 프리다를 봤다면 하크본가의 가정 교사는 아마 충격으로 쓰러졌을 것이다. 프리다는 팔을 뒤로 뻗어 더듬더듬 문고리를 찾았다. 꿀꺽꿀꺽. 목을 축인 다니엘이 물잔을 테이블 위로 내려놓으며 말했다.

"더 하실 말씀 없으시면 그만 가 보세요."

할 말? 그제야 자신이 이곳에 온 목적을 떠올린 프리다는 막 손에 잡힌 문고리를 내려놓았다.

"맞다. 내일 정말로 뮤리엘과 대련을 하실 건가요?"

"듣고 오신 대로입니다."

"진심이세요? 지금 판돈이 어마어마하게 커졌단 말이에요."

"판돈?"

그녀를 돌아보는 공작의 눈동자는 다행히도 프리다가 자주 보아 온 짙은 적갈색이었다. 경계심을 버린 프리다는 남편이 있는 방 한가운데로 총총 걸어왔다.

"모두 내일 대련에서 누가 이길지 내기를 거느라 신이 나서 난리도 아니에요. 온 성안이 들썩거리고 있다고요. 아델 말로는 하인들은 물론이고 용병단 전체가 다 돈을 걸었대요."

주방에 가 보니 여기저기서 돈을 꺼내 놓느라고 정신들이 없었다. 대부분 구리와 은이 섞인 동전이었지만, 은화도 심심치 않게 보였고 얼핏 금화도 본 것 같다. 힘들게 일해서 번 돈을 이런 데다가 쓰는 게 말이 되냐며 한 소리 하려는 그녀를 말린 건 도미닉이었다.

"내버려 두세요. 오래간만에 재미난 구경거리가 생겨서 다들 신나 하는데. 공작 부인께서도 와서 거세요. 뭐, 대세는 이미 기울어진 것 같지만."

공작령에 온 이후 오늘처럼 사람들이 눈을 반짝반짝 빛내는 건 처음 봤다.

"내일은 다들 하던 일도 멈추고 대련을 구경하러 갈 기세였어요."

테이블에 살짝 걸쳐 앉은 다니엘은 마저 목을 축이기 위해 다시 물잔을 들었다. 시야를 반쯤 가린 잔 너머로 불안감을 감추지 못한 보라색 눈동자가 그를 응시하고 있었다.

그가 잘못될까 애태우고 초조해하는 사람을 보는 게 얼마 만이더라. 아주 어렸을 때를 빼면 그런 일이 드물었기에 짐작조차 되지 않았다.

다니엘의 옆에 들러붙어 떨어질 줄 모르는 몰리 부자야 말할 것도 없고, 주변인들이 그의 출정이나 전투 등을 대수롭지 않게 받아들인 지 오래다. 어머니만 해도 그 앞에선 언제나 아무렇지도 않은 척하셨다. 어떠한 경우라도 세상에서 가장 담대한 여인인 양 평온한 척을 하셨었지. 심지어 아들의 앞에서 죽어 가는 순간에도.

물잔을 내려놓은 그는 오만 감정을 다 드러내 놓고 있는 아내를 찬찬히 바라보았다. 무슨 말을 하는지 더 들어 보자는 심산으로 느슨하게 팔짱을 꼈다.

"그래서요?"

"당연히 대련을 관두셔야죠. 더 늦으면 무를 수도 없게 된다고요. 공작님께선 아직 다 회복되신 게 아니에요. 그 몸으로 뮤리엘과 대련이라니요. 만약 다치기라도 하시면 큰일이잖아요."

피식. 저도 모르게 헛웃음이 터졌다. 죽는 것도 아니고 다치는 게 무슨 큰

일인지도 모르겠지만, 딱 봐도 그가 질 거라고 여기고 있음이 눈에 보여서.

이 다니엘이 말이다. 용병단에 들어가기도 전이니 열셋쯤 되었으려나. 그때 이미 두 살이나 많은 도미닉을 무릎 꿇렸다. 리카르도의 검을 반 토막 낸 건 아마 열일곱쯤이었던 것 같다. 열아홉 살부터는 당시 공작 부인이던 황태후의 요구로 전쟁터를 전전하기 시작했다.

레오폴드가 황위 싸움을 시작한 이후 겪은 전투만 수백 개. 그중, 단 한 차례도 져 본 적이 없는 그다. 완벽한 무지에서 오는 아내의 순진한 걱정에 기가 막혔다.

"그러면 로시발트 경에게 금화를 거시면 되겠군요. 판돈이 꽤 크다니 짭짤한 벌이가 될지도 모르잖습니까."

"그게……."

곤란한지 시선을 피하는 모습에서 주방에서 벌어졌다는 내기의 결과가 짐작되었다. 거의 대다수가 로시발트 경에게 판돈을 걸었을 것이 자명하다. 아무리 무패의 리하르트 공작이라 해도 삼 년이나 검을 잡지 않았다면 실력이 녹슬었을 거라고 여기고들 있을 테니.

다니엘은 주먹을 쥐었다 폈다 하며 다시 돌아온 팔의 감각을 몸에 새겼다. 프리다가 책장 뒤에서 발견되던 날. 얼떨결에 로시발트 경의 공격을 막기 위해 검을 들었을 때와 오늘은 사뭇 느낌이 달랐다. 온 제국에 소문이 자자한 로시발트의 대단한 힘을 얼마나 막을 수 있을진 모르겠다.

하지만 검으로 상대를 제압하는 일이 힘으로만 되는 것이 아니다. 쉽진 않겠으나 다니엘 리하르트는 애초에 질 싸움은 하지 않는다. 그의 무패 신화가 검술이나 힘이 아니라 치밀한 계략에서 나온다는 걸 몇이나 알까.

더구나 부상으로 명검 '콜다르'를 건 대련이다. 로시발트 가문이 생긴 이래 최고의 검사라 불린다는 뮤리엘 로시발트의 손에서 그 검을 빼어 오는 일이었다. 아무렴 이길 각오도 없이 달려들었을까.

다니엘을 아는 자들, 특히 여우 같은 도미닉이라면 이미 이쪽에 큰 판돈을 걸어 놓고 의뭉스럽게 웃고 있을지도.

테이블에서 엉덩이를 뗀 다니엘은 뭉친 어깨를 풀며 창가로 걸어갔다. 서늘한 늦은 저녁의 봄바람에 아직 열기가 남아 있는 땀을 식히기 위해. 여전히 안절부절못하고 있는 프리다가 그의 뒤를 졸졸 따라왔다.

"뮤리엘은 하루도 빼지 않고 검술 훈련을 하고 있어요. 게으름 피우는 걸 한 번도 못 봤다고요. 뮤리엘의 검에 대해선 아시죠? 어마어마하게 두꺼운 나무도 한칼에 베어 버리는 전설의 검……."

"부인."

창문을 반쯤 연 다니엘이 프리다를 돌아봤다. 짧게 자른 그의 검은 머리칼이 창문을 넘어온 바람을 타고 부드럽게 휘날렸다. 바람을 느끼며 느리게 눈을 감았다 뜬 다니엘이 나른하게 입을 열었다.

"몸은 이제 괜찮아지셨습니까?"

"네?"

"갑자기 몸이 좋지 않아 의무를 다하지 못하게 되었습니다. 사과드립니다."

기억나는 문장을 한 글자도 빼놓지 않고 모조리 읊은 그가 조용히 되물었다.

"제 눈엔, 이제 충분히 아내의 의무를 이행하실 수 있을 만큼 아주 건강해 보이시네요."

종알대는 입이나 막아 보자고 건넨 시도가 성공했는지 재잘거리던 소리가 일순간 사라졌다. 다니엘은 서둘지 않고 느릿느릿 눈을 깜박이며 아내의 답을 기다려 주었다. 괜찮아졌다 한들 그녀를 안을 마음은 없었다.

다만 어서 이 대화를 끝내고, 마저 몸을 단련시키고 싶을 뿐이다. 무자비하게 그를 공격해 댈 로시발트의 힘을 버텨 내자면 팔의 힘을 더 길러야 하는데 이렇게 시간을 허비하고 있자니 아까웠다. 아니라면 말고, 그러겠다 해도 방으로 돌려보내고 난 후에 깜박 잊었다 하고 말 참이었다.

"아, 아직 며칠은 더 기다려 주셔야 할 것 같은데요……."

"이번엔 이유가 뭡니까?"

말릴 틈도 없이 질문이 튀어나오지만 않았다면. 딱히 궁금했던 건 아니라 서둘러 이만 됐으니 그만 가 보시라고 하려던 찰나, 프리다가 쭈뼛대다 입을 열었다.

"그러니까 어…… 제가 아직, 그…… 달거리가 완전히 끝나지 않아서요."

"……."

태어나 처음 듣는 단어였지만 다니엘은 그게 뭐냐고 묻지 않았다. 왠지 그러지 않는 것이 좋을 것 같았다.

다다다, 우당탕탕.

조심성 없는 발소리가 스베르겐의 변경백 업다이크 후작이 머무는 노이반 성에 울려 퍼졌다. 2층 계단 난간을 타고 미끄러지며 1층까지 내려온 금발 청년이 막 홀로 들어서는 기사 앞으로 뛰어들며 소리쳤다.

"그게 사실이야? 진짜야? 나의 영웅, 우리의 광견 다니엘이 진짜 깨어난 거냐고!"

"하인리히 업다이크!"

숱이 많고 곱슬곱슬한 금발 머리, 사슴처럼 커다랗고 동그란 눈의 청년이 저를 부르는 소리에 계단 위로 고개를 들었다. 2층 계단 위에 선 스베르겐의 변경백 업다이크 후작이 근엄한 얼굴로 아들을 내려다보며 소리쳤다.

"그 고약하고 상스러운 말버릇은 대체 언제 고칠 참이냐? 장차 스베르겐 제국의 변경백이 되어 위엄 있는 모습을 보여야 할 녀석이 어디서 품위 없이……."

부친의 지적을 받으면서도 하인리히의 천진한 표정에는 무게가 조금도 실리지 않았다.

“하지만 아버지, 다니엘은 제 생명의 은인이니 업다이크 가문의 영웅 맞잖아요. 그 녀석이 아니었다면 아버지는 고약하고 상스러운 말버릇을 가진 아들조차 없었을 테고요.”

“이 녀석이…….”

차마 아니라고 부정할 수 없는지라 업다이크 후작도 더는 아들의 경망스러운 태도를 지적하지 못했다. 그는 아들을 향해 사납게 눈을 부라리다 쯧쯧 혀를 차며 자리를 떴다.

하인리히는 후작가의 문장인 푸른 독수리가 새겨진 망토를 입은 기사의 어깨를 마구 흔들며 재차 물었다.

“빨리 말해 봐, 빨리. 언제? 완전히 깨어난 거 맞아? 그 죽여주게 잘생긴 얼굴은 여전하대?”

“캑캑. 도련님. 이, 이거 좀 놓고 하, 하나씩 물어보셔야 저도 대답을 할 거 아닙…….”

푸른 독수리의 한쪽 날개가 펄럭이도록 기사를 흔들어 대던 하인리히가 동작을 멈추고 소리를 질렀다.

“자, 됐지? 얼른 말해 봐. 얼른!”

휴우. 한숨을 내쉬며 한 발 물러난 기사가 흐트러진 제복을 가다듬으며 말했다.

“네. 깨어나셨답니다. 쉔달 성이 온통 그 얘기로 떠들썩한 걸 보고 왔으니 틀림없는 사실일 겁니다.”

“와우. 하하. 내가 이럴 줄 알았다고. 우리 다니엘이 어떤 인간인데 쉽게 죽을 리 없지.”

‘야호’ 하고 환호성을 지른 하인리히가 소식을 전해 준 기사의 주위를 돌며 방방 뛰었다.

“또 뭐 다른 얘기는 들은 거 없어? 그 인간 멀쩡한 거는 맞는 거지?”

"아마도요. 그러니 황태후 폐하께서 득달같이 감시할 자를 공작령으로 내려 보내셨겠죠."

"감시할 자?"

신이 나서 어깨를 들썩이던 하인리히가 그 자리에 멈춰 무슨 말이냐며 되물었다.

"누구를 감시해? 다니엘을?"

"네. 명분은 안주인이 부실한 공작령을 대신 관리할 집사장을 보내는 거라고 했다는데. 속셈이야 뻔하죠. 공작 전하의 일거수일투족을 감시할 눈을 붙여 놓겠다는 거 아니겠습니까?"

"미친. 부실한 안주인을 그 자리에 앉힌 사람이 누군데!"

하인리히의 거친 반응에 놀란 기사가 급히 주위를 둘러보며 다가와 그의 입을 막았다.

"도련님이야말로 미치셨습니까? 누가 들으면 어쩌려고 그런 망발을……."

"읍, 읍. 이거 놔. 내가 화 안 나게 생겼냐고! 다니엘이 누구 때문에 그딴 결혼을 했는데! 누구를 위해 싸우다 그 꼴이 됐는데!"

기사는 제 팔을 대차게 치워 내는 하인리히를 말리느라 진땀을 뺐다. 업다이크 후작가의 유일한 자식이자, 차기 변경백인 이 곱상한 도련님의 별명이 '미친 꽃사슴'이란 걸 아는 자가 몇이나 될지. 이 도련님은 얼굴이 반전이다.

스베르겐인 특유의 파란 눈동자가 박힌 소년 같은 얼굴로만 보면 연회나 들락거리며 귀족 영애들과 시시덕거릴 인상이다. 그런데 그 해사한 얼굴로 검을 들고 날뛰기 시작하면, 그땐 정말 '미친 꽃사슴'이란 표현 말고는 묘사할 말이 없다.

화를 삭이지 못하고 씩씩거리던 하인리히가 왼손으로 난간을 세게 내리치며 으르렁댔다.

"영악한 바이첸의 늙은 마녀 같으니라고. 나의 다니엘에게 또 무슨 개수작을 벌이려고."

"도련님. 제발 오해받기 딱 좋은 그런 말은 좀 자제하십시오."

"아니지. 이러고 있을 게 아니라 당장 가 봐야겠어."

기사의 만류를 듣는 둥 마는 둥 혼자 중얼거리던 하인리히가 갑자기 계단을 향해 내달렸다. 놀란 기사가 계단을 오르는 그의 뒤통수를 향해 소리쳤다.

"도련님, 대체 어디를 가신다는 겁니까?"

난간을 잡고 한 번에 계단 세 개를 훌쩍 뛰어 올라간 하인리히가 그대로 직진하며 외쳤다.

"유트레히트!"

한낮의 태양이 알타스 산맥 서쪽으로 기울기 시작한 시각. 연무장에 선 다니엘이 스르르 눈을 감았다. 그는 전투를 시작하기 전, 앞으로 펼쳐질 상황을 머릿속으로 그려 보는 습관을 지녔다.

눈꺼풀이 닫히자, 그를 감싼 소란스러운 소음이 여명에 길을 비켜 주는 한밤의 어둠처럼 빠른 속도로 소멸되었다.

'폼탁, 옥스, 플루크 그리고 알버.'

전통적인 기사 가문에서 자란 뮤리엘 로시발트는 롱소드(Long sword, 장검) 검술의 정석대로 그와 맞설 것이다. 스베르겐 제국이 자리 잡은 로슈만 대륙에는 전사라면 누구나 탐낼 명검이 몇 자루 있었는데 그중에서도 특히 롱소드가 유명했다.

가장 유명한 검은 역사는 짧으나 명성만은 가히 역대급이라 할만한 '아스카론'이다. 일명 '피를 먹고 사는 검'이라고 알려진 그 검은 알타스 서쪽, 링겐 제국의 초대 황제인 '니콜라스 링겐'의 검이었다. 현재는 그의 사위인 변경백 '발트 모렌하이츠'가 가지고 있다.

스베르겐 제국 내에서는 초대 황제인 '카를 1세'와 연관된 검이 유명세를 떨쳤다. 카를 1세가 직접 사용했다는 '리날도'는 대대로 제국의 황제들이 물려받았다. 현재도 쉔달 성, 레오폴드 볼슈타크 2세의 집무실에 고이 모셔져 있다.

그다음으로 꼽자면 서너 개가 더 있으나, 다니엘은 그의 대련 상대가 쥐고 있는 묵직한 롱소드 '콜다르'를 그중 최고로 쳤다. 일체의 불필요한 장식을 배제한 단순한 모양의 검 자루, 현존하는 가장 강한 물질이라 알려진 다마스커스 강철로 만들어진 검신. 웬만한 검은 콜다르와 스무 합을 겨루기도 전에 박살이 난다.

오직 이기는 것이 목적인, 타고난 전사를 위해 만들어진 강검 중의 강검. 카를 1세가 그의 기사 '오스카 로시발트'에게 하사한 이후 그의 후손만을 주인으로 맞아 왔던 검. 다니엘이 그 검에 대해 마지막으로 전해 들은 소식은 뮤리엘 로시발트가 '콜다르'의 새 주인이 되었다는 거였다.

평생 저와는 인연이 없겠구나 싶었는데, 그 검의 주인이 제 아내의 호위기사, 아니, 유모 노릇을 하고 있을 줄이야. 이런 걸 보고 하늘이 준 기회라고 하는 건가.

짜릿한 흥분이 다니엘의 전신을 타고 맴돌았다. 도미닉에게서 뮤리엘 로시발트가 거의 어미 새처럼 공작 부인을 챙긴다는 말을 듣긴 했었다. 그러려니 했었는데 명색이 공작인 그에게 주먹부터 휘두르는 여기사를 보며 깨달았다. 걸려들겠구나.

"대신 내가 이기면, 콜다르는 내가 갖지."

"분명히 약속하신 겁니다. 무엇이든 아무 조건 없이 제 소원 하나를 들어주신다고."

"문서로 남겨 공작가의 인장이라도 박아 드릴까?"

역시나. 여기사는 따로 공들일 필요도 없이 그의 제안을 수락했다. 뮤리엘 로시발트가 이 대련에 응한 까닭은 뻔하다.

'기껏해야 제 아가씨를 어찌해 달라는 소원이나 빌겠지.'

뭐든 하자는 대로 해 주라든가, 힘들게 하지 말아 달라든가. 아니면…… 아껴 달라든가. 맹목적인 애정이 인간을 어디까지 바보로 만드는지 누구보다 잘 아는 다니엘이다.

'훗. 그 바보짓 덕에 콜다르를 손에 넣게 될 줄이야.'

씁쓸하게 조소하는 다니엘의 귀가 뜨이며 다시 소리가 들려왔다. 귓가를 스치는 잔잔한 봄바람의 흐름. 연무장 주변을 날아다니는 새들의 지저귐. 숨죽이고 서서 곧 검을 맞댈 두 사람을 바라보고 있는 인파의 희미한 웅성거림. 뜨거운 시선. 눈을 감고 있어도 모든 것이 느껴졌다. 문득, 자신이 살아 숨 쉬고 있다는 자각이 찾아왔다.

"살아남아. 다니엘. 살아 있다는 게 중요한 거야."

그래. 살아 있으니 이런 날도 오는 거겠지. 어머니의 당부가 조금은 이해가 되는 거 같다. 다니엘의 입가에 보일 듯 말 듯 실금 같은 미소가 스쳐 지나갔다. 그를 지나쳐 흐르는 바람을 타고 맞은편에 선 여기사의 차분한 음성이 들려왔다.

"시작해도 되겠습니까?"

본인이 진다는 생각은 티끌만큼도 해 본 적 없는 자의 여유가 서려 있는 단호한 목소리. 천천히 눈을 뜨고 그의 눈빛과 닮은 적갈색 머리칼을 찾아낸 다니엘이 까닥 고개를 끄덕였다.

연무장 주변을 가득 채운 사람들 사이를 두리번거리던 프리다는 낯익은

얼굴이 보이지 않자 도미닉을 찾았다.

"도미닉, 리카르도 님은요?"

"허브밭에 계십니다."

"혼자요?"

"네. 다 여기 와 있으면 밭은 누가 돌보냐고 툴툴거리며 마무리 일을 하고 계십니다. 하루만 놔둬도 잡초가 무성하다나 뭐라나."

농담이 아니라 진짜 펜하임 성에 기거하는 모든 이들이 다 연무장으로 쏟아져 나온 듯하다. 뮤리엘과 공작이 마주 보고 서 있는 연무장 가운데를 중심으로 빙 둘러진 인간 띠에 빈틈이 단 한 곳도 없을 지경이니. 금방이라도 맞붙을 작정인지 뮤리엘이 검을 양손으로 쥐고 자세를 잡았다. 프리다는 초조하게 치맛단을 구겨 쥐었다.

"도미닉이라도 공작님을 말렸어야죠."

그녀와 달리 유유히 주위를 둘러보는 도미닉의 행동에선 티끌만 한 긴장도 찾아볼 수 없었다.

"제가 왜요? 어차피 듣지도 않을 텐데."

시끌벅적한 소리가 점점 커지자, 그가 프리다가 있는 쪽으로 어깨를 기울이며 큰 소리로 말했다.

"부인께서 남편분에 대해 잘 모르셔서 하시는 말씀인 건 알겠습니다만, 지금이라도 알아 두세요."

흥분을 감추지 못한 사람들이 자꾸 앞으로 나서려 하자, 도미닉이 연무장을 지키고 선 용병들에게 눈으로 신호를 보냈다. 건장한 용병들의 힘에 밀려 사람들이 두어 걸음씩 더 뒤로 우르르 물러났다. 목소리를 살짝 낮춘 도미닉이 다시 입을 뗐다.

"주군께서는 욕심이 없는 편이십니다만, 반대로 꼭 가지고 싶은 게 생기면 포기를 모르시는 분입니다. 협박, 협작. 그 무엇도 개의치 않으시죠. 이번에도 무슨 일이 있어도 가지고 말걸요."

"그게 무슨 소리예요? 공작님이 저러시는 이유가 뮤리엘에게 뭔가 원하는 게 있어서라는 건가요?"

두말하면 입 아픈 소리. 아니라면 요란한 소동을 질색하는 다니엘이 왜 이딴 짓을 하겠냐고.

"못 들으셨습니까? 이기는 사람이 로시발트 경의 검, 콜다르를 갖기로 했답니다. 뭐 주군께서야 로시발트 경에게 명분을 만들어 주기 위해 저러시는 거겠지만."

"명분이라뇨?"

"생각해 보십시오. 로시발트 경이 가보인 콜다르를 빼겼다는 소문이 나면 가장 큰 비웃음을 당할 자가 누구인지. 검을 뺏은 리하르트 공작?"

도미닉의 굵은 검지가 프리다의 눈앞에서 휙휙 양옆으로 흔들렸다.

"천만의 말씀. 목숨을 걸고 지켜야 할 가보를 눈뜨고 뺏긴 로시발트 경이 바로 그 주인공이 될 겁니다."

비록 곁다리라 해도 황제의 이복형이자 제국의 공작이다. 위력으로 귀족도 아닌 일개 기사의 검 하나 뺏는 일쯤 뭐 그리 어려울까. 더한 짓도 하고 사는 인간들이 수두룩한데. 그러나 성질머리는 더러워도 인간이 영 개차반은 아닌 다니엘이었다.

그는 뮤리엘에게 적어도 정정당당한 승부에서 졌다는 핑계라도 만들어 주려고 저 웃기는 짓을 벌이고 있는 거다. 황태후가 그를 감시하려고 쥐새끼까지 보냈다는 이 판국에. 몸을 사려도 무사히 넘길 수 있을까 말까 한 이 상황에 기어코 일을 못 쳐서 난리다.

'삼 년 만에 의식을 차린 리하르트 공작이 깨어난 지 한 달도 안 돼 콜다르의 주인을 이겼다.'

이 소문이 제국 내에 완전히 퍼지는 데 걸리는 시간은 아마…… 보름 정도?

'골치 아프게 생겼군.'

벅벅 마른세수하는 도미닉의 앞으로 다가온 프리다가 콧김을 씩씩 내뿜었다.

"그러니까 도미닉은 지금, 공작님이 우리 뮤리엘을 이길 거다 이 얘기에요? 우리 뮤리엘은 북부 최강의 기사라고요."

우리…… 뮤리엘? 팔짱을 낀 도미닉이 콧방귀를 흥 내뿜으며 말했다.

"우리 다니엘은 제국을 통틀어 최강입니다. 무패의 리하르트, 스베르겐의 검은 맹수, 소문도 못 들어 보셨습니까?"

챙!

때마침 검과 검이 맞부딪히는 소리와 함께 요란한 환호성이 터져 나왔다.

"우와!"

"휘익-!"

"우리 뮤리엘도 만만치 않은……."

그 안에 소리가 묻혀 자신의 목소리조차 들을 수 없게 되자 프리다는 '흥' 하고 입을 닫고 연무장 쪽으로 고개를 돌렸다. 챙, 챙, 챙! 검과 검이 부딪힐 때마다 자동으로 프리다의 몸이 움찔움찔 떨렸다. 무서워서라기보단 두 개의 검이 맞닿을 때마다 뿜어져 나오는 파동이 어마어마했기 때문이다.

멀리 떨어져 있는 프리다에게까지 그 파장이 여실히 느껴졌다. 같은 기운을 느꼈는지 짓궂게 굴던 도미닉의 표정도 이내 진지해졌다. 뮤리엘 로시발트는 방어보다는 공격 위주의 검술을 주로 구사하고 있었다. 그녀의 검이 아슬아슬하게 다니엘의 어깨를 비켜 치는 것을 본 도미닉이 나지막이 중얼거렸다.

"예상대로…… 완벽하네요."

네 가지 기본자세에서 파생된 다섯 가지 베기 동작은 검술 교본 그 자체였다. 로시발트 가문이 낳은 기사 중 최고라는 평이 영 헛된 소문은 아니었던 모양이다.

상대의 약점을 집요하게 파고드는 것도 좋았다. 완전히 회복되지 않은 다니엘의 방어 능력을 아예 무력하게 만들 참인지 공격 또 공격이 연달아 이어졌다. 문제는 그러다 보니 자신의 약점 역시 여실히 드러내 버렸다는 거였다. 도미닉은 그럴 줄 알았다며 피식 입꼬리를 비틀었다.

'쯧쯧. 공작 부인한테 매번 져 줄 때 알아봤지. 냉철한 여기사는 개뿔.'

끝까지 밀고 들어갔으면 끝을 봐야 하는데 뮤리엘은 번번이 마지막에 칼끝을 거둬들였다. 정식 전투가 아니고 대련이어서일 수도 있고, 그쯤만 해도 아직 몸이 정상이 아닌 다니엘이 순순히 물러날 거라 여겼을지도.

'어림도 없는 소리.'

집안의 남자들에게 리하르트 공작이 어떤 인간인지 귀가 닳도록 들었을 텐데도, 이토록 안일하다니.

'이래서 천성이 착한 인간들은 안 된다니까.'

다니엘의 겨드랑이를 아슬아슬하게 벗어나는 검날을 보며 도미닉은 절레절레 머리를 흔들었다.

"윽. 저렇게 높이 휘두르다 눈 다치겠어요!"

도저히 볼 용기가 나지 않는지 두 눈을 질끈 감은 프리다가 도미닉의 등 뒤로 숨으며 소리쳤다. 다니엘과 뮤리엘의 머리 위에서 부딪혔던 검날이 아슬아슬 서로를 스치며 떨어졌다.

'참, 여기 한 명 더 있었지. 천성 착한 인간.'

겁은 나고, 그러면서도 보고는 싶고. 도미닉은 두 감정에 휘둘리느라 빼죽 나왔다 들어가기 바쁜 하얀 정수리를 빤히 내려다보았다. 삼 년을 봤으면 이젠 공작 부인이 어떤 사람인지에 대한 정의를 내릴 법도 한데 도미닉에게 프리다는 아직도 물음표다. 마침표를 찍지 못한 이유는 프리다가 아닌 도미닉 몰리 본인 때문임을 안다.

이런 사람이 있을 수는 없다고 여기는 저의 아집이 계속 물음표를 그리고 있단 것을. 야망이 없는 건 그렇다 쳐도, 욕심 없이 사는 인간이 있다는 게 가능한가? 아니, 욕심이 있기야 하지. 본인이 아닌 오로지 타인을 위한, 심지어 아무 관계도 없는 자들을 위한 욕심.

"상상해 봐요, 도미닉. 당신의 아이들, 그 아이들의 아이들이 우리가 일궈 놓은 땅

유트레히트에서 행복하게 지내는 미래를요. 심장이 마구 떨리지 않아요?”

전혀. 이 얘기를 하는 공작 부인이 조금, 아주 조금 눈부셨다는 걸 제외하면 도미닉의 심장은 내내 잔잔했다.

대체 어느 부분에서 떨려야 한단 말인가. 도미닉의 아이들? 그 아이들의 아이들? 제 피를 물려받은 아이들이라니 말만 들어도 끔찍하다. 다니엘이 사생아 소리를 지긋지긋해하는 것처럼 도미닉에겐 ‘어미가 버린 자식’이란 꼬리표가 그랬다.

무식한 용병 남편 싫다고 핏덩이 자식을 버리고, 제 발로 귀족의 침실로 들어간 여자가 제 어미란 여자다. 그 무식한 남편이 벌어 오는 돈으로 지은 값비싼 드레스를 입고, 뻔뻔한 낯짝에 허옇게 분을 처바르고. 남편이 저를 먹여 살리기 위해 전쟁터에 나간 사이, 엄마를 찾으며 우는 아들을 다른 여인의 품에 던져 놓고 말이다. 그런 독한 여인을 닮아서 심장이 얼음이란 소리를 듣는 제게 자식이라니.

얼굴 가득 피어오르는 불쾌함을 감추기 위해 도미닉은 입을 열었다. 뭐라도 말해야 참아질 것 같아서.

“원래 검은 높은 자세로 맞붙어야 자신을 보호할 수 있는 겁니다. 낮은 자세에서 낮은 공격을 하게 되면 공격과 방어를 할 수가 없어요.”

그 순간, 검의 면을 엄지로 받친 뮤리엘이 아래서 위로 검을 강하게 올려쳤다. 그 모습을 보던 도미닉이 ‘휘이’ 휘파람을 불었다. 그 말고도 여기저기서 감탄 섞인 찬사가 흘러나왔다.

챙, 챙! 내려 베고, 받아치는 과정이 번개처럼 이루어졌다. 콜다르를 양손으로 쥔 뮤리엘의 힘은 실로 놀라웠다. 그녀 본인이 가진 힘에 검의 힘이 더해져 나무 한 그루도 손쉽게 베어 버리고도 남을 기운이 터져 나왔다. 힘이라면 누구에게 져 본 적 없는 다니엘의 발이 흙바닥에 밀리는 게 보일 정도니.

뮤리엘 로시발트에게 돈을 건 자들, 여기사의 승리를 예단한 이들의 웃음소리가 여기저기서 들려왔다.

뭐 여기 모인 이들 대부분이 그녀에게 걸었지만.

“금세 끝나겠는데. 확실히 영주님 힘이 달리네.”

“그러게. 하긴 이만큼 버틴 것도 대단한 거지. 로시발트가 어디 보통 가문인가?”

주위의 수군거림을 들은 프리다가 도미닉의 등 뒤에서 빼꼼히 목을 들었다.

“고, 공작님이 지고 계신 건가요?”

도미닉은 순순히 고개를 끄덕였다.

“뭐 아직은요.”

다니엘은 자신의 검이 콜다르를 끝까지 견뎌 낼 수 없다는 걸 잘 안다. 그러니 이제 곧 승부를 걸 것이다.

“하지만 검술의 목적은 그저 힘을 겨루는 것이 아니라, 상대를 제압하고 결국 죽이는 거랍니다. 이 제국에서 그걸 가장 잘 알고, 잘하는 이가 부인의 남편이고요.”

“죽인다고요? 지금 공작님이 뮤리엘을 죽일 거란 말이에요?”

화들짝 놀란 프리다가 앞으로 나서려는 찰나 도미닉이 짧게 ‘휙’ 휘파람을 불었다.

“보세요. 지금입니다.”

프리다의 눈에 뮤리엘이 힘을 실어 일격을 가하는 광경이 들어왔다. 댕강! 다니엘의 검이 여지없이 잘려 나갔다.

“와아……!”

그러나 한꺼번에 터져 나온 함성은 오래가지 못했다. 주위가 일순간 찬물을 끼얹은 듯 조용해졌다. 모든 일은 순식간에 벌어졌다. 그 장면을 본 이가 무수히 많음에도 다들 제가 뭘 본 것인지 인지하지 못할 만큼.

“선택하지, 뮤리엘 로시발트 경. 항복할 텐가? 아니라면 이대로 생을 마감시켜 드릴 수도 있고.”

잘려 나간 검 반쪽이 박힌 허벅지에서 피가 줄줄 흐르는 사람도, 뮤리엘의 목에 검을 찌르다시피 겨눈 채 평화롭게 말을 건네는 이 또한 모두…… 다니엘 리하르트 공작이었다.

"헉, 헉, 후우……."

뮤리엘의 심호흡이 이어질 때마다 턱 아래 닿은 검 끝이 살갗을 찔렀다. 조금 전까지 뮤리엘이 쥐고 있던 콜다르가 공작의 손에 들려 그녀의 목을 겨누고 있었다. 정리되지 않은 머릿속이 온통 뒤죽박죽이었다.

분명 공작의 검날에 금이 가고 있었다. 그러라고 일부러 내려치는 공격 위주의 검술을 구사했으니까.

리하르트 공작은 무지막지한 힘, 빠르고 정확한 검 놀림, 격전의 중심에서도 흔들리지 않는 평정심으로 유명한 자였다. 뒤에 두 가지는 어느 정도 회복이 되었을 듯하여 힘으로 승부를 보려 했었다.

아무리 괴물 같은 리하르트 공작이라도 근력을 회복하기엔 턱없이 짧은 시간이었을 테니 힘으로 눌러 버리자고. 그의 몸이, 발이 번번이 뒤로 밀리자 제 생각이 들어맞았음을 직감했다.

다마스커스 강철 제련법이 더는 전수되지 않은 탓에 요즘 기술로 만들어진 검은 콜다르를 버텨 내지 못한다. 검의 면에 금이 가는 걸 보면서 내려치는 강도를 더 높였다. 예상대로 그의 검은 잘려 나갔다. 다만 잘려 나간 검의 반쪽이 공작의 허벅지에 박힐 줄은 몰랐다.

충분히 피하고도 남았을 텐데 대체 왜 그걸 몸으로 받고 난리냐고. 순간 당황하던 찰나, 잘리고 남은 검의 면으로 뮤리엘의 공격을 흘려 낸 다니엘이 그녀의 팔 아래로 파고들어 손목을 비틀었다. 이미 아래로 힘이 쏠려 버린 데다 공작이 검상을 입은 것에 놀란 그녀는 팔이 꺾인 채 콜다르를 놓치고 말았다. 그리고 콜다르는 바닥에 닿기 전 다니엘의 손에 붙들렸다.

눈 깜짝할 사이에 전세가 역전되었다. 뮤리엘은 목에 검 끝이 닿기 전까지 있었던 일련의 과정을 도무지 믿을 수가 없었다. 그러나 그녀를 내려다보는 감정을 알 수 없는 공작의 서늘한 적갈색 눈동자를 보고 깨달았다. 몸에 검 일부를 꽂고도, 마치 이 모든 순서를 이미 예견했었다는 듯 침착한 눈빛. 공작은 빈틈을 만들려고 일부러 허벅지로 검을 받은 거였다.

'미쳤군. 콜다르가 아무리 탐이 나도 그렇지, 겨우 대련에 제 몸을 던져?'

언젠가 다니엘 리하르트가 무적인 이유가 뭐냐고 물은 그녀에게 둘째 오빠가 했던 말이 떠올랐다.

"글쎄. 도통 속을 알 수 없으니 대처할 방법이 없다는 거?"

졌다. 완벽한 패배를 인정한 뮤리엘은 몸 안을 채우고 있던 힘을 축 늘어트렸다.

"항복하겠습니다."

그렇게 두 사람의 대련이 허무하도록 순식간에 끝났다. 이만 정리해야겠다 싶어 나서려는 도미닉의 옆으로 공작 부인의 새하얀 머리칼이 휘날렸다.

"안톤."

의사를 부르는 목소리 한번 어찌나 차분하고 차가우신지.

'잠깐. 차, 차갑다고?'

걸음을 내딛던 도미닉이 멈칫 그 자리에 섰다. 그러곤 낯선 기운을 풀풀 풍기며 그를 앞서가는 프리다를 바라보았다. 군중들 속에 섞여 있던 의사 안톤이 부리나케 다가오자 프리다가 그에게 지시를 내렸다.

"안톤. 가서 공작님을 살펴 드리세요."

"네, 마님. 헉. 아이고, 전하!"

안톤은 저를 기다리지도 않고 허벅지에 박힌 검을 쑥 뽑아내는 다니엘을 보며 뒷목을 잡았다.

"우선 다리를 펴고 좀 앉아 보십시오. 약부터 바르겠습니다."

"됐어. 상처가 깊지 않으니 걸을 수 있게 대충 지혈만 해 놔."

"안 됩니다. 약을 발라 두지 않으면 다리가 썩을지도 모른단 말입니다."

귀찮다는 듯 얼굴을 찌푸린 다니엘은 성큼성큼 연무장 담장으로 걸어가 그곳에 등을 기대고 섰다. 피가 줄줄 흐르는 다리로 걷는 다니엘을 보며 긴 한숨을 내쉰 안톤이 서둘러 그의 뒤를 쫓았다. 두 사람이 연무장을 떠나는 장면에 잠시 눈을 두던 프리다는 여전히 정신이 혼미해 보이는 뮤리엘의 팔을 부축했다.

"괜찮아. 뮤리엘?"

"네. 괜찮습……."

서서히 산등성이에 가까워지고 있는 해를 응시하던 뮤리엘이 정신이 번쩍 든 듯 프리다의 팔을 붙잡았다.

"이 시간까지 여기서 이러고 계시면 어쩝니까? 어서 안으로 들어가세요. 머지않아 해가 질 겁니다."

"그쯤은 나도 아니까 걱정하지 마. 얼른 가자, 뮤리엘. 아델에게 따뜻한 수프를 끓여 달래서 먹으면 기분이 좀 나아질 거야."

"알았으니까 어서 내성 안으로 들어가세요. 아니다. 제게 안기세요. 이러다 가는 중에 해가 지겠습니다."

뮤리엘이 저를 안아 올리려 하자 프리다가 그녀의 팔을 끌어당기며 앞장섰다.

"됐어. 힘 다 빠져 놓곤. 얼른 걷기나 해."

"아, 아가씨. 알았으니까 제 팔은 놓고 앞을 똑바로 보세요, 아가씨."

어둠이 찾아오기 전 짙어진 노을이 서서히 하늘을 물들였다. 다니엘의 허벅지에 약을 바르고 대충 천으로 묶은 안톤이 붉어지는 하늘을 올려다봤다.

"됐습니다. 우선 응급 처치는 해 두었으니 방 안에 계시면 제가 곧 찾아뵙겠습니다."

그에게 눈 한 번 주지 않은 채 호위 기사를 부축해 사라지는 프리다를 쫓던 다니엘이 심드렁하게 답했다.

"그러던가."

제 팔뚝의 두 배는 더 커 보이는 뮤리엘 로시발트의 팔을 당기는 프리다의 모습이 묘하게 거슬려 눈가가 일그러졌다.

거슬린다. 계단을 내려가다 말고 멈춰선 다니엘은 1층 복도를 지나 문으로 향하는 아내의 뒤태를 바라보며 눈을 찌푸렸다.

오늘로 사흘째. 대련이 끝난 직후부터 지금껏 프리다는 그에게 말을 걸어오지 않고 있다. 말이 뭔가. 지금처럼 오다가다 부딪혀도 시선을 외면해 버리기 일쑤다.

오늘만 해도 그렇다. 못마땅해하는 표정이 확연히 보일 만큼 서로의 시선이 제대로 부딪혔다. 그런데도 별다른 아는 체 없이 차양이 달린 거추장스러운 모자를 뒤집어써 버리는 걸 보니 이건 의심하고 말 것도 없다.

"확실히…… 화가 났군."

"그렇죠?"

그의 뒤를 따라오던 도미닉이 역시나 프리다를 바라보며 느릿느릿 고개를 끄덕였다.

"지난번 대련 일로 제게 화가 나신 게 분명합니다."

훗, 코웃음을 친 다니엘이 계단 아래로 발을 내렸다.

"네가 아니라 나야."

"글쎄, 저라니까요."

계단을 내려가는 다니엘의 뒤를 도미닉이 바짝 따라붙었다.

"주군께서 로시발트 경을 이길 거라고 했더니 얼마나 무섭게 노려보신 줄 압니까? 우리 뮤리엘이 어떤 기산데 진다는 거냐며 노발대발."

"우리…… 뮤리엘?"

다니엘이 어깨를 살짝 틀며 되묻자 도미닉이 목을 세차게 위아래로 흔들었다.

"네. 우리 뮤리엘. 호위 기사를 어찌나 애틋하게 대하시는지. 그날도 보셨잖아요. 다친 주군은 쳐다도 안 보고 로시발트 경만 부축해서 쌩하고 들어가 버리시는 거."

걸음을 멈추고 우뚝 선 도미닉이 뭔가를 깨달은 듯 짝 편 손바닥 위를 주먹으로 툭 내리쳤다.

"아, 주군께 화가 나셨을 수도 있겠네요. 어쨌든 로시발트 경의 검을 빼앗은 건 주군이니까."

"뺏긴 누가 뺏었다는 거야? 난 정정당당하게 이겨서……."

"맞네. 그러네. 그거였네."

다니엘의 말을 듣지도 않은 채 도미닉은 연신 고개를 끄덕였다.

"아무튼 공작 부인께서 로시발트 경에게 새 검을 만들어 주실 모양이니 금화나 두둑하게 내주세요."

"금고 열쇠 통째로 넘긴 지가 언젠데."

돈의 사용 내용을 적은 종이 쪼가리는 여전히 그에게 전해지고 있었다. 손수 들고 와 귀찮다는 그에게 구태여 시시콜콜 알려 주는 대신 공작 부부의 방을 잇는 문틈 아래로 쓱 밀어 넣는다는 게 전과 다르긴 하지만. 그의 아내께선 감정을 감추지 못하고 있는 대로 티를 내고 다니시는 분이라, 화가 났다는 걸 모르려야 모를 수가 없다.

문제는 그게 왜 거슬리냐는 거다. 문틈 아래로 들어온 종이 쪼가리를 봤을 때도 그랬지만, 제 시선을 대놓고 피하는 것도 신경 쓰인다. 막말로 내가 그 검을 협박과 강요로 뺏은 것도 아니고. 로시발트 경의 명예를 위해 나름 적절한 구경거리도 되어 주었다. 그리고 어쨌든…….

'다친 건 나잖아.'

고삐를 잡은 손에 힘이 실리자 발자크가 사납게 투레질을 하며 머리를 휘저었다.

"워워. 진정해. 이 성질 더러운 녀석아."

도미닉이 발자크를 달래는 건지 화를 돋우는 건지, 아니면 누구 들으라고 하는 건지 알 수 없는 말을 내뱉으며 갈기를 쓸어내렸다.

"언제 돌아오실 겁니까?"

"왜?"

능숙하게 등자를 밟고 올라간 다니엘이 발자크 위에 자리를 잡았다. 간단한 요깃거리가 든 자루를 들고 나타난 하인이 도미닉에게 그것을 건네더니 잽싸게 멀어져 갔다. 조금만 늦었어도 발자크의 사나운 발길질에 채였을 것이다. 안장에 하인이 건넨 가죽 자루를 묶던 도미닉의 말투가 약간 진중해졌다.

"사람들이 슬슬 공작 부부에 대해 수군거립니다. 다른 건 몰라도 두 분이 식탁에 마주 앉는 모습도 한 번 못 봤다고요."

"식탁이란 게 아직 남아 있기는 해?"

힘을 줘 매듭을 꽉 당긴 도미닉이 한심하다는 표정으로 다니엘을 올려다보았다.

"중요한 건 식탁이 아니라 '마주 앉는다'는 부분입니다. 공작 부인께선 진즉부터 주방에서 하인들과 어울려 식사를 하셨습니다. 같이 먹어 줄 남편이 없을 때야 다들 그러려니 했지만, 이젠 아니잖아요."

여느 때와 같은 무표정한 주군의 얼굴을 살피던 도미닉이 심각하게 물었다.

"말이 나와서 하는 말인데. 두 분…… 대화, 뭐 이런 건 좀 하십니까?"

입으로 하는 것이든, 몸으로 하는 것이든. 작은 변화도 없는 다니엘의 모습에 도미닉의 입에서 장탄식이 흘러나왔다.

"휴우. 물어본 제가 바보입니다. 사제나 다름없이 사는 분한테 무슨 기대를 한다고."

"누가 들으면 넌 아닌 줄 알겠군."

"저랑 주군이 같습니까?"

도미닉이 빽 소리를 지르자 놀란 발자크가 콧김을 흥 내뿜었다. 가만있으라며 발자크를 향해 눈을 부라린 도미닉이 그 눈빛 그대로 다니엘을 바라보았다.

"공작 부인께서 사람들의 천박한 수군거림을 듣게 하지 마세요. 공작령에서야 그럴 일은 없겠지만 이곳의 일을 외부로 퍼다 나를 인간이 오고 있지 않습니까."

잠시 머뭇대던 도미닉이 나지막하게 몇 마디를 덧붙였다.

"무엇보다…… 좋은 분입니다. 착한 분이에요. 우리가 알던 여인들하고는 다릅니다."

그들과는 다르다……. 이제야 그녀가 내내 거슬리는 까닭을 알 것 같다.

"다르긴 하지."

다르니 자꾸 궁금해지려 한다. 그녀는 어떨지.

"그런데 도미닉."

아들의 눈앞에서 그 어미에게 네가 죽으면 아들을 살려 주겠다고 말하던 황태후도 처음엔 그리 잔인한 여인이 아니었다. 자식을 버리고 기껏해야 돈 몇 푼에 스스로 다른 사내의 여자가 된 도미닉의 어미도 처음엔 리카르도를 무척 사랑했다고 들었다.

그러니까 여인들은, 아니, 그들뿐만이 아니다. 세상의 모든 인간은 변한다. 결국은 그렇게 된다.

"정말 다를까?"

그걸 알면서도 생겨난 작은 호기심이 봄날의 바람처럼 그를 간질간질 간지럽힌다.

오늘의 프리다에게 오늘의 다니엘은 어떠냐고 물어보고 싶어진다. 그게 거슬린다. 아주 약간. 다니엘이 고삐를 세게 당기자 발자크가 기다렸다는 듯 먼지바람을 일으키며 달려 나갔다.

요즘 들어 펜하임 성의 밤 풍경이 달라졌다. 복도는 물론이고, 일찍 불이 꺼지던 주방에도 꽤 늦게까지 환하게 불이 켜져 있곤 했다. 이유는 과거나 지금이나 다 같았다. 바로 공작 부인 프리다 때문이다.

전에는 기름을 아낄 목적과 더불어 해가 지기도 전에 들어와 밤이 되면 아래층으로 내려오는 법이 없던 공작 부인 덕에. 지금은 밤이 깊어도 방으로 돌아가지 않고 서류를 살피는 공작 부인 덕에. 주방장 아델이 뭉근하게 끓인 감자수프에 바질을 뿌려 프리다 앞으로 내밀었다.

"이거 좀 드시면서 보세요, 마님. 저녁도 대충 드셨잖아요."

"대충이라니. 아델이 새로 수확한 허브 맛 확인한다고 각각 다른 양념을 곁들인 닭고기를 두 접시나 내줬으면서."

벽등이 많고 넓은 주방은 환하고 답답하지 않았다. 항상 온기가 있어 서류를 검토하며 시간을 보내기에도 좋다. 다만 시도 때도 없이 먹을 걸 들이미는 아델 때문에 배가 빵빵해진 채로 잠을 자게 된다는 단점이 있지만 말이다. 프리다는 수프도 모자라 또 뭔가를 내놓을 준비를 하는 아델을 지그시 노려보았다.

"아델, 자꾸 이러면 나 내일부터는 진짜 주방에 안 내려올 거야."

"어디 가실 데도 없잖아요. 침실에서는 일이 안 되신다면서요. 기사님도 거기 그렇게 서 있지 마시고 와서 드세요."

프리다 옆에 수프 그릇 하나가 더 놓였다. 밤마다 주방에 와 있는 프리다 때문에 전보다 침대에 드는 시간이 늦어졌을 텐데도 아델은 오히려 더

신이 나 보였다. 분주히 움직이는 아델의 등을 보고 있자니 괜스레 미안해졌다.

"며칠 내로 새로 들인 하인들이 도착할 거니까 조금만 버텨 줘, 아델. 그동안 혼자 주방을 챙기게 해서 미안해."

"별소리를 다 하십니다. 사실 성만 크지. 연회가 있길 해요, 입맛 까다로운 마님이 있길 해요? 전에 있던 저택에선 이보다 열 배는 더 바빴어요. 그에 비하면 이건 일도 아니죠. 아, 두 분 이것도 한번 맛보세요."

주방 한편에 놓인 참나무통에서 한 국자 가득 뭔가를 떠낸 아델이 그곳에 물을 섞더니 잔에 따라 프리다와 뮤리엘에게 건넸다.

"안톤이 허브를 증류해서 마시면 기침에 좋다기에 만들어 봤는데 물을 섞어 마셔 보니 적당히 취기가 도는 게 괜찮더라고요."

의심 없이 목 안으로 꿀꺽 삼키던 뮤리엘이 쿨럭쿨럭 기침해 댔다.

"뭐, 뭐야. 아델, 지금 우리 아가씨한테 술을 드린 거야? 아가씨, 그거 이리……."

"크으."

이미 한 잔을 말끔히 비워 낸 프리다가 인상을 쓰며 아델에게 잔을 내밀었다.

"이거 맛은 이상한데 묘하게 가슴이 뻥 뚫리는 기분이 드는걸. 아델, 한 잔 더 줘."

"그렇죠? 독하면 물을 더 타 드릴게요. 몇 잔 더 드시고 오늘은 푹 주무세요. 기사님도 마님 말릴 생각 하지 마시고, 그냥 같이 한 잔 더 하세요."

아델에게서 술이 채워진 잔을 건네받은 프리다는 망설이지 않고 즉각 입으로 가져갔다. 말리기엔 늦었음을 직감한 뮤리엘은 수프나 마저 입 안으로 떠 넣었다. 그 순간, 두 번째 잔까지 깨끗하게 비워 낸 프리다가 뮤리엘의 어깨를 퍽 치는 바람에 수프 한 숟갈이 테이블로 툭 떨어졌다.

"너무 속상해하지 마, 뮤리엘. 제국에서 가장 솜씨 좋은 장인을 알아봐 달라고 바이마르의 상인에게 서신을 보내 놨어. 내가 꼭 콜다르보다 좋은 검을 구해 줄게. 없으면 만들어라도 줄게."

테이블에 흘린 수프를 물끄러미 바라보던 뮤리엘은 곰곰이 생각에 빠졌다. 지난 며칠 동안 그녀의 머릿속에서 떠나지 않던 수많은 상념이 꼭 이 테이블을 더럽히고 있는 수프 같았다. 흘린 것에 짜증을 내 봐야 달라지는 건 아무것도 없는, 닦아 내 버리면 그만일 얼룩.

"좋은 검을 구해 주시면 감사히 받겠습니다. 하지만 솔직히 전 검을 구해 주시겠다는 아가씨보다 공작 전하께 더 감사한 마음입니다."

"그게 무슨 말이야?"

뮤리엘이 거침없이 잔을 비워 내자 아델이 냉큼 그 잔을 가득 채워 주었다. 아델이 프리다의 잔을 또 채우는 게 보였지만 이제 뮤리엘도 더는 말리지 않았다. 테이블 위로 올려 접은 팔에 얼굴을 기댄 뮤리엘이 중얼중얼 혼잣말하듯 읊조렸다.

"둘째 오빠를 이기고 콜다르를 손에 넣었던 날이 생생하게 기억납니다. 정말 말도 못 하게 기뻤어요. 내 손에 가보가 들어왔다는 것도, 내가 로시발트 가문의 최고라는 명예도."

기쁨이 사라진 건 순식간이었다.

"나중에 알았죠. 그 일이 가문 최초의 여자 황실 기사단장을 배출하고 싶었던 아버지와 오빠들의 계획이었다는걸."

아델이 건넨 술을 마시자 프리다의 말대로 가슴이 뻥 뚫리는 것 같았다. 무겁게 심장을 누르고 있던 뭔가가 펑 터지는 느낌이라고 해야 하나.

"더 끔찍했던 건 다 알고 나서도 모른 척 입을 닫고 있는 저 자신이었어요. 정당하게 얻은 것도 아닌 그 하찮은 명예에 목매달고 있는 못나 빠진 뮤리엘 로시발트."

그때 알았다. 한번 잘못 들어선 길을 돌아 나오는 게 얼마나 어려운지.

"공작 전하가 아니었다면 영영 그 검을 놓지 못했을 겁니다. 제 추악한 욕심도 그대로 간직하고 있었겠죠. 솔직히 속이 시원해요. 그저 다들 제게 위로를 건네서 그게 좀 고역이랄까. 그러니 아가씨도 더는 절 불쌍해하지 마세요."

"뮤리엘……."

할 말을 찾지 못한 채 울상을 짓고 있던 프리다가 갑자기 잔을 높게 치켜들었다.

"누가 뭐라든 내겐 언제나 최고의 기사일 뮤리엘 로시발트 경을 위해!"

과장된 목소리에서 숨길 수 없는 취기가 느껴졌다. 푸하하, 웃음을 터트린 아델이 제 잔을 프리다의 잔에 부딪히며 외쳤다.

"최고의 기사 뮤리엘 로시발트를 위해!"

결국 빙긋 웃어 버린 뮤리엘도 제 잔을 두 사람의 잔 옆에 가져다 댔다.

"아무튼 뮤리엘 로시발트를 위해."

세 사람이 동시에 한마음, 한뜻으로 외쳤다.

"위하여!"

왁자지껄한 소리에 섞여 주방 문이 조용히 열렸다. 공중에 치켜든 잔을 붙들고 있던 세 여인 중 문을 마주 보는 자리에 있던 아델의 눈동자가 가장 먼저 커졌다.

"여, 영주님."

저를 향한 보랏빛 눈동자를 응시하던 다니엘이 담담히 입을 열었다.

"저녁 식사를 하기엔 너무 늦었나?"

막 데워 낸 따끈한 빵, 급히 구운 갖가지 채소볶음. 세 가지 종류의 치즈에 훈제한 돼지고기. 그리고 감자수프까지. 아델이 급히 준비한 요리가 순식간에 다니엘의 앞에 차려졌다.

"한 가지 더 부탁하지."

"네? 어떤 걸 말씀하시는 건지."

"나도 한 잔 마시고 싶은데 될까?"

당황하던 아델은 다니엘이 프리다가 마시고 있던 잔을 가리키자 후딱 새 잔 가득 허브로 만든 술을 따라 건넸다.

"그, 그럼요. 되고말고요. 여기 있습니다."

"기다릴 것 없으니 자넨 들어가 쉬게."

"하지만……."

"로시발트 경 자네도."

수프를 한 입 떠먹고 난 다니엘이 낮게, 하지만 단호하게 다시 부탁했다.

"그만 나가 주겠나."

화급히 주방을 나서는 두 사람을 따라 일어서던 프리다의 팔이 다니엘의 손에 잡혔다.

"부인은 남아 주시겠습니까?"

"네? 아…… 네."

걱정스레 바라보는 여인들의 시선에 옅은 미소로 괜찮다고 답한 프리다가 천천히 자리에 앉았다. 주방엔 이내 두 사람만 남게 되었다.

이후 얼마 동안 주방엔 수프를 뜨는 소리만 들렸다. 아델이 불을 피워 놓은 화덕의 온도 덕에 따스한 기운으로 가득 찬 곳에선 간혹 술잔을 비우는 소리가 들렸고, 야채를 씹는 소리가 그 소리에 곁들여졌다. 우두커니 자리에 앉아 다니엘이 식사하는 장면을 감상하던 프리다는 슬그머니 잔으로 손을 뻗었다.

빠르게 취기가 오른 얼굴이 화끈화끈 달아오르자 갈증이 치밀었다. 뭐에 끌려가듯 자꾸만 손이 술잔으로 향했다. 그러다 휘청, 팔이 흔들리는 바람에 잔에서 술이 넘쳐흘렀다.

"어머."

정말 취했나 보다. 으…… 뮤리엘이 말릴 때 말을 들을걸. 그때, 식탁 위에 올려놓은 서류 위에 얼룩이 생겨나는 것을 본 프리다가 얼른 종이를 치켜올려 탈탈 털었다.

"후우, 후우."

급히 입으로 불어 물기가 더 번지는 것을 막았다. 다행히 글씨가 적힌 부분에 닿기 전에 물기를 털어 낼 수 있었다. 서류를 말리기 위해 불가로 가져가는 프리다에게 다니엘이 말을 걸었다.

"뭘 보고 계셨던 겁니까?"

"아, 새로 하인으로 들어올 사람들의 추천서요."

프리다는 술에 젖은 부분을 아래쪽으로 기울인 채 서류를 팔랑팔랑 흔들었다.

"우선 급한 대로 열 명을 추렸어요. 보일드 남작 부인을 돌볼 하녀랑, 일손이 늘어나면 주방 일도 많아질 것 같아서 음식 솜씨가 좋은 사람도 몇 명 더 들였고요. 보시겠어요?"

"아니요."

프리다가 건넨 서류를 외면한 다니엘은 대신 술잔을 들었다.

포도주와는 다른 알싸한 약초, 특히 민트 맛이 강하게 느껴지는 술을 넘기자 목 안이 시원해졌다.

"처음 마셔 보는 맛이네요."

"아델이 허브를 증류해서 만들었대요. 안톤이 가끔 주는 물약이랑 맛이 비슷해요."

별안간 씁쓸한 약 맛이 떠오른 프리다는 진저리를 쳤다. 조금 전까지 좋다고 들이켜던 술이 갑자기 꼴도 보기 싫어졌다. 그때 프리다의 이마에 다니엘의 손등이 닿았다.

"열이 있는 것 같네요."

깜짝 놀란 프리다가 서류를 내려놓고 양손을 마구 흔들었다.

"아, 아니에요. 이건 술을 마셔서 그래요. 진짜예요. 제가 두 잔이나 연거푸 술을 마셔서……."

"압니다. 요 며칠은 열이 나지 않으신다고 의사가 그러더군요."

알았다고 하면서도 다니엘은 프리다의 이마에서 손을 떼지 않았다. 창백한 평소의 낯빛과 달리 붉은 꽃잎으로 물을 들인 듯 홍조가 피어오른 그녀의 얼굴이 낯설었다. 춤을 추듯 이리저리 요동치는 불꽃을 담은 보라색 눈동자도.

"공작 부인께서 사람들의 천박한 수군거림을 듣게 하지 마세요."

도미닉의 말이 딱히 신경 쓰였던 건 아니다. 이런 곳에서 이런 식으로 아내를 마주하게 될 줄도 몰랐다. 다만 성에 돌아와 보니 예정보다 시간이 늦어 있었고, 배가 고팠다. 하지만 종을 흔들어 누군가를 불러올리고 싶진 않았다.

귀한 귀족 도련님으로 자라지 않은 탓에 다니엘은 모든 일을 혼자 해결하는 데 익숙했다. 용병단에 있을 때도 마찬가지였다. 누군가에게 받들어지고 보살핌을 받는 건 불편했다. 홀로 주방으로 내려온 건 그 때문이었다. 뭐라도 찾아 먹으려고.

그런데 재잘대는 여인들의 인기척과 웃음소리를 듣고도 발길을 돌리지 않은 까닭은…… 모르겠다. 아닌 척하면서도 은근 도미닉의 말을 신경 쓰고 있었던 건지도.

손등을 내린 다니엘의 입에서 뜻하지 않은 질문이 튀어나왔다.

"제게 화나셨습니까?"

3. 재수 없어요

다니엘은 무엇이든 마찬가지지만, 특히나 사람에 관해선 담백하지 않은 건 무조건 싫었다. 물론 거슬리고 귀찮은 일 역시 사절이다. 화가 났으면 났다고 얘기를 하면 된다. 그다음은 자신이 해결해 줄 수 있는 일이면 하고, 아니라면 못 하는 거고. 그 간단한 일을 왜 망설이는지도 모르겠다.

얘기하지 않는다면 그러든지 말든지 하면 될 것을, 끝내 아내에게 묻고 마는 저도 괴상하긴 매한가지다. 술기운이라고 둘러대기엔 너무 제정신이라 몇 잔 더 마실까 잠시 고민이 되었다.

"아니요. 딸꾹."

하지만 이내 그러지 않는 게 좋겠다고 마음을 바꿔 먹었다. 아무래도 오늘은 긴 얘기를 할 것 같고, 제 아내께선 이미 눈이 풀려 가고 있으니 저라도 멀쩡해야 할 듯싶으니까.

"이상하네요. 전 화가 나신 부인의 감정이 느껴지던데요. 그리고 아시는지 모르겠지만, 부인은 속마음을 잘 감추시는 편이 아닙니다."

프리다가 토라진 아이처럼 삐죽 입술을 앞으로 내밀었다. 진정 술에 취하긴 했나 보다. 안 보이던 모습을 보이는 걸 보면.

"공작님이 아니라 제게 화가 난 거였어요. 물론…… 공작님이 원인을 제공하신 거지만, 그렇다고 그게 공작님 탓은 아니니까요."

바로 알았다. 제 아내는 술을 마시면 두서없이 말이 많아진다는걸. 오늘 그녀에게서 긴 이야기를 듣고 싶다면 참을성을 가지고 기다려야 한다는 것도. 그리고 그건 다니엘이 가장 잘하는 일 중의 하나였다.

침묵이 이어졌다. 뭔가를 결심한 듯 술잔을 들어 꿀꺽 목으로 넘긴 프리다가 잔을 식탁에 탁 내려놓으며 다니엘을 노려봤다. 화가 난 건 아니라면서도, 묘하게 눈빛에서 분노가 느껴졌다.

"공작님은…… 너무 재수 없어요."

오늘의 프리다가 오늘의 다니엘에게 느낀 감정은 다소 파격적이었다.

다니엘은 말없이 민트 맛이 나는 술을 한 모금 더 들이켜는 아내를 바라만 보았다.

"그렇잖아요. 자그마치 삼 년 만에 깨어났는데…… 너무…… 괜찮잖아요. 사람이 어떻게 그러냐고요. 짐승도 아니고, 무슨 회복력이 이렇게 빨라? 이게 말이 되냐고요. 난 열만 나도 며칠을 앓아눕는데."

재수 없음의 첫 번째 이유는 짐승 같은 회복력.

"어두운 데서도 막 아무렇지도 않게 길을 찾아 걷고. 난 해만 져도 앞에 보이는 게 없는데."

두 번째는 뛰어난 시력.

"그리고 아무리 몸이 튼튼해도 그렇지. 자기 몸이라고 막 다루는 것도 짜증 나요. 뮤리엘하고 대련하던 날, 일부러 검 안 피한 거 맞죠? 내가 공작님이 검이 떨어지는 방향으로 다리 뻗는 거 똑똑히 봤다고요."

세 번째는 그 귀한 몸을 함부로 다뤄서였다.

"잘못 본 줄 알았어요. 사람이라면 그럴 수 없을 테니까. 내 몸에 검이 꽂히는데 어떻게 안 무서울 수가 있나. 죽을 수도 있는데."

"그 정도로는 안 죽습니다."

내내 조용하다 딱 한마디를 꺼내 놓은 다니엘에게 프리다가 빽 소리를 질렀다.

"그런 것도 재수 없어요! 영원히 안 죽을 사람처럼 구는 거."

그의 강함이 멋지고, 근사하면서도, 부럽고 샘이 났다. 자신은 가지지 못한 것, 가질 수 없는 걸 가진 그가 대단해 보였다. 심장이 두근거릴 만큼 좋았다. 하늘이 어두워지기 전, 분명하게 눈에 와 박힌 그의 모습을 보지 않았다면 계속 그랬을지도 모른다. 숨 막히는 긴장감 속에 달달 떨면서도 뮤리엘과 다니엘 두 사람에게서 눈을 뗄 수가 없었다.

서로를 공격하고, 방어하고, 되받아치고. 검을 휘두른다는 것이 저토록 아름다울 수 있나 싶어 눈이 떨어지지 않았다. 있는 힘을 다해 검을 내리치는 뮤리엘, 그녀의 공격을 흔들림 없이 받아 내는 남편. 두 사람만의 세상에서 대련이 아니라 마치 춤을 추는 것 같았다. 그러다 남편의 검이 두 동강 났다.

그 순간, 조금씩 밀려나거나 구부러질 뿐 바닥에 붙은 듯 고정되어 있던 남편의 다리가 검이 떨어지는 방향으로 틀어지는 게 보였다. 분명히 그랬다. 뮤리엘을 흔들기 위해 한 행동이구나 하는 깨달음이 번개같이 찾아왔다. 혹여 잘못 봤나 싶어 나중에 뮤리엘에게 넌지시 물어봤다.

"검이 공작 전하의 허벅지에 꽂히는 바람에 순간 놀라서 흐름을 놓쳐 버렸습니다."

답은 역시나. 예상했던, 어쩌면 의도했던 일이라 검을 다리에 꽂고도 그토록 태연했던 거였다. 다시 생각하니 또 화가 난다.

"그래요. 공작님은 강해서 좋겠어요. 키도 크고 건강하고, 검술 솜씨도 아…… 주 뛰어나고. 그래서 짜증 나요. 제가 약한 건 공작님 탓이 아니지만……."

프리다는 애꿎은 머리칼을 휘휘 꼬며 잡아 돌렸다. 오늘따라 안이 텅텅 빈, 색이 없는 자신의 머리칼이 너무도 보기가 싫다.

"내가 이 모양 이 꼴로 태어난 것도 공작님과는 아무 상관없는 건 맞지만 짜증이 나는 걸 어쩌라고요. 난, 난…… 공작님의 아이도 못 낳아 줄 게 뻔한데 자꾸 의무를 다하라느니 그런 말이나 하고."

남 탓을 하는 건 못난 짓이다. 아는데…… 알고 있지만 요 며칠 다니엘을 보는 게 불편했다. 제 입으로 아내의 의무 어쩌고 떠들어 놓고, 막상 그가 다가오니 뒤로 물러나 버린 스스로가 어이없어 더 그랬다.

남편이 방으로 오겠다고 한 날, 거짓말처럼 달거리가 시작됐다. 다행이다, 정말 다행이다, 하며 얼마나 가슴을 쓸어내렸는지 모른다. 동시에 슬펐다. 사생아 소리가 지긋지긋해 정부를 들일 맘이 없다는 남편에게 자식조차 낳아 주지 못하는 제 처지가.

"젠장."

리카르도 님이 알려 주신 수많은 욕설 중에 이것만큼 현재의 제 마음을 제대로 표현하는 게 또 있을까. 무거워진 머리를 더는 들고 있기가 힘들었다. 울적해진 프리다는 식탁 위로 철퍼덕 이마를 내리며 엎어졌다. 식탁에 막힌 프리다의 목소리가 나뭇결을 따라 웅얼웅얼 퍼져 나갔다.

"그래도 희망을 잃진 마세요, 공작님. 저는 오래 살지 못할 테니까 다음번 공작 부인이 꼭 자식을 낳아 드릴 거예요."

내가 지금 무슨 말을 하는 거지. 얼굴은 걷잡을 수 없이 마구 달아오르고 머릿속에선 계속 댕댕 종이 울렸다. 지난 시간 동안 속상했던 건 맞는데 그걸 이 사람에게 풀어놓는 게 맞나 싶기도 하고. 자꾸만 눈이 감겼다.

그 와중에 낮고 안정적인, 차분한 음성이 들려왔다. 이 남자는 목소리마저 근사하다. 진짜 재수 없게.

"사람은 생각보다 쉽게 죽습니다."

맞다. 로테 언니도 그랬으니까.

"하지만 질기게 오래 버티기도 하죠."

그런가. 그래서 내가 이렇게 버티고 있는 건가.

"부인, 인간이 제 삶의 시작을 결정할 수 없는 것처럼 끝 역시 그렇습니다."

안다. 내가 그런 것도 모를 것 같냐고. 아니까 열심히 사는 거다. 언제고

닥칠 마지막 날까지 생을 허투루 낭비하기 싫어서.

"게다가 스무 해나 살았으면 단명도 아니죠."

눈꺼풀에 힘을 준 프리다는 옆으로 고개를 돌렸다. 그리고 느릿느릿 눈을 떴다. 깜박…… 깜박. 손등 위에 턱을 괸 남편이 그녀를 바라보고 있었다.

'웃는 건가?'

명확하지 않은 시야 때문에 그의 표정을 제대로 볼 수는 없었지만, 얼핏 미소를 본 것 같기도 하고.

"웃지…… 말아요."

픽, 입술이 터지는 소리가 들리는 걸 보니 웃고 있던 게 분명하다. 연이어 들리는 침착한 대답.

"글쎄요. 그건 좀 어렵겠네요."

"진짜…… 재수 없어."

입 안을 맴도는 민트 맛과 낮은 웃음소리. 그게 프리다가 기억하는 그날 밤의 마지막 기억이었다.

아우우…… 죽을 것 같다. 의식적으로라도 이런 말을 피하는 편인 프리다지만 오늘만은 이 말을 할 수밖에 없겠다.

"으……. 뮤, 뮤리엘. 뮤리엘. 나 좀 살려 줘."

머리가 깨진다는 말의 의미를 이제야 알겠다. 아니, 차라리 깨져 버렸으면 좋겠다. 그러면 더는 아프지 않을 테니까. 프리다는 머리를 쥐어뜯으며 잔뜩 몸을 웅크렸다.

"뮤리엘……."

힘들고 아프고 괴로운 순간이 오면 버릇처럼 불러 대던 이름을 부르는 것 말고는 할 수 있는 게 아무것도 없었다. 그렇게 힘들어하며 몸을 비비 꼬고 있는데 정신이 번쩍 들도록 차가운 물주머니가 이마에 닿았다.

"누워 있는 것보단 일어나서 따뜻한 차를 마시면 기분이 한결 나아질 겁니다."

"……!"

급히 눈을 떠 보니 물푸레나무가 그려진 천장화가 보였다. 그 말은, 여긴 내 방이란 뜻인데……. 대체 이 목소리가 왜 여기서? 스르르 몸을 일으킨 프리다는 침대 옆에 서 있는 다니엘을 발견하곤 두 손으로 입을 틀어막았다.

"고, 공작님이 왜 여기에 계시는……."

불현듯 결코 제 것이어선 안 되는 기억이 스멀스멀 떠올랐다.

"나만 믿어요, 공작님. 내가 낳아 줄게요. 다음 대 리하르트 공작. 딸꾹, 내가 낳아 준다고요."

헉. 다니엘이 충격에서 벗어나지 못하는 그녀 앞으로 김이 모락모락 나는 찻잔을 건넸다.

"기억하지 말고 잊어요. 창피해 죽고 싶은 게 아니라면."

맙소사. 지난밤, 자신이 죽고 싶을 만큼 창피한 짓을 했다는 얘기다. 친절하게 잊어 주시겠다니 고맙긴 한데…….

'아니, 내가 창피할까 봐 걱정됐다면 그냥 모른 체해 주시는 편이 더 나은 거 아닌가?'

구태여 사람이 일어날 때까지 기다렸다가 콕 집어 일깨워 줄 건 뭐냐고. 머리가 너무 쑤시는 탓에 모든 것이 성가셨다. 꼴사나운 모습을 보여 죄송하다는 일반적인 대답을 하는 것도. 하다못해 수줍어하며 쥐구멍을 찾는 시늉을 하는 것도. 머리와 속이 동시에 울렁거렸다. 마치 눈을 뜬 채로 어지러운 꿈을 꾸는 기분이다.

흐릿해진 시야는 초점마저 제대로 맞춰지지 않았다. 눈앞에 건네진 찻잔을 받기 위해 두 손을 뻗던 프리다는 방향을 잡지 못하고 주춤거렸다. 허공을 부유하는 먼지처럼 정처 없이 방황하고 있는 프리다의 손에 다니엘이 친절하게도 직접 찻잔을 쥐여 주었다. 그는 프리다의 두 손이 찻잔을 꼭 붙드는 것을 확인하고 나서야 손을 놓았다.

"주방장 말로는 어제 부인에게 드린 건 거의 맹물 수준이었다고 하더군요. 그 정도에도 숙취를 느끼시는 걸 보니 술은 아예 멀리하시는 게 좋겠습니다."

원래도 치료 목적 외엔 술은 입에도 안 댄다. 가까이할 생각도 없고. 그나저나 마틸다는 어디 가고, 공작님이 이런 걸 챙기고 있는 거지? 프리다는 손에 들린 찻잔과 다니엘을 번갈아 보며 바짝 마른 입술을 더듬더듬 열었다.

"이, 이걸 공작님이 왜……? 아우, 머리야."

극심한 통증이 밀려들었다. 움직이는 건 입인데 왜 머리가 아파지냐고. 프리다는 저절로 찡그려지는 한쪽 눈을 아예 감아 버렸다. 머리 위에서 다니엘의 목소리가 들릴 때마다 정수리가 쿡쿡 쑤셨다. 흡사 소리가 바늘이 되어 머리칼을 헤집고 들어와 두피에 박히는 것 같았다.

"부인을 전담하는 하녀는 주방 일을 돕느라 몹시 바빠 보이더군요."

하인의 수가 턱없이 부족한 뮌하임 성에선 누구나 여러 가지 일을 한다. 마틸다만 해도 프리다를 돌보는 것 말고도, 주방 일에 청소에 밭일까지 안 하는 일이 없다. 하지만 아무리 바빠도 영주인 공작에게 이런 것까지 넘겼을 리는 없는데.

"아우……."

어지럼증이 심해지자 목이 휘청였다. 프리다는 찻잔의 양 끝을 꼭 쥐고 몸에 중심을 잡았다. 이게 어찌 된 일이냐며 전후 관계를 따지는 건 다음 문제다. 당장은 누가 손으로 마구 주물럭거리는 것만 같은 이 어질어질한 머리를 어떻게든 정상으로 돌려놓는 게 먼저였다.

프리다는 손에 들린 차를 후루룩 들이켰다. 목으로 넘길 수나 있을까 싶었는데, 꿀을 넣은 달콤하고 따끈한 차는 단번에 목구멍을 타고 내려가 몸 안으로 사르르 퍼져 나갔다.

"으……."

장기를 하나씩 적셔 가는 생생한 느낌에 어깨가 부르르 떨렸다. 동시에 잊고 있던 갈증이 치밀었다. 하얀 목을 힘줄이 빳빳하게 설 정도로 들어 올린 프리다는 찻잔 바닥에 남은 한 방울까지 탈탈 털어 마셨다. 그녀가 찻잔을 비우자 다니엘이 기다렸다는 듯 그것을 받아 협탁 위에 올려놔 주었다.

프리다는 즉각 바닥으로 툭 떨어진대도 이상하지 않을 법한 무거운 머리를 침대맡에 기댔다. 엉망일 게 뻔한 몰골을 남편이 보고 있다는 걸 알았지만 매무새를 정돈할 기력이 없었다. 다니엘에게 부탁하는 목소리가 계속 뜨고 있기 벅찬 눈꺼풀처럼 무겁게 가라앉았다.

"공작님, 죄송하지만…… 그만 제 방에서 나가 주시면 안 될까요? 몸이 나아지면 찾아뵐 테니 지난밤에 대해 추궁을 하실 거라면 그때 해 주세요."

"몸도 가누지 못하는 아내를 추궁할 마음 없습니다."

무덤덤하게 답한 그는 나가기는커녕 침대 옆에 자리를 잡고 섰다. 민망함으로 인해 저절로 쭈그려지는 몸 때문인가. 머리칼 색과 닮은 어두운색 셔츠에 역시나 같은 계열의 외투를 걸친 그가 오늘따라 유난스레 크고 건장해 보였다. 몇 번 눈꺼풀을 감았다 떴다 한 뒤에야 소매 끝과 옷 전체에 수놓인 희미한 장미 무늬가 눈에 들어왔다. 정갈하고, 단정하며, 위엄이 느껴지는 색감의 의상과 대비되는 가슴골이 훤히 드러난 셔츠도.

눈을 아래로 내리려던 프리다는 때마침 의자에 앉는 다니엘과 정면으로 시선이 맞부딪혔다. 프리다가 인지할 틈도 없이 빠르고 가볍게 그녀의 이마에 손끝을 가져다 댄 다니엘이 만족한 듯 고개를 끄덕이며 말했다.

"다만 우리 사이에 분명하게 짚고 넘어갈 문제가 있더군요. 그 부분에 관해 대화를 나눴으면 합니다. 열은 없는 듯하니 잠시만 시간을 내 주시겠습니까?"

"문제요?"

게슴츠레하게 떠진 눈에 어떻게든 힘을 줘 보려 애쓰는 프리다를 보며 다니엘이 담담히 고개를 끄덕였다.

"네. 부인께서 그 일에 대해 지나치게 큰 책임감을 느끼고 계신 듯해서요. 이런 문제는 미리 서로의 입장을 정리해 두는 게 좋겠다는 결론을 내렸습니다."

그 일? 큰 책임감? 이런 문제? 문장 하나하나가 뜻하는 바가 뭔지 고민을 해 봐야 하는데 현재 프리다의 상태로는 단어들을 되뇌는 것조차 버거웠다. 좀 나아지긴 했지만, 여전히 머리가 목에 달린 게 아니라 공중에 둥둥 떠다니는 것 같았다.

프리다는 아무 대꾸 없이 그저 공작의 다음 말을 기다렸다. 이 모양인 저보다야 제정신인 남편이 이 상황을 더 정확하고 빨리 정리할 테니.

"저는 자식이 필요 없습니다. 리하르트 공작 위는 제 대에서 끝나거나 황실이 정하는 자가 물려받게 될 겁니다."

'아…… 공작님은 자식이 필요 없으시구나.'

남편의 말을 듣고 난 후 처음 든 감상이었다.

"그 문제로 더는 부인께서 골치를 썩지 않으셨으면 합니다."

그렇구나. 공작님께선 그러셨구나. 그래. 그럴 수도 있지. 그런데…….

"왜…… 요?"

이성이 반쯤 돌아온 프리다의 눈길이 다니엘의 표정을 훑어 내려갔다. 솔직히 그가 무슨 소리를 하는 건지 이해가 되지 않았다. 사지 멀쩡한 귀족 남자가 자식이 필요 없다고? 자기 대에서 뭘 끝내?

리하르트는 스베르겐의 무수한 귀족 중에서도 가장 유구한 역사를 자랑하는 십이 공작 가문 중 하나다. 현 황제가 태어난 가문이기도 했다. 할 수만 있다면 수십 명의 자식을 낳아 대대손손 그 이름을 물려주겠다고 해도 모자랄 판에 대를 끊겠다고? 왜 그런……?

수십 개의 물음표가 그려진 듯한 프리다의 얼굴을 마주 보던 다니엘은 속으로 실소를 터트렸다. 이거 원, 정말 모르겠다는 표정이라 당연한 거 아니냐고 타박을 줄 수도 없고. 홀로 지었던 짧은 미소를 갈무리한 다니엘이 언제나처럼 담백한 말투로 답했다.

"어디에서도 환영받지 못할 자식을 굳이 낳을 까닭이 없으니까요."

"……."

간혹 소리가 되어 나오지 않아도 상대방의 말이 들리는 경우가 있다. 숙취와 피로에 절어 있음에도 까만 밤, 유일한 길잡이가 되어 주는 환한 달빛처럼 맑고 하얀 얼굴이 말하고 있었다. 그게 무슨 말도 안 되는 얘기냐고.

이 작은 여자는 상상이나 할까. 자신이 하루라도 더 살아 보자며 힘겹게 버텨 온 날들이 누군가에겐 바닥에 차이는 돌멩이만큼의 의미도 가지지 못한다는걸. 황태후가 다니엘이 자식을 낳는 꼴을 두고 볼 리도 없지만, 이딴 삶을 누구에게 물려주려고 자식을 낳는단 말인가. 뭔가 반박을 하고 싶어 근질거리는 분홍빛 입술이 열리기 전, 다니엘이 먼저 입을 뗐다.

"부인께선 그 조건에 부합하셨기에 리하르트 공작 부인이 되신 겁니다."

탁한 구석이라곤 조금도 없는 투명한 보라색 눈동자 사이. 그 가운데 올곧게 내리뻗은 콧잔등에 가는 잔주름이 생겼다. 제 눈길이 그녀에게 제법 오래 달라붙었다는 걸 깨달았지만 다니엘은 제 작은 아내에게서 쉬이 눈을 뗄 수가 없었다.

뮌하임 성을 이루는 여러 건물 중 본성과 연결된 스카디 홀은 연일 새로

운 손님을 맞을 준비로 바빴다. 이제 열흘 뒤면 보일드 남작 부부가 도착하는지라 프리다는 잠시 다른 일을 놓고 스카디 홀의 단장에 나섰다. 보기만 해도 눈이 시원해지는 호수의 풍광을 담은 태피스트리의 위치를 바로잡아 준 프리다는 스카디 홀의 복도를 걷다 말고 홱 뒤를 돌았다. 고심을 거듭한 뒤에도 답을 찾지 못한 그녀가 왼쪽으로 머리를 갸웃거렸다.

"난 아무래도 모르겠어. 뮤리엘은 어때?"

며칠 동안 같은 질문을 수도 없이 받은 터라 지겨워질 대로 지겨워진 뮤리엘은 가차 없이 양쪽으로 고개를 저었다.

"몇 번이나 말씀드렸잖아요. 저 역시 전혀 짐작되는 바가 없다고."

성의 없는 대답에 실망한 프리다가 양손으로 허리를 짚으며 복도에 탕하고 발을 굴렀다. 찡그린 얼굴에 고집스러운 성깔이 여실히 드러났다.

"고민 좀 해 보라니까. 뮤리엘은 남자 형제 많잖아. 나보다는 나을 거 아냐."

"제 오빠들은 로시발트를 한 명이라도 더 만들지 못해 안달인 사내의 본능에 충실한 인간들입니다. 공작님하고는 전혀 다른 부류죠."

낙담한 프리다의 어깨와 팔이 아래로 축 처져 내려갔다.

"대부분 남자가 다 그렇지. 우리 아빠만 해도 딸 셋을 연달아 낳고도 언젠간 아들을 낳을 거라는 희망을 포기하지 않고 노력한 끝에 결국 성공하셨으니까."

그 노력의 결과가 차기 하크본 백작인 막내 앨버트다.

'그러고 보니 우리 앨버트, 올해로 열다섯이 되었겠구나.'

하크본가의 여자들에게만 해당하는 저주를 피해 간 어린 동생은 아버지를 닮은 스베르겐 특유의 금발 머리로 태어났다.

문득, 누나는 내가 지켜 줄 거라며 목검을 휘두르고 다니던 꼬맹이가 그리워졌다. 삼 년 내내 딸을 향한 근심과 애정의 무게가 좀처럼 줄어들지 않은 편지를 보내오는 부모님도. 프리다의 눈가가 불현듯 시큰거렸다.

뮤리엘은 바지런히 복도를 돌아다니는 하인들을 피해 프리다를 창가로 데리고 갔다. 양쪽으로 활짝 열어 둔 창문을 타고 근처에서 자라난 나뭇가지와 풀 냄새 가득한 바람이 잔잔히 들어왔다. 별이 없는 그늘로 프리다를 밀어 넣은 뮤리엘이 창문턱에 등을 기댔다.

"실은 오빠들이 해 준 얘기가 몇 가지 더 있기는 한데요."

귀를 쫑긋 세운 프리다가 뮤리엘 가까이 얼굴을 가져다 댔다.

"뭔데? 그걸 왜 이제야 얘기해."

"이제 생각이 났으니까요."

심드렁하게 팔짱을 낀 뮤리엘이 기억을 떠올리며 입술을 이리저리 비틀었다.

"음, 첫째 오빠가 돌아가신 선대 리하르트 공작님의 사촌 동생과 첼리노 대학에서 함께 법률을 공부했거든요. 그 인연으로 가끔 공작 성에 드나든 적이 있었어요. 아, 당시엔 리하르트 공작의 영지가 첼리노 근처였다는 건 아시죠?"

"알아. 리하르트 공작 영식이 황제에 오르면서 지금은 황실 소유가 됐잖아."

가볍게 고개를 끄덕인 뮤리엘이 말을 이어 갔다.

"그때만 해도 공작님과 황태후 폐하 사이가 굉장히 좋았대요."

실망감을 감추지 못한 프리다가 삐딱하게 뮤리엘을 흘겨보며 몹시 불량스럽게 위아래로 연거푸 눈을 치켜떴다.

"여기 그거 모르는 사람이 어디 있어? 남편의 사랑을 독차지한 정부의 사생아를 친아들처럼 돌봤다고 자애롭다 추앙받던 황태후 마그리트잖아. 나 결혼할 때 그 가면을 벗어던졌다고 소문났었고."

사실 자애로운 어머니라는 황태후의 가면에 금이 가기 시작한 건 훨씬 전부터였다. 볼슈타크 2세가 황위에 오르는 데 가장 혁혁한 공을 세운 이복형 다니엘. 어떤 상이 내려진다 한들 모자란 그에게 작위를 내리는 일이 차일피일 미뤄졌다. 뒤이어 그 일을 가장 반대한 사람이 황태후라는 소문이 돌기 시작했다.

그때만 해도 반신반의하던 사람들이 대다수였다. 그러나 다니엘이 기존의 리하르트 공작령이 있던 첼리노 근처 금싸라기 땅 대신 유트레히트를 하사받자 여기저기서 수군거렸다. 황태후가 실은 의붓아들을 못마땅해하고 있었던 것 아니냐고.

그 소문에 쐐기를 박은 일이 바로 하크본 백작가와의 결혼이었다. 황태후도 어쩔 수 없는 여자라며 여기저기서 매정하다, 야박하다 난리가 났다. 목숨을 걸고 저희를 위해 싸워 준 다니엘에게 어찌 그럴 수 있냐며…….

"그냥 좋은 게 아니고 엄청 좋았다더라고요. 오빠 말로는 공작께서 황태후를 '어머니'라고 부를 정도였다고……."

이상한 기척을 느낀 뮤리엘이 말하다 말고 휙 뒤를 돌았다.

"여기서 뭐 하십니까?"

그 순간, 2층 창문 밖에서 불쑥 디밀고 들어오는 검은 머리통에 놀란 프리다가 기겁하며 뒤로 넘어갔다.

"으아악!"

"아가씨!"

"마님, 괜찮으십니까?"

"마님!"

뒤로 벌러덩 넘어진 프리다를 부축하기 위해 뮤리엘은 물론이고 복도를 오가던 하인들이 우르르 모여들었다. 놀란 리카르도가 방금까지 매달려 있던 2층 창문을 훌쩍 타고 넘어왔다.

"아이고, 부인. 많이 놀라셨습니까?"

"리카르도 님! 간 떨어지는 줄 알았잖아요!"

놀란 심장을 진정시키지 못한 프리다가 꽥 소리를 질렀다. 그러나 곧바로 그녀를 주시하는 시선들을 의식하곤 멋쩍은 미소를 지었다.

"나는 괜찮아요, 여러분. 별일 아니니 신경 쓰지 말고 하던 일들 마저 해요. 하하."

걱정스러운 한마디씩을 남긴 하인들이 모두 떠나자 프리다는 다시 리카르도를 향해 눈을 부릅떴다.

"대체 거기서 뭘 하고 계셨던 거예요? 아니, 여기까진 어떻게 올라오신 건데요?"

뮤리엘의 부축을 받고 일어난 프리다는 뻐근한 엉덩이를 만지며 창문 쪽으로 고개를 돌렸다. 분명 여기는 2층인데 어떻게 거기서 나타난 건지 영문을 모르겠다. 리카르도가 머리를 긁적거리며 창문 밖에서 흐느적거리고 있는 나뭇가지를 가리켰다.

"저 가지를 베어 버리는 게 좋겠다 싶어 나무를 타고 올라가 있었는데 부인의 말소리가 들려서요. 얼마나 잘 들리려나 싶어 귀를 기울이다 보니……."

"나무를요?"

창가로 다가간 프리다는 스카디 홀을 빙 둘러싼 나무 중 유독 창문 가까이 난 가지로 손을 뻗었다. 그녀 옆으로 다가온 리카르도가 프리다의 팔로 쏟아지는 햇볕을 가려 주려 창문 한쪽을 닫았다.

"아무래도 어둠을 타고 이곳을 드나드는 자들이 있을 듯해서 둘러보던 중이었습니다. 하필 이놈이 창문을 타고 넘기 딱 좋은 위치라 눈에 거슬리더라고요."

리카르도가 뭘 염려하는지 알 것 같았다. 보일드 남작은 황태후가 남편을 감시하라고 보낸 사람이니, 그와 내통하기 위해 스카디 홀을 몰래 드나드는 첩자가 올 거란 뜻이다.

그의 도착이 가까워지자, 처음에는 귀찮은 일을 떠넘길 수 있겠다며 은근 반기던 도미닉도 요사이 한껏 날이 서 있었다. 몰리 부자의 반응만 보면 황태후가 친아들처럼 다니엘을 아꼈던 건 정말 가식이었던 것 같기도 하고…….

"어디에서도 환영받지 못할 자식을 굳이 낳을 까닭이 없으니까요."

그 말을 들었을 때, 꼭 공작 자신이 환영받지 못했다고 말하는 것 같아 마음이 무거웠다. 프리다는 창문 밖을 구석구석 살피는 리카르도에게 다가가 조용히 물었다.

“리카르도 님, 공작님과 황태후 폐하의 사이가 많이 안 좋은가요?”

길게 뻗어 나온 가지를 뚝 잘라 낸 리카르도가 창문턱에 기댄 채 곤란한 듯 턱을 만지작거렸다.

“글쎄요. 황태후는 주군을 싫어하는 게 맞는 것 같은데 주군은 어떤지 모르겠네요.”

리카르도 옆으로 바짝 붙어 선 프리다가 눈을 반짝였다.

“과거에 두 분이 사이가 꽤 좋았다는 건 사실이에요?”

“글쎄요. 뭐라 설명해야 할지…….”

갑자기 세진 바람이 창문을 가린 나뭇가지를 밀어내자 그 틈으로 햇살이 비쳤다. 손바닥을 쫙 펴 이번엔 프리다의 얼굴에 닿는 햇살을 막아 준 리카르도가 흐뭇한 미소를 지었다.

“부부가 서로에게 관심을 가지는 건 아주 바람직한 일입니다. 그럼 우리 어디 조용한 곳에 가서 긴 얘기를 나눠 볼까요? 아, 아델이 기가 막힌 술을 만들었다던데 사실입니까?”

바람을 따라 휘청대는 나뭇가지처럼 하얀 머리칼이 세차게 위아래로 흔들렸다. 그 모습을 보는 리카르도의 입가에 오랫동안 미소가 머물렀다.

휙, 쓱싹. 검이 허공을 가를 때마다 둥치에 세워 두었던 나무토막 다섯 개 중 네 개가 차례차례 깔끔하게 잘려 나갔다. 사선으로 갈라진 나무토막은 연무장 바닥 여기저기에 처박혔다.

먼지가 휘날리는 연무장 한편, 다니엘은 잘 벼려진 매끈한 검날을 만지며 픽 입매를 끌어 올렸다. 어슬렁거리며 다가온 도미닉이 다마스커스 강 특유의 미세한 물결무늬가 새겨진 검날을 흘끔대며 구시렁거렸다.

"결국 콜다르가 주군의 손에 떨어졌네요. 그렇게 욕심을 내더니, 좋습니까?"

답을 들을 필요도 없겠다 싶어 넘어가려던 도미닉에게 오히려 다니엘이 질문을 던졌다.

"스베르겐에선 어째서 아직도 이런 강도의 검을 못 만들어 내는 거지?"

"스베르겐뿐입니까? 로슈만 대륙 어디에서도 재현해 내지 못하고 있는 건 마찬가지입니다."

힘껏 검을 휘둘러 마지막 남은 나무토막을 베어 낸 다니엘이 검집에 콜다르를 집어넣었다. 언제 미소가 걸렸나 싶게 언짢은 기색이 역력했다.

"동방의 군대가 밀고 내려오면 어쩌려고 그렇게들 안이한 거야? 기마술부터 무기의 강도까지, 그들이 우리보다 한참이나 앞서 있다는 걸 아직도 모르는 건가?"

"아마도요. 멀리 갈 것도 없이 라파스 남쪽 민족이 아직도 미개하다 믿는 스베르겐 족속들 아닙니까."

도미닉이 키득거리며 발끝에 걸린 나무토막을 툭 멀리까지 차 냈다.

"첼리노보다 볼로냐에 먼저 대학이 들어섰다거나, 밀라보나 불렌체 모두 이미 첼리노의 인구수를 넘어섰다는 눈에 보이는 현실도 아예 무시하는 인간들이 동방까지 신경 쓸 리가요?"

스베르겐인들은 지난 세월 동안 자신들이 이 대륙의 주인인 양 행세해 왔다. 로슈만 대륙의 중심에 터전을 잡았다는 하찮은 구실 하나로 말이다. 다니엘 역시 대륙 곳곳을 떠돌며 용병 생활을 경험하지 않았다면 그들과 같은 우물 안 개구리로 살았을 것이다.

훗. 이것으로 황태후에게 감사할 일이 하나 더 생긴 건가? 비릿한 조소로 잠시 찾아왔던 즐거움의 시간을 끝맺음 한 다니엘이 연무장을 떠났다. 뒤를 따라오는 도미닉에게 지시를 내리는 태도 하나하나에서 스베르겐의 검은 맹수라는 이름에 걸맞은 냉철함이 느껴졌다.

"무슨 수를 쓰든 검의 강도를 높여. 대장간에 방법을 찾는 일을 게을리하지 말라고 전해. 재현하기가 정 불가능하면 새로운 걸 만들어 내 보든가."

"삼 년 전에도 강조하신 일입니다. 잘 알고 있고 이미 하고 있습니다."

"돈만 쏟아부으면 뭐 해? 결과가 나와야지."

"그 돈 쏟아붓는 일은 쉬웠는 줄 아십니까? 공작 부인 눈치 보며 도둑고양이처럼 몰래몰래 금고에 드나드느라 진땀을 뺐던 걸 생각하면 진짜, 어휴."

다니엘은 도미닉의 하소연을 듣는 척도 하지 않고 할 말을 이어 갔다.

"너도 봤잖아. 노팅겐 것들이 들고 설치던 무기. 창이고 검이고 죄다 동방에서 들여온 게 분명했어. 그때 빌어먹을 아서 놈을 잡아서 출처를 밝혔어야 했는데."

"네네. 다 좋은데 목소리를 좀 낮추십시오. 동네방네 무기 만든다고 소문이라도 낼 작정이십니까?"

살래살래 고개를 저은 도미닉이 목을 쭉 빼고 주변을 살피며 말했다.

"그나마 공작 부인께서 농기구를 만드는 데 열성이었기 망정이지. 아니었다면 그놈의 대장간 지킬 핑곗거리를 꾸며 내느라 머리가 다 빠졌을 겁니다."

뮌하임 성의 대장장이는 오랜 세월 용병단과 동고동락을 하던 놈이다. 본래 여기저기 떠돌아다니며 살던 놈이라 진즉에 도망치고도 남았을 녀석인데 어쩌다 보니 공작령에 발목이 잡혀 버렸다. 뮌하임 성의 하녀와 눈이 맞아 결혼하고 자식을 가지는 바람에. 아니, 자식을 가지고 결혼을 했던가?

다행한 일인 건 맞지만 덕분에 도미닉의 일거리도 하나 더 늘었다. 낮에는 농기구를 땜질하고, 밤에는 틈틈이 검을 연구하느라 잠잘 새도 없다는 놈의 불평을 들어 주고 달래 주고. 공작 부인 몰래 뒷주머니로 틈틈이 돈도 제법 챙겨 줬다.

부인께서 고생하신 건 맞지만, 따지고 보면 나도 만만치 않게 고생한 사람이다 이거야. 그런데 애써 지켜 온 그 소중한 금고 열쇠를 아무 조건 없이 홀라당 넘겨줘? 앞뜰을 가득 채운 수레의 행렬과 맞닥트린 도미닉이 있는 대로 눈을 찡그렸다.

"누가 보면 집사장이 아니라 황제가 오는 줄 알겠네. 공작 부인께서 손이 크신 건 알았지만 이건 너무 과한 거 아닙니까?"

객관적으로 보자면 과한 건 아니었지만, 현재 펠하임 성에 있는 것들과 비교해 보면 도미닉의 말도 일리가 있다. 수레에서 내려지는 가구들이나 장식은 대충 봐도 영주의 아내가 머무는 방에 있는 것보다 값이 나가 보였으니까.

문득, 열쇠를 건넨 후에도 그다지 달라진 것이 없어 보이는 아내의 행색이 떠올랐다. 잘은 모르지만, 귀족 부인이라면 지금보다는 더 값지고 화려한 것들을 갖춰야 하는 거 아닌가? 아무튼 여러모로 신경 쓰이게 하는 여자다.

화려한 꽃무늬가 수놓인 카펫이 스카디 홀로 들어가는 걸 보던 다니엘은 담담히 그가 머무는 '마리안 홀'로 발길을 돌렸다. 흔한 머리 장식 하나 없는 아내의 새하얀 머리칼이 계속 아른거렸지만 이내 지워 버렸다.

"비록 쥐새끼라도, 황태후가 보낸 귀족 나리를 박대할 순 없으니 격식은 갖춰야겠지."

"황태후께서 조만간 공작 부인이 사치가 심하다는 정보를 얻게 되시겠네요."

"도미닉, 저걸 가지고 사치라고 하면 다들 비웃어."

세상에 모르는 게 없고, 알아내지 못하는 것이 없는 도미닉의 가장 큰 약점이라면 도통 경제관념이 없다는 것. 하기야 싸움이나 잘하지, 그 외엔 순진무구 백치 그 자체인 리카르도의 아들이다. 이 정도라도 속세의 물이 들었으면 많이 성공한 거라고 봐야 할지도.

"보일드 남작은 네가 지금까지 봐 온 자들과는 급이 다를 거다. 무시당하기 싫으면 예법이라도 좀 익혀 둬."

"아, 몰랐네요. 쥐새끼에게도 급이 있는 줄은."

또다시 키득 웃던 도미닉이 갑자기 정지하는 다니엘을 따라 걸음을 멈췄다. 다니엘의 어깨 너머로 가문비나무가 만들어 준 널찍한 그늘 아래서 도란도란 이야기를 나누는 남녀가 보였다. 리카르도와 프리다였다. 절로 흐뭇해지는 입꼬리를 말리기 위해 긴 한숨을 내쉰 도미닉이 중얼거렸다.

"영락없는 부녀지간이네요. 걱정입니다. 아버지는 대체 나중에 정을 어찌 떼려고 정말……. 에휴."

다만 햇볕을 가려 주는 그늘 밑에 마주 앉은 두 사람의 모습이 다니엘에게 가져온 건, 미래에 대한 근심이 아닌 과거의 잔상이었다.

"다니엘, 검술 훈련은 그만하고 이리 그늘로 와서 쉬려무나."

"아니에요, 마님. 전 어서 훌륭한 기사가 돼서 레오폴드 도련님을 지켜 드려야 하는걸요."

"다니엘, 난 네게 마님이라고 불리고 싶지 않구나. 레오폴드와 마찬가지로 너도 내 아들이잖니."

삼 년 전, 부딪힌 머리가 깨지지 않은 건 확실하다. 이 망할 기억들이 지워지지 않은 걸 보면. 다니엘은 빠르게 그들을 지나쳤다.

"하아……."

프리다는 눈을 감고 있어도 도무지 잠이 오지 않아 계속 뒤척이는 중이었다. 결국 이불을 걷어차고 일어난 그녀는 앉은 채로 축 어깨를 늘어트렸다.

"나중에 진실을 알게 된 주군의 충격이 컸지요. 한동안 말을 잃을 정도였으니. 생각해 보십시오. 너를 아낀 건 내 아들의 화살받이로 쓰기 위해서였다는 말을 직접 들었으니 어느 놈이 충격을 안 받겠습니까. 그것도 어린애한테."

곱씹을수록 기가 막혔다.

"와, 그 여자 진짜 너무하네."

이불을 확 젖히고 침대를 벗어난 프리다는 분을 참지 못하고 씩씩대며 방 안을 서성였다.

"이게 말이 돼? 심지어 어린애한테? 와, 나쁜 여자. 진짜 진짜 나쁜 여자!"

소리를 질러도 분이 풀리기는커녕 열불이 끓어올랐다. 목이 바짝바짝 말라 물을 따르려는데 주전자가 텅텅 비어 있었다. 오후 내내 어찌나 화가 났는지 방에 물을 가져다 놓으라고 하는 것도 잊어버렸다.

종을 울리기엔 너무 늦은 시간이고, 그렇다고 어두운 복도를 지나 주방으로 들어가는 것도 무서웠다. 타들어 가는 속을 달래긴 해야겠는데 어쩌나 고민하던 프리다는 조심조심 침실 문을 열었다.

다행스럽게도 복도를 밝혀 놓은 벽등이 아직 꺼지지 않은 상태였다. 방 안에 있던 등잔까지 들고나오니 그리 어둡지 않았다. 몇 발자국 나와 슬그머니 내려다본 계단의 양쪽 끝에도 불이 꺼지지 않은 등이 놓여 있었다.

요사이 그녀가 늦게까지 서류를 살피는 날이 많았던 터라 여태껏 불을 끄지 않은 모양이다. 천천히 계단을 내려온 프리다는 주방으로 걸어갔다. 가는 내내 씩씩거린 탓에 주방 문을 여는 힘이 제법 거칠었다. 쾅.

"어……?"

주방 벽 한쪽을 가득 채운 거대한 검은 그림자가 깜짝 놀라 굳어 버린 프리다를 향해 서서히 방향을 틀었다.

"고, 공작님께서 여긴 왜……."

당황한 프리다와 달리 갑자기 들이닥친 그녀를 보고도 놀란 기색 한 번 없던 다니엘이 차분히 입을 열었다.

"돌아갈 거 아니면 와서 앉으세요."

"어…… 저, 저는."

데굴데굴 눈을 굴리며 주방 곳곳을 어색하게 훑는 프리다를 보며 다니엘이 조용히 말했다.

"앉아요."

나갈 기회는 진즉에 놓쳤으니 그의 말에 따르는 것 말고는 방법이 없었다. 프리다는 주방 벽을 장식한 고풍스러운 벽등을 지나 남편이 있는 식탁으로 다가갔다.

뮌하임 성의 중심인 '마리안 홀'은 과거 유트레히트의 영주였던 '뮌하임 후작'이 아내인 '마리안 뮌하임 후작 부인'을 위해 설계했다고 한다. 서로를 극진히 아끼고 연모했다던 후작 부부의 아름다운 이야기는 백 년도 전에 끝났지만 그들의 흔적은 성 곳곳에 남아 발견되었다.

예를 들어 주방 벽에 새겨진 '내 사랑 마리안이 오늘 첫 아이를 낳았다.' 등의 낙서라든가. 후작 부부가 서로를 아끼며 가꾸었던 성은 다소 을씨년스러워졌지만, 주방만은 조금 전까지 불을 지폈던 화덕 덕에 따스했다.

어색하게 앉아 있는 프리다의 앞으로 말린 햄과 아델의 특제 소시지, 그리고 빵이 곁들여진 접시가 놓였다. 이게 뭐냐고 묻지도 못하고 눈만 멀뚱멀뚱 뜨고 있는 프리다에게 다니엘이 뭔가로 가득 채운 잔을 건넸다.

"먼저 식사부터 하세요. 아델이 부인께서 저녁 식사를 제대로 하지 않으셨다며 걱정하더군요."

며칠 전 마신 민트 맛 술이 생각나 주방에 들렀던 다니엘은 몇 분 전까지 마님을 향한 걱정을 가장한 주방장의 잔소리를 들어야 했다.

"마님이 아니었다면 이 성엔 거미줄만 걸려 있었을 거예요. 아유, 그 고생을 말로 어떻게 표현하겠어요. 영주님께서 깨어나셨으니 이젠 좀 편하게 사셔도 될 텐데. 몸도 약하신 분이 아직도 저렇게 바쁘게 다니시니 어쩜 좋아요?"

쉽게 말해 마누라 고생 그만 시키고, 남편인 네가 좀 제대로 하라는 의미다. 웬만한 여자들이 다니엘 앞에서 입도 뻥긋 못 하는 것에 비하면 주방장은 제법 배짱이 두둑한 편이다. 술 만드는 솜씨도 썩 괜찮고.

목이 말랐는지 잔부터 치켜든 프리다는 꿀꺽꿀꺽 몇 모금 삼키더니 의아한 눈빛으로 다니엘을 쳐다봤다.

"이건……."

"물입니다. 말씀드렸을 텐데요. 부인은 술을 멀리하셔야 한다고."

무슨 기대를 했던지, 실망하는 눈빛에 더해 삐죽 입술이 삐져나왔다. 나른하게 감겼다 떠진 눈을 앞으로 돌려세운 다니엘은 술로 가득 채워진 자신의 잔을 머금었다.

"이 밤에 주방까진 어쩐 일이십니까?"

프리다는 입 안에 가득 찬 소시지를 빠르게 우물우물 씹어 넘기곤 말했다.

"모, 목이 말라서요. 방에 물을 가져다 놓으라고 하는 걸 깜박하는 바람에. 캑캑."

꿀꺽꿀꺽 재빨리 막힌 목으로 물을 넘긴 프리다는 주먹으로 가슴을 통통 치다 '끄윽' 하고 트림을 하고 말았다. 화끈 달아오른 얼굴을 후다닥 반대편으로 돌리곤 더 빠르게 가슴을 두드렸다. 왜 하필 오늘, 이 시간에 주방에 내려와선. 사람 민망하게. 구시렁구시렁. 프리다는 말없이 입만 벙긋대며 잔뜩 얼굴을 찌푸렸다.

"성안에 화덕을 만드신 이유는 뭡니까?"

갑작스러운 남편의 질문에 프리다는 가슴을 치다 말고 그를 돌아봤다. 담담한 표정의 다니엘이 프리다가 있는 오른쪽으로 몸을 틀어 앉은 채 그녀를 바라보고 있었다.

"화덕이요?"

저 앞에 있는 저거? 프리다가 손을 들어 주방 한편에 있는 화덕을 가리키자 다니엘이 우아하게 고개를 저었다.

"아니요. 성벽 안쪽에 만드신 공용 화덕 말입니다. 공작령의 주민들이 자유롭게 쓰도록 하고 계시더군요."

"아, 그거요? 음…… 여러 가지 목적이 있긴 한데요."

가슴을 두드리는 속도를 늦춘 프리다가 답을 고심하며 이리저리 눈을 굴렸다. 식탁에 올려진 등잔불과 어우러져 더욱더 신비로워진 보랏빛 눈동자가 하얀 동공 위에서 데굴데굴 굴러다녔다. 저 작은 머리로 무슨 생각을 하는지, 그 안에 들어찬 지식의 크기가 어느 만큼일지 다니엘은 감도 오지 않았다.

애마 발자크를 타고 영지를 둘러보며 놀라고 감탄한 적이 한두 번이 아니다. 그가 북부의 반란을 진압하기 위해 떠날 때와는 완전히 달라진 공작령의 모습에 몇 번이나 눈을 의심했고. 무엇보다 놀라운 건 성 밖 마을까지 체계가 잡혀 있다는 점이었다.

영주인 자신이 하지 않은 일을 누가 했을지야 뻔한 이야기. 하크본 가문이 성녀로 이름이 높았기 망정이지, 프리다가 일반 평민이었다면 마녀로 몰려 죽임을 당했을지도 모른다. 그만큼 그녀가 해낸 일은 놀라웠다.

"성안에 있는 산등성이를 벌목하면서 공작령 근처 주민의 수를 조사했거든요. 그런데 성안을 오가는 이들은 대부분 성인 남자나 여자, 즉 노동이 가능한 인원들이라 가족들까지 완전히 파악하는 데 한계가 있더라고요."

말이 빨라진 탓에 호흡이 엉키자 프리다는 툭툭 가슴을 두드리며 대화를 이어 갔다.

"성인들을 제외하면 남는 건 아이들이나 노인이잖아요. 일일이 영지를 돌아다니며 그들의 숫자를 알아내기엔 휀하임 성의 인력이 턱없이 부족하니 그들이 제 발로 오게 할 방법이 뭘까, 성안을 오갈 수 있게 할 일이 뭐가 있을까 고민해 봤죠. 답은 바로……."

접시에 담겨 있던 빵 한 쪽을 집어 든 프리다가 다니엘의 눈앞에서 그것을 살랑살랑 흔들어 보였다.

"빵이었어요. 식량."

지금 떠올려 봐도 참 기발한 아이디어가 아닐 수 없다. 프리다의 의견을 들은 리카르도 님은 정말 부인께선 천재시라며 엄지 두 개를 다 추켜올려 주었더랬다.

"유트레히트는 원래도 농사를 지어 먹고살던 곳이 아니라 화덕이 있는 집이 거의 없었어요. 그래서 성벽 안에 공용 화덕을 설치하고 그곳에서 빵을 만들어 배급하기로 했죠. 인원수대로 빵을 주겠다고 했더니 모두 제 발로 찾아오더라고요."

펜하임 성 주변의 인원을 조사하는 데 보름도 채 걸리지 않았다. 더 큰 수확은 소문을 듣고 몰려든 사람들이 자연스레 성 주변에 정착하게 된 것이다. 일대에 마을이 형성되자 시장도 들어섰다. 농지 개간으로 돈을 벌어들인 자 중엔 인근의 바이마르 지역과 무역을 시작한 이도 있다.

"무엇보다 어린아이들의 수를 파악하게 된 게 소득이었죠. 일정 나이가 되면 그중 재주가 있는 애들을 골라 첼리노에 있는 대학에 보낼까 해요. 법학이나 의학을 배워 이곳에 돌아오면 공작령에 많은 도움이 될 테고, 신학자가 생기면 황실에서 교구를 세워 줄지도 모르잖아요."

주저하던 목소리에 어느 순간부터 생기가 담겼다. 하릴없이 떨어지는 낙엽을 보고 신이 난 철부지 아이처럼, 아니, 첫눈을 맞은 강아지 같다고 해야 하나. 맑다. 덩달아 제 머리도 맑아지는 기분이다. 질문을 건네는 다니엘의 입가가 그도 모르는 새 부드럽게 휘어져 올라갔다.

"그들에게 음식을 먹을 때 쓰는 도구도 나눠 주셨다고 들었습니다."

목소리에 깃들었던 딱딱한 느낌 역시 많이 사그라져 있었다.

"그건 투르크 상인들의 얘기를 듣고 해 본 건데, 제 생각엔 작년 여름에 효과를 봤던 것 같아요. 안톤이 수저나 포크를 쓴 이후로 전염병이 많이 줄어든 게 확실하다고 하더라고요."

프리다는 이번엔 햄이 박힌 포크를 들어 보였다.

"투르크에선 귀족이든 평민이든 음식을 먹을 때 우리처럼 손이 아니라

도구를 쓴대요. 뜨거운 음식을 먹을 때 안전하기도 하고, 손이 더러워지지 않으니 병도 덜 생긴다고 하기에 나눠 줘 봤죠. 하루하루 먹고살기 바쁜 평민들이 일일이 만들어 쓰긴 힘들잖아요."

그러다 포크와 어깨를 동시에 아래로 축 늘어트리며 한숨을 쉬었다.

"다른 건 몰라도 영지에 의사가 더 있었으면 좋겠어요. 안톤이 재주가 보이는 아이들 몇 명을 가르치고 있는데 첼리노 대학에 보내 공부를 시켰으면 하더라고요. 알타스 너머 솔즈에도 대학이 생긴 거 아세요? 거기서 능력 있는 의사가 제법 많이 배출된대요."

쉬지 않고 재잘거리는 입, 기분에 따라 역동적으로 움직이는 팔과 고개, 초롱초롱한 눈빛. 다니엘의 시선이 담장을 휘감는 폰치루스(탱자나무) 덩굴처럼 그 모든 곳에 엉겨들었다.

"제가 저번에 말씀드린 꽃 기억하세요? 투르크 상인들이 쓰는 터번을 닮았다는 꽃이요. 그건 재배하기만 하면 무조건 돈이 되거든요. 그런데 자금이 없어서 얼마나 애를 태웠는지 몰라요. 공작님이 금고 열쇠를 주시지 않았다면, 꼼짝없이 내년 허브 수확 철이나 돼야 돈이 생길 뻔했어요."

뭐가 그리 좋은지 프리다는 연신 얼굴을 붉혔다. 행복해서 어쩔 줄 모르겠다는 듯. 이해되지 않는 감정임에도 납득이 가는 묘한 상황이 다니엘을 찾아왔다.

"참, 제가 공작님께 미처 이 말씀을 못 드린 것 같은데요."

다니엘의 앞으로 불쑥 다가온 프리다가 방실방실 웃었다. 웃음 속에 따스함을 담고 미치도록 해맑게.

"정말 감사해요. 공작님은 제 꿈을 이뤄 주신 은인이세요."

몇 잔 마시지도 않은 술에 거나하게 취한 기분. 지금 자신이 느끼는 이 감정을 설명할 말은 그것밖에 없는 것 같다. 어쩌면 진짜 취한 건지도 몰랐다. 아니라면 이런 말을 꺼내지 않았을 테니.

"오늘의 부인도 오늘의 제가 좋습니까?"

질문이 끝나자마자 찰나의 머뭇거림도 없이 끄덕이는 작은 머리. 함께 파닥이는 새하얀 속눈썹. 다니엘에게 고정된 채 방향을 틀지 않는 '아메티스'를 닮은 두 개의 눈동자. 그 모든 것에 닿아 있던 다니엘의 눈길이 천천히 하얀 얼굴에 박힌 발그레한 입술로 움직였다. 동시에 술잔의 손잡이를 쥐고 있던 손가락이 부드럽게 찰랑이는 머리칼을 파고들었다.

"그럼 이건 부인이 은인에게 주는 상으로 하죠."

"네? 그게 무슨……."

다니엘은 프리다의 머리칼을 쥔 손에 가볍게 힘을 주어 당겼다. 스르르 딸려 온 작고 붉은 입술에 닿아 있던 그의 시선이 입술로 바뀌어 그녀를 삼켰다.

공작 부인이 또 몸져누우셨다. 소식을 들은 아델은 막 주방으로 들어서는 뮤리엘에게 급히 프리다의 상태를 물었다.

"기사님, 마님은 어떠세요? 어디가 얼마나 아프신 거예요?"

옆에서 화덕 안으로 밀가루 반죽을 밀어 넣고 있던 하녀 마틸다도 고개를 틀며 뮤리엘을 돌아봤다.

"제가 가져다드린 수프는 좀 드시던가요? 어제 저녁도 제대로 안 드셨는데 걱정이네요."

의자에 앉자마자 턱을 괸 뮤리엘은 손끝으로 뺨을 톡톡 건드리며 미간을 찡그렸다.

"열은 없으신데 왜 일어나질 못하시는지 모르겠어."

앞치마에 밀가루를 탁탁 털어 낸 아델이 뮤리엘 앞으로 빵과 치즈, 햄이 담긴 접시를 내밀며 말했다.

"의사는요? 안톤은 뭐래요?"

"스카디 홀을 단장하느라 무리하셔서 지치신 것 같다고."

"에이, 그것만 하셨게요? 얘, 그건 놔두고 그릇부터 씻으렴. 깨지 않게 조심해야 한다."

새로 들어온 하녀에게 일을 지시한 아델이 뮤리엘의 건너편에 앉았다.

"밤마다 서류를 살피시고, 매일 상인들을 만나고, 허브밭 관리도 하셨는데 몸이 버텨 낼 리가요. 차라리 잘됐어요. 이번 기회에 며칠 푹 쉬시게 기사님이 아예 방문 앞을 지키고 계세요. 아무 데도 못 나가시도록."

"안 그래도 사흘은 꼼짝하지 마시라고 엄포를 놓고 왔어. 아니면 진짜 최소한 일주일은 성안에서 잡아 둘 거라고."

"잘하셨어요. 그렇게라도 하지 않으면 어디 쉴 분이에요, 우리 마님이?"

한 발짝이라도 방을 나설 시 외출 금지가 일주일씩 추가될 거라고 엄히 경고한 후, 문 앞에 감시할 하녀까지 붙여 두고 나왔건만 왜 이리 불안한지.

'단단히 일렀으니 설마 또 무리하진 않으시겠지.'

찜찜한 기분을 애써 지워 낸 뮤리엘이 빵 위에 듬뿍 치즈를 발라 입 안으로 욱여넣는 사이. 프리다는 잘근잘근 입술을 씹으며 몇 번이나 벽으로 향하려던 손을 거둬들이는 중이었다.

'두드려? 말아? 아우, 이걸 어쩌지.'

뮤리엘에게 들키지 않고 방에서 나가는 방법은 하나뿐인데 그러자면 무엇보다 지금 가장 얼굴을 부딪치고 싶지 않은 사람에게 도움을 청해야 했다.

"정신 차려, 프리다. 가장 중요한 게 뭔지만 생각해. 이 바닥에서 신용보다 중요한 건 없다고."

으…… 안다. 아는데……. 도무지 이 문을 두드릴 용기가 나질 않는 걸 어쩌라고. 프리다는 양손으로 머리를 감싸 쥐고 털썩 바닥에 주저앉았다. 괜히 아프다고 거짓말을 해서는.

오늘까지 벌목일을 도와주러 올 일꾼들에게 줄 선금을 도미닉 편에 전달해야 한다. 모두 용병단원들의 소개를 받아 어렵게 모은 사람들이라 약속을 어길 순 없었다. 이건 리하르트 공작가의 신용이 걸린 아주아주 중요한 일이었다.

문제는 오늘 아침, 프리다가 침대에서 일어나지 못하는 걸 본 뮤리엘이 그녀가 아프다고 오해해 외출 금지령을 내렸다는 거다. 당장 도미닉에게 줄 돈을 가지러 가야 하는 그녀의 발을 묶어 버렸다.

"난 멀쩡해. 뮤리엘. 그냥…… 창피해서 그런 거라고."

왜 창피하냐고? 그거야……. 제 입술 위로 포개졌던 뜨거운 숨결을 떠올려 버린 프리다는 머리를 쥐어뜯으며 주저앉았다. 중심을 잃고 휘청이다 벽에 쿵 하고 이마도 찍었다. 얼굴이 화끈화끈, 한여름 햇볕이라도 쬔 듯 따갑고 뜨거웠다. 그때였다.

똑똑. 이번엔 반대편 벽이 프리다의 심장을 울렸다.

흙바닥 위로 돌출된 바위 위를 지나가던 마차가 덜컹하고 크게 흔들렸다. 슈테판은 가파르게 기우는 아내의 몸을 꽉 끌어안으며 다급히 물었다.

"여보, 괜찮아?"

보일드 남작 부인이 빙긋이 웃으며 초조해하는 그의 팔을 어루만졌다. 그녀는 남편을 바라보며 다정히 눈을 흘겼다.

"슈테판, 제발요. 괜찮다고 몇 번이나 말했잖아요. 이젠 그 말 되풀이하는 것도 지겹다고요."

"하지만 당신은 지금 몸이……."

"네. 맞아요. 내 몸이 이런 탓에 우리의 일정이 두 배는 길어지고 있죠. 이 비싼 마차를 대여하느라 당신의 귀한 책을 팔아야 했고요."

"그거야 나중에 영지를 대여한 비용이 들어오면 얼마든지 되찾을 수 있는 거니까 신경 쓰지 말라고 했잖아."

아내의 말이 그를 타박하려 함이 아닌 걸 알면서도 슈테판은 안절부절 어찌할 바를 몰랐다. 어렵게 아이를 가진 몸으로 이 험한 여행을 견뎌야 하는 아내에게는 그저 미안하고 또 미안했다.

"미안해, 여보. 당신한텐 언제나 사과할 일만 하게 되는군."

"그런 말 말아요, 슈테판. 난 오히려 공작령으로 가게 돼서 기뻐요. 알잖아요. 내 꿈이 한적한 시골에서 살면서 아이 키우는 거라는 거."

슈테판의 아내는 황태후의 측근인 챔벌린 백작가의 먼 친척이었으나 집안 자체는 별 볼 일 없는 한미한 가문의 딸로 태어났다.

어떻게든 딸을 수도의 사교계로 진출시켜 보려는 부친의 욕심으로 그녀는 챔벌린 백작 부인의 말벗 겸 시녀가 되어 수도 첼리노로 올려 보내졌다. 그러나 수도의 번잡함을 좋아하지 않는 그녀는 첼리노의 사교계가 버거웠다.

번지르르한 수도의 귀족 남자들이 아닌, 말재주도 없고 조용한 슈테판에게 끌린 건 그녀의 이러한 성향 때문이었다.

집안의 반대에도 보일드 남작 부인이 될 수 있었던 건, 다소곳해 보이는 외모와는 다르게 한번 정하면 절대로 물러서지 않는 황소고집 덕이었고. 가난한 귀족의 삶은 녹록지 않았지만, 남편과 결혼한 걸 후회한 적은 없다.

어렵게 아이를 가진 몸으로 긴 여행을 하는 건 두려웠지만 선뜻 따라나선 것도 같은 이유였다. 그를 사랑하고 그와 함께 있고 싶어서. 고지식하고 융통성이 부족한 그가 걱정되어서.

"그리고 아무리 냉혹한 성정의 리하르트 공작이라도, 설마 임신한 아내를 데리고 나타난 집사장을 해코지하겠어요? 당신 옆엔 꼭 내가 있어야 한다고요."

보일드 남작 부인은 남편의 품 안으로 더 깊이 파고들었다.

"당신도 참. 별 걱정을."

짙은 한숨을 내쉰 슈테판은 아내의 어깨를 감싸 안고 토닥토닥 어루만졌다. 아이가 생겼다는 말에 고민이 더 깊어진 그의 등을 떠민 건 아내 마틸다였다. 비록 곁가지라 해도 수도의 유력 가문 챔벌린 일족인 아내의 결단력은 슈테판보다 빨랐다. 그녀는 두 번 들을 필요도 없다며 그에게 공작령으로 내려가자고 말했다.

"슈테판, 당신도 황태후의 친정이 어떤 곳인 줄 알잖아요. 바이첸 가문은 그들의 뜻에 반하는 이들을 절대 두고 보지 않아요. 두고두고 당신을 괴롭힐 거라고요."

맞는 말이라 반박할 거리가 떠오르지 않았다. 이제 와 상의도 없이 자신을 황태후께 추천한 챔벌린 백작을 원망해 봐야 소용없는 일이고. 남편의 한숨이 길어지자 보일드 남작 부인이 그를 다독였다.

"당신이야말로 걱정 좀 그만해요. 우린 공작령에서 잘 지낼 수 있을 거예요. 내가 귀족 부인들 비위를 얼마나 잘 맞추는데요."

마차가 속도를 내지 못하다 보니 열흘이 넘는 긴 여정을 겪고 있음에도 슈테판을 올려다보는 아내의 얼굴엔 생기가 넘쳤다.

"공작 부인께서 몸이 약하시다니 내가 잘 보살펴 드리면서 신뢰를 쌓아 볼게요. 당신은 대충 황태후의 호기심이나 해결해 주며 시간을 끌어봐요. 이 산 구석에서 무슨 일이 있는지 멀고 먼 수도에서 알 게 뭐야. 안 그래요?"

슈테판의 얼굴에 드리워졌던 무겁고 어두운 기운이 봄바람에 녹아내리는 살얼음처럼 스르르 풀려 사라졌다.

"마틸다, 당신은 정말 용감한 여자야."

그가 피식 웃으며 이마에 입을 맞추던 순간, 덜컹하고 조금 전보다 더 심하게 흔들린 마차가 결국 그 자리에 멈추어 서 버렸다. 마부가 말에서 내리는 소리에 이어 심상치 않은 투덜거림이 들려왔다.

"당신은 꼼짝 말고 여기서 기다려. 밖에 나오면 안 돼."

아내에게 신신당부를 마친 슈테판이 문을 열고 나섰다. 바퀴를 둘러보고 있던 마부가 땀으로 흥건한 모자를 벗으며 곤란한 표정을 지었다.

"이거 어쩌죠, 나으리? 마차 바퀴가 부러졌습니다. 고치려면 반나절도 더 걸리겠는데요."

"반나절이라니? 그럼 해가 질 텐데."

임신한 아내를 데리고 노숙이라니. 절대 안 될 말이다. 마부에게 다가간 슈테판은 그와 함께 바퀴를 살폈다. 바퀴를 지탱하는 뼈대가 부러진 모양새를 보니 마부의 말대로 쉬이 고쳐지진 않을 듯싶었다.

'미치겠군.'

난감함에 이마를 짚은 슈테판이 작은 희망이라도 찾기 위해 마부의 팔을 흔들었다.

"이봐. 마을이 얼마 남지 않은 것 같은데 거기까지라도 가 볼 순 없겠나? 임신한 아내가 어떻게 길에서 밤을 보낸단 말인가?"

"저도 웬만하면 가 보겠는데 이 바퀴로는 죽어도 앞으로 나갈 수가 없습니다. 재수가 없으면 바퀴가 빠져 버립니다. 그랬다간 마차를 아예 탈 수도 없게 된단 말입니다."

낭패다. 슈테판은 당혹감에 새파랗게 질려 갔다. 그때 마부가 그들이 온 길 쪽으로 고개를 쭉 뺐었다.

"어? 나으리, 저기서 마차 소리가 나는 것 같습니다."

"마차라고?"

화급히 뒤를 돌아보는 슈테판의 눈에 아니나 다를까 진짜 마차가 보였다. 심지어 아주 크고 화려하고 튼튼해 보이는 마차가. 그가 거금을 주고 빌린 이 마차와는 비교도 안 되는. 상대편 마부도 이쪽을 보았는지 속도를 내며 빠르게 달려왔다.

슈테판은 그들 옆에 멈춰 선 마차의 깃발에 새겨진 범상치 않은 문양에 눈이 갔다. 양쪽에서 사납게 아가리를 벌리고 있는 알타이카 사이에 엇갈려 겹쳐진 두 개의 창. 나부끼는 깃발을 바라보던 슈테판이 눈살을 찌푸리며 나지막이 혼잣말을 내뱉었다.

"설마, 업다이크 변경백?"

제국의 국경을 지키는 변경백 가문의 깃발이 왜 여기에? 슈테판이 타고 온 것보다 족히 두 배는 커 보이는 마차의 문이 열렸다. 저벅저벅. 그 안에서 걸어 나온 금발의 청년이 길가에 선 슈테판 일행과 바퀴가 부서진 마차, 그리고 꽤 많은 양의 짐을 하나씩 훑어보다 입을 열었다.

"자네가 슈테판 보일드 남작?"

"……저를 아십니까?"

태어나 처음 보는 청년의 입에서 제 이름이, 그것도 존대의 예도 없이 불리자 깜짝 놀란 슈테판이 되물었다. 금발의 청년이 어깨를 으쓱하더니 장갑을 벗기 위해 손가락을 하나씩 하나씩 당겼다.

"그럴 리가. 단지 짐을 저만큼이나 실은 빌린 마차를 타고 유트레히트를 향해 갈 자라면 그대겠거니, 해서 물어본 것뿐이야."

벗어 든 장갑을 한 손에 쥔 청년이 슈테판을 보며 입술을 씰룩거렸다.

"맞나 보군. 황태후가 죽었다 살아난 의붓아들을 감시하기 위해 친히 고르고 골라 보내셨다던 쥐새끼. 슈테판 보일드."

슈테판은 제 눈앞에 선 남자의 정체, 아니, 정확히 말하면 그의 별명을 깨달았다. 스베르겐 제국의 변경백 업다이크 후작가의 유일한 후계자이자 천재 검사라 불리는…….

'미친…… 꽃사슴.'

적을 대할 때면 사슴을 닮은 동그랗고 맑은 눈동자로 비열하고 아름답게 웃는다던 미친놈 중의 미친놈. 그가 슈테판의 눈앞에서 소문 속 그 미소를 짓고 있었다.

똑똑. 프리다가 멀뚱멀뚱 벽을 바라만 보고 있는 동안, 다시 벽이 울렸다. 그녀가 벽 앞에 서 있는 것을 알고 있다는 듯 분명하게. 스스로 문을 열 시간을 주겠으니 준비가 되면 열라고 말하는 것처럼 여유롭게.

남편이 저 벽 뒤에 서 있다. 프리다와 첫 입맞춤을 한 사내가. 결혼했으니 당연히 하게 될 일인 줄은 알았지만, 막상 겪고 보니 사람들의 얼굴을 볼 자신이 없어 꾀병을 부렸다.

특히, 뮤리엘. 비밀을 가져 본 적이 없는 사이라 그녀에게 이 일을 뭐라고 설명해야 할지 모르겠다. 자신도 어쩌다 그렇게 된 건지 모르겠는데 무슨 설명을 하겠냐고. 겨우 틀어막고 있던 머릿속 둑이 터지면서 밀물처럼 어젯밤의 기억이 밀려들었다.

"오늘의 부인도 오늘의 제가 좋습니까?"

싫을 까닭이 없잖아. 남편 덕에 이루게 된 꿈이 몇 갠데. 그래서 감사하는 마음을 담아 힘차게 고개를 끄덕인 것뿐이다.

"그럼 이건 부인이 은인에게 주는 상으로 하죠."

느닷없이 닿은 입술에선 허브향이 강하게 났다. 입술이 닿는 것만으로도 취기가 느껴질 만큼. 남편의 입술은 제법 오래 머물다 떠나갔다. 적어도 프리다가 느끼기엔 그랬다. 얼마나 더 이러고 있어야 하나 하고 계속 손을 꼼지락거렸으니까.

그런데 남편이 갑자기 왜 이러는 걸까? 입술이 떨어지자마자 득달같이 찾아온 질문이 머리를 마구 헤집는 사이, 그녀를 빤히 바라보던 남편이 손을 내밀었다.

"그만 가시죠. 침실까지 모셔다드리겠습니다."

침실이라……. 조금 전에는 입술, 지금은 손. 그다음은 침실이라고? 드디어 오늘인가. 어쩌지, 마음의 준비를 못 했는데……. 가만, 엄마가 전에 뭐라고 했더라? 첫날은 그저 가만히 남편이 하는 대로 따르라고 했었다. 그러니까 조금 전처럼 가만히 있으면 되는 건가?

조금 전처럼……? 입술에 와 닿던 물컹하고 야릇한 감촉을 떠올린 프리다는 남편에게 건네고 남은 손으로 후다닥 볼을 감쌌다. 볼은 대자마자 손을 잠시 떼야 했을 정도로 뜨거웠다. 넋을 놓고 그가 이끄는 대로 터덜터덜 무작정 걸었던 것 같다. 잠시 후 별안간 그녀의 팔이 당겨졌다.

"다 왔습니다."

주위를 둘러보니 그녀의 침실 앞이었다. 얼마 전까지 이 안에서 남편과 한 침대를 썼고, 함께 잠들었다 일어났었다. 아, 일어난 건 나 혼자였구나. 멍하니 알타스의 튼튼한 나무로 만든 육중한 문을 바라보았다.

"부인."

괜찮아, 프리다. 세상의 모든 아내가 겪는 일이잖아. 따지고 보면 난 늦은 거지. 그나저나 이게 이렇게 떨릴 일이야?

"부인."

"……네?"

혼미한 정신을 겨우 바로잡고 답하자 남편이 그녀의 손을 꼭 쥐며 속삭였다.

"숨 쉬세요."

턱 밑까지 차올랐던 숨이 순식간에 터져 나왔다. 가쁘게 심호흡을 하고 이마에 송송 맺혀 있던 땀을 닦고. 이후에 벌어진 프리다의 어수선한 행동들이 끝나는 걸 담담히 기다려 준 다니엘은 친절하게 침실 문을 열어 주었다.

"들어가세요."

그의 팔을 잡는 용기는 어디서 나온 건지 모르겠다.

"저…… 오늘……."

하지만 남편은 프리다의 손을 치워 낸 후 그녀를 방으로 밀어 넣었다.

"아무 생각 말고 푹 주무세요."

그걸로 끝. 아무 일도 없었다. 아무 일도. 기억을 갈무리한 프리다는 주먹을 꽉 쥔 채 서서히 무릎을 펴고 일어섰다. 어젯밤 지나치게 긴장한 티를 냈다는 후회가 찾아온 건 한참 뒤였다. 하지만 누구에게든 처음이란 낯설고 당황스러운 법이니 서툴렀다고 창피해할 필요는 없다.

게다가 오늘은 남편의 도움이 꼭 필요하지 않은가. 꼭 그를 만나야 한다. 크게 심호흡을 내쉰 프리다는 벽에 달린 문고리를 힘차게 잡아당겼다.

"죄송해요, 공작님. 제가 너무 기다리시게……. 어?"

아무도 없는 빈 문 앞에서 눈을 껌벅껌벅하던 프리다는 빼꼼히 안으로 고개를 내밀었다.

"저……."

"여깁니다."

"엄마야!"

오른쪽에서 들려오는 묵직한 저음에 화들짝 놀란 프리다가 휘청대며 손으로 문을 짚었다. 팔짱을 낀 채 어깨를 벽에 기대고 비스듬히 선 다니엘이 목만 삐죽 내밀고 있는 그녀를 응시하고 있었다. 흐트러진 자세를 급히 정리한 프리다가 문을 지나오며 어색하게 웃었다.

"고, 공작님. 거기서 뭐 하세요?"

"보시다시피."

뭔가가 달라 보이는데 뭐가 다른지 알 수 없는, 묘하게 분위기가 진해진 남편이 그녀를 향해 턱을 까닥였다.

"내 방에 들어온 아내를 보고 있습니다."

프리다가 먼저 입을 떼지 못하고 쭈뼛거리는 동안 다니엘은 아내를 찬찬히 관찰했다. 의사가 왔다 갔다던데 몸이 아파 보이진 않는 걸 보면, 역시나 어젯밤 일 때문에 혼란스러웠던 게 분명하다.

어젯밤 일이라……. 누가 들으면 대단한 일이라도 있는 줄 알겠지만, 그저 아내와 남편이 입맞춤을 나눈 것뿐이다. 심지어 결혼 후 삼 년 만에. 왜 하필 어제, 그 순간이었냐고 묻는다면 글쎄. 하필 그 자리에 아내가, 그것도 아주 예쁜 아내가 있었는데……. 그 아내가 저를 좋아한다고 해서?

구태여 핑곗거리를 찾지 않았던지라 뭐라 설명해야 할지 모르겠다. 그냥 예뻤다. 기특하기도 했고. 척박한 공작령에서 여자의 몸으로 해내기엔 불가능한 일을 해 놓고도, 대수롭지 않다는 듯 재잘대는 순진한 모습이.

"공작님은 제 꿈을 이뤄 주신 은인이세요."

누군가에게 은인 같은 좋은 사람으로 보였다는 게 우스우면서도, 이상하게 가슴이 몽글거렸다. 그동안 다니엘이 들었던 말들은 대부분 '은인'이란 단어와는 결이 다른 욕설 혹은 저주였다.

"다니엘 리하르트, 이 더러운 사생아. 지옥에서도 널 저주할 거다. 넌 우리 가문의 영원한 원수다!"

지금 떠오른 목소리의 주인공이 그라프 공작이었던가? 하도 저주해 대던 인간들이 많아 누가 누군지도 모르겠다. 다니엘과 맞붙은 인간들은 하나같이 같은 말을 하며 죽어 갔다. 자신은 단 한 번도 먼저 싸움을 시작한 적이 없는데 말이다. 애초에 그와 어머니 라우라, 그리고 황태후 사이에 맺은 계약이 그랬으니까. 다니엘이 레오폴드를 지키는 한 황태후는 다니엘을 죽이지 않는다.

지킨다는 건 방어한다는 뜻이지 먼저 공격한다는 의미는 아니라고 버티며, 전투가 시작된 뒤에야 나서는 그였다. 그러니 얌전히 지냈으면 다니엘을 만날 일도 없건만, 자기들이 나서고 설치다 멸문되어 놓고 그를 원망했다. 하지만 이따위 핑계를 댄다고 사람을 죽이는 일이 정당화된다거나 수월해졌던 건 아니다.

그건 감정을 가지고선 할 수 없는 일이다. 그래서 다니엘은 언젠가부터 감정을 지워 내고 살아왔다. 최대한 무감하게, 무덤덤하게, 무표정하게. 그러다 보니 세상만사가 다 시시해졌다.

여인을 가까이하는 것마저 그랬다. 보다 못한 리카르도가 허락도 없이 그의 침대로 여자를 들인 적도 있었지만, 욕구 자체가 생기지 않았다. 실오라기 하나 걸치지 않은 몸을 보면서도 아름답다고 느껴 본 적이 없다.

다니엘에게 인간의 몸이란 곧 언제고 죽어 없어질 존재, 그뿐이었으니까. 전투가 끝나고 나면 산 자들은 죽은 자들이 가진 것을 모조리 벗겨 낸다. 옷, 신발, 무기, 허리띠. 운이 좋아 금붙이라도 발견하는 날이면 용병들은 머리가 깨진 시체 앞에서도 흥에 겨워 춤을 춘다.

몇 분 전까지만 해도 저와 같이 숨 쉬고 살아 있던 사람들의 신체 일부분이 나가떨어지고, 발가벗겨져 있는 그 자리에서. 그 짓을 열 살 무렵부터 보고 살았다. 어릴 때만 해도 충격이 컸던 탓에 비슷한 광경만 봐도 여지없이 속을 게워 냈다.

"꼴에 귀족 떨거지라고 티 내냐?"

그때마다 도미닉의 비웃음을 들었다. 불현듯 궁금해졌다. 그런 장면에 진저리 치던 자신과 더는 아무 감정도 들지 않는 자신 중 어느 쪽이 더 끔찍할까. 이 질문을 한다면 아내가 뭐라고 대답할지.

"제 꿈을 이뤄 주신 은인이세요."

어젯밤, 그 말을 듣는 순간 마음이 정화되는 기분을 느꼈다고 한다면. 그래서 순결한 당신에게 입술을 맞추고 싶었노라 말한다면. 한편으론 당신의 그 고결한 몸과 마음을 저와 똑같이 더럽혀 주고 싶었다고 말하면, 뭐라 대답하려나. 다니엘은 잠시 눈을 감았다 느리게 뜬 후 입을 열었다.

"제게 볼일이 있으십니까?"

"네? 문은 공작님이 먼저 두드리셨는데요."

“부인께서 제게 하실 말씀이 있는 것 같아서요.”

“어머, 들으셨어요? 작게 말했는데.”

손으로 입술을 막은 프리다가 활짝 열린 문을 연신 돌아보며 눈을 크게 떴다.

“들었다기보다는 봤습니다.”

바닥과 떨어진 좁은 문틈 아래로 그림자가 쉴 새 없이 나타났다 사라지기를 반복했다. 가끔은 그 앞에 오래 멈춰 있기도 했고. 언제쯤 기척을 내려나 싶어 기다리는 일이 슬슬 지겨워 먼저 문을 두드려 버렸다.

“말씀하세요. 제게 뭘 원하시는지.”

“그게…… 제가 밖으로 나갈 수 있게 도와주실 수 있나 해서요.”

다니엘은 환하게 해가 뜬 바깥 풍경과 아주 멀쩡히 방으로 걸어 들어온 프리다를 번갈아 바라보았다.

“다리를 다치신 겁니까?”

그래서 의사가 왔던 건가? 남편의 이마에 자잘하게 주름이 생기는 광경을 보던 프리다가 아니라며 손을 저었다.

“아니요. 다리는 멀쩡해요. 다만 뮤리엘이 또다시 외출 금지령을 내리는 바람에 밖에 나갈 수가 없어요.”

“어째서요?”

“그게……. 뮤리엘은 제가 아픈 줄 알거든요.”

“아닙니까? 의사가 다녀갔다고 들었는데요.”

“아픈 게 아니라, 그냥 좀 창피해서 꾀병을…….”

말을 끝맺지 못한 프리다는 입술을 삐죽 내밀며 웅얼거렸다.

“금고가 있는 탑까지 갈 수 있게…… 도와주세요. 오늘까지 꼭 지급해야 할 돈이 있어요. 도미닉이 눈 빠지게 기다리고 있을 거라고요.”

눈 빠지게? 고상한 귀족 아가씨답지 않은 말투는 리카르도 그 인간의 영향일 것이다. 지난 삼 년 동안 이 땅에선 대체 얼마나 많은 일이 있었던 걸까. 이 여자가 이젠 가족같이 느껴진다던 도미닉의 한탄이 떠올랐다.

세상 모든 여자가 다 저를 낳고 버린 어머니 같은 줄 알던 그 냉정한 녀석조차 흔든 능력자가 제 아내라니. 문득 제게 찾아왔던 낯선 감정이 이해되었다. 도미닉이 오후에 성 밖에 나갈 일이 있다고 하더니 아마 돈을 전달하는 일이었나 보군. 금고가 비어 간다고 툴툴대면서도, 잘 길든 개처럼 공작부인이 시키는 일은 뭐든 꼬박꼬박 따르는 꼬락서니하고는.

다니엘은 속으로 혀를 끌끌 차며 구석에 놓여 있던 등잔에 불을 붙였다. 그러곤 책장 앞으로 걸어갔다. 따라오라고 한 적도 없건만 뒤편에서 종종거리며 그를 쫓아오는 경쾌한 발소리가 들렸다. 끼익. 책장을 밀자 그에겐 익숙한 어둠이 나타났다. 다니엘은 얼마 전 그곳에서 정신을 잃고 쓰러져 있던 아내가 떠올라 그녀를 돌아봤다.

"괜찮으시겠습니까?"

공포는 어떻게든 잔상을 남기는 법이다. 그러나 두려워할 거라 여겼던 아내는 화사하게 웃으며 머리를 끄덕였다.

"그럼요. 공작님과 함께 가는 거니까 괜찮아요. 저, 하나도 안 무서워요."

저와 함께 가서 괜찮다니. 세상에 믿을 놈이 다 죽었대도 하지 말아야 할 일 아닌가.

"겁이 없으시네요."

불쑥 본심이 튀어나왔다.

"그런 말 많이 들어요."

말문이 막히는 경험이 별로 없는 다니엘이지만, 이번에는 대꾸할 말을 찾기가 어려웠다. 그는 조용히 길을 비켜서는 것으로 답을 대신했다. 함께 가는 건 괜찮다는 말이 진심이었는지 성큼 안으로 들어간 프리다가 그의 손에서 등잔을 받아 들었다.

"이건 제가 들게요."

말을 마친 그녀는 더는 앞으로 나아가지 않고 태연히 다니엘을 쳐다봤다.

깜박깜박. 새하얀 속눈썹을 천진하게 팔랑대며, 할 말이 있는 표정으로 빤히. 그녀의 눈빛이 말하는 바를 알 수 없었던 다니엘은 역시나 태연히 아내를 내려다보았다.

"……."

"저……."

그 머뭇거림에 대한 이유를 깨달은 건 프리다의 손에 들린 등잔과 안길 준비를 하듯 벌어진 어색한 팔을 보고 나서였다. 과거의 기억을 떠올린 그는 그만 참지 못하고 픽 웃음을 터트리고 말았다.

"지금, 나한테 안아 달라는 겁니까?"

하얀 얼굴에 빠르게 퍼져 나가는 홍조를 바라보며 다니엘은 점점 더 진하게 미소 지었다.

스베르겐 제국의 남부, 바이마르. 과거 십이 공작 중 하나인 그라프 공작의 땅이었던 이 지역은 그가 죽고 난 후 마티어스 안드레아 공작의 손에 떨어졌다. 정확히는 황실로부터 대여를 받은 거지만.

제국의 땅 모두를 관리할 수는 없는 황실에서야 돈만 꼬박꼬박 들어오면 그만이었다. 황실의 계보를 타고 올라가다 보면, 어딘가에서 뻗어 나온 줄기 중 하나인 안드레아 공작은 그 틈을 교묘히 비집고 들어가 몇 년 새 큰 부를 쌓았다. 남부에서 이어지는 뱃길을 따라 동쪽으론 투르크, 서쪽으론 링겐 제국, 밀라보, 볼로냐, 불렌체까지.

주로 사치품이나 철광석을 실어 나르는 굵직굵직한 무역에 주력하는 그였다. 바이마르와 국경을 마주하곤 있으나 알타스 산줄기에 자리 잡은 비좁은 공작령 유트레히트는 그의 관심 밖이었다. 먼 친척인 하크본 백작의 부탁만 아니었다면. 금발에 초록 눈을 지닌 전형적인 스베르겐인인 그는 공작가의 재무를 총괄하고 있는 터너 자작의 말에 미간을 좁혔다.

"유트레히트에서 또 하인들을 구한다고? 아니, 그 산골짜기 성에 무슨 하인이 그렇게 필요해서?"

한 달에도 몇 번씩 서신을 보내 딸 걱정을 늘어놓는 하크본 백작의 성화에 유트레히트에서 필요한 건 다 구해 주라고 했었다.

몇 년 전엔 급히 가구를 팔아야 한다기에 좋은 값에 사 주었다. 귀족의 탈을 썼을 뿐 뼛속까지 장사치인 터라 이문을 남기긴 했으나, 다른 곳에 비하면 과하지 않은 수준이었다.

남편도 없는 공작령을 홀로 꾸려 가는 게 안쓰러워 관심까진 아니어도 하크본 백작에게 생색낼 정도의 신경은 쓰고 있었는데, 요즘 심심치 않게 자주 유트레히트가 거론된다.

"리하르트 공작이 깨어났다는 말은 들었지만, 그 인간이 언제부터 귀족답게 하인을 부렸다고 이 난리야? 용병질하던 습관도 못 고치고 있을 텐데 하인은 무슨 하인?"

"황태후께서 친히 집사장을 보내 주셨다니 이젠 귀족다워지려나 보지요."

"대체 사람을 얼마나 구하는데? 그럴 돈은 있고?"

"그 부분이 이상합니다."

터너 자작은 숫자와 글씨가 빼곡히 적힌 문서를 안드레아 공작에게 건넸다.

"지난번에 요청하신 인원은 열 명쯤이었는데 모두 추천서까지 있는 경험 많고 배경이 깨끗한 자들만 선택하셨습니다. 그런데 이번엔 '가능한 인원을 최대한'이라고만 하셨을 뿐 추가적인 요구 조건이 전혀 없습니다."

"그럼 뭐가 문젠가? 우리야 대충 구해 주고 소개료만 받으면 되는걸."

"그러려고 했는데…… 문제는 지원자가 넘쳐 난다는 겁니다. 배를 타기로 사전에 얘기를 끝냈던 자들까지 공작령으로 가겠다고 하는 통에 '안딘 프랑코'가 조금 전 한바탕 난리를 치고 갔습니다."

여기서부터 여기까지라며 문서 속 명단을 손가락으로 쭈욱 훑어 내려간 터너 자작이 한마디를 덧붙였다.

"공작령이 꽤 살기가 좋다는 소문이 알음알음 퍼진 모양입니다."

문서에는 족히 서른 명은 되는 이름이 적혀 있었다. 이 인원이 몽땅 배를 타지 않겠다고 했다면, 안딘이 가만히 있었을 리가 없지. 륑겐 제국과 바이마르 간의 해상 무역을 담당하는 그 성질머리 더러운 인간이 난리를 칠 만하다. 한 손으로 이마를 짚은 안드레아 공작이 손에 든 서류를 흔들며 소리쳤다.

"대체 유트레히트에서 무슨 일이 벌어지고 있는 건지 알아봐!"

프리다의 손에 들린 등잔이 출렁대며 만들어진 두 사람의 그림자가 바닥에 비쳤다 사라지기를 반복했다. 다니엘의 품 안에 폭 안긴 프리다의 시선이 흐릿하게 보이는 남편의 입술을 계속 따라다녔다. 단단히 맞물린 입술은 평소의 무표정한 모습과 같았지만, 조금 전 보았던 미소를 떠올려 보니 전혀 다른 사람처럼 느껴졌다.

가끔 미소 비슷한 걸 짓는 건 본 적은 있지만, 눈과 입가가 동시에 보기 좋게 휘어진 건 처음이다. 아주 오래오래 기억에 남을 것 같은 예쁜 미소였다. 프리다는 다니엘의 가슴으로 파고들며 수줍게 중얼거렸다.

"공작님이 웃으시는 거…… 처음 봤어요."

"……웃을 일이 없으니까요."

어제 리카르도 님이 들려준 얘기 때문인지 웃을 일이 없다는 그의 말이 가슴 아팠다. 이렇게나 예쁘게 웃는 사람에게, 게다가 그때만 해도 어린애였는데……. 황태후 폐하도 너무하셨지. 슬그머니 고개를 들어 올린 프리다는 날렵한 턱선을 보며 더듬더듬 입을 뗐다.

"제가 여섯 살 때요. 큰언니가 죽고 남동생 앨버트가 태어났어요."

프리다는 저를 안은 팔에 살짝 힘이 들어가는 걸 느끼고 어깨를 움츠렸다.

"잘 기억은 안 나는데 로테 언니 말이 제가 남동생을 엄청나게 질투했대요. 부모님이 안 볼 때 막 꼬집고 울리고……. 어느 날은 앨버트가 먹는 우유에다 소금을 타서 애가 울고불고…… 어맛!"

다니엘이 갑자기 팔을 풀었다. 던져지듯 바닥에 내려선 프리다는 중심을 잃고 손에서 등잔을 놓치고 말았다. 쨍그랑! 통로에 떨어진 등잔이 부서지며 바닥에 넓은 빛줄기가 깔렸다. 그 위로 나타난 남편의 얼굴을 본 순간 프리다는 '헉' 하고 숨을 멈췄다.

"리카르도? 아니면 도미닉?"

"네?"

벽으로 그녀를 밀어붙인 남편의 눈동자가 어둠 속에서도 확연히 보일 정도의 선명한 핏빛으로 물들고 있었다.

"누구야? 당신한테 쓸데없는 소리를 지껄인 인간."

리카르도 님이 들려주신 그 곱씹을수록 기가 찬 사연이 쓸데없는 소리라고? 아니. 그 말엔 동의하진 못하겠다.

그 일을 직접 당하지 않은 프리다도 이렇게 화가 솟구치는데. 떠올리는 것만으로도 치가 떨리는데. 당사자인 소년 다니엘이 받았을 충격이 어땠을지 짐작조차 못 하겠다.

위로를 건네려 했던 의도가 무색하게도 다니엘의 건장한 덩치를 코앞에서 맞닥트린 프리다는 어둠에 갇힌 듯 머리가 아득해졌다. 그녀는 기댈 곳을 찾아 손으로 주변을 더듬거렸다.

소름 끼치게 차가운 벽이 오늘만큼은 놀랍도록 의지가 되었다. 벽에 등을 기댄 프리다가 안도할 틈도 없이 다니엘이 그녀의 머리 위로 팔을 뻗으며 어깨를 낮췄다.

"리카르도겠군. 도미닉은 그 정도로 멍청하진 않으니까."

통로를 울리는 남편의 목소리는 등에 닿은 벽보다 몇 배는 더 차가운 기운을 풍겼다. 본능이 그녀에게 경고했다. 당신 말이 맞다고 인정하는 순간 리카르도 님은 끝이라고. 프리다는 세차게 목을 휘저었다.

"아, 아니에요, 절대 아니에요. 제가 주워들은 거예요. 지나가는 사람들이 하는 말을 들었는데……."

누구냐고 물어볼까 봐 화급히 뒷말을 덧붙였다.

"누, 누군지는 몰라요. 얼굴은 못 봤어요. 목소리만 들었어요. 목소리만."

프리다는 눈까지 질끈 감고 열심히 머리를 흔들었다. 리카르도 님이 낮에 해 준 이야기가 하나하나 잊히지도 않고 세세히 떠올랐다.

"라우라는……. 아! 아시지요? 주군의 모친이 우리 용병단의 단장이셨던 마시모 님의 딸이란 거."

"네. 리카르도 님의 첫사랑이시잖아요."

"하하. 맞습니다. 이거 쑥스럽네요."

다니엘의 모친은 처음부터 눈치채고 있었다고 한다. 당시 공작 부인이던 황태후가 별스럽게 다니엘을 챙기는 이유를.

"바이첸 족속들이 어떤 인간입니까? 그 속내 검은 인간들이 어린애 하나 속이는 것쯤, 숨을 쉬듯 쉬운 일이죠."

선대 공작인 '브루노 리하르트'는 아내 마그리트와 달리 욕심이 크지 않은 인물이었다. 평생토록 아내의 야망에 시달렸던 그는 죽기 직전까지 하루도 편할 날이 없었다고.

"귀족 사내들이란 하나같이 예법이니 관습이니 하는 것에만 목을 매느라 집안일은 모른 체하거나 등한시하기 일쑤죠. 공작 부인이 사탕발림으로 어린 다니엘을 농락하는 걸 보면서도 아무 말도 못 했어요. 공작이 그 꼴이니 라우라 혼자 다니엘을 지키느라 전전긍긍했지요."

열 살이 된 다니엘은 모친의 고집으로 외조부 마시모의 용병단으로 보내졌다.

"라우라도 더는 안 되겠다 싶었던 겁니다. 공작 부인이 다니엘에게 매일같이 세뇌하는 걸 들었거든요. 사생아가 공작가의 일원으로 인정받으려면 차후 가주가 될 레오폴드를 위해 목숨을 바칠 각오를 해야 한다나 뭐라나. 어유, 독한 여편네."

마그리트는 그때부터 다니엘을 기사로 만들어 미래에 있을 황위 찬탈의 선봉에 세울 계획을 세우고 있었단다. 그녀의 친아들 레오폴드의 화살받이로 만들 계획을. 정말 무서운 여자다.

결국, 그러고 있다간 다니엘이 제 명에 못 살겠다 싶었던 다니엘의 모친이 팔을 걷고 나섰다. 라우라는 울며불며 싫다고 버티는 아들을 쫓아내듯 공작 성에서 밀어냈다. 어린 마음에 다니엘은 어머니를 많이 원망하며 끔찍이도 공작령을 그리워했다고.

다니엘이 용병단과 함께 제국 곳곳을 떠돌아다니길 삼 년. 부친 리하르트 공작이 병석에 누웠다는 소식을 듣고 공작령에 들렀다가 결국 사고가 터졌다. 유난히 추웠던 그해 겨울. 모든 것은 감기에 걸려 고생하는 레오폴드에게 다니엘이 약병을 건네주면서 시작되었다.

"돈을 받고 떠돌아다니는 용병단에는 여러 인간이 모입니다. 부인께선 상상도 못 할 천박한 인간들이 득실대지요. 그중 누군가가 에키나시아 물약이 열과 기침을 줄여 준다고 주군에게 알려 줬나 봅니다."

정부의 아들까지 다정히 보듬어 주던 자애로운 황태후의 가면이 벗겨진 결정적인 계기가 다름 아닌 감기약이었다니. 기침이 심해진 레오폴드에게 에키나시아 물약을 준 사람이 다니엘인 걸 알게 된 공작 부인 마그리트는 불같이 화를 냈다. 지금도 그 생각을 하면 진땀이 난다며 리카르도 님은 이마를 쓸었다.

"휴우, 난리도 그런 난리가 없었지요."

"왜요? 기침약이었을 뿐이잖아요."

잠시 말을 멈춘 리카르도 님은 나무뿌리 사이에 흩어져 있던 돌멩이를 집어 들어 멀리 내던졌다. 프리다에게 다음 말을 꺼내기 전까지 생각이 꽤 많아 보였다.

"극소수만 아는 얘기이긴 한데, 에키나시아 물약은 기침약 외에 다른 효능도 있다고 합니다."

"다른 효능이요?"

"후에 알고 보니…… 그 물약은 용병단을 따라다니며 몸을 파는 여자들이 알려 준 거였습니다. 꾸준히 마시면 불임이 된다더군요."

"맙소사."

후대 리하르트 공작이자, 황제를 꿈꾸는 아들이 불임 약을 마셨다는 걸 알게 된 마그리트는 가만있지 않았다. 다니엘이 일부러 그런 것이 분명하다며 죽이겠다고 패악을 부렸다. 그걸 막아 줄 수 있는 유일한 사람인 공작은 병석에 누워만 있으니 도움이 될 리가.

"라우라는 어린 아들이 몰라서 그런 거라며 용서해 달라 애원했지만, 마그리트 그 여자는 애초에 봐줄 마음이 없었어요. 다니엘의 목을 매달겠다고 형장을 만들었을 정도니까요."

그러나 형장에서 목숨을 잃은 건 다니엘이 아니라 라우라였다.

"아들을 살리자면 라우라의 목숨을 대신 내놓는 것 말고는 다른 방도가 없었지요."

그 말을 끝으로 리카르도 님은 입을 닫았다. 무척이나 쓸쓸해 보이는 얼굴이라 더 자세히 물어볼 수가 없었다. 이후의 이야기가 궁금했지만, 프리다는 그만 입을 다물었다. 왠지 그래야 할 것 같았다.

짐작이 가는 바가 영 없는 건 아니었다. 프리다도 그 일에 대해 아는 게 몇 가지 있긴 했으니까. 물론, 제국 내 누구나 다 아는 이야기였지만. 리하르트 공작은 오랫동안 병을 앓다 세상을 떠났다. 그가 죽던 해, 리하르트와 바이첸 가문이 손을 잡고 황위 찬탈에 나섰다. 당시 반란군의 선봉에

선 자가 바로 천재 검사로 불리던 다니엘 리하르트다. 아마 그때 나이가 열아홉쯤?

'그러니까, 결국 황태후의 계획대로 된 거잖아.'

프리다는 어쩌다 그렇게 된 건지 묻지 못한 채 리카르도 님을 따라 자리에서 일어섰다. 그녀를 성 앞까지 바래다준 그는 머뭇거리며 무겁게 닫혀 있던 입을 열었다.

"후에 주군께서 고백하셨습니다. 에키나시아가 어떤 약인지 알고 있었다고. 질투가 나서 그랬답니다. 공작 성에 살고 싶은 건 저도 마찬가지인데 그러지 못하니 화가 나서. 레오폴드가 자식을 보지 못하게 되면 혹여 저를 찾지 않을까 하는 마음에……."

리카르도 님의 목소리에서 촉촉한 물기가 스며 나왔다.

"철없는 자신의 행동이 결국 어머니를 죽게 했다고, 이때껏 자책하고 계시지요. 하지만 부인, 주군은 그때 겨우 열세 살이었습니다. 본인이 뭘 하려고 했는지 제대로 몰랐을 겁니다."

프리다는 말없이 고개를 끄덕여 그의 말에 동의를 표해 주었었다.

그렇게 프리다의 상념이 끝나 갈 때쯤 통로 바닥으로 나뒹군 기름등잔에서 황금색 불꽃이 솟아올랐다. 이제는 열세 살 소년이 아닌, 스물여덟이 된 어른의 핏빛 눈동자가 불꽃과 어우러져 집요하게 프리다를 짓눌렀다.

마지막 생명을 불태우고 있는 등잔이 만들어 낸 빛줄기가 잠시 두 사람의 주위를 환하게 밝히다 꺼져 갈 때쯤, 무겁게 가라앉은 다니엘의 목소리가 들렸다.

"누구에게 뭘 들었든 다 잊어요."

"저, 저는 아무것도. 아이코!"

머리를 너무 힘껏 흔들었는지 어질어질해진 프리다의 다리 힘이 빠졌다. 엉겁결에 뭔가를 붙든다는 것이 그만 다니엘의 재킷을 붙잡고 말았다. 하지만 알타스에 뿌리내린 굵은 나무들처럼 튼튼한 그는 전혀 흔들리지 않았다. 다니엘의 힘에 끌려간 프리다가 머리를 '퍽' 하고 가슴팍에 부딪혀 오자 그가 그녀의 어깨를 붙들었다.

“계속 눈 감고 있는 게 좋을 겁니다.”

“네? 어맛!”

그녀를 안아 올린 다니엘이 성큼성큼 통로를 걷기 시작했다. 놀라 눈을 번쩍 떴던 프리다는 새카만 어둠을 접하곤 다급히 다시 눈을 감았다. 소명을 다하고 꺼져 버린 등잔이 그의 발에 차여 어디론가 굴러가는 소리가 들렸다. 그의 옷을 붙든 손에 저절로 힘이 들어갔다.

“고, 공작님.”

“한시라도 빨리 여길 빠져나가고 싶다면, 입 다물고 얌전히 있어요.”

엄청 화가 난 듯했지만, 그녀를 이 캄캄한 곳에 혼자 두고 가 버리진 않을 듯 보였다. 프리다는 안도하며 그의 가슴에 이마를 붙였다. 냉랭했던 음성과 달리 따뜻한 온기가 도는 그의 품에 안겨 있으니 어둠이 꼭 무섭지만도 않았다.

문제는 다시 찾아온 어지럼증이었다. 다니엘이 어찌나 빨리 걷는지 타 본 적도 없는 말을 타는 느낌이 이런 건가 싶었다. 그가 그녀를 꽉 붙들고 있는 탓에 몸이 심하게 출렁이지는 않았지만 걷는 속도가 빨라도 너무 빨랐다. 공중에 떠 있으니 꼭 하늘을 나는 기분 같기도 하고. 그런데 하늘을 나는 기분이 이런 거라면 사양이다.

메스꺼움이 밀려와 프리다는 점점 더 깊숙이 다니엘의 품 안으로 몸을 웅크렸다. 다행히 얼마 안 가 철커덕 문이 열리는 소리가 들렸다. 와…… 이렇게나 빨리 도착했다고? 지난번보다 세 배는 빨리 온 것 같다. 눈꺼풀에 와 닿는 빛을 느낀 프리다는 서둘러 두 손으로 눈을 가렸다.

쾅 하고 문이 닫히는 소리가 들리고 난 후 다니엘이 그녀를 땅에 내려 주었다. 프리다는 천천히 눈꺼풀에서 손을 뗐다. 화창한 봄 햇살과 바람을 등진 남편이 눈에 들어왔다.

“감사합니다, 공작님. 그리고…….”

여전히 붉은색이 가시지 않은 눈동자도.

"조금 전에 제가 드렸던 얘기는요……."

"그 얘기는 더 하고 싶지 않습니다."

다니엘은 더없이 건조하고 딱딱한 목소리로 프리다의 말끝을 잘라 버렸다. 심지어 발끝은 이미 프리다의 반대편으로 돌려지는 중이었다.

"'마리안 홀'로 가는 길은 아실 테니 늦지 않게 돌아가십시오. 저는 이만 가 보겠습니다."

"하지만. 고, 공작님!"

뭐야? 갈 때는 혼자 가라는 거야? 치맛단을 야무지게 붙든 프리다는 재빨리 뛰어 그의 앞을 가로막았다. 그의 눈동자가 붉어져 있건 말건, 문제는 그게 아니었다.

나보고 저 어두컴컴한 통로를 혼자 걸어서 돌아가라고? 등잔도 부서지고 없는데? 그리고 내가 돌아가는 길을 알긴 뭘 알아? 엉겁결에 다니엘의 앞을 막은 프리다는 자신이 리카르도 님의 충고를 까맣게 잊었다는 걸 깨닫지 못했다.

"공작 부인께선 꼭 명심하세요. 주군의 눈이 붉어질 기미가 보이면, 무조건 입을 닫고 튀는 겁니다."

특히, '무조건 입을 닫고'라는 부분.

"등잔도 없는데 어떻게 저 혼자 통로로 돌아가라는 말씀이세요?"

"원하신다면 그러셔도 됩니다만, 저는 밝고 넓은 길로 가시라는 뜻이었습니다. 참고로 길은 저쪽입니다."

다니엘이 왼손을 들어 숲길을 가리켰다. 프리다도 아는 길이다.

'아니, 내가 저 길로 올 수 있었으면 뭐 하러 굳이 당신 도움을 받아 저 어두운 통로를 지나왔겠느냐고.'

기가 막힌 프리다는 공작의 동작을 흉내라도 내듯 거만하게 팔짱을 끼고 그를 올려다보았다. 평소 다니엘이 무덤덤한 표정으로 팔짱을 낄 때면 은근

멋있다고 감탄했었다. 저도 한 번은 해 보고 싶어 거울 보며 연습한 적도 있기에 물 흐르듯 자연스럽게 동작이 이루어졌다.

“제가 길을 몰라서 공작님께 도와 달라고 한 게 아니란 거 아시면서…….”

“로시발트 경을 만나면 분명히 말해 두겠습니다.”

이상한 낌새를 느낀 건 그의 음성에 담긴 냉기를 접하고 나서였다. 어둠에 당황하고, 어지럼증을 겪느라 잠시 잊었는데 지금 보니 그의 표정이 더 차가워져 있었다.

“펠하임 성안에서 공작 부인의 행동을 제한해도 되는 권리를 가진 이는 오직 영주인 나뿐이니, 경거망동하지 말라고.”

지나치게 단정하고 예의 바른 말투건만, 입술을 열 때마다 그 안에서 얼음 조각이 튀어나오는 것 같았다.

“부인에게 무례를 범하는 건 곧 영주인 저에 대한 불경. 또 한 번 건방지게 외출 금지니 하는 말로 부인의 행동을 제약하려 한다면 극형으로 다스리겠다 경고하겠습니다.”

“아니, 그렇게까지 심하게 하진 않으셔도…….”

“부인께도 경고하지요.”

분명 남편의 눈동자는 닿으면 델 듯한 뜨거운 붉은색이었다. 하지만 신기하게도 그 눈에 스산함이 깃들어 있음을 확인한 프리다는 흠칫 뒷걸음질을 쳤다.

“리카르도에게 들은 이야기를 절대 다른 이에게 발설하지 마십시오. 특히 로시발트 경에게.”

마치 피가 흐르는 것 같은 선명한 붉은색이 다니엘의 눈 한가운데를 차지하고 있었다.

“아끼는 이가 원인 불명의 죽임을 당하는 걸 보고 싶지 않으시다면 말입니다.”

말을 끝낸 다니엘은 프리다에게 예를 갖춘 인사를 건넸다. 무섭도록 정중히.

"편히 일 보시고 돌아가십시오."

프리다는 싸늘하게 그녀를 지나쳐 가는 남편을 차마 돌아보지 못했다. 그제야 꽝, 벼락이 내리치듯 리카르도 님의 충고가 떠올랐다.

"망설이다 완전히 붉어진 눈을 마주하는 순간…… 지옥을 경험하시게 될 테니까요."

다니엘 리하르트 공작은 평소 있는 듯 없는 듯 성내에 모습을 드러내지 않는 영주였다. 그런 그가 냉랭한 기운을 풍기며 걸어가자 여기저기 모인 하인들이 두런두런 귓속말을 주고받았다. 걸음을 멈춘 다니엘이 그중 한 명을 지목해 불렀다.

"거기."

소스라치게 놀란 하인이 머리가 땅에 닿을 만큼 깊이 허리를 숙이며 대답했다.

"네. 영주님."

"몰리 단장은 어디에 있나?"

"아, 아마 용병단원들과 허브밭에 계실 겁니다. 이 시간이면 언제나 그곳에……."

다니엘은 연거푸 고개를 조아리며 중얼대는 하인을 지나 밭이 있는 성의 동쪽으로 방향을 틀었다. 리카르도가 입을 가볍게 놀리는 일이 어디 하루 이틀인가. 그에게 화가 났다기보단 기가 막혔다.

"제가 주워들은 거예요. 지나가는 사람들이 하는 말을 들었는데……."

아내의 변명은 고민할 가치도 없는 헛소리다. 리카르도가 아내에게 들려줬을 일의 내막을 아는 사람 중 살아 있는 이는 다니엘을 포함해 네 명. 그나마 황태후가 아는 이는 다니엘뿐이다. 왜냐고? 그 외는 모두 황태후의 손에 죽었으니까.

도미닉과 리카르도는 그들이 이 비밀을 안다는 걸 황태후가 모르기에 살아 있는 거였다. 그만큼 결단코 사람들의 입을 통해 풍문으로 떠돌 수 없는 이야기, 그래서도 안 되는 이야기다. 그런데 그걸 프리다한테 말했다고? 누구를 또 저승길로 보내려고. 리카르도, 이 인간이 미쳐도 단단히 미친 게 틀림없다.

"잘 기억은 안 나는데 로테 언니 말이 제가 남동생을 엄청나게 질투했대요."

질투? 그래 맞다. 치졸하기 짝이 없는 질투를 했었다. 화려한 금발에 파란 눈, 누가 봐도 아버지의 자식임을 의심하지 않을 외모에 바이첸이라는 든든한 외가를 둔 공작 영식 레오폴드를. 사생아인 자신이 감히 아우라고 부를 수도 없었던 그 아이를.

"부모님이 안 볼 때 막 꼬집고 울리고……. 어느 날은 앨버트가 먹는 우유에다 소금을 타서 애가 울고불고……."

그따위 유치한 짓거리로 괴롭히는 게 가능했다면, 차라리 그랬다면 나았을지도.

"살려 주세요, 마님. 어린아이입니다. 어린애가 모르고 한 짓이에요. 다니엘은 아무것도 몰랐어요!"

아니. 어머니는 틀렸다. 다니엘에게 속았다. 그는 알았다. 비록 열세 살이었어도 자신이 레오폴드에게 건넨 것이 무엇인지, 레오폴드가 그걸 먹으면 어찌 될지 모르지 않았다. 알면서도 한 짓이다. 질투가 나서. 그 자식만 없으면 다 제 것이 될 것 같아서.

밀라보 출신 어머니의 외모를 닮아 검은 머리에 적갈색 눈동자를 지니고 있어도, 저는 도미닉 같은 것들과 다르다고 여기며 살았다. 그녀가 그렇게 말했으니까.

"다니엘, 비록 사생아라 해도 넌 레오폴드와 같은 리하르트 가문의 핏줄이란다. 검술 실력을 쌓는 것도 중요하지만 공부나 예법을 게을리하면 안 돼요. 알겠니?"

공작 부인 마그리트 님은 언제나 우아하고 자애로웠다. 남편인 리하르트 공작이 정부와 함께 사계절을 별채에만 머물러도, 정부의 자식인 다니엘에게 싫은 내색 한 번 한 적이 없었다. 황금 물결처럼 부드럽게 흘러내리는 금발은 아름다웠고, 맑은 하늘 같은 파란 눈동자에는 인자한 미소를 머금고 그를 바라봤다.

저분은 천사다. 그녀의 미소에 진심이 없음을 알기 전까지 다니엘은 그렇게 믿었다. 솔직히 몇 해 동안은 어머니보다 그녀를 더 좋아했었다. 아니, 그녀가 제 친어머니이기를 바랐었다. 어머니가 겨우 열 살인 다니엘에게 외조부의 용병단을 따라가라고 했을 때 그 마음을 숨기지 못했을 정도로.

"제가 왜 리카르도 아저씨를 따라 용병단에 들어가야 하는데요? 전 도미닉과 달라요. 귀족의 아들이라고요. 공작 부인께서도 제게 레오폴드처럼 공부를 게을리하면 안 된다고 하셨단 말이에요."

"엄마 말 들어, 다니엘. 용병이 되라는 게 아니야. 그저 외조부를 따라다니며 검술을 배우라는 거야."

"싫어요. 공작 부인께서 정식 기사 수업을 받게 해 주신다고 하셨어요."

"네 엄마는 나야. 공작 부인이 아니라."

"공작 부인이 내 엄마였으면 좋겠어! 그럼 나도 레오폴드처럼 당당한 공작가의 아들로 인정……."

짝! 그날 처음 어머니에게 뺨을 맞았고, 다음 날 짐을 꾸려 리카르도를 따라나섰다. 다시 공작령을 밟기까지 삼 년. 용병단과 떠돌아다니며 내내 같은 생각만 했었던 것 같다. 나는 무식하고 야만적인 도미닉 패거리들과는 다르다. 나는 리하르트 공작의 아들이다. 나는…… 귀족이다.

강한 햇볕이 내리쬐는 길에 흐늘흐늘 아지랑이가 피어났다. 별안간 숨이 막혔다. 다니엘은 걸음을 멈추고 옆에 있는 나무로 손을 뻗었다.

"빌어먹을."

정신이 돌아온 후 꼭꼭 묻어 두었던, 거지 같은 기억들이 불쑥불쑥 되살아난다.

"감히 너같이 천한 사생아가 레오폴드에게 위해를 가해? 이 제국에서 가장 위대한 이가 될 내 아들의 앞길을 더러운 밀라보의 핏줄이 가로막아? 이 버러지 같은 놈."

"마님. 다니엘은 이제 겨우 열셋입니다. 아무것도 몰랐어요. 정말 몰랐습니다."

"열셋이면 모를 수 있지. 하지만 책임은 질 수 있는 나이지. 안 그러니, 라우라?"

"마님, 제발 한 번만 용서를. 부디 자비를 베풀어 주세요. 다니엘을 아끼셨잖아요."

소름 끼치도록 냉정하던 파란 눈동자가 형체 없는 비수가 되어 다니엘의 목을 찔렀다.

"아껴? 그래, 아꼈지. 후에 내 아들의 화살받이로 쓰면 쓸모가 좀 있겠다 싶어서. 하지만 화살받이가 아닌 화살이 될 거라면 얘기가 달라지지 않겠어, 라우라?"

생생하게 떠오르는 기억에 숨이 막힌 다니엘이 꽉 막혀 오는 목을 움켜잡았다.

"내 아들의 심장에 꽂히기 전에 부러트려 버려야지."

머릿속에서 그 눈동자를 치워 내고서야 간신히 숨이 터졌다.

"하아. 쿨럭쿨럭."

공작의 비밀 금고에 들어올 때면 열쇠를 꽂기도 전부터 흐뭇한 미소가 지어지고, 밥을 안 먹어도 배가 불렀다.

"하아……."

한데 오늘은 미소나 포만감 대신 한숨이 멈춰지지 않는다.

"공작님께선 눈치가 엄청 빠르신 분이구나."

앨버트 얘기를 아주 조금 꺼냈을 뿐인데 리카르도 님에게 무슨 이야기를 들었다는 걸 대번에 알아채다니.

"이래서 다들 리하르트, 리하르트 하나 보네."

뮤리엘이 말하길 리하르트 공작이 아니었다면, 아무리 바이첸에서 나섰다 한들 현 황제가 반란에 성공할 수 없었을 거라 했다.

"아니, 그렇게 용맹한 분에게 '볼슈타크 2세의 광견'이 뭐야, 광견이."

누가 그따위 별명을 붙였는지 알아내면 정강이를 걷어차 주련만. 애지중지 아끼던 금화를 담는 프리다의 손길이 오늘만큼은 퍽 사나웠다.

"황태후 폐하도 그래. 아무리 화가 난다고 해도 열세 살짜리를 형장에 매달려고 하다니. 어우, 무섭네. 무서워서 살겠냐고."

바이첸 가문 사람들이 독하다는 말은 들었지만, 그 정도일 줄이야. 에키나시아에 대해 자세히는 모르지만 맹독이 아닌 이상 한 번 마신 걸로 치명적인 영향을 주는 약이 있을 리가.

남편 편을 들자는 게 아니라 이건 상식이다, 상식. 아니면 약제사들이 죄다 떼돈을 벌었게? 천 주머니에 금화를 담던 프리다는 바닥에 엉덩이를 깔고 앉아 턱을 괸 채 중얼거렸다.

"그나저나 에키나시아에 그런 효능이 있었어?"

허브에 대해서는 웬만큼 안다고 자부했는데 에키나시아가 불임을 유발한다는 건 처음 듣는다. 세상은 정말 그녀가 모르는 것으로 가득하다. 멍하니 넋을 놓고 있다 보니 서늘하기 그지없던 남편의 말이 또 떠올랐다.

"부인께도 경고하지요. 리카르도에게 들은 이야기를 절대 다른 이에게 발설하지 마십시오. 특히 로시발트 경에게."

"아니, 날 뭐로 보고. 내가 호수에 빠지면 입부터 가라앉는 사람이라고. 내 입이 얼마나 무거운데. 뮤리엘한테 우리가 입 맞춘 것도 아직 말 안 했는…… 데."

어머나, 또 생각나 버렸다. 돈 자루를 품에 꼭 안은 프리다는 그대로 바닥에 철퍼덕 드러누웠다. 하크본 가문의 가정 교사가 봤다면 불량하다며 기절하고도 남을 만큼 거침없이 널브러졌다.

"아, 편하다."

눈을 들어 천장을 보니 탑 위쪽에 있는 작은 창문으로 들어온 햇살 아래로 수없이 많은 먼지가 떠돌아다니고 있었다. 먼지는 하얀 구름이 창문을 가리면 사라졌다가 햇살이 비치면 나타났다. 아니, 사라진 게 아니라 원래 있던 자리에 그대로 있는 거다. 그저 프리다가 볼 수 있느냐 없느냐의 차이일 뿐.

밤이 되면 앞이 잘 보이지 않는 눈을 원망하다 깨달은 게 있다. 그나마 낮에라도 보인다는 것에 기뻐하자. 언제고 이 눈이 완전히 멀어 세상을 담을 수 없게 되는 날이 오면, 오늘 본 저 허공을 부유하는 먼지들조차 그리워질 테니.

현실을 부정하고 낙담하며 사는 일은 쉽다. 다만, 프리다에겐 그런 여유를 부릴 시간이 없을 뿐이다. 스무 살이면 하크본 가문에서 태어난 여자치곤 오래 살았으니, 당장 어찌 된다 해도 이상할 게 없다. 내일을 기약할 수 없는 그녀에겐 오늘 하루가 무척이나 귀하고 소중한 날이다.

그러니 뭔가를 바란다면 지금, 바로 오늘 그것을 해야 한다. 첫 입맞춤을 곱씹으며 설레고, 남편의 불행한 과거를 안타까워만 하며 오늘 하루를 흘려보내는 건 사치다. 사치.

"영차."

자리를 박차고 일어난 프리다는 길게 심호흡을 뱉은 후 하늘을 향해 쭈욱 팔을 뻗었다.

"으라차차."

머릿속에만 지식을 쌓아 두는 건 아무짝에도 소용없는 일. 행동에 옮겨 실체를 만들어 내야 가치 있는 일이 된다.

"나는 할 수 있다!"

기운을 북돋으려 큰소리로 외친 프리다는 앞으로 해야 할 일을 하나씩 정리해 나갔다.

"돌아오는 가을엔 수확량을 기준으로 세금을 걷을 거야. 겨울이 오기 전까지 도로 공사를 할 땅을 벌목하고. 가을엔 동쪽 밭에 구근을 심어서 내년 봄에 투르크 상인들에게 비싼 값에 팔아 치우자. 아자아자!"

툭툭 치마를 털고 일어나 밖으로 나오면서도 중얼거림은 계속됐다.

"검은 줄무늬 자작나무 집 둘째 고드릭이 내년 여름엔 첼리노 대학 의학과에 들어갈 수 있게 준비시키고……. 아, 내년 봄엔 성 밖에 목재소도 만들기로 했었지."

할 일이 한둘이 아니다. 서둘러 문을 걸어 잠그며 돌아서던 프리다는 이내 고민에 빠졌다. 강한 햇살이 내리쬐는 숲길과 울창한 가문비나무에 가려진 비밀 통로를 번갈아 바라보며 입술을 삐죽였다.

"흠……. 햇볕에 닿으면 얼굴이 붉어질 텐데."

차양이 달린 모자를 못 들고나온 터라 꼼짝없이 맨얼굴로 저 햇볕 아래 서야 하는데 그랬다가는 바로 뮤리엘에게 들킬 게 뻔하다. 프리다의 하얀 얼굴은 볕을 오래 쬐면 바로 티가 나니까. 운이 좋아 몰래 성안으로 들어간다 해도, 붉어지고 가렵고, 물집까지 잡혀 난리가 날 게 분명하다. 한여름엔 옷을 입어도 그러는데 직접 햇볕을 받는다면 말할 것도 없지. 그렇다고 저 캄캄한 통로로 다시 들어갈 수도 없고.

"결국, 그 방법뿐인가."

프리다는 조용히 읊조리며 나무 그늘에 기대 잠시 눈을 감았다. 청명하기 이를 데 없는 하늘, 그 위를 떠도는 하얀 구름. 바람에 흔들리는 나뭇잎이 만들어 내는 일정치 않은 모양의 그림자. 눈이 부시게 아름다운 오늘의 잔상이 어두워진 시야를 하얀빛으로 가득 채웠다. 눈시울이 별안간 뜨거워졌다. 그녀에게 허락된 하루가 너무 예뻐서.

그리고 아주 오래전, 한 소년이 겪었을 불행에 가슴이 아파서 눈물이 날 것만 같았다. 그의 품에 안긴 채 어두운 통로를 지나오며 해 주고 싶었던 말이 있다. 황태후께서 심하셨다고, 어른답지 못했다고. 당신은…… 너무 어렸다고. 충분히 넘치도록 죗값을 치렀으니 더는 힘들어하지 말라고. 부루퉁해진 입술 새로 오늘도 귀족답지 않은 말이 툭 튀어나왔다.

"바보, 멍청이. 편들어 주고 싶었는데 그것도 모르고."

나른한 봄바람이 그녀를 달래듯 살포시 뺨을 스쳤다.

공작 부인이 외출 금지를 당했다는 소식을 들은 도미닉은 차라리 잘됐다 싶었다.

'으……. 제발 일 좀 그만 벌여요, 리하르트 공작 부인.'

허브밭에 자라난 잡초를 뽑는 도미닉의 팔에 불필요하게 과한 힘줄이 도드라졌다. 오늘까지 벌목 일을 할 일꾼들에게 주기로 한 선금만 금화로 일만 플로린이다. 그것뿐이면 말도 안 한다.

일만 플로린은 시작일 뿐. 앞으로 그들을 입히고 먹이고 재우고, 다치면 돌봐 줘야 하고. 본격적으로 일을 시작하면 그때부턴 돈이 줄줄, 어디로 가는 줄도 모르게 새어 나간다고 보면 된다. 이 시골구석까지 일꾼을 부르려면 항상 웃돈을 얹어 줘야 하는데, 그나마도 지금은 부르는 게 값인 봄. 사방팔방 일거리가 넘쳐 나는데 누가 오려 하겠나 했던 그의 예상은 완전히 빗나갔다.

망할 용병단 놈들이 뭐라고 소문을 내 놨는지 오십 명이 단번에 모였다. 그 인원을 챙기려면 또 사람이 필요한지라 바이마르에 하인으로 부릴 이들을 되는 대로 모아 달라고 전갈을 보냈다. 그러면 여름이 오기 전, 공작령에 거의 백 명에 가까운 인원이 늘어나게 되는 거다.

"자기 돈 아니라 이거지? 누가 귀족 아니랄까 봐 돈 쓰는 걸 무서워할 줄 모르고……. 에잇."

도미닉이 팔을 거둬들일 때마다 뿌리에 흙을 잔뜩 단 잡초가 한 움큼씩 뽑혀 나왔다. 연달아 풀을 뽑아 드는데 뒤통수에 '퍽' 어마어마한 통증이 닥쳤다. 누구 짓인지야 안 봐도 뻔하다.

"아, 아버지! 왜 때려요?"

느닷없이 얻어맞은 도미닉이 허리를 펴고 아버지를 노려봤다.

"우이씨. 오랜만에 쉬겠다는 아들을 기어코 끌고 나와서 이딴 거나 시킬 거면 때리지나 말든가."

"네가 뭘 했다고 쉬어? 네놈 반 토막도 안 되는 공작 부인도 매일 일을 하시는데."

"그분이야 일 못 해 죽은 귀신이 붙은 분이고. 난 아니라고요. 난 오늘도 쉬고 내일도 쉬고, 평생을 게으르고 나태하게 살고 싶은 놈이라고요."

도미닉이 고래고래 소리를 질러 대는데도 허브밭에 퍼져 일하는 용병들 누구도 그를 쳐다보지 않았다. 몰리 부자가 서로 투덕거리는 거야 새로울 것 없는 일. 오히려 안 싸우면 이상한 거다.

도미닉이 움켜쥐고 있던 자잘한 꽃망울이 맺힌 풀을 잡아챈 리카르도가 방금 아들이 뽑아낸 자리에 그 풀을 다시 심었다. 심은 자리 부근의 흙을 도닥이는 투박하고 큰 손이 무척이나 정성스러웠다.

"이건 '발레리안'이라고 숙면에 도움을 주는 허브다. 눈을 어디다 처달고 허브랑 잡초를 헷갈려? 이 정신 빠진 놈아."

"아니, 고작 그 풀떼기 때문에 귀한 아들 머리를 쳐요? 그 큰 손으로?"

허브를 심은 흙을 손으로 꾹꾹 누르던 리카르도가 어깨 너머로 도미닉을 노려보며 눈을 부라렸다.

"고작 풀떼기라니! 공작 부인께서 이 허브밭을 가꾸시느라 애쓰는 거 네놈 두 눈으로 똑똑히 봤으면서, 어디서 그따위 소리를 지껄여. 못 배워 먹은 용병이라고 티 내냐?"

"못 배우긴 누가 못 배웠다고 이래요? 너무 많이 배워서 이 고생을 하는 아들한테 그게 할 소리……. 어! 저거 다니엘 아닙니까?"

손에 묻은 흙을 탈탈 털며 일어난 리카르도가 이번엔 도미닉의 등짝을 후려쳤다.

"아야! 아버지!"

"말본새 하고는. 주군에게 저거가 뭐냐, 저거가."

구시렁대는 도미닉을 무시하고 다니엘 쪽을 바라보던 리카르도가 '흐음' 하고 턱을 만지작거렸다.

"기세가 꽤 사나운 것이 한창때와 비슷하구먼. 몸이 점점 회복돼 가는 모양이다."

등짝이 아픈지 몸을 이리저리 꿈틀대던 도미닉이 부친의 말에 다시 다니엘에게 눈을 돌렸다.

"언제는 쟤가…… 아니, 주군이 사납지 않은 적이 있……?"

문득 심상치 않은 기운을 직감한 도미닉이 아버지의 어깨를 툭 쳤다.

"아버지. 혹시 나 모르게 또 사고 쳤어요?"

"내가? 그랬나?"

심드렁히 대꾸하는 리카르도와 날 듯이 걸어오는 다니엘을 번갈아 보던 도미닉이 부친의 팔을 당겼다.

"됐어요. 됐고, 우선 피해요. 저 자식 누구 하나 죽일 거 같은 분위긴 거 못 느끼겠어요?"

"아주 잘…… 느껴진다."

도미닉의 말대로 리카르도를 발견한 다니엘이 마치 먹잇감을 발견한 맹수처럼 다가오고 있었다. 이어, 다니엘의 눈동자를 인식한 도미닉이 기겁하며 뒤로 한 발짝 물러섰다. 그 와중에도 아버지를 끌어당기는 걸 잊지 않았다.

"아, 아버지. 다, 다니엘 저 자식 눈이……."

"심히 붉구나."

그걸 알면서도 이러고 있으면 어쩌냐는 말 대신 도미닉은 있는 힘껏 부친의 팔을 끌었다. 하지만 리카르도가 꿈쩍도 하지 않자 이내 포기하고 그의 앞으로 나서며 외쳤다.

"미치겠네. 대체 뭔 사고를 어떻게 쳤길래 저 자식이 저러냐고요."

"비켜라, 도미닉. 젊은 너라도 살아야지."

"그게 아들한테 할 소리……. 아우, 돌겠네 진짜!"

처음엔 다니엘이 달려오는 광경을 멀뚱멀뚱 바라보던 용병들도 분위기가 범상치 않아지자 하나둘 자리에서 일어났다.

"이 자식들아. 다들 주군 안 붙들고 뭐 해?"

삼 년을 땅이나 파고 살았다지만, 대부분 전쟁터에서 먹고 자며 살아온 이들이다. 상대방의 적의쯤은 파악할 줄 아는 용병들에게 다니엘이 내뿜는 살기가 고스란히 전해져 왔다. 도미닉이 몇 걸음 앞까지 들이닥친 다니엘에게 뛰어가자 그들도 본능적으로 함께 우르르 영주에게 달려들었다.

"한 번에 붙들어. 한 번에. 아니면 우린 다 끝장이야."

저를 향해 달려드는 수십 명의 용병을 바라보던 다니엘이 휙 검을 빼 들었다. 그 살벌한 모습에 도미닉 외의 용병들은 일제히 그대로 걸음을 멈춰 세웠다. 앞장섰던 도미닉 역시 어깨에 검 끝이 닿자 흙바닥을 부츠로 누르며 다리에 바짝 힘을 주었다.

"비켜. 도미닉."

"왜, 왜 이러는 건데요? 뭐에 눈이 돌아서 갑자기 이래요?"

"지금 비키면 너도, 네 아버지란 작자도 죽이진 않겠다. 선택해. 여기서 죽을 테냐?"

다니엘이 힘을 주자 검 끝이 도미닉의 어깨를 얕지만 강하게 파고들었다.

"윽."

미간을 찡그리던 도미닉이 양팔을 들고 옆으로 비켜섰다. 눈이 돌았을 때라도, 적어도 빈말은 하지 않는 녀석이다. 죽이진 않겠다고 했으니 딱 죽기 전까지만 패겠다는 뜻이었다. 우선 화풀이라도 하도록 내버려 두는 것이 낫겠다고 판단한 도미닉이 살짝 어깨를 틀었다.

동시에 다니엘이 검을 바닥에 집어던지고 리카르도에게 달려가 주먹을 날렸다. 돌아서는 듯하던 도미닉이 재빨리 그들 사이로 뛰어들었다. 퍽! 리카르도 대신 다니엘의 주먹을 얻어맞은 그가 도끼질에 넘어가는 고목처럼 나자빠지며 울부짖었다.

"야! 죽이진 않는다며!"

주방에서도 프리다의 행방을 찾지 못한 뮤리엘은 그제야 아가씨가 성안에 없다는 현실을 인정했다.

"이 아가씨가 대체 어디로 간 거야?"

방 안에 갇히는 걸 죽도록 싫어하면서도 뮤리엘의 말은 지키던 프리다였다. 지키지 않을 경우, 갇혀 있는 기간이 배로 늘어난다는 걸 경험으로 아니까. 점심 식사를 들고 갔을 때부터 없기에 온 성안을 뒤졌는데도 봤다는 사람이 없다. 꼭 챙겨 들고 다니는 모자는 방 안에 있는데 왜 사람이 없냐고. 이런 날씨에 모자도 없이 밖에 나갔을 리는 없는데.

뮤리엘은 햇볕이 화창한 하늘을 물끄러미 바라보다 계단을 내려가는 하인을 불렀다. 오늘까지 벌목꾼들에게 줄 선금을 지급한다고 했으니 도미닉을 만나러 갔을지도 모른다는 생각이 들었다.

"자네 혹시 도미닉 몰리가 어디에 있는지 아나?"

"도미닉 님은 모르겠지만, 몰리 단장님이라면 허브밭에 계실 겁니다. 두 분이 같이 계시지 않을까요?"

알았다고 고개를 끄덕인 뮤리엘은 다시 방으로 들어가 차양이 달린 모자를 들고나왔다. 계단을 내려가는 걸음이 조금씩 빨라졌다.

"이 아가씨가 모자 없이 다녔다가 화상이라도 입으면 어쩌려고 정말."

걸리기만 해 봐. 외출 금지 기간을 두 배가 아니라 세 배로 늘려 줄 테니. 마리안 홀을 나서던 뮤리엘은 마침 문 앞을 지나가던 마틸다를 불러 세웠다.

"마틸다. 나 없는 사이 아가씨가 나타나시거든 허브밭으로 사람을 보내서 알려 줘."

깜짝 놀란 마틸다의 눈이 휘둥그레졌다.

"네에? 아직도 마님을 못 찾으신 거예요? 한참 전부터 찾아다니셨잖아요."

"성안에 안 계신 거 같아."

"맙소사. 기사님께 걸리면 어찌 되는지 아시면서. 아무튼 우리 마님, 용감하시다니까."

"난 지금 허브밭에 도미닉 몰리를 찾으러 갈 거니까 꼭 알려 줘. 알았지?"

"네네. 걱정 말고 어서 가 보세요. 저도 이 물동이만 주방에 가져다 놓고 찾아볼게요."

고개를 끄덕인 뮤리엘은 유난히 맑고 깨끗한 하늘 아래로 달려 나갔다.

"우이씨. 죽는 줄 알았네."

허브밭을 뭉개며 쓰러진 도미닉이 순식간에 피멍이 차오르는 뺨을 붙든 채 주위를 둘러싼 용병들에게 눈짓을 보냈다.

"뭐 해, 이 자식들아! 빨리 주군 잡아."

그나마 주먹질을 하느라 힘을 뺀 이때가 아니면, 저 괴물을 붙들 기회는 없다. 옆에 서서 기회만 노리고 있던 용병들이 순식간에 달려들어 다니엘의 다리와 팔, 어깨를 붙들었다.

"주군, 진정하십시오."

"아직 몸이 다 회복되지도 않으셨잖아요."

그러니까 저 무지막지한 주먹에 얻어맞고도 이 정도지. 예전만큼 회복한 다니엘의 주먹에 맞았다간 턱이 완전히 깨졌을 것이다. 도미닉은 깨지진 않았어도 살짝 어긋난 것 같은 턱을 이리저리 맞추며 몸을 일으켜 세웠다.

순간 별을 봤나 싶을 정도로 머리가 띵 울린다 싶더니 쉬이 몸에 힘이 들어가지 않았다. 한 대 맞아도 줬겠다, 이만하면 분풀이는 됐겠지. 용병들에게 붙들린 다니엘에게 도미닉이 짜증스럽게 물었다.

"대체 왜 꼭지가 돈 겁니까?"

"주둥이 함부로 놀리지 말랬지, 리카르도."

열 명에 가까운 장정들을 몸에 매단 다니엘이 리카르도를 보며 으르렁댔다. 아들은 턱이 나가고, 눈앞에선 다니엘이 저를 잡아먹을 듯 노려보고 있음에도 리카르도의 낯빛은 평온했다. 얼핏 미소까지 보였다. 터진 입술을 만지던 도미닉이 기막혀하며 '아야' 하고 눈을 찡그렸다.

'이 노인네가 아직 정신을 놓을 나이는 아닌데.'

여러 명이 한마음 한뜻으로 붙드는 힘은 이기기 어려웠는지 더는 앞으로 나서지 못한 다니엘이 차갑게 소리쳤다.

"이거 놓고 다 꺼져!"

용병들이 도미닉의 눈치를 살피며 어쩌냐고 소리 없이 물었다. 먼저 입을 뗀 건 도미닉이 아니라 리카르도였다.

"주군 놔드리고 마저 일들 해. 미리미리 잡초를 뽑아 놓지 않으면, 힘들게 일군 땅이 금세 엉망이 되어 버린다."

리카르도가 다니엘을 붙들고 있는 부하들을 향해 손을 휘휘 저었다.

"농땡이 피우지 말고. 서둘러."

"다, 단장님."

"하지만 단장님……."

쭈뼛대던 용병들은 리카르도가 아닌 도미닉의 눈치를 살폈다. 이성적인 판단이 필요한 경우, 단장 리카르도보다야 아들인 도미닉의 의견을 따르는 것이 백번 나으니까. 여전히 턱을 만지작대고 있던 도미닉이 눈을 찌푸리며 그들을 향해 손을 흔들었다.

"오늘은 이만 해산."

도미닉의 말이 떨어지자 순식간에 다니엘의 곁에서 떨어진 용병들이 뿔뿔이 흩어져 줄행랑을 쳤다.

"야 이놈아, 해산은 무슨. 다들 이리 안 와? 이것들아! 오늘까지 다 마쳐야 내일 부인께 생색이라도 낼 거 아냐."

"아버지는 가만 계세요. 좀."

리카르도가 흩어지는 부하들을 말리려 몸을 틀자 도미닉이 한숨을 내쉬며 부친을 붙들었다.

"두 번은 대신 못 맞아 드립니다. 그랬다간 저 죽어요."

"그러게 왜 나서서 얻어터지고 난리야."

"그럼 눈앞에서 아버지가 맞는 꼴을 가만 보고만 있어요?"

"누가 들으면 퍽 효잔 줄 알겠다, 이 자식아."

"섭섭하게 이러실 겁니까? 저 턱 돌아가는 줄 알았거든요?"

티격태격하는 두 사람 사이로 싸늘한 냉기가 서린 일갈이 날아들었다.

"둘 다 입 닥쳐."

입을 꾹 닫은 도미닉이 부친을 노려보며 손바닥으로 턱을 문질렀다. 두 사람이 조용해지자 다니엘은 몇 발자국 걸어가 풀숲에 떨어졌던 콜다르를 집어 들었다. 검이 날아오나 싶어 움찔하던 도미닉이 '휴우' 가슴을 쓸어내렸다. 성큼성큼 걸어온 다니엘이 검을 검집에 꽂고 리카르도의 멱살을 쥐었기 때문이다.

"슬슬 죽고 싶어진 건가, 리카르도 몰리? 아니면 노망이라도 났나? 그녀에게 헛소리를 지껄인 거, 네놈이지?"

"그 헛소리가 주군과 황태후의 관계가 틀어진 사연을 말씀하시는 거라면. 네, 제가 부인께 알려 드렸습니다."

불안한 눈빛으로 두 사람을 바라보던 도미닉이 아픈 턱을 쩍 벌리며 외쳤다.

"아, 아버지! 미치셨어요?"

큰일이다. 턱주가리 한 번 날린 걸로 끝날 일이 아니라는 직감이 팍 왔다. 다니엘 말리는 걸 도와줄 놈이 하나라도 남았나 싶어 주변을 휘휘 돌아본 도미닉은 터진 입술을 꽉 깨물었다. 이미 비어 버린 허브밭엔 단 세 사람뿐. 죽으나 사나 저 혼자 해결해야 할 형국이다. 도미닉은 멱살이 잡힌 아버지 옆에 바짝 붙어 속삭였다.

"정말 노망이라도 나셨어요? 그걸 공작 부인한테 왜 얘기해요?"

노망이다. 노망. 그것 말고는 설명할 방법이 없다. 턱이 나가는 게 아니라 목이 떨어져도 할 말이 없게 생겼다. 다니엘이 멱살을 세게 잡은 건 아니었던지 리카르도가 능글능글 웃으며 말을 이어 갔다.

"부부가 서로에 대해 알 건 알아야 정이 생기는 법입니다, 주군. 말을 안 하면 오해가 쌓이기 마련이니 차라리 솔직하게 말을 하고……."

"닥치랬지."

"아버지는 그렇게 부부 사이를 잘 알아서 마누라가 바람나는 것도 몰랐습니까?"

다니엘과 도미닉이 동시에 리카르도를 향해 목소리를 높였다. 리카르도가 얼굴에 튄 침을 닦는 동안, 이젠 다니엘보다 더 화가 난 도미닉이 고래고래 소리를 질러 댔다.

"아버지가 부부 사이에 대해 뭘 안다고 나서요, 나서길. 그렇게 남녀 관계에 통달하신 분이 첫사랑은 고백도 한 번 못 해 본 채 비리비리한 귀족한테 뺏긴 것도 모자라, 자식까지 낳고 살던 아내가 딴 남자 품에 기어들어 가는 걸 눈 뜨고 보고만 있었습니까?"

기세가 어찌나 살벌한지 다니엘이 슬그머니 리카르도의 멱살을 놔야 할 정도였다.

“황태후 그 여자가 다니엘을 못 잡아먹어서 안달인 이유를 공작 부인이 알아서 뭐 하게요? 어디에다 쓸 건데요?”

“어디서 무슨 얘기를 들었는지 몰라도 궁금해하시길래…….”

“들어 봤자, 온 제국에 떠돌아다니는 두루뭉술한 소문이나 들으셨겠죠!”

다니엘과 리카르도의 사이로 끼어든 도미닉이 더 크게 고함을 내질렀다.

“그리고 궁금해한다고 다 말해 줍니까? 왜요? 이참에 에키나시아 얘기까지 다 털어놓지 그러셨어요!”

입을 꾹 닫은 채 시선을 피하는 아버지를 본 도미닉이 이마를 감쌌다. 맙소사. 그거까지 말했다고? 이건 대형 사고다. 차마 다니엘을 볼 용기가 나지 않아, 도미닉은 뒤로 돌아설 수조차 없었다.

오만 사람에게 다 까칠하게 굴어도 아버지에겐 너그러운 녀석이었다. 어쩐지 다짜고짜 주먹을 휘두를 때부터 이상하다 했더니. 저리 나오는 걸 보면 아버지가 거기까지 주절댄 걸 알고 왔다는 얘기다. 공작 부인에게 간이고 쓸개고 다 빼 줄 듯 구실 때부터 알아봤어야 했는데. 그래도 설마 그 일까지 떠들어 대실 줄이야.

그 사건으로 인해 다니엘의 인생은 송두리째 뒤흔들렸다. 어머니를 잃었으며, 평생 레오폴드의 개가 되어 살기로 맹세까지 해야 했다. 내막을 모르는 자에게 가벼이 떠들어도 되는 그렇고 그런 과거사가 절대 아니다. 목숨이 걸린 일이다.

“아버지. 정말 어쩌자고…….”

왜 이렇게 매번 절 곤란하게 만드십니까? 이걸 어떻게 수습하라고. 원망을 가득 담은 눈초리로 아버지를 노려봤지만 소용없었다. 어디 사고뭉치들이 자기가 사고 치는 줄 알고 치던가 말이다.

우악스러운 손힘이 어깨를 밀쳐 내는 걸 느끼면서도, 도미닉은 이 난관을 해결할 방법을 찾지 못하고 있었다.

"그래서. 내 아내에게 쓸데없이 주둥이를 놀리고 나니 속이 시원하던가, 리카르도 몰리?"

역시나 등 뒤에서 들려오는 음성이 뿜어내는 한기는 한겨울 알타스에 불어닥친 눈 폭풍과 다를 바 없었다.

"그럴 리가요. 공작 부인께서 어찌나 애달파하시는지 제 가슴이 다 아팠습니다."

아버지, 제발. 그 입 좀. 그때라도 틀어막았어야 했다. 대부분의 경우, 아버지는 두면 둘수록 더 큰 사고를 치시는 분이란 걸 알면서도 가만두는 게 아니었다.

"황태후가 주군을 아끼는 척 이용하신 것도 그렇고, 어린아이가 질투심에 실수 좀 한 거로 그리 심하게 구신 것도 어른답지 못하다며 황태후를……."

퍽! 이번에 날아든 주먹은 막을 생각도 없었지만 막을 수도 없었다. 연달아 두 대를 맞았다간 즉사했을 테니까. 이럴 줄 알았으면 처음에도 대신 맞아 주지 말 것을. 도미닉은 아직도 아파 죽을 것 같은 턱을 어루만지며 한숨을 삼켰다.

여기서 더 다니엘의 화를 불렀다간 저 미친놈이 뭔 짓을 할지 모른다. 이럴 땐 그냥 가만히 있는 게 상책이다. 도미닉이 말리는 걸 포기한 사이, 다니엘은 바닥에 쓰러진 리카르도를 보며 한 번 더 주먹을 불끈 쥐었다.

"쥐도 새도 모르게 죽고 싶지 않으면 입 꽉 처닫고 살랬지? 너나 도미닉이 여태껏 살아남은 건 운이 좋아서야. 황태후가 너희들이 안다는 걸 모르니까. 그런데 그걸 내 아내한테 떠들어? 왜? 너무 좋아서 저승까지도 함께 가고 싶었나?"

죽겠다고 엄살을 부리진 못할망정 배시시 웃으며 일어나는 아버지를 본 도미닉이 끌끌 혀를 찼다. 피가 흐르는 입술을 쓱 닦은 리카르도가 다니엘을 바라보며 빙긋이 웃었다.

"지금 주군의 모습을 봤다면 라우라가 기뻐했을 텐데. 아쉽네요."

"여기서 어머니 이름이 왜 나와?"

"공작 부인처럼 좋은 분이 아들 옆에 있는 걸 누가 가장 기뻐했겠습니까?"

"그 여자가 좋은 사람인 게 나랑 무슨 상관인데."

다니엘의 앞으로 다가온 리카르도가 뼈가 불거져 나온 그의 손을 붙들었다. 그러곤 힘을 빼라고 토닥거리며 다정히 말했다.

"좋은 아내를 맞는 것보다 큰 복이 어디 있답니까? 두 분은 누구보다 행복한 부부로 살게 될 겁니다. 미리부터 겁내지 말고, 부러 숨지도 말고, 부인을 자연스럽게 받아들이세요."

리카르도의 손에서 주먹을 빼낸 다니엘이 그의 시선을 외면한 채 손가락을 쭉 폈다. 오랜만에 주먹을 날린 탓인지 뼈가 욱신거렸는데 리카르도가 그걸 귀신같이 눈치챈 모양이다.

"쓸데없는 소리 좀 지껄이지 마, 리카르도. 우리가 무슨 부부야? 우린 그저……."

"방금 '내 아내'라고 하셨습니다. 주군께서 공작 부인을 그리 부르셨습니다. 두 번이나."

"내가 언제……."

반박하려던 다니엘은 자신이 한 말을 떠올리곤 입을 닫았다.

"그래서. 내 아내에게 쓸데없이 주둥이를 놀리고 나니 속이 시원하던가."

"그런데 그걸 내 아내한테 떠들어?"

젠장. 왜 그런 소리를. 말문이 막힌 다니엘을 보던 리카르도는 터진 입술을 다시 닦으며 피식거렸다.

"부부가 별겁니까? 서로를 조금씩 알아 가고 이해하고, 그러다 정붙이고 살면 부부인 거지."

다니엘은 얼굴도 성격도 그의 어머니를 똑 닮았다. 리카르도의 첫사랑. '라우라 차르도'를. 고집스럽고 답답하지만, 사랑에 솔직하던 그 정열적인 여인의 아들이 다니엘이다.

"주군께선 누구보다 정이 많고 사랑이 넘치며, 용감한 여자였던 라우라가 모든 것을 걸고 지켜 낸 아들입니다. 자책은 그만두고 이제 행복해지세요. 그걸 봐야 저도 편히 눈을 감을 거 아닙니까."

"집어치워. 그딴 소리."

싸늘하게 돌아서는 다니엘의 옆에서 도미닉이 구시렁거렸다.

"네. 동네방네 이 낯간지러운 장면을 보이고 싶지 않으면 집어치우는 게 좋겠습니다. 저기 눈치 빠른 불청객이 오고 있거든요."

뮤리엘이 하나로 묶은 머리를 말꼬리처럼 날리며 밭으로 올라오고 있었다. 주머니 안에서 꺼낸 손수건을 아버지의 손에 건넨 도미닉이 투덜거렸다.

"온종일 공작 부인 침실 앞을 지키고 있을 태세더니 여긴 웬일인지 모르겠네."

큼큼, 손수건의 향기를 맡던 리카르도가 입술에 묻은 피를 닦으며 물었다.

"이거 부인께서 주시든? 향기가 좋구먼."

"네. 아버지 드려 봤자 흘리고 다니실 게 뻔하다며 저한테 잔뜩 챙겨 주셨어요. 꼭 손을 닦고 식사하시게 하라고."

세 걸음 앞까지 다가온 뮤리엘이 다니엘에게 예를 갖췄다.

"공작 전하를 뵙습니다."

"날 보러 온 건가, 로시발트 경?"

"아닙니다. 도미닉 몰리를 찾아왔습니다. 그에게 물을 것이 있는데 잠시 세 분의 대화를 방해해도 되겠습니까?"

뮤리엘의 말이 끝나자 도미닉이 손가락으로 저를 가리키며 '나한테?'라고 입을 벙긋거렸다. 어느 틈엔가 무표정으로 돌아온 다니엘이 고개를 끄덕였다.

"먼저 하지."

다니엘의 허락이 떨어지자 뮤리엘이 다소 급하게 입을 열었다.

"오늘 프리다 아가씨와 약속이 있는 거로 아는데요, 도미닉."

"맞아요. 그러고 보니 이제 슬슬 가 봐야겠네. 어이쿠, 언제 이렇게 해가 졌지?"

금방이라도 컴컴해질 듯한 검붉은 하늘을 바라보던 도미닉이 화들짝 놀라며 팔짱을 풀었다. 저 아래 성에도 하나둘 불이 켜졌다.

"공작 부인께서 나를 데리고 오라고 하셨나 보군요. 정신 사납게 하는 일이 있다 보니 깜빡 잊었네. 얼른 갑시다."

발 아래로 발을 떼기 전, 불만스럽게 입술을 씰룩이며 다니엘과 리카르도를 번갈아 노려보던 뮤리엘이 도미닉의 팔을 붙잡았다.

"아가씨께선 내성에 안 계십니다. 그럼 당신도 아가씨가 어디 계신지 모른다는 겁니까?"

"그게 무슨 소립니까? 공작 부인께선 오늘 외출 금지라면서요? 당신이 꼼짝도 못 하게 했다고……."

"젠장."

느닷없이 욕설을 내뱉은 다니엘이 미끄러지듯 밭 아래로 뛰어 내려갔다.

"야, 너……. 아니, 주군! 어디 가십니까?"

까맣게 물들어 가는 하늘로 메아리가 된 도미닉의 외침이 스며들었다.

꽝! 사납게 탑의 문을 닫고 나온 다니엘은 손에 든 등잔을 바닥에 내리고 흙에 새겨진 발자국을 살폈다. 불빛에 드러난 그의 표정이 제법 초조했다.

"대체 어디로 간 거야?"

해가 졌는데도 프리다가 성으로 돌아오지 않았다. 혹시나 싶어 비밀 통로를 한 번 훑었고, 탑에서 성으로 가는 길도 모조리 훑었다. 성안의 모든 하인이 성 주변의 샛길을 다 뒤지고 있다. 그런데도 프리다가 발견되지 않자, 다니엘은 여분으로 만들어 두었던 금고 열쇠로 탑 안을 둘러보고 나오는 길이었다.

당연히 탑 안에 그녀는 없었다. 한참이나 바닥을 살피던 다니엘이 허리를 일으키곤 거칠게 머리를 쓸어 올렸다.

"빌어먹을, 뭐가 보여야 찾지."

어떻게 된 여자가 환한 대낮에 매일같이 드나드는 침실도 못 찾아가는 건데.

"눈은 밤에만 안 보이는 거 아니었어? 그럼 해가 지기 전에 알아서 들어갔어야지, 왜……. 후우. 젠장."

근처 나무에 팔을 짚은 다니엘은 길게 심호흡을 내뱉은 후 머릿속을 하나씩 정리해 나갔다. 우선 비밀 통로는 아니다. 등잔도 없이 그곳으로 향할 만큼 멍청한 여자는 아니니까. 훤히 보이는 넓은 길도 아닐 것이다. 그가 뭐라고 했든 로시발트에게 들키고 싶지 않았을 테니 최대한 눈에 띄지 않는 곳으로 향했겠지. 그렇다면 사람들의 발길이 잦은 왼쪽 큰 길이 아니라, 반대편일지도.

등을 높이 들어 올린 다니엘은 천천히 성벽의 오른쪽으로 걸음을 옮겼다. 가구를 팔아 치우며 방치된 탓에 인적이 끊긴 곳 중 '마리안 홀'과 이어진 장소는 두 곳. 최근 보일드 남작을 맞기 위해 정돈된 '스카디 홀'. 그리고 존재한다는 소문만 들은 서고가 있다던 '브라반트 홀'. 참고로 관리하기 더럽게 힘든 초상화와 갑옷, 온갖 오래된 고물 덩이들도 그곳에 몰아넣었다고 들었다.

하인들이 수시로 드나드는 '스카디 홀'의 입구를 빠르게 지나친 다니엘은 '브라반트 홀'의 계단으로 올라 정문을 밀었다. 끼이익.

'여기다.'

예상보다 쉽게 열린 문 바닥에서 흙 자국을 발견한 다니엘은 부리나케 안으로 뛰어 들어갔다. 어림잡아 방이 서른 개도 넘는 '브라반트 홀' 어디에서 그녀를 찾냐고? 안 왔다면 모를까, 이곳에 왔다면 물을 것도 없이 그녀가 향할 곳은 단 하나. 휀하임 성에서 가장 층고가 높은 방 앞에 도착한 다니엘은 거침없이 문을 열어젖히며 소리쳤다.

"프리다!"

다니엘의 묵직한 중저음이 2층 높이의 웅장한 서고 안에 한 번 더 울려 퍼졌다.

"프리다."

단전을 타고 올라온 초조한 목소리는 벽 곳곳에 부딪혀 쪼개지고 부스러진 후 이내 사그라들었다. 소리가 사라진 자리. 누릿한 냄새와 희미한 빛을 마주한 다니엘은 저도 모르게 숨을 죽였다. 그가 기억하는 한, 단 한 차례도 불이 피워진 적 없는 벽난로가 타고 있었다. 당장 꺼져도 이상하지 않을 법한 미약한 불꽃이 타닥거렸다.

불꽃이 밝힌 공간의 끄트머리에 자리 잡은 작은 인영을 발견한 순간에야 알았다. 자신이 저 여자를 찾지 못할까 봐 꽤 긴장하고 있었음을. 불편하기 짝이 없게 꺾은 고개를 벽에 기대고 앉아 잠든 저 대책 없는 사고뭉치를. 프리다를 발견하자마자 다리에 힘이 빠졌다. 손으로 벽을 짚은 다니엘이 미뤄두었던 심호흡을 빠르게 내쉬었다.

"하아……."

얼마 만인지 모르겠다. 이토록 사지를 긴장시켜 본 지가. 머리에도 힘이 빠졌던 걸까. 막아 두었던 빗장이 풀리며 기억 하나가 뇌리를 빠져나왔다. 더는 어머니를 부를 수 없게 되어 버린 열네 살이 되던 해의 기억이.

"훗."

별안간 다니엘이 실소를 터트렸다. 천사라고 믿었던 아이의 자그마한 뒷모습이 떠올라서. 꼭 저 같은 새하얀 옷 위로 얼음산처럼 하얀 머리칼을 늘어트린 채 몸을 웅크리고 있었더랬지. 절실한 인간이 어디까지 나약해질 수 있는지 그날 재차 깨달았다. 그 난리를 겪고도 순진하게 천사의 존재를 믿고 있었다니.

하지만…… 정말 믿고 싶었다. 신께서 그에게 공작 부인 마그리트 같은 가짜가 아니라 진짜 천사를 내려 준 거라고. 만약 천사가 맞다면 제 소원을 들어줄지도 모른다는 희망을 품고 한 발 한 발 다가갔었다.

"……스띠아. 엉엉. 헤스띠아 언니……."

다행히도 희망은 빨리 깨졌다. 금방 알았다. 그의 눈앞에서 어깨를 들썩이며 우는 아이는 차라리 토끼라면 모를까 결코 천사가 아니란 걸. 천사라면 이렇듯 엉망인 몰골로 울고 있진 않을 테니까.

"칫."

발에 걸리는 돌멩이를 세게 걷어차 버린 다니엘은 짜증스럽게 혀를 찼다.

'천사는 개뿔. 그딴 게 어디 있다고 번번이 속냐. 이 머저리야.'

어깨 너머로 밉살맞은 도미닉 자식의 비웃음이 들려오는 것만 같았다. 돌멩이가 수풀로 굴러가는 소리에 울던 아이가 뒤를 돌았다. 눈물과 콧물이 덕지덕지 묻은 뽀얀 얼굴, 퉁퉁 붓고 핏발 선 눈동자. 마주하고 보니 영락없이 울상 지은 토끼였다. 꼬마 소녀는 처음 보는 다니엘을 보면서도 놀라기는커녕 계속 울먹이기만 했다.

"흑, 헤스띠아 언니가 없어. 엉엉."

뭐야, 팔자 좋은 아가씨가 숨바꼭질이라도 하고 있었던 건가.

"어른들한테 찾아 달라고 하면 되잖아."

성가셨지만 무심코 대꾸해 준 이유를 굳이 꼽자면. 글쎄. 가득 들어찬 콧물을 연신 들이마시며 흐느끼는 혀 짧은 소리가 지나치게 앳되어서 마음이 쓰였을지도.

"흑흑. 언니는 하늘나라로 갔대. 인제 프리다 보러 못 온대. 흑."

"……."

하늘나라……. 그에게도 있다. 그곳에 가 버린 사람이. 이제 더는 볼 수 없는 그리운 가족이.

'다니엘, 사람은 누구나 죽는단다. 엄마는 조금 일찍 하늘나라에 가서 너를 기다리게 된 것뿐이야. 그러니 슬퍼할 거 없어, 아들.'

어머니는…… 웃었다. 목을 매달아 버리겠다고 서슬 퍼렇게 굴던 공작 부인이 두려워 울지도 슬퍼하지도 못하는 겁쟁이 아들 앞에서, 아름답고 우아하게.

'명심해, 다니엘. 이 일로 절대 누구도 원망해선 안 돼. 특히 너 자신은 더욱더. 엄마는 당연히 해야 할 일을 하는 거뿐이야. 넌 어리고 엄마는 어른이니까 어른인 엄마가 널 지켜 주는 게 옳잖아. 안 그래?'

공작 부인이 엄마였으면 좋겠다고 떼쓰던 못된 아들을 대신해 죽어 가면서도 오히려 다니엘을 걱정했다.

'살아남아, 다니엘. 살아 있다는 게 중요한 거야. 어떤 순간이 와도 목숨만 붙여 놔.'

그 후로 어머니의 목소리가 생각날 때면 미치도록 검을 휘둘렀다. 검 끝이 자신을 향하지 않도록, 또한 그 위선적인 여자를 향하지 않도록 무진장 애쓰며.

'망할.'

습관처럼 허리춤에 찬 검집으로 손을 뻗던 다니엘은 주춤하며 꽉 주먹을 쥐었다. 이 자리에서 검을 빼 들었다간 무슨 사고를 칠지 장담할 수가 없었다. 저 비리비리한 꼬맹이가 미쳐 날뛰는 저를 보며 기절이라도 하면, 더 귀찮아지기도 하고. 다니엘은 검 자루를 쥐는 대신 땀에 젖은 머리를 거칠게 쓸어 넘겼다.

"그만 울어. 운다고 죽은 사람이 돌아오진 않아."

"흑…… 진짜 안 와? 헤쓰띠아 언니 인제 진짜 못 봐?"

"못 봐. 너 바보야? 죽은 사람을 어떻게 봐? 모르지, 네가 죽으면 만날 수 있을지도."

"흑흑…… 으앙……."

"용기 있으면 죽어 보든가."

나지막하게 내뱉은 마지막 말이 아이의 울음에 섞여 정확히 들리지 않았길 바랐다. 아무 잘못도 없는 꼬맹이에게 화풀이나 하는 못나 빠진 자식. 저 같은 등신 머저리에겐 실망도 아까웠다.

"프리다, 어디 있니? 프리다!"

수풀 너머에서 애타게 누군가를 부르는 소리가 들려왔다. 아이는 엉엉 울면서 소리가 들리는 곳으로 종종걸음을 쳤다. 그 꼬맹이 이름이 '프리다'라는 걸 그때 알았다.

몇 년 뒤, 숲에서 만났던 그 꼬맹이가 다니엘과 달리 '클라우드'라는 미들네임을 가진 진짜 귀족임을 알게 되었다. 레오폴드가 황제가 되기 일 년 전쯤이었을 것이다. 슬슬 전투가 마무리되어 가던 전쟁터에 하크본가의 둘째 딸이 죽었다는 소식이 날아들었다.

"한때는 성녀의 가문으로 추앙받던 곳인데 어쩌다 그리됐을까. 쯧쯧."

"딸이 하나 더 있다던데?"

"있으면 뭘 해. 그 아가씨도 머리고 피부고 죄다 하얗다니, 몇 년 내로 죽겠지. 이름이 뭐라더라? 아, 프리다 클라우드 하크본."

제국 내에서 벌어지는 일이라면 모르는 게 없는 도미닉이 용병들과 모여 떠들어 대는 소리를 들었다.

'프리다…… 클라우드 하크본.'

토끼같이 조그맣던 아이의 이름이라기엔 꽤 거창하다고 비웃은 후 잊어버렸었다. 그 후 다니엘은 리하르트 공작이 되었고 정식으로 귀족 연감에 이름을 올렸다. 수많은 전투에서 사람을 죽이고, 무수한 가문을 멸문시키며 레오폴드를 황위에 오르게 한 공로로 그가 받은 이름은.

'다니엘 요하네스 리하르트'.

어머니가 지어 준 다니엘과 아버지가 물려준 리하르트 사이에 황제가 친히 하사한 미들 네임이 생겼다.

귀족으로 인정받은 후에도 그의 삶은 전과 비슷하게 흘러갔다. 어머니의 당부대로 어떻게든 목숨을 붙여 놓기 위해 치열하게 살았고, 별다르게 그 하얀 꼬맹이를 떠올린 적은 없었다. 황제의 인장이 박힌 서신을 들고 온 도미닉의 입에서 그 이름을 다시 듣기 전까지는.

"하크본 가문의 딸과 결혼을 하라니. 황태후 이 늙은 여우, 우리가 바본 줄 아나? 그 집 딸들이 단명하는 거 모르는 사람이 어디 있냐고요. 귀족은 황실의 허가 없인 결혼할 수도 없는데 만약 하크본 백작 영애가 후손도 낳지 못하고 죽으면 주군은 이 많은 재산 물려줄 자식도 없이 평생 혼자 살다 죽게 되는 거잖아요."

도미닉에 이어 리카르도까지 방방 뜨는 걸 보면서도 다니엘은 입을 꾹 닫았다. 죽으면 죽는 거지. 빨리 죽든 늦게 죽든 혼자 죽든, 뭐가 다르다고 수선인지.

소란스러운 부자와 말을 섞기 싫어 가만있었을 뿐 그렇다고 아무렇지도 않았던 건 아니다. 타고난 생이 짧다는 그 아이야말로 지지리도 박복하구나 싶어서. 어쩌다 저처럼 사는 게 끔찍하게 골치 아픈 놈과 엮여서는.

"음……."

자세가 불편했던지 프리다가 잠결에 고개를 뒤척였다. 다니엘에게 밀어닥쳤던 달갑지 않은 옛 기억들이 올 때와 마찬가지로 빠르게 자취를 감췄다.

"후우……."

긴 호흡으로 꼬였던 머리를 정리한 그는 발소리를 죽이며 벽난로 옆으로 걸어갔다. 바닥에 무릎을 꿇은 다니엘은 기묘한 자세로 잠들어 있는 프리다를 우두커니 바라보았다. 벽에 등을 기대고 앉은 프리다의 고개가 산들바람을 맞는 버드나무 가지처럼 느리게 휘청거렸다.

가까이서 보니 한 달 전과 비교해 좀 자란 것 같기도 하다. 천사인지 하얀 토끼인지도 헷갈리던 조그맣고 복슬복슬한 꼬맹이였던 주제에 언제 이렇게 큰 걸까. 조막만 한 몸에 달린 가녀린 목이 부러지지 않고 버티고 있다는 게 신기했다. 다니엘은 고개라도 편하게 해 줘야겠다 싶어 또다시 꺾일 준비를 하는 프리다의 목으로 손을 뻗었다.

그 순간, 투박하고 넓은 다니엘의 손바닥 위로 프리다의 뺨이 '툭' 떨어졌다. 손을 거둬들일 타이밍을 놓친 다니엘이 주저하는 사이 프리다가 느릿느릿 눈꺼풀을 들어 올렸다. 깜…… 박. 깜…… 박. 초점 없는 보라색 눈동자가 다니엘을 응시하며 두어 번 힘없이 감겼다 떠졌다.

아직 잠기운이 완전히 가시지 않은 눈동자가 게슴츠레 일그러지더니 다물려 있던 입술이 열렸다. 그리고 다니엘이 평생 단 한 번도 들어 본 적 없는 낯선 단어가 불쑥 튀어나왔다.

"배…… 신자."

환하게 불을 밝힌 마리안 홀 앞뜰을 서성이던 뮤리엘이 별안간 어둠 속으로 튀어 나갔다. 그러나 얼마 안 가 터덜터덜 되돌아왔다. 연달아 뛰어 나갔다가 돌아오기를 여러 차례. 홀 앞 계단에 걸터앉아 있던 도미닉이 참다못해 냅다 고함을 질렀다.

"거, 사람 정신없게 하지 말고 가만 좀 있읍시다!"

도미닉의 말을 깡그리 무시한 뮤리엘은 한 번 더 어둠 속으로 사라졌다 다시 나타났다. 결국 엉덩이를 탈탈 털고 일어난 그가 뮤리엘 곁으로 다가갔다. 꼭 쥔 주먹을 쉴 새 없이 꼼지락대고 있는 그녀를 보며 도미닉이 고개를 절레절레 저었다.

"뭘 그렇게까지 안절부절못합니까? 말도 못 타시는 공작 부인께서 사라져 봐야 이 성안일 텐데."

매서운 눈길을 어둠에서 떼지 않은 뮤리엘의 표정이 부루퉁해졌다.

"누가 그것 때문에 그래요? 해가 졌잖아요, 해가. 우리 아가씨는 어두워지면 앞을 잘 못 보신다고요."

"그러게, 눈도 나쁘신 분을 잘 지키고 있어야지 왜……."

차갑게 저를 노려보는 뮤리엘의 회색 눈을 맞닥트린 도미닉이 슬그머니 고개를 돌리며 중얼거렸다.

"내 말은, 툭하면 외출 금지니 뭐니 하면서 사람을 잡아 두니까 견디다 못해 도망을 치신 거 아니냐 이런 얘기죠."

"애초에 당신이 아가씨와 약속한 시간에 제때 도착했으면 됐잖아요, 도미닉. 당신이 안 나타나니까 아가씨가 당신을 찾으러 나가신 거 아니냐고요."

몇 시간째 찾아도 프리다가 보이지 않자 뮤리엘은 이게 다 도미닉 때문이라며 그를 원망하고 추궁해 댔다.

"아가씨가 무엇보다 신용을 중요하게 생각하는 분이란 걸 당신도 알면서. 그동안 선금이든 잔금이든, 우리 아가씨가 한 번이라도 날짜 어기는 거 본 적 있어요?"

도미닉이 뮤리엘의 시선을 계속 피한 채로 웅얼거렸다.

"……없지요."

"그걸 아는 사람이 늦장을 피워요? 그래서 이 사달이 난 거 아닙니까? 아가씨 성격 급한 거 뻔히 알면, 당신이 먼저 알아서 좀 챙기든가."

염치가 있으면 몸도 약한 아가씨 좀 어지간히 부려 먹으라고. 구시렁구시렁 다 들으라고 투덜대던 뮤리엘의 화살이 이번엔 리하르트 공작에게로 돌려졌다.

"대체 공작 전하께선 무슨 돈을 얼마나 숨겨 두고 계셨던 겁니까? 전하께서 돈 좀 있다고 계속 사람을 부채질하시니까 아가씨가 더 저렇게 날뛰는 거 아니냐고요."

"그 원망은 좀 억울하네요. 우리라고 그 돈이 안 아까운 줄 아십니까?"

도미닉은 내내 피하고 있던 시선을 뮤리엘에게로 돌려세웠다. 대거리할 기회를 잡았다 싶은 그는 야무지게 팔짱까지 꼈다.

"그게 어떻게 모은 돈인데. 사람들 눈 피해 몰래몰래 옮겨 오고 숨겨 두는 건 쉬웠던 줄 압니까? 그리고, 금이 있다고 그걸로 다 금화를 찍어 낼 수 있는 것도 아니라고요. 불렌체 은행에 연줄을 만드는 데만도 수만 개의 금화가……."

"도미닉, 당신도…… 알고 있었어?"

'아차!'

싸늘하게 변해 가는 뮤리엘의 낯빛을 보며 도미닉이 슬그머니 팔짱을 풀었다. 너무 떠벌렸다는 자각이 찾아왔지만 이미 늦어도 한참이나 늦은 뒤였다. 뮤리엘이 슬금슬금 뒷걸음치는 도미닉의 앞으로 바짝 얼굴을 붙였다.

"그러니까, 그 금고의 존재를 당신도 진즉에 알고 있었다는 거지? 도미닉 몰리."

분명 한 걸음 뒷걸음쳤는데 어째 뮤리엘과의 거리는 더 가까워졌다. 낮에 마주했던 다니엘의 붉은 눈동자에 버금갈 정도로 무시무시한 한 쌍의 회색빛 눈동자가 도미닉을 찌를 듯이 노려봤다.

"알고 있으면서도 우리 아가씨가 귀걸이 한 짝, 구두 한 켤레까지 모조리 팔아 치우는 걸 보고만 있으셨다."

"그, 그게……."

이 상황을 모면하기 위해 줄행랑을 계획하고 있던 도미닉의 어깨가 뮤리엘의 손에 우악스럽게 붙들렸다.

"이 개자식. 너 오늘 내 손에 죽을 줄 알아."

이상하다 했었다. 겨우 두 살 많은 주제에 공작에 관해서라면 태어날 때부터 지금껏 모르는 게 없다고 떠벌리던 인간이 도미닉 몰리다. 그런 인간이 공작의 비밀 금고 얘기를 듣고도 시치미를 뚝 뗄 때부터 수상했었다.

"비밀 금고가 있었다고요? 전 금시초문입니다. 세상에나, 주군께서 깨어나지 않으셨다면 어쩔 뻔했습니까?"

그래도 설마설마했던 건 프리다 아가씨가 이 공작령에서 어찌 지내 왔는지 도미닉만큼 잘 아는 이도 없기 때문이었다. 영주의 아내가 일반 하인들과 같이 주방에서 식사하고, 밭에 나가는 걸 뻔히 봐 온 인간이니까. 하루를 무리하면 이틀을 드러눕는 연약한 몸으로 안간힘을 쓰는 걸 보면서 삼 년이나 입을 다물 수는 없는 거니까. 보통의 인간이라면 말이다.

"하!"

도미닉의 멱살을 움켜쥔 뮤리엘은 헛웃음을 터트렸다.

"도미닉 몰리가 보통의 인간들과는 다르다는 걸 깜박했군. 주군을 위해서라면 어떤 희생도 감수하는 '차가운 심장'님을 몰라보다니."

제국을 떠돌아다니는 용병들은 물론 기사들 사이에서도 그의 별명은 유명했다. 도미닉 몰리, 오직 다니엘 리하르트만을 위해 존재하는 자. 주군을 위해서라면 수십, 수백의 목숨을 눈 하나 깜짝 않고 버린다던 자. 리하르트 공작이 귀족들의 비웃음 속에서도 정식 기사들이 아닌 용병들만 데리고 출정하는 데는 다 까닭이 있는 법.

몰리 단장의 용병단은 뛰어난 실력과 더불어 절대 어길 수 없는 원칙으로도 유명했다. 바로 '다니엘 리하르트 먼저'라는 것이다. 용병들에겐 단장인 리카르도 몰리, 그의 아들인 도미닉보다 리하르트 공작이 최우선이었다.

심지어 다니엘을 위해 희생하는 자들에겐 어마어마한 생명 수당을 준다는 소문까지 있다. 남은 가족들이 웬만한 귀족만큼 떵떵거리고 살 정도로 보상해 준다고. 당사자인 리하르트 공작이 학을 떼는 바람에 대놓고 떠드는 사람은 없지만, 이 바닥에서는 공공연한 비밀이다.

물론 그 원칙은 여태껏 유효함이 틀림없다. 제국에 존재하는 어느 용병단보다 험한 일이 많은데도 지원자가 끊이질 않는 걸 보면 알 만하지. 수많은 귀족이 그들을 탐내 거금을 제안했는데도 꿈쩍도 안 했다더니.

'남들 몰래 금화를 그득그득 쌓아 놓고 계셨어? 하!'

이제야 일개 용병단의 콧대가 그토록 높았던 연유를 알겠다.

"내가 왜 눈치를 못 챘을까? 돈으로 목숨까지 사고파는 용병들이 죽자 사자 붙어 있는 데는 다 까닭이 있었던 건데."

뮤리엘에게 순순히 멱살을 잡혀 준 채 도미닉이 빙긋이 입꼬리를 끄집어 올렸다.

"세상 모든 일엔 다 저마다의 사정이 있지요. 로시발트 가문이 이 난장판인 스베르겐 제국에서 몇백 년이나 유지되는 이유가 있는 것처럼. 안 그렇습니까? 문어발 로시발트 경."

문어발. 겉으로는 유서 깊은 기사 집안 흉내를 내지만, 실은 여기저기 연줄을 만들어 연명해 가기 바쁜 제 가문을 조롱하는 소리였다. 당연히 기분 상해야 마땅한 비난을 듣고도 뮤리엘은 그를 옥죄는 대신 힘을 풀었다. 멱살을 잡은 손에 힘이 덜어지자 도미닉이 뮤리엘의 손을 툭 치워 냈다.

아우우, 아우우우우……. 막 성안으로 들어온 늑대 한 마리가 구슬프게 울고 있는 터라 더는 노닥거려 줄 시간이 없었다.

"더 화풀이를 당해 드리고 싶긴 한데 급한 일이 있어서 안 되겠네요."

뮤리엘의 입가에 메마른 비웃음이 걸렸다.

"늑대가 울었으니 도미닉 몰리 님이 가 보셔야 할 시간이지. 늑대를 만나거든 전해요. 연습 좀 더 하라고. 그놈의 울음소리는 어째 시간이 흘러도 늘 어색한지 모르겠네. 올빼미는 실력이 나날이 늘던데."

도미닉도 안다. 그가 공작령 주변에 숨겨 놓은 세작 중 늑대의 실력이 제일 형편없다는걸. 로시발트에게 안 들키는 게 오히려 이상한 일이다.

'망할 자식. 재능이 없으면 노력이라도 하라니까.'

멋쩍음에 어깨를 으쓱거린 도미닉이 고분고분 고개를 끄덕였다.

"충고 꼭 전하리다. 아, 그리고 아마 지금쯤이면 주군이 공작 부인을 찾았을 테니 걱정하지 말고 들어가서 기다려요. 우리 주군이 목표물을 쫓는 데는 아주 빠삭한 분이라."

"당신 말을 어떻게 믿어?"

"그럼 믿지 마시든가. 아까 들어 보니 주군께서 부인께 비밀 통로를 알려 준 모양이던데……."

"비밀 통로?"

어쩐지 리하르트 공작이 평소 소리 소문 없이 성을 드나든다 했다. 도미닉, 이 개자식. 그것도 알면서 입을 꾹 다물고 있었어?

"거기가 어딘데요?"

뮤리엘은 언젠가 제대로 손을 봐주고 말겠다 다짐하며 도미닉을 노려봤다.

"비밀 통로가 왜 비밀 통로겠습니까? 비밀이니까 비밀 통로지. 나도 몰라요. 주군도 그건 나한테 안 알려 줬다고요. 아무튼 나는 이만 갑니다."

뮤리엘을 지나쳐 가던 도미닉이 문득 걸음을 멈추고 뒤를 돌았다.

"아, 혹 부인의 방을 뒤지다 뭐가 나와도 그곳에 들어갈 생각은 하지 말아요. 거긴 잘못 들어갔다가는 절대 못 빠져나옵니다. 내 말 꼭 새겨들어요. 농담 아니니까."

"이 사기꾼. 어딘지 모른다며?"

부릅뜬 눈을 부라리는 뮤리엘을 보며 도미닉이 제 이마를 '탁' 쳤다.

"아 참, 내가 그랬지. 이놈의 정신머리."

유유히 어둠 속으로 사라지는 도미닉 뒤로 뮤리엘의 현란한 욕지거리가 날아들었다.

정면으로 봐도 잘생긴 남편은 고개를 꺾고 봐도 역시나 잘생겼다. 뒤도 안 돌아보고 두고 갈 땐 언제고, 그래도 찾으러 돌아다니긴 했나 보군.

"용케 찾아오셨네요."

담담히 볼멘소리를 내뱉은 프리다는 다니엘의 손에서 제 뺨을 떼어 냈다.

"에구구."

앓는 소리가 절로 나왔다. 프리다는 뻐근한 목과 어깨를 주무르며 꺼져 가는 불꽃이 마지막 힘을 내 비추고 있는 남자를 바라보았다. 인간의 마음이란 어쩌면 이리 간사한지. 얄미워 죽겠다고 생각했는데 땀에 흠뻑 젖은 행색을 보니 꼬였던 마음이 눈 녹듯 사르르 풀렸다.

저를 찾으러 제법 뛰어다녔는지 미처 갈무리하지 못한 숨소리가 다소 거칠었다. 프리다는 시간이 얼마나 흘렀나 싶어 고개를 치켜올렸다. 창문 밖 하늘이 새카맸다.

"아이고……."

하늘에 총총히 박힌 별을 보며 긴 탄식을 쏟아 낸 프리다가 다니엘에게 손을 내밀었다.

"좀 잡아 주세요. 일어나게."

본인이 얼마나 큰 소란을 일으켰는지 전혀 모르는 여상한 태도였다. 황당해진 다니엘은 그녀가 잡을 수 있도록 팔을 뻗으며 그 사실을 상기시켜 주었다.

"성안 사람들이 저녁 내내 부인을 찾으러 다녔습니다."

"그랬겠죠. 이래 봬도 제가 뮌하임 성에선 꽤 존재감이 있는 사람이니까요."

안 찾아다녔다고 하면 아주, 매우 섭섭했을 것이다. 주름진 치마를 탈탈 턴 프리다는 벽난로로 걸어가 꺼져 가는 장작의 불씨를 부지깽이로 들쑤셨다.

지난겨울에 가져다 놓은 장작이 있었기 망정이지 꼼짝없이 어둠에 갇혀 있을 뻔했다. 마지막 장작을 태우고 나면 벽난로에 책이라도 던져 넣어야 하나 고민했는데.

늦지 않게 와 준 게 고마워서라도 낮에 저를 두고 혼자 가 버린 건 봐줄까 싶다. 대여섯 개 남은 장작 중 하나를 들어 조심히 벽난로 안으로 밀어 넣은 프리다는 부지깽이를 놓고 손을 털었다.

"누군가가 저를 찾으러 온다면 뮤리엘일 줄 알았는데. 공작님이 오실 줄은 몰랐네요."

"로시발트 경도 여기를 압니까?"

모시는 아가씨가 어디로 사라졌는지 전혀 모르는 눈치던데. 조금 전 통로를 훑고 나오다 만난 그녀는 마리안 홀 복도에 그를 세워 두고 심문하듯 따지고 들었었다. 집요하게 굴던 여기사를 떠올리며 다니엘이 눈을 찌푸렸다.

"그럴 리가요."

프리다가 책을 줍기 위해 허리를 숙이며 말했다. 졸다 떨어트렸는지 책은 책장이 활짝 펼쳐진 채 바닥을 나뒹굴고 있었다. 책을 집어 든 프리다는 보고 있던 책장의 페이지를 확인하곤 다시 덮어 얌전히 내려놓았다. 오래된 양피지에서 나는 가죽 냄새와 곰팡내가 뒤섞인 서고 안의 공기가 몹시도 텁텁해 숨이 막혔다.

하긴, 서고의 환기를 안 한 지 한 달이 넘었으니. 결혼할 때 가져온 지참금이 떨어지고 난 후 성의 살림을 하나씩 정리했다. 당시 가장 먼저 손본 곳이 이 브라반트 홀이다.

연회장에 매달린 샹들리에부터 역대 퀜하임 공작의 초상화와 그림들. 복도에 길게 줄지어 서 있던 옛날 갑옷, 의미를 알 수 없는 고철 덩어리들까지. 돈 되는 건 모조리 팔아 치웠다.

"인적이 끊긴 지 두 해도 넘었으니 뮤리엘은 물론이고, 도미닉도 여기에 뭐가 있는지 기억 못 할걸요."

브라반트 홀에서 유일하게 남겨 둔 곳이 이 서고다. 두 층을 터서 천장엔 종교화를, 측면 벽엔 화려한 스테인드글라스 창을 설치한 이곳은 처음 본 순간부터 프리다를 사로잡았다. 지금이야 먼지가 켜켜이 쌓여 과거의 반의 반도 예쁘지 않지만.

처음 이곳에 들어왔던 날이 생생하게 기억난다. 빛이 창을 통과하며 만들어 낸 아름다운 형상과 화려한 색깔을 해 질 녘까지 넋 놓고 바라보았다. 숭고함마저 느껴졌다.

그날의 기억 때문에 돈이 될 거라는 걸 뻔히 알면서도 차마 이곳만은 건드리지 못했다. 이젠 먼지로 뒤덮여 낮이나 밤이나 똑같이 시커먼 색으로 보이는 창문을 보며 프리다가 깊은 한숨을 내쉬었다.

"가끔 혼자 머리를 식히고 싶을 때 뮤리엘 몰래 오곤 해요. 오늘처럼 찾아보고 싶은 게 있거나 할 때도."

원래 계획은 약초학 관련 책이 있는지 뒤져 본 후 복도를 따라 마리안 홀로 숨어들 작정이었다. 물론 한참을 걸어야 하고, 크고 두꺼운 문을 몇 개나 지나가야 하지만. 그 편이 사람들 눈에 띌 확률이 훨씬 낮으니 다른 방도가 없었다.

"책만 찾아서 가려고 했는데……."

책장을 뒤지다 맘에 쏙 드는 책을 발견하는 바람에 그만 시간을 지체해 버렸다. 눈앞의 글씨가 흐려지고서야 너무 늦었다는 걸 알았다. 이미 하늘이 검붉은색으로 변한 뒤였다.

"가는 중에 해가 지겠더라고요. 운이 좋아서 제시간에 브라반트 홀을 벗어난다 해도 스카디 홀을 지나가야 하잖아요. 거기도 아직 밤에는 불을 안 밝히거든요."

그곳은 사흘 뒤, 보일드 남작 부부가 도착한 다음에나 벽등을 밝힐 예정이다. 기름 한 방울에 들어가는 한 푼도 허투루 쓸 수는 없으니 아끼고 또 아껴야 했다. 앞으로 성안에 머물 사람이 계속 늘어날 텐데 돈 쓸 곳이 한두 곳이어야 말이지.

"그래서 안전하게 여기 있자 했어요. 여긴 벽난로가 있어서 어둡지 않고, 덮을 게 없어도 봄이라 얼어 죽진 않을 테니까요. 운이 좋아 뮤리엘이 오면 다행이고, 아니면 어쩔 수 없고. 그런데 공작님이 저를 찾으실 거라곤 예상 못 했어요.”

그나저나 어떻게 찾은 거야? 도미닉 말로는 공작님은 이곳에 눈길도 주지 않을 거라고 했었는데.

“공작님께서 여기에 서고가 있다는 걸 아시는지 몰랐어요.”

이유는 모르겠지만 그 말이 다니엘의 신경을 묘하게 긁었다. 솔직히 말하면 자신이 저를 찾을 거라곤 예상치 못했다는 말부터 그랬던 것 같다. 아니. ‘배신자’부터였나.

“의식이 없었을 뿐 기억력을 잃은 건 아니라서요. 성의 지리 정도는 여전히 기억합니다.”

“그게 아니라…….”

쌀쌀맞은 다니엘의 대답에 프리다가 말꼬리를 흐렸다. 그녀는 서둘러 핑곗거리를 찾아 입을 열었다.

“공작님은 책은 거들떠보지도 않으시는 분이라 서고 같은 게 있는지 없는지 관심도 없을 거라고 했거든요.”

“누가요?”

“도미닉이요.”

이 망할 자식이. 누구를 일자무식으로 보이게 하려고.

꾹 다물린 입술 안에서 이를 부득 갈던 다니엘이 갑자기 옆으로 몸을 틀었다. 그는 프리다가 말릴 새도 없이 벽난로 옆에 놓여 있던 장작을 모두 불꽃 속으로 집어 던졌다.

“공작님, 남은 거라곤 그게 전분데…….”

“우리 좀 앉죠.”

벗은 재킷을 난로 앞에 깔아 준 다니엘이 맨바닥에 내려앉으며 그녀를 향해 고개를 까닥였다. 평소 지나치게 깍듯이 굴던 것과는 사뭇 달라진 모습이었다. 주저하던 프리다는 다니엘의 재킷 위에 얌전히 무릎을 구부리고 앉았다. 타들어 가는 장작을 바라보던 다니엘이 그곳에 눈을 둔 채 입을 뗐다.

"부인을 혼자 두고 간 건 미안합니다. 이런 일을 겪게 한 것도."

프리다가 제게 배신자라고 말하는 순간 깨달았다. 그녀가 배신감을 느낄 정도로 자신을 많이 믿고 있었다는걸. 어떤 일이 닥쳐도 저를 구해 줄 사람이라 굳게 믿고 의지하는 로시발트를 속이는 일에 도움을 청할 만큼.

아무리 화가 솟구쳤어도, 그녀를 침실에 데려다준 뒤에 리카르도를 찾아가는 게 맞았다. 그가 거기까지는 해 줄 거라 믿고 부탁한 것일 테니까. 고작 남편이라는 이유로.

벽난로 속 불꽃이 점점 높이 솟아올랐다. 접고 있던 오른 무릎에 팔을 올린 다니엘의 눈빛이 깊어졌다. 타인을 통해 정확지도 않은 헛소리를 듣는 것보다야 제가 직접 알려 주는 게 낫겠지. 결심을 마친 다니엘이 천천히 입을 열었다.

"그때, 그 일로 인해 많은 이들이 목숨을 잃었습니다."

"사람들이…… 많이 죽었다고요?"

모친 말고도 또 죽은 사람이 있었단 말이야? 리카르도 님이 알려 준 얘기 말고도 뭐가 더 있었던 거야? 깜짝 놀란 프리다가 소리를 높였다. 일부러 외면하고 있음에도 다니엘은 선명하게 보이는 것 같았다. 그녀의 맑고 순수한 눈동자에 드리워 있을 공포가.

이번 일로 깨달은 건 싫든 좋든 프리다가 이미 그의 인생에 깊숙이 들어와 버렸다는 거다. 애써 그어 놓은 선이 자꾸만 흐려져 소용없게 될 것 같다는 불안감이 찾아왔다. 프리다가 아니라 다니엘 쪽 인간들로 인해. 리카르도는 말할 것도 없고, 도미닉도 마찬가지다. 그 냉랭한 놈은 아닌 척하면서도 누구보다 열심히 선을 밟고 뭉개고 넘나드니 더 문제다.

다른 이들이 그랬다면 신경도 안 썼겠지만, 몰리 부자는 다르니까. 원수 같은 인간들. 진즉에 떨어져 나가라고 했음에도 왜 말을 안 들어 처먹고 사람을 귀찮게 하는지. 특히 리카르도가 프리다를 완전히 가족으로 받아들여 버렸으니 골치 아프게 됐다. 프리다에겐 들리지 않을 작은 한숨이 다니엘의 잇새로 흘러나왔다.

"리카르도가 부인께 알려 드린 건 함부로 다른 이에게 전해져선 안 되는 이야기입니다. 경황이 없다 보니 끝까지 부인에 대한 책임을 다하지 못한 점 사과드립니다."

어느새 양 무릎을 팔로 감싸 안은 프리다는 심각한 표정으로 다니엘을 바라보았다.

"괜찮아요. 저는 그런 일이 있었는지 몰랐어요."

에키나시아 물약에 불임을 유발하는 성분이 있다는 건 사실이지만, 겨우 한 번 먹었을 뿐인데. 그 일로 공작의 모친을 희생시킨 것도 모자라 다른 사람까지 죽였다고? 상상도 못 한 일이다.

"앞으로도 쭉 모르시는 걸로 해 주십시오. 황제가 후손을 보지 못한 지금, 혹여라도 황제의 몸에 문제가 있다는 소문이 돈다면 황태후는 저부터 의심할 겁니다. 그러면 공작령에 사는 이들 모두가 위험해질 수도 있습니다."

솔직히 누굴 탓할 일도 아니다. 애초에 죄책감이나 덜어 보자고 리카르도에게 그 일을 털어놓은 게 문제였다. 무책임하고 어리석은 놈. 무릎에 걸쳐 두었던 팔을 접은 다니엘은 이마를 감쌌다. 그날의 일을 떠올리는 것만으로도 머리가 깨질 듯이 아팠다.

왜 그랬을까. 아무리 질투가 났다고 레오폴드에게 그딴 걸 주다니. 다니엘에게 에키나시아 약물을 준 사람은 용병단원들이 가끔 머무는 숙소에서 일하던 여자였다. 그녀는 빈번한 노숙으로 인해 며칠째 기침이 멈추지 않는 다니엘을 안쓰러워하며 약병 하나를 주었다.

"우리 잘생긴 도련님. 이 약은 많이 마시면 절대 안 돼요. 한 번에 한 모금씩만 마시고 기침이 멎은 다음엔 바로 약을 끊어요. 잘못하다간 자식을 못 가지게 되는 수가 있거든. 이렇게 멋진 얼굴은 대대로 이어져야 하지 않겠어요? 후후."

그해 겨울, 성에 돌아와 보니 부친인 리하르트 공작의 병환 때문인지 의

사는 기침이 심한 레오폴드를 세심히 돌보지 않고 있었다.

"콜록콜록. 오랜만이야, 다니엘."

평소 살가운 편은 아닌 레오폴드지만 모친이 없을 때면 다니엘에게 곧잘 형이라고 부르며 따랐다. 물론 제 기분이 내킬 때만. 아예 무시하면 했지, 적어도 다니엘을 사생아라고 비웃지는 않는 담백한 성정. 흠잡을 데 없는 고귀한 혈통을 타고난 덕에 가질 수 있었던 높은 자존감. 그러나 그는 지체 높은 귀족 도련님답게 무신경하고 배려심도 없었다.

"형은 여기저기 돌아다니니까 좋겠다. 콜록. 난 책만 보는 거 지겨워 죽겠어. 이번엔 어디 다녀왔어? 얘기 좀 해 봐. 콜록콜록."

책만 보는 게 지겹다고? 여기저기 돌아다니는 게 좋다고? 허구한 날 산속에서 짐승들의 울음소리를 듣는 게 좋아? 입 돌아가게 추운 겨울 숲에서 덜덜 떨며 잠드는 게 뭐가 좋다는 건데? 나도 너처럼 따뜻한 성안에서 남이 챙겨 주는 식사를 하며 편한 침대에서 자고 싶다고. 너만 없으면, 너만 아니면……. 내가 유일한 이 집안의 핏줄인데.

"이거 마셔요, 도련님. 기침에 좋은 약이래요."

왜 그 약병을 건넸을까. 레오폴드가 절반이 넘게 남은 약을 한 번에 들이켜는 걸 보면서도, 왜 말리지 않았을까. 어쩌면 저는 그 약을 처음 받았을 때부터 이런 날을 기다렸는지도 모른다. 제 안의 악마가 호시탐탐 기회를 노리고 있었는지도.

갑자기 기침이 멈춘 레오폴드를 이상하게 여긴 의사에 의해 다니엘이 약을 줬다는 사실이 밝혀졌다. 이후로 피바람이 불어닥쳤다.

공작 부인 마그리트는 레오폴드가 불임이 될지도 모른다는 사실에 격노했다. 에키나시아를 마셨다는 걸 아는 의사와 그를 돕던 하녀는 물론이고, 그 날의 소동을 보고 들은 자들. 심지어 다니엘의 어머니를 형장에 매단 이들까지 모두 죽였다.

그녀는 말이 새어 나갈 틈이라곤 바늘구멍 하나도 남겨 두지 않았다. 피도 눈물도 없었다. 그 틈에서 다니엘이 살아남을 수 있었던 건 어머니의 희생과 약속 때문이었다.

"살려만 주시면 다니엘을 평생토록 레오폴드 도련님의 사냥개로 살게 하겠습니다. 다니엘의 실력은 마님께서도 아시잖아요. 외조부를 닮아 검술엔 천부적인 재능을 타고난 아입니다. 그래서 마님도 다니엘을 욕심내신 거잖아요."

아주 어릴 적 목검을 가지고 노는 꼬마 다니엘을 본 리하르트 공작가의 기사가 말했다. 백 년에 한 번 나올까 말까 한 천재라고. '용맹한 갈색 사자'라 불리는 누베르크에 버금가는 기사가 될 아이라고. 오직 검술 솜씨 하나로 링겐 제국의 변경백이 된 전설적인 기사 '누베르크 모렌하이츠'. 그 정도의 재목이라는 말에 마그리트는 다니엘을 곁에 두었다.

시간과 정성을 들였던 탓에 버리기 아까웠던 것도 같다. 다니엘은 죽는 날까지 레오폴드를 위해 살겠다는 종신 계약을 맺은 후 비루하게 목숨을 지켰다. 그날의 기억이 해일처럼 밀려들었다. 다니엘은 반으로 쪼개질 것만 같은 이마를 꾹 누른 채 담담히 말했다.

"뭘 들었든 다 잊으세요. 더는 저 때문에 죽는 이가 없었으면 합니다."

말하고 나니 지독하게 우스웠다. 이날 이때껏 손에 검을 들고 한 일이 있는데. 이제 와 저 때문에 죽는 이가 없었으면 한다고? 앞뒤가 안 맞아도 이렇게 안 맞을 수가. 다니엘은 피식 새어 나오는 조소를 숨기려 고개를 내렸다.

"무슨 말씀인지는 알겠는데요."

그를 달래는 프리다의 음성은 그녀처럼 작고 가냘팠지만 다부졌다.

"그걸 왜 공작님 때문이라고 말씀하세요? 그건 황태후 폐하께서 자세히 알아보지도 않고 오해를……. 아무튼 그분이 모질고 독해서잖아요. 공작님은 아이였다고요. 고작 열세 살이요."

리카르도가 그를 달래며 수없이 했던 말이다. 너는 고작 열세 살이었다고. 열세 살? 그게 뭐? 그렇게 변명하면 뭐가 달라지나? 아니. 전혀. 저는 아픈 동생을 질투해 제 잇속을 차리려 했던 치졸하고 악독한, 아주 싹이 노란 열세 살이었다.

"리카르도의 말을 곧이곧대로 믿지 마십시오. 아마 저를 그럴싸하게 꾸며서 말했을 테니."

다니엘에 관해서라면 몰리 부자는 눈에 뭐가 쓰인 인간들이다. 맹목적인 그들을 삶의 일부로 받아들이기까지 수년이 걸렸다. 정확히 말하면, 받아들인 게 아니라 그들이 들러붙어 있는 거지만. 어쨌든 그 두 사람은 자신이 책임지겠지만 엮이는 사람의 수가 더 늘어나는 건 절대 사양이다. 다니엘은 흐릿하게 지워져 가는 선을 다시 쭈욱 그었다.

"진실은 저로 인해 수많은 사람이 죽었다는 겁니다. 자칫하면 부인도 그중 한 명이 될 수 있고요. 경고하는데 부인 때문에 골치 아픈 일이 생기지 않도록 해 주세요."

이 정도 말하면 보통 겁을 먹거나 언짢아하는 게 정상이다. 상식의 범위 안에 드는 인간이라면 말이다. 그러나 그의 아내는 보통도, 상식의 범위 안에 있지도 않았던 모양이다.

"아니요. 그건 진실이 아니라 자책이죠. 진실은 그러니까…… 이런 걸 보고 진실이라고 하는 거예요."

프리다가 갑자기 무릎을 바닥에 대고 희미한 어둠 속으로 기어들어 갔다. 더듬더듬 손을 뻗어 책 한 권을 찾아서 들고 온 그녀는 다니엘의 앞에 마주 앉아 책을 활짝 펴 들었다. 그녀가 등으로 빛을 가려 버리는 바람에 다니엘의 시야는 오로지 그녀로 가득 찼다. 손끝으로 페이지 어딘가를 콕콕 찍어 가리키는 프리다로.

"제가 다 찾아봤다고요. 에키나시아는 기침과 염증에 효과가 있는 약초이다 등등등. 아, 여기, 이 부분을 보세요. 장기간 고용량 복용 시 불임을 유발할 수도 있으니 주의가 필요하다."

다니엘을 마주 보는 눈동자에 도무지 이해 불가능한 신뢰만을 담은 한 여자로.

"이렇게 분명히 쓰여 있잖아요. 장기간 고용량 복용 시 '유발한다'도 아니고 '할 수도 있다'고. 겨우 한 번 마신 걸로는 절대 문제 될 리가 없어요. 그 정도로 신비한 효능을 지닌 약초라면 지금부터라도 공작령 전체에 심어 볼까 봐요. 떼돈을 벌겠네, 아주."

도대체 당신은 왜 내 편을 들어 주는 거지?

"제 말은 공작님이 잘했다는 게 아니라, 이건 명백히 황태후께서 나쁘셨다는 뜻이에요. 어른답지도 못했고."

"대체 왜……."

이쯤 되면 궁금해서라도 물어보지 않을 수가 없다. 청승맞은 리카르도야 단장으로 모셨던 외조부와 첫사랑에 대한 의리라고 치고. 도미닉 역시 저를 버린 생모 대신 친아들처럼 키워 준 다니엘의 어머니에 대한 고마움. 그리고 징글징글하게도 싸우며 쌓아 온 애증이 애정이 됐다 치자고.

이 작은 여자의 감정은 뭐라 설명해야 하는데? 대체 왜, 무슨 이유로 이토록 무한한 신뢰를 보내는 거냐고. 다니엘은 결국 어리석고 유치한 질문을 하고 말았다.

"도대체 내가 왜 좋습니까?"

손에 들고 있던 책을 탁 덮은 프리다가 '흥' 하고 코웃음을 쳤다.

"글쎄요. 잘 모르겠네요. 오늘의 공작님은 영 제 취향이 아니라서."

4. 곁에 있을게요

공작 부부는 밤늦게 마리안 홀로 돌아왔다. 캄캄한 복도에서 불쑥 나타난 공작 부부를 기다린 건 뮤리엘과 도미닉 두 사람이었다. 뮤리엘이 터덜터덜 침실로 향하는 프리다를 따라 들어가는 사이, 도미닉이 다니엘의 팔을 잡아끌었다.

"집무실로 가시죠. 급히 보고드릴 게 있습니다."

한달음에 계단을 내려가 집무실로 들어간 도미닉이 등 뒤로 잽싸게 문을 닫았다.

"미친 꽃사슴이 오고 있답니다."

의자에 앉으려던 다니엘은 등받이를 잡은 채 미간을 일그러트렸다.

"업다이크가?"

"보일드 남작도 오고 있답니다."

"알아. 사흘 뒤잖아."

양손으로 책상을 짚은 도미닉이 푹 고개를 숙이며 길게 숨을 몰아쉬었다.

"후우, 아니요. 이 속도면 내일 도착한답니다. 둘이, 아니, 보일드 남작 부인까지 셋이 동시에."

"무슨 소리야?"

다니엘이 의자에 앉는 동안 도미닉의 탄식은 더 깊고 길어졌다.

"그 미친 꽃사슴이 자기 마차에 보일드 남작 부부를 태우고 오고 있다고요."

"어째서?"

"펜하임 성으로 오는 길에 보일드 남작 부부가 타고 온 마차가 부서졌대요. 하필 그때 미친 꽃사슴이 나타났고요."

"네 짓이야?"

다니엘의 질문을 이해하지 못해 눈만 껌벅이던 도미닉이 책상에서 손을 떼며 버럭 소리를 질렀다.

"아니야, 인마! 혼자라면 모를까. 남작 부인까지 타고 있는 마차를 내가 왜 부숴?"

"그럴 생각이 없었던 건 아닌가 보군."

"그거야……."

말문이 막힌 도미닉이 턱을 긁적거렸다. 생각이야 했지.

"우리가 벌여 놓은 일이 오죽 많아야죠. 들쑤시고 다니면 귀찮으니 남작이 다치면 그 핑계로 몇 달쯤 고이 성안에 모셔 둘까 하긴 했었지요. 보일드 남작한테도 나쁠 거 없잖아요. 쉬면서 돈도 벌고."

다니엘은 어둠이 내려앉은 창가를 바라보며 곰곰이 상념에 빠졌다. 사실 보일드 남작은 걱정거리도 아니다. 적당히 원하는 걸 보여 주면서 황태후의 귀에 대단치 않은 소식이 들어가게 하면 끝이다. 프리다 혼자 하기 벅찬 내성의 일들을 맡길 수도 있으니 도미닉 말대로 귀인일지도 모르고. 아내가 같이 온다고 하니 그녀를 프리다의 시녀로 삼아도 좋겠지. 명색이 공작 부인인데 남들 다 있는 시녀도 한 명 없이 지내게 할 수는 없는 거니까.

문제는 '하인리히 업다이크'다. 그 자식은…… 답이 없다. 이리 귀찮게 할 줄 알았으면 칼레 전투에서 죽든 말든 내버려 둘 것을. 톡, 톡. 다니엘의 손끝이 규칙적인 속도로 책상 위를 내려찍었다.

"골치 아프게 됐군."
도미닉이 냉큼 한마디를 거들었다.
"저 잠시 떠나 있어도 됩니까?"
"말 같지 않은 소리 그만해."
"도착하기 전에 진짜로 마차를 부수는 건?"
"도미닉."
"네. 안 되겠죠……. 흐음."
미간을 찌푸리며 턱 끝을 만지작대던 도미닉이 다니엘 옆으로 쪼르르 다가갔다.
"그나저나 공작 부인은 어디서 찾으신 겁니까?"
"브라반트 홀."
"네에? 먼지만 쌓인 고물 창고 같은 곳엔 왜요?"
오른편에 선 도미닉을 흘깃 올려다본 다니엘이 싸늘하게 물었다.
"너…… 내가 책은 거들떠보지도 않는 인간이라고 했나?"
"제, 제가요?"
본능적인 감각으로 주군과 거리를 벌린 도미닉이 더듬더듬 입을 뗐다. 다니엘은 기다리지 않고 즉각 응수했다.
"어, 형이."
아니, 왜 또 갑자기 형인데. 그놈의 형 소리 누가 듣고 싶어 한다고. 튈 준비를 마친 도미닉이 느릿느릿 문을 향해 뒷걸음질을 쳤다.
"내가 그, 그랬나? 기억이 잘……."
"능청 다 떨었으면 나가. 위층에 들러서 내일 손님들이 온다는 거나 알려 주고."
"누구한테요? 공작 부인께요?"
"이 성에 안주인 말고, 그 소식을 알아야 할 사람이 또 있나?"
"그게……."

도미닉이 귀밑을 긁적거리며 곤란한 표정을 지었다.

"제가 지금 로시발트 경과 함께 있는 공작 부인을 보기가 껄끄러운 상황이라."

뭔 개소리냐는 말을 눈으로 하는 다니엘을 보며 도미닉이 삐죽 입술을 내밀었다.

"로시발트에게 들켰습니다. 비밀 금고의 존재를 알면서도 그동안 입 다물고 있었던 거. 다 알면서 가만있었던 거냐고 죽일 듯이 째려보더라고요. 지금 저 위에서 부인께 죄다 일러바치고 있을 텐데 거길 어떻게 갑니까? 못 갑니다."

"네가 그딴 걸 신경 썼던가?"

"안 썼죠."

"그런데?"

도미닉이 팔짱을 끼며 털썩 책상 위에 걸터앉았다.

"말 놔도 됩니까?"

"죽고 싶으면."

"하아……."

땅이 꺼지라고 한숨을 내쉰 도미닉이 얼굴을 감쌌다.

"네가 안 죽여도 나 곧 죽을지도 몰라. 안 하던 짓을 하면 죽는다는데 나 이상하게 자꾸 양심이 찔려, 다니엘."

"형한테 그런 게 있는 줄 몰랐네."

곧바로 얼굴에서 손을 뗀 도미닉이 다니엘을 쳐다보며 소리쳤다.

"내 말이. 내가 양심이 어딨어? 도미닉 몰리한테 양심이 있으면 안 되잖아. 그동안 내가 한 짓을 보라고. 양심이 있는 인간이라면 도저히 할 수 없는 일만 수만 가지야."

벌떡 일어난 도미닉은 심각한 표정으로 책상 앞을 서성거렸다. 오른손의 검지가 왼쪽 팔뚝을 방정맞게 톡톡, 톡톡 쉬지 않고 두드려 댔다.

"너도 알잖아. 난 글자보다 사기 치는 법을 먼저 배운 놈이야. 아픈 척, 약한 척, 무서운 척 속이면서 남을 등쳐 먹고 살던 놈이라고. 당연하잖아. 아버지는 전쟁터에서 죽었는지 살았는지 모르고, 어미란 인간은 그 모양 그 꼴인데 뭘 보고 배웠겠어?"

라우라 님이 거둬서 키워 주지 않았다면 지금보다 더 개차반으로 살았을 인생이다. 딴에는 라우라 님께 잘 보이고 싶어 사람답게 굴었지만 인간의 본성이 어디 가나. 그분의 유언이 아니었다면 성질대로 살다 진즉 죽고도 남았다.

"개죽음당하면 용서 안 한다, 도미닉."

복수하고 말겠다며 길길이 날뛰는 열다섯 소년에게 라우라 님이 남긴 당부였다.

"죽으면 아무 의미 없어. 복수는 충분히 힘을 기른 다음에 해도 늦지 않아. 도미닉, 무조건 살아남아. 살아서 그 아이 옆에 있어 줘. 섣부르게 굴다 죽으면 하늘나라에 와도 안 만나 줄 거야."

도미닉의 인생 목표는 간단했다. 무조건 산다. 다니엘도 살린다. 쉔달 성의 늙은 여우에게 복수한다. 오직 그것만 생각하며 살았다. 다른 건 돌아보지도 않았다. 팔뚝을 두드리던 도미닉의 손이 어느새 뒷머리를 벅벅 긁고 있었다.

"내가 어떤 놈이냐고? 라우라 님 돌아가시고 실어증 걸린 너한테 잘난 척 오지게 하다 사고 칠 줄 알았다고 놀렸던 개자식이야. 그러면서도 양심에 찔려 본 적이 없는 나라고."

서성대는 걸 멈춘 도미닉이 다시 다니엘이 앉아 있는 책상으로 다가왔다. 왼팔을 책상 위로 뻗어 짚은 그가 오른손으로 가슴을 툭툭 치며 다니엘에게 얼굴을 들이밀었다.

"그런 내가, 지난 삼 년 동안 수도 없이 여기가 찔끔찔끔 아팠다니까. 믿어지냐? 믿어지냐고!"

솔직히 말해 공작 부인을 보기가 겁난다. 그 해맑고 초롱초롱한 보랏빛 눈에 저를 향한 실망감이 담기는 걸 본다고 생각하니……. 아우, 죽을 맛이다. 푹 고개를 숙인 도미닉이 양손으로 머리통을 감싸 쥐었다.

"그 열쇠 그냥 줘 버릴 걸 그랬나 봐. 내가 언제부터 너한테 의리를 지켰다고. 따지고 보면 라우라 님도 네 옆에 있어 주라고만 하셨거든. 무조건 너만 위하라고는 안 하셨다고. 아이씨. 로시발트가 다 말했을 텐데 이제 부인 얼굴을 어떻게 봐?"

괴로워하는 도미닉을 무덤덤하게 바라보던 다니엘이 의자를 밀며 일어났다. 책상에 엎어진 채로 머리를 쥐어뜯고 있는 도미닉을 지나쳐 간 그가 집무실 문고리를 당겼다. 활짝 문이 열린 집무실 안에 다니엘의 낮은 목소리가 무겁게 내려앉았다.

"그만 징징대고 꺼져."

양심에 가책을 받아 괴로워하는 도미닉이라니. 잊고 싶은 기억이 또 하나 늘어났다.

막 계단을 올라오는 다니엘과 눈이 부딪힌 뮤리엘이 한 발 뒤로 물러서며 예를 갖췄다. 평소 먼저 말 거는 법이 없던 그녀가 침실로 걸어가는 다니엘을 불렀다.

"저, 공작 전하."

다니엘은 반쯤 튼 어깨를 돌리지 않은 채 시선을 낮췄다. 도미닉보다 조금 작은 그녀는 다니엘이 고개만 살짝 내려도 눈을 볼 수 있었다. 로시발트 가문 특유의 진중하고 차분한 회색 눈동자가 그를 마주 보았다.

"말하게."

"혹시 새벽이 되기 전 아가씨께 들러 봐 주실 수 있으십니까? 아무래도 미열이 있으신 듯한데 자꾸 괜찮다고만 하십니다."

공작 부인이 머무는 침실 문으로 눈을 돌렸던 다니엘이 다시 뮤리엘을 바라봤다.

"의사는?"

"밤이 늦었으니 부르지 말라고 고집을 피우셔서요. 정 안 좋으면 안톤이 전에 준 약도 있으니 걱정 말라고 하시는데 제가 보기엔 좋지 않으십니다. 반나절도 넘게 바깥을 돌아다니셨으니 몸에 무리가 갔을 겁니다."

"……알았네."

다니엘의 말이 끝나자 뮤리엘은 한 번 더 정중하게 예를 갖췄다.

"감사합니다, 전하. 그럼 편한 밤 보내십시오."

이번엔 다니엘이 뮤리엘의 발길을 붙들었다.

"부인께 알렸나?"

"네? 무엇을 말씀하시는지 여쭤도 되겠습니까?"

잠시 뮤리엘을 응시하던 다니엘이 천천히 입을 열었다.

"도미닉이 비밀 금고의 존재를 숨긴 일."

차분하던 회색 눈동자가 순간 꿈틀하며 작게 요동쳤다. 할 말이 많아 보이는 뒤숭숭한 얼굴을 하고도 뮤리엘은 담담히 대답했다.

"아니요. 전하지 않았습니다."

"어째서?"

"……상처받으시는 모습, 보고 싶지 않습니다."

몇 번이나 입을 달싹거렸지만 결국 하지 못했다. 아가씨가 시집올 때 가져온 보석을 내다 팔 때, 성안의 가구를 처분할 때. 그 일을 모두 도맡아 처리한 사람이 도미닉이다. 가끔은 보낸 것들이 아쉬워 눈물을 보이고, 할 일은 많은데 가진 것이 없어 슬퍼할 때도 그 옆에 도미닉이 있었다. 뻔뻔한 낯짝으로 위로의 미소를 짓던 그 망할 자식이.

"아가씨는 타인을 쉽게 신뢰하십니다. 속이는 법은 아예 모르시죠. 당연히 남도 자신을 똑같은 마음으로 대할 거라 믿고 계시고요."

저를 속이는 줄도 모르고, 그 개자식을 무한 신뢰하셨다. 도미닉이 있어 다행이라고 해맑은 미소까지 지어 주며.

"도미닉을…… 많이 믿고 계십니다. 좋아하시고."

그런데 어떻게 말해. 그놈이 아가씨께 보인 행동이 다 거짓이었다고, 진실은 조금도 없었다고. 도미닉 몰리에게 아가씨는 아무것도 아니었다고 말할 수는 없잖은가 말이다.

"알게 되면 상처가 크실 겁니다."

곱씹을수록 화가 치밀어 뮤리엘은 주먹을 꼭 쥐었다. 저도 이런데 프리다 아가씨가 사실을 안다면? 후우, 절대 말 못 한다. 절대.

"주인이 상처를 입을까 두려워서 아예 숨기는 쪽을 택하는 호위 기사라……. 환상적이군. 완벽하고."

두 사람뿐인 공간, 복도에 내려앉은 나지막하지만 힘 있는 목소리가 공명을 일으켰다. 여운이 많은 리하르트 공작의 목소리에서 설핏 웃음기를 느낀 뮤리엘의 눈썹이 꿈틀거렸다. 제 느낌이 맞는지 확인하듯 다니엘의 표정을 살피는 뮤리엘 앞에서 그가 씩 입꼬리를 비틀었다.

"자네, 진심으로 그렇게 믿고 있군."

"뭘…… 말씀이십니까?"

뮤리엘은 다니엘의 표정에서 의심할 바 없이 분명한 미소를 보았다.

"내 아내가 얼마 살지 못할 거라고."

"……."

"어쩌지? 난 자네와 의견이 다른데. 그래서 상처를 줄지도 모르겠군."

그녀를 향한 완벽한 조소, 비난이 담긴 비웃음이었다.

방으로 돌아와 침대에 누운 프리다는 콱 막혀 오는 목을 힘없이 주물렀다.

"먼지 더미 속에 있어서 그런가? 캑캑."

목이 영 가슬가슬한 게 기분이 나빴다. 그도 그럴 것이 서고를 청소한 지가 한 달이 넘었다. 돌보는 이가 없다 보니 사방에 거미줄이 쳐진 것도 모자라, 환기가 안 된 탓인지 곰팡내와 누린내가 진동했다.

우리끼리 살 땐 몰랐는데 보일드 남작 부부가 온다는 소식을 들은 이후부턴 허름하기 그지없는 뮐하임 성의 상태가 자꾸 신경 쓰였다. 그냥 귀족도 아니고, 황제 폐하의 형인 리하르트 공작이 이런 꼴로 살고 있었냐고 트집이 잡히면 어쩌나 걱정도 되고.

"브라반트 홀도 좀 단장을 해야 하려나. 어휴, 스카디 홀 청소하는 데만 얼마가 들었는데. 그 돈이면 구근을 더 사겠다."

금화가 있으니 좋긴 한데, 돈이 있으니 어째 돈 들어갈 일이 연달아 더 생기는 기분이다. 어쨌든 한 달 뒤면 기다리고 기다리던 투르크 상인들이 구근을 들고 도착한다. 리카르도 님이 서둘러 주신 덕분에 남은 밭도 거의 정돈이 끝나 가고……. 또, 할 일이 뭐가 있더라. 뮤리엘이 화가 많이 나 보이던데 도미닉에게 주라고 한 돈은 잘 전달하겠지?

"콜록콜록. 열나면 안 되는데."

밭은기침을 한 프리다는 이불을 목 끝까지 끌어 올렸다. 봄이 나날이 절정으로 치닫고 있는 따스한 방 안에서 한기라니.

"걱정할 것 없어, 프리다. 내일이면 가뿐해질 거야."

뮤리엘이 나가자마자 안톤이 전에 주고 간 약을 먹었으니 푹 자고 나면 괜찮아질 것이다. 내일 아침 눈을 뜨면 제일 먼저 공작님을 찾아가야겠다. 오늘의 당신은 취향이 아니라고 했더니 꽤 충격을 받았는지 마리안 홀로 돌아오는 내내 말이 없었다.

"그러게 왜 기가 팍 죽어서 부질없는 자책이나 하고. 에휴. 별수 없지. 내가 잘 달래 주는 수밖에."

이로써 내일 할 일이 또 하나 생겼다. 깜박깜박. 어둠이 무서워 날이 샐

때까지 켜 두는 벽등이 눈을 감았다 뜰 때마다 점점 흐릿해졌다. 몸이 곤해서인지 프리다는 빙긋이 웃다 말고 그대로 잠이 들었다.

몇 시간 후. 발소리를 죽이고 다가온 다니엘이 그녀의 얼굴을 확인할 때도 프리다는 여전히 미소를 머금은 채였다. 발소리에 이어 숨소리까지 멈춘 다니엘은 잠든 프리다를 내려다보다 이마로 손을 뻗었다. 이마를 가리고 있던 머리칼 몇 가닥을 조심히 거둬 낸 자리에 손등을 댔다. 미열이 느껴졌다.

손을 들어 올린 다니엘은 어슴푸레 방 안을 밝히고 있는 벽등 쪽으로 팔을 뻗었다. 프리다의 머리에 닿았던 손을 허공에서 쥐었다 폈다 하며 물끄러미 바라보았다. 원래도 체온이 높은 편이라 손등에 느껴졌던 열이 제 것인지 아내의 것인지 정확히 알 수가 없었다. 그의 고요한 시선이 다시 프리다에게로 내려앉았다.

작다. 분명 작은데……. 이상하게 자꾸만 제 아내가 커 보인다. 거칠 것 하나 없이 막살던 몰리 부자부터 제국의 검이라 불리는 로시발트 가문의 여기사까지. 주변에 온통 이 작은 여자의 눈치를 보느라 안절부절못하며 쩔쩔매는 인간들뿐이라 그리 느껴지는 걸지도.

"잘 모르겠네요. 오늘의 공작님은 영…… 제 취향이 아니라서."

그 말이 왜 거슬렸을까.

"상처받으시는 모습, 보고 싶지 않습니다."

마치 부서지는 유리를 다루듯 겹겹이 아내를 감싸고 있는 로시발트의 보호막이 왜 못마땅했을까.

"음……."

잠결에 뒤척이는 프리다의 뺨이 왠지 붉어 보였다.

'정말 열이 있나?'

손끝을 뺨으로 가져가려던 다니엘은 문득 어머니가 어린 제게 해 주던 행동 하나가 떠올랐다.

"다니엘. 이리 오렴. 우리 아들, 열이 있는 것 같은데."

다니엘의 긴 다리가 침대 위로 올라섰다. 그의 길고 다부진 양팔이 프리다의 얼굴을 사이에 두고 침대를 짚었다. 흘러내린 앞머리를 쓸어 올린 그가 느릿느릿, 프리다의 잠을 깨우지 않으려는 듯 숨을 멈추고 조심스레 그녀의 얼굴로 다가갔다. 다니엘의 이마가 굴곡 없이 매끄러운 프리다의 이마에 살포시 닿았다. 뜨거웠다.

"당신…… 열 있어."

아니, 어쩌면 열이 있는 건 나일지도 모르겠다.

봄기운이 완연한 쉔달 성에 기대감이 담긴 웅성거림이 깃들었던 오전 한때. 황후의 방을 나서던 황실 주치의는 태평하게 복도를 걸어오는 황제를 발견하곤 허리를 굽히며 옆으로 비켜섰다. 안타까운 소식을 전하기엔 황제의 낯빛이 지나치게 밝아 어떻게 입을 떼야 하나 망설여졌다.

키가 큰 황제는 몇 걸음만에 금세 그의 앞에 도착했다. 눈 아래 멈춘 황제의 신발을 확인한 주치의는 깊이 허리를 숙였다.

"소신 롤랜드. 제국의 태양, 황제 폐하를 뵙습니다."

"요새 자주 보는군. 황후에게 태기가 있다는 소식을 들었는데 사실인가?"

조금 전, 같은 질문을 했던 황태후의 실망스러운 표정을 떠올린 주치의는 식은땀이 흐르는 손으로 진찰 가방을 꼭 쥐었다. 그의 허리가 땅을 파고들 것처럼 깊이 꺾였다.

"그것이…… 황공하오나 태기는 아닌 것으로 보입니다, 폐하."

"아…… 그래? 이런. 안타깝게 됐군."

다행히 황제의 반응은 황태후보다는 심상했다. 굳게 닫힌 황후 방의 문을 바라보던 황제가 한쪽 눈썹을 찡긋 치켜올렸다.

"황후께서 크게 아프신 곳이 있는 건 아니고?"

"예. 건강은 괜찮으십니다."

"그렇다면 굳이 저 안에 들어갈 필요는 없겠군. 그렇지?"

뭐라 대답해야 좋을지 몰라 잠시 망설이던 주치의가 떠듬떠듬 말문을 뗐다.

"황태후께서 들어 계시긴 하나 폐하께서 친히 위로해 주신다면 황후 마마께 많은 위안이 될 것입니다."

주치의의 말이 끝나기도 전에 이미 황제의 고개가 좌우로 흔들렸다.

"글쎄. 저 문을 여는 순간 황후는 위안을 얻을지 몰라도 난 엄청난 잔소리에 시달리게 될 것 같은데. 흠……."

크림색과 황금색으로 장식된 화려하고 고풍스러운 문을 지그시 바라보던 황제가 픽 입꼬리를 끌어 올리며 웃었다.

"결정. 난 이대로 걸음을 돌리겠네. 황후에게 병이 있는 건 아니라니 딱히 위로가 필요한 것도 아니잖나."

말릴 새도 없이 휙 돌아선 황제는 유유히 그리고 빠르게 오던 길로 사라졌다. 황제 레오폴드 볼슈타크 2세의 곁을 따르던 시종이 걱정스레 한마디를 거들었다.

"폐하. 그래도 들어가서 황후 마마를 뵙고 오시는 게 어떻겠습니까?"

레오폴드가 하늘로 치켜든 검지를 휘휘 흔들며 고개를 저었다.

"아니, 아니지. 내가 저 방에 들어간다 한들 황후와 한 마디라도 할 수 있을 것 같아? 귀에 피가 나도록 어머니의 잔소리만 듣게 될 게 뻔하잖아. 뻔히 보이는 지옥으로 들어가는 것보다야 정원을 산책하는 게 훨씬 낫지. 적어도 귀는 살아남을 테니까."

뒷짐을 진 레오폴드는 콧노래를 흥얼거리며 황후 궁을 나섰다. 고개를 들자 구름 한 점 없는 파란 하늘이 머리 위로 펼쳐져 있었다. 후사를 보는 데 애쓰라는 어머니의 훈계나 들으며 허비하기엔 아까운 날씨였다. 시원스레 솟아오르고 있는 분수를 향해 걸어가는 그의 입가에 미소가 번졌다.

안타까운 소식을 접했음에도 레오폴드는 오늘따라 유난히 기분이 좋았다. 반가울 이유가 하나 없는 늙은 울리히 챔벌린 백작을 보고도 웃으며 인사를 건넬 만큼.

“여기서 보니 반갑군. 백작.”

“소신 챔벌린. 제국의 태양, 볼슈타크 2세 폐하를 뵙습니다.”

“어머니를 보러 온 건가?”

“예. 폐하. 황후 궁에 가셨다기에 기다리는 동안 정원을 산책하던 중이었습니다.”

“길이 엇갈렸군. 충고하자면 백작, 오늘은 어머니의 심기가 매우 안 좋을 듯하니 산책이 끝나면 그대로 돌아가는 게 좋을 것이네.”

뭔가 짐작되는 바가 있는지 챔벌린 백작의 미간에 진 주름이 더 깊어졌다.

“안타깝군요. 감히 위로의 말씀을 올립니다, 폐하.”

역시. 눈치 빠르기로 치면 따라갈 자가 없다는 울리히 챔벌린다웠다. 레오폴드는 터져 나오는 웃음을 참지 못하고 껄껄 웃고 말았다.

“하하. 자네는 정말 모르는 게 없군.”

“황공합니다, 폐하. 그저 황태후께서 며칠 전부터 기대가 크셨던지라.”

“남편인 나도 오늘 안 일을 백작이 며칠 전부터 알고 있었다니. 이러니 내가 백작의 능력에 감탄을 안 할 수가 없지. 누가 자네보고 늙었다고 하거든 내 말을 꼭 전해 주게나.”

한바탕 웃어 젖힌 레오폴드는 꽃들이 만발한 정원 한가운데로 걸어갔다. 정원 곳곳에 활짝 핀 리시안서스가 그를 맞았다. 하얀색과 보라색이 어우러진 화사한 꽃밭을 바라보던 레오폴드가 빙긋이 입꼬리를 올렸다.

"페트리샤가 봤다면 좋아했을 텐데. 아쉽군."

레오폴드의 뒤에 서서 꽃밭을 바라보고 있던 챔벌린 백작이 살짝 놀란 듯 황제의 뒷덜미에 눈을 두었다.

"아직도 뷔테인 남작 부인을 생각하시는 겁니까? 그쪽 영지엔 발길을 끊으셨다 들었습니다만……. 아니셨던 겁니까?"

끊기는. 어머니가 하도 난리를 치시니 거리를 두는 것뿐이다. 온통 가식과 거짓으로 둘러싸인 그의 주변에 페트리샤보다 솔직한 여자가 어디 있다고 인연을 끊어?

"착한 여자잖나. 어머니의 눈 밖에 나지만 않았다면 좀 더 곁에 두고 봐도 좋았을 텐데. 어머니도 참, 그리 모질게 쫓아내실 건 뭐람."

"당치 않으십니다, 폐하."

페트리샤 뷔테인 남작 부인은 황실에 불경을 저지르고 쫓겨난 여자였다. 황제의 애정이 컸던 터라 그 와중에도 방대한 영지까지 하사받았다. 그 땅 때문에 겪었던 수모를 떠올린 챔벌린은 당장 목덜미를 잡고 싶은 걸 참느라 손에 쥔 지팡이에 바짝 힘을 주었다.

"폐하, 뷔테인 남작 부인은 감히 자신의 부족을 폐하의 탓으로 돌리고도 죽지 않고 과하게 넘치는 은혜를 입었습니다. 듣기 민망하오니, 황태후께서 모질었다는 말은 거두어 주십시오."

"정색하긴. 솔직히 그녀로선 충분히 할 수 있는 말이었잖나. 죽은 전남편과의 사이에선 어렵지 않게 생겼던 자식이 나와는 생기지 않으니. 내게 문제가 있다고 여기는 것도 당연……."

"폐하!"

황제의 말을 막는 것이 불충임은 알지만, 챔벌린은 더 듣고 있을 수가 없어 소리를 높이고 말았다. 몇 걸음 떨어져 두 사람을 보고 있던 시종과 기사들의 표정이 굳어 갔다. 지팡이를 짚고 황제의 옆으로 다가선 챔벌린은 누가 들을세라 목소리를 낮췄다.

"폐하께 문제라니요? 결단코 입에 올리셔선 안 되는 말씀입니다. 폐하께서는 일개 필부가 아니라 이 제국의 황제이십니다. 어찌 그토록 황망한 말씀을 하십니까? 늙은 신하의 심장이 철렁 내려앉을 뻔했습니다."

황망한 소리? 웃기고 있네. 스물여섯이 되도록 후사를 보지 못한 황제를 두고 귀족들이 뭐라 떠드는지 누가 모를 줄 알고. 레오폴드의 입가에 비릿한 미소가 걸렸다.

모친이 고르고 골라 현 황후 자리에 앉힌 이는 십이 공작 가문 중 하나인 '라이닝겐 공작가'의 여자였다. 거슬러 오르고 올라가다 보면 다 같은 뿌리에서 만나게 되니 사촌의 사촌의 사촌뻘쯤 되려나.

그녀가 황후로 낙점받은 이유는 두 가지다. 달랑 네 개 남은 십이 공작 중 하나를 옆에 두어 초장에 반란의 씨를 자르자는 것이 첫 번째. 두 번째는 살아남은 십이 공작 중 가장 많은 아들을 낳은 가문이라는 거.

그러나 모친의 노력이 무색하게도 황후는 결혼 후 칠 년이 되도록 아이를 갖지 못하고 있다. 염려스러운 건 황후뿐만이 아니라 황제가 안았던 그 어떤 여자에게서도 임신 소식이 들려오지 않고 있다는 사실. 이 정도면 페트리샤의 의심이 영 근거가 없는 건 아니지 않나?

레오폴드는 팔을 뻗어 하얀색 리시안서스의 줄기를 꺾었다. 손가락 사이에 넣은 줄기를 빙글빙글 돌리던 그가 피식 웃으며 챔벌린 백작을 돌아봤다.

"말 나온 김에 확인하러 가 봐야겠군."

"무엇을 확인한다는 말씀이십니까, 폐하?"

손에 들고 있던 꽃을 백작의 가슴에 꽂아 준 레오폴드가 이마에 닿는 황금색 머리칼을 쓸어 올리며 말했다.

"내게 문제가 있는지 없는지 말이야. 페트리샤를 만나서 제대로 노력해 보면 알게 되겠지."

콧노래를 흥얼거리는 황제의 낯빛이 유독 밝아 챔벌린은 지금 그걸 말이라고 하는 거냐고 따지지 못했다.

아침에 일어나 보니 다 좋아질 거라는 예상과 달리 목이 콱 막혀 있었다. 틀림없이 목이 부은 거다. 다리가 욱신거리고 팔이 쉽게 움직이지 않는 걸 보면 몸살도 온 듯하다.

"하아……. 그거 좀 돌아다녔다고 기어이 티를 내는구나."

하긴 브라반트 홀에서 여기까지 거리가 얼만데. 먼지가 켜켜이 쌓인 서고를 뒤지고 불편한 자세로 잠까지 잤으니. 안 아픈 게 이상하지.

"아이고."

힘이 빠져 너덜거리는 팔을 들어 수건을 끄집어 내렸다. 뮤리엘이 밤새 돌봐 줬는지 이마 위엔 찬 기운이 가시지 않은 물수건이 올려져 있었다. 그때, 똑똑. 누군가 침실 문을 두드렸다.

"네. 들어오세요."

뮤리엘, 아니면 뮤리엘에게 잡혀 온 안톤이겠거니 했는데 의외로 남편 리하르트 공작이 안으로 들어왔다.

"어, 공작님! 아침부터 어쩐 일이세요?"

"의사가 밖에 대기해 있습니다. 들여보내도 되겠습니까?"

"……네."

평소보다 더 정중한 말투에서 왠지 거리감이 느껴졌지만, 신경 쓸 틈이 없었다. 잠시 후 진찰을 마친 안톤이 나가자마자 다니엘이 들려준 기가 막힌 소식 때문에.

"오, 오늘이요? 보일드 남작 부부가 오늘 도착한다고요? 거기다 업다이크 후작 영식까지 같이요?"

어떡하지? 스카디 홀의 단장도 덜 끝났는데. 게다가 업다이크 후작 영식이 온다니! 그분이 머물 방은? 침대는?

"맙소사."

프리다는 외마디 소리를 지르며 양손으로 머리칼을 움켜쥐었다.

"그럼 오늘 저녁에 환영 만찬을 준비해야 하잖아요. 아델이 지금 엄청나게 긴장해 있단 말이에요. 귀족 나리들이 드시는 고급스러운 음식은 한 번도 만들어 본 적 없다고 걱정이 태산인데."

이럴 시간이 없다. 우선 업다이크 후작 영식의 방부터 준비시켜야 한다. 그나저나 침대가 없는데……. 미치겠네. 오늘 저녁까지 침대를 어디서 구하냐고. 이불을 걷고 일어나려던 프리다는 어지럼증이 핑 도는 바람에 도로 침대에 주저앉고 말았다.

"진정하세요, 부인."

태평스러운 다니엘의 태도가 오늘만큼은 아주 무척이나 원망스러웠다.

"어떻게 진정해요? 이 성안엔 업다이크 후작 영식이 잠들 침대조차 없는데. 남작 부부가 쓸 침대 두 개만 샀단 말이에요."

"도미닉에게 그중 하나를 스카디 홀에 있는 다른 방으로 옮기라고 해두었습니다. 남작 부부의 사이가 좋다니 당분간은 이해해 주길 바랄 수밖에요."

"아…… 자, 잘하셨어요."

그래도 귀족 부부가 계속 한 방을 쓰게 할 순 없으니 서둘러 바이마르에 침대를 구해 달라고 연락해야 하는데…….

엉금엉금 다시 침대 위로 올라간 프리다는 멍하니 침대맡에 어깨를 기댔다. 어쨌든 가장 골치 아플 뻔했던 일이 뚝딱 해결돼서 다행이었다. 마음이 놓여서 그런가. 저도 모르게 어이없는 질문이 튀어나왔다.

"그럼 이제…… 또 뭘 해야 하죠?"

아니, 그걸 왜 리하르트 공작에게 물어? 혼수상태를 벗어난 지 얼마 되지도 않은 이 남자가 뭘 안다고. 프리다의 걱정과 달리 황당한 질문을 들은 다니엘의 표정은 더할 나위 없이 평온했다.

"아무것도요. 그들을 직접 맞으러 나오실 필요 없습니다. 저 혼자로도 충분하니 부인께선 좀 더 쉬십시오. 만찬도 간단히 준비하라고 했으니 그 자리에만 나오시면 됩니다."

"하지만……."

"대신 부인께 한 가지 부탁이 있습니다."

"뭔데요? 말씀만 하세요. 제가 할 수 있는 일이라면 뭐든 도울게요."

"부인만 할 수 있는 겁니다."

나만 할 수 있는 일? 그런 게 있나? 프리다는 멀뚱멀뚱 다니엘을 올려다보았다. 손님들이 오는 날이어서인지 평소와 같은 어두운색이지만 평소보단 화려한 무늬가 들어간 재킷을 입은 그는 아침부터 심하게 잘생겨 보였다.

"리하르트 공작 부인으로서 당당하고 우아하게 그들을 대하시면 됩니다."

그쯤이야. 이래 봬도 역사와 전통을 자랑하는 하크본 가문의 가정 교사에게 혹독한 교육을 받은 몸이라고.

"뮌하임 성의 안주인이자 오늘 도착하는 누구보다 높은 위치에 계시는 분으로서 의연하게 그들을 맞으십시오."

다소 거창하지만, 그것 역시 문제없다. 안 해서 그렇지, '의연'하면 또 이 프리다 님이시지.

"그것뿐인가요?"

불안한 침묵이 흐른 후 다니엘이 조용히 입을 열었다.

"만약 가능하시다면……."

그답지 않게 목소리에서 미세한 떨림이 느껴진 건 혼자만의 착각이려니 하며 넘어가려 했다.

“제게 최대한 다정히 대해 주시겠습니까?”

그런데 아니었다.

“……네?”

“특히 업다이크 후작 영식 앞에서는 더욱더 과감히, 적극적으로.”

과, 과감? 적극적? 무슨 소리지?

“절 만지셔도 됩니다.”

천사의 날개처럼 하얀 프리다의 눈썹이 전과 비교도 되지 않는 빠른 속도로 파닥파닥 빠르게 흔들렸다.

‘화려하다.’

저 멀리 요란한 문양이 새겨진 깃발을 펄럭이며 다가오는 마차에 대한 뮤리엘의 감상이었다. 대대로 제국의 변경백 작위를 유지하고 있는 업다이크 후작가의 마차는 황실의 것과 버금가는 수준의 크기였다.

“아무튼 요란하긴.”

뮤리엘 바로 옆, 중앙 홀의 기둥에 삐딱하게 기대선 도미닉이 마차를 보며 투덜거렸다. 뭐가 불만인지 업다이크 후작 영식과 보일드 남작 부부가 성 밖에 도착했다는 소식을 들은 이후 계속 저 상태다.

“아까부터 왜 계속 툴툴거립니까?”

“당연히 미친 꽃사슴 때문이죠. 보일드 남작은 귀인이기나 하지. 저 인간은 누가 반긴다고 쳐들어와서는. 그나저나 부인께선 몸이 많이 안 좋으십니까?”

보일드 남작은 다니엘이 영주가 된 후 공식적으로 펜하임 성에 오는 첫 손님이었다. 실체가 뭐든, 역사적인 공작 성의 첫 손님을 맞기 위해 영주를 비롯한 십여 명의 하인들이 앞뜰에 나와 있었다.

그런데 영주인 리하르트 공작 옆에 있어야 할 안주인이 보이지 않았다. 공작 부인의 건강이 좋지 않아 리하르트 공작께서 친히 외출을 금하셨다고. 이른 아침, 뮤리엘이 도미닉에게 금화 주머니를 건네며 전해 준 소식이다.

"몸살이 심하세요. 안톤도 며칠은 쉬셔야 할 것 같다고 하더라고요. 아, 잊지 말고 오늘 안에 선금 꼭 전해요. 이 바닥은 신용이 전부인데 시작부터 날짜를 어겨서 어쩌냐고 걱정이 크시니까."

"하루 정도야. 그런데 못 믿을 놈이라고 거들떠보지도 않으실 줄 알았더니. 나 같은 놈한테 그런 중요한 일을 맡겨도 된다십니까?"

그때, 앞뜰에 마차가 도착했다. 바퀴가 멈추자 세차게 펄럭이던 후작가의 깃발이 축 늘어졌다.

"……아가씨는 당신이 한 짓 아직 모르세요. 앞으로도 영원히 모르실 거고. 그러니 당신도 쓸데없는 소리 하지 말고, 지금처럼 좋은 사람으로 남아요."

"뭐라고요? 그게 무슨 소리……."

"보기 좋은 거만 보고, 하고 싶은 거만 하고 살아도 짧은 인생이에요. 굳이 더럽고 추잡한 것까지 알게 할 필요 뭐 있어요? 모르면 더 좋은 거지."

"그 말은 지금, 내가 더럽고 추잡하다는 뜻입니까?"

뮤리엘이 답을 회피하는 사이 마차 문이 열렸다. 소문으로만 듣던 하인리히 업다이크를 본다는 기대감에 뮤리엘의 고개가 쭉 뻗어 나왔다.

"업다이크 후작 영식이 엄청난 미남이라고 하던데……."

문이 열리자마자 누군가가 껑충 마차에서 뛰어내렸다. 뮤리엘은 금발 머리의 사내가 리하르트 공작의 품으로 달려드는 것을 보며 목에 이어 어깨까지 완전히 앞으로 내밀었다.

"다니엘! 와우, 정말 깨어났구나. 내 영웅이 깨어난 게 맞았어. 머리는 어때? 괜찮아? 도미닉 그 자식, 죽어 버리든 말든 놔둘 것이지 왜 네가 대신 몸을 던지고 난리야? 내가 얼마나 걱정했는지 알아?"

하인리히 업다이크는 별명 그대로 꽃사슴을 닮은 동그랗고 큰 파란 눈동자의 사내였다. 다만…….

"와…… 몸이 벌써 이렇게나 회복된 거야? 역시 우리 다니엘이라니까."

다소 과하다 싶은 정도로 지나치게 활기찼다. 그는 고목처럼 서 있는 리하르트 공작의 몸 여기저기를 만지며 쉬지 않고 떠들었다.

"다니엘, 내가 말이야…… 읍."

"시끄러워."

큰 손바닥으로 하인리히의 얼굴을 툭 밀어낸 다니엘이 성큼성큼 마차로 다가갔다. 그는 마차 안으로 긴 팔을 뻗으며 정중히 고개를 숙였다.

"오시느라 고생 많으셨습니다, 보일드 남작 부인. 남작 자네도."

갈색에 가까운 짙은 금발에 초록빛 눈을 가진 여인이 피곤한 와중에도 화사한 미소를 지으며 마차에서 내렸다. 그 뒤를 따라 내리는 보일드 남작의 낯빛은 부인보다는 훨씬 어두웠다. 뮤리엘은 그 이유가 리하르트 공작의 뒤에서 서성이는 금발 청년 때문이 아닐까 하는 합리적인 의심을 품었다.

"저 새끼는 여전하네."

도미닉이 입술을 삐죽이며 거침없이 욕지거리를 내뱉었다.

"음…… 업다이크 후작 영식은 듣던 것과 좀 다르네요."

"뭐가 달라요? 딱 봐도 미친 꽃사슴인데."

"외모는 별명처럼 꽃사슴 같긴 한데……."

있는 대로 인상을 구긴 도미닉이 뮤리엘의 말이 끝나기도 전에 으르렁댔다.

"누가 그래요? 그 별명이 외모 때문에 붙은 거라고?"

"아니었어요? 전투에 임할 때면 꽃사슴을 닮은 눈동자로 비열하고 아름답게 웃는다고…….”

“하! 꽃사슴을 닮은 눈동자는 개뿔.”

이 여자가 눈이 삐었나. 저 눈이 어떻게 꽃사슴처럼 보여? 도미닉이 어이없다며 크게 혀를 찼다.

“그 별명 내가 지어 준 겁니다. 정신 사납게 방방 뛰는 꼬락서니는 꼭 엉덩이에 화살 박힌 사슴인 데다 하는 짓은 영락없이 머리에 꽃 꽂은 미친놈이잖아요. 보고도 모르겠습니까?”

고개를 절레절레 흔든 도미닉은 정중히 남작 부인을 에스코트하는 다니엘에게로 시선을 돌렸다.

‘자식. 지금은 좀 귀족 같네.’

가끔 다니엘이 ‘진짜 리하르트 공작이구나’ 할 때가 있다. 바로 오늘 같은 날. 정신 나간 하인리히 자식을 옆에 두고도 어쩜 저렇게 평정심을 유지할 수 있는지. 실로 놀라운 능력이다.

한때는 다니엘이나 저나 뭐가 다를까 했던 적도 있다. 귀족 떨거지. 영지는 물론, 작위도 물려받지 못하는 사생아. 그런 이름으로 사는 이들은 대부분 정식 부인에게서 난 자식들에게 구박이나 당하기 십상이다. 밥 빌어먹고 살기 힘든 경우도 비일비재했고. 다행히 선대 리하르트 공작은 정부가 남의 자식을 데려와 키우는 것도 봐주는, 보기 드물게 선한 사람이라 아들 역시 아꼈다.

라우라 님이야 뭐, 말할 것도 없이 천사셨고. 그런 부모님을 둔 다니엘이 부럽고 샘나고…… 머저리 같았다. 등신. 아무리 어려도 그렇지. 마그리트, 그 망할 여자가 저를 어떻게 보는지 몰랐다니. 구석에 잡아 놓은 닭을 언제 잡아먹을까 고심하는 여우의 눈깔을 보고 인자하고, 자애로워?

저리 맹탕이니 내가 마음을 놓을 수가 있냐고. 오죽하면 라우라 님이 저를 붙들고 다니엘 옆에 있어 달라고 사정하셨을까. 하지만 맹탕인 줄 알았던 다니엘의 진가는 모친의 죽음 이후 드러났다. 어린아이가 어쩌면 저리 냉기가 흐를까 싶을 만큼 냉철해지는데……. 후우……. 아버지도 저도 혀를 내둘렀다.

이불을 둘러쓰고 눈물이나 질질 짜던 놈이 검 실력도 무섭게 늘었다. 열여섯도 안 돼 아버지조차 아예 대련을 포기할 정도가 되었으니. 도미닉이야 진즉에 패배를 인정하고 깨갱 수그렸다. 검술뿐만 아니라 예법 교육도 라우라 님이 살아 계실 때보다 더 열심히 받았다.

쉔달 성의 이리 떼들이 흠집을 찾지 못할 정도였으니 말 다 했지. 어릴 때부터 용병들과 어울리며 배운 말본새야 어쩔 수 없었지만, 적어도 저처럼 상스럽게 굴진 않았다. 사생아라 해도 귀족의 핏줄이라 이거지? 재수 없게.

다니엘이 황위 찬탈 전쟁의 선봉에 서게 되자 아버지와 저는 돈 받고 일해 주는 용병으로 사는 대신 그를 주군으로 모시겠다고 맹세했다. 물 흐르듯 자연스럽게 그리되었다. 라우라 님의 유언이 아니었다 해도 결국엔 이리되지 않았을까. 가끔은 그런 생각이 든다.

'그래, 다니엘. 너 잘났다.'

한 점 흐트러짐 없는 자세로 보일드 남작 부인을 안내하는 다니엘의 모습을 보며, 지난 기억을 되짚던 도미닉은 피식 실소를 터트렸다. 그들이 계단을 오르자 도미닉은 하인리히와 마주하기 싫어 기둥에 몸을 숨겼다. 공작을 선두로 줄줄이 1층 복도로 들어가는 것을 보며 뮤리엘이 중얼거렸다.

"업다이크 변경백은 근엄하기로 이름 높은 자인데……. 아들은 의외네요."

"아예 상종하지 말아요. 이름만 귀족이지 하는 짓은 시정잡배보다 못한 놈이니까."

"사이가 꽤 안 좋은가 봅니다?"

"저 인간은 정신 상태도 문제지만 무엇보다 주둥이가 화근입니다. 입만 닫고 있으면 견딜 만한데……."

그 순간, 두 사람의 뒤편에서 쩌렁쩌렁 귀를 의심해야 할 만한 소리가 들려왔다.

"어, 다니엘! 저 여자 하크본 아냐? 뭐야? 골골대며 오늘, 내일 하고 있을 줄 알았더니 멀쩡하게 살아서 걸어 다니네!"

뮤리엘은 깨달았다. 자고로 사람이 미친놈으로 불리는 데는 다 이유가 있는 법이라고.

또다시 어지럼증이 찾아오자 프리다는 2층 계단의 난간을 꽉 붙들었다. 다니엘이 손님은 자신이 맞이할 테니 쉬라고 했지만, 도저히 누워 있을 수가 없었다. 자신은 이 성의 안주인 리하르트 공작 부인이니까.

서둘러 단장을 마치고 나온 프리다는 2층 계단 위에서 복도를 걸어오는 손님들과 맞닥트렸다. 처음 보는 얼굴이 하나, 둘, 세 명. 밝은 금발에 큰 눈을 가진 저 젊은 남자가 업다이크 후작 영식, 하인리히 업다이크겠군.

"그자가 하는 말은 한 귀로 듣고 한 귀로 흘리십시오."

남편이 미리 들려준 경고대로, 그가 저를 보자마자 내지른 소리는 흘려보냈다. 그다음, 다니엘의 에스코트를 받는 어두운 금발에 초록 눈의 여자. 보일드 남작 부인은 첫인상이 아주 좋았다. 뮤리엘 말로는 나이가 거의 마흔에 가깝다는데 열 살은 족히 어려 보였다. 긴 여행에 지쳤을 텐데도 미소가 무척이나 아름다웠다.

그 뒤에 선 보일드 남작은 갈색 머리에 파란 눈동자를 가진 조금 깐깐해 보이는 중년의 사내였다. 프리다와 업다이크 후작 영식을 번갈아 보는 그의 표정에 당황스러운 기색이 역력히 드러났다. 황태후가 보낸 사람치곤 순박, 아니, 어수룩해 보인다고 해야 하나.

그들을 한 명씩 둘러본 프리다는 난간을 잡고 천천히 계단을 내려왔다.

주변의 걱정과 도움으로 살아가는 프리다 클라우드 하크본은 지금 여기 없다. 나는 리하르트 공작 부인이다.

다니엘의 주문대로 우아하고 당당한 걸음으로 계단을 내려선 프리다는 가장 먼저 보일드 남작 부인 앞에 섰다.

하인리히 업다이크는 귀족의 아들일 뿐, 아직 작위를 가진 것이 아니다. 정식 작위가 있는 남작 부부, 그중에서도 아내인 남작 부인을 먼저 맞이하는 게 예법에 맞았다.

"보일드 남작 부인. 프리다 클라우드 리하르트입니다. 직접 그대를 맞으러 나가지 못한 내 무례를 너그러이 용서해 줬으면 좋겠네요."

잔잔했던 미소가 진해진 보일드 남작 부인이 프리다를 향해 허리를 숙였다.

"용서라니요. 방금 공작님께서 부인의 몸이 좋지 않다고 말해 주셨는걸요. 만나 뵙게 되어 반갑습니다, 부인. 전 마틸다 아그네스 보일드입니다."

"오느라 고생 많았어요. 우선 사과의 말부터 해야겠네요. 예정보다 일찍 도착하셔서 머무실 곳의 정리가 완벽하지 못할지도 모르겠어요."

"괜찮습니다. 공작령이 너무 아름다워서 그것만으로도 이미 충분히 설레는 중입니다."

부드러운 미소로 화답한 프리다는 이번엔 보일드 남작에게 가볍게 인사를 건넸다.

"어서 와요, 보일드 남작. 능력이 출중하신 분이라 들었어요. 저와 공작님 모두 그대에게 거는 기대가 크답니다."

"환대해 주셔서 감사합니다. 공작 부인. 저…… 갑작스러우실 거라는 건 압니다만, 급히 부탁을 드려도 되겠습니까?"

"부탁이요?"

"슈테판, 난 괜찮다니까요."

보일드 남작의 말에 남작 부인이 곤란한 표정으로 남편의 팔을 붙들었다. 눈을 초롱초롱하게 뜬 프리다가 그를 바라보자 남작이 조용히 할 말이 있는지 일행 옆으로 살짝 빠져나갔다. 슈테판은 자신을 따라온 프리다에게 귓속말로 작게 소곤거렸다.

"아내가 아이를 가졌습니다. 내색은 안 해도 몹시 피곤할 겁니다. 예의가 아닌 줄 알지만 바로 숙소로 안내해 주셨으면 하는데 부탁을 드려도 될까요?"

"어머!"

깜짝 놀라 손으로 입을 막은 프리다가 부리나케 남작 부인의 곁으로 다가왔다.

"당장 방으로 가요, 부인. 왜 그렇게 중요한 일을 인제야 말해요? 어서 이리 와요. 도미닉!"

문밖에서 하인리히를 노려보고 있던 도미닉이 프리다가 저를 부르는 소리에 머뭇거리며 다가왔다.

"뭐야? 도미닉 몰리, 너 거기 숨어 있……."

도미닉에게 아는 체하려는 하인리히를 앞질러 걸어간 프리다가 그의 팔을 잽싸게 당겼다.

"얼른 스카디 홀로 가서 남작 부인의 방부터 환기를 끝내라고 해요. 서둘러요!"

"아니, 그걸 왜 제가 해야 합니까? 새로 들인 하인이 몇인데."

"다들 주방일 돕느라 바쁘단 말이에요. 실은……."

프리다가 그의 귀에 뭔가를 속닥거리자 도미닉이 바로 알았다며 고개를 끄덕이곤 뛰어나갔다. 뒤이어 다니엘의 팔을 당긴 프리다가 그를 계단 쪽으로 끌었다.

"무슨 일입니까?"

기대했던 것보다 더 완벽하게 우아하고 당당한 공작 부인처럼 굴더니. 갑자기 왜? 아이처럼 흥분한 프리다를 보며 다니엘이 담담히 물었다. 프리다가 그의 귀 가까이 입술을 댔다.

'최대한 다정히, 과감하게, 적극적으로 만지라고 했었지.'

프리다는 다니엘에게 바짝 몸을 밀착시키며 팔을 쓰다듬었다.

"다니엘, 부탁이 있어요."

'다, 다니엘?'

귓가에 속삭이는 목소리는 과하게 나긋나긋했고, 귓불에 닿는 숨결은 불필요하게…… 자극적이었다. 아직 한낮의 더위가 느껴질 계절이 아니건만 기이하게도 다니엘의 목덜미에 땀이 맺혔다.

걸걸한 사내의 음성이 아닌, 가늘고 여린 여인의 목소리로 듣는 제 이름이 몹시도 낯설었다. 어머니가 돌아가신 후 그를 '다니엘'이라 다정히 부르는 여인이 있었던가? 굳이 꼽자면 황태후 정도겠지. 물론 그 안에 담긴 실제 감정은 완전히 달랐지만. 하지만 낯설었던 이유가 꼭 여인의 목소리이기 때문만은 아니었다.

"보일드 남작 부인이 아이를 가졌대요."

다소 들뜬 프리다의 음성이 봄바람처럼 따스하고 잔잔해 듣기 좋았다.

"그 몸으로 여기까지 왔으니 얼마나 힘들었겠어요. 다과는 생략하고 우선 쉬게 해 드리는 게 좋을 것 같아요."

정겨움이 가득 묻어나는 프리다의 목소리를 듣는 순간, 가슴과 머리가 동시에 뜨거워졌다.

"남작 부인과 함께 먼저 자리를 떴으면 하는데, 그래도 될까요? 제가 스카디 홀까지 직접 안내하고 싶어서요."

봄이 다 가지도 않았건만 후끈한 한여름의 열기를 느낀 다니엘은 프리다에게서 눈을 떼지 못했다. 곧바로 답을 주지 않는 다니엘을 물끄러미 바라보던 프리다가 그의 팔뚝을 꼭 붙들었다.

"다니엘?"

그때 남편의 뒤편에 선 하인리히가 보였다. 이 상황이 몹시 못마땅한 듯 그는 입술을 잘근잘근 씹으며 눈살을 찌푸리고 있었다. 흘깃 그를 쳐다본 프리다는 즉각 눈을 거두며 콧등을 찌푸렸다.

"골골대며 오늘내일하고 있을 줄 알았더니 멀쩡하게 살아서 걸어 다니네!"

'흥. 골골? 오늘내일?'

무시하고 말려고 했지만, 곱씹을수록 기분 나빴다. 주름이 생긴 콧등을 따라 미간마저 좁혀졌다.

"혹 안주인이 제대로 영접하지 않았다고 업다이크 후작 영식께서 섭섭해하실까요?"

"그자는 신경 쓰실 것 없습니다."

다니엘이 한 치의 망설임도 없이 고개를 저었다.

"남작 부인과 먼저 자리를 뜨십시오. 필요하면 안톤도 데려가시고요."

"맞다. 안톤이 있어야겠네요. 그 생각은 미처 못 했는데. 고마워요, 다니엘."

환하게 웃는 보랏빛 눈동자를 지그시 내려다보던 다니엘은 프리다의 손을 당겨 팔 위에 올렸다. 두 사람은 나란히 그들을 기다리고 있는 보일드 남작 부부의 앞에 섰다.

"아내에게 얘기 들었습니다. 축하드립니다, 부인."

다니엘이 정중하게 예를 표하자 보일드 남작 부인이 수줍게 얼굴을 붉혔다.

"감사합니다, 공작 전하."

다니엘이 팔 위에 올려진 프리다의 손에 제 손을 덮으며 말했다.

"아내가 남작 부인을 직접 안내해 드리고 싶다고 하는군요. 쉬고 계시면 곧 의사를 보내 드리겠습니다. 더 필요한 게 있으면 언제든지 말씀해 주십시오."

"두 분의 배려에 감사드립니다."

프리다를 내려다본 다니엘이 자상하게 그녀의 손을 몇 차례 토닥이며 속삭이듯 말을 건넸다.

"남작 부인을 모시고 가 있어요. 안톤에겐 내가 연락해 두겠습니다."

"고마워요, 다니엘."

"감사드립니다, 공작 전하."

싱긋 웃는 프리다에 이어 보일드 남작이 공손하게 예를 갖추며 화답했다. 다니엘의 팔을 놓고 남작 부인의 앞으로 다가간 프리다가 그녀의 팔을 가볍게 감쌌다.

"제가 안내할게요, 부인. 이곳은 '마리안 홀'이고요. 두 분이 머물게 될 곳은 3층에서 복도로 연결된 곳인데 '스카디 홀'이라고 부른답니다. 이쪽으로 오세요. 계단 조심하시고요."

보일드 남작 부인을 이끌던 프리다가 갑자기 다니엘을 돌아보며 고개를 갸웃거렸다.

"그런데 다니엘. 업다이크 후작 영식도 오늘 함께 온다고 하셨잖아요. 그분만 도착이 늦어지는 건가요?"

본 적이 없다곤 하나 이 자리에 업다이크 후작 영식이라고 추측할 만한 사람은 단 한 명. 천진하게 깜박거리는 눈썹과 해맑은 표정이 감추지 못한 엉큼한 속내를 들여다보던 다니엘이 순순히 하인리히를 가리켰다.

"아닙니다. 이쪽이 업다이크 후작 영식입니다. 하인리히!"

다니엘이 저를 부르자 하인리히가 짜증스럽게 눈썹을 치켜뜨며 꾸벅 허리를 숙였다.

'아니, 도착을 안 하긴 누가 안 해? 눈이 나쁜가? 뻔히 처음 보는 얼굴이 있는데 왜 없는 사람 취급이야.'

못마땅한 표정을 감추지 못하고 구시렁거리는 하인리히의 양 볼이 꼭 감자알을 넣은 것처럼 부풀어 올랐다.

"리하르트 공작 부인께 인사드립니다. 제국의 변경백 업다이크 후작의 아들, 하인리히 뮐러 업다이크입니다. 다니엘과는 둘도 없는 친구이자……."

"어머, 그대가 업다이크 후작 영식이었군요."

깜짝 놀라는 시늉을 하며 하인리히의 말을 막은 프리다가 양쪽으로 입매를 한껏 벌리며 미소 지었다.

"업다이크 후작 영식께선 제 무례를 너그러이 용서해 주시겠어요? 매사에 점잖고 진중하다 알려진 부친과는 너무 다르셔서……. 전 보일드 남작을 따라온 시종인 줄 알았지 뭐예요. 하긴. 시종치곤 목소리가 너무 크고 옷이 과하게 화려하다 했어요."

"시, 시종? 누, 누가? 내가? 이 하인리히가?"

적잖이 놀랐는지 하인리히가 더듬거리며 원래도 큰 눈을 커다랗게 치켜떴다. 놀란 건 하인리히뿐만이 아니었다. 보일드 남작 부부는 얼빠진 표정을 짓고 있었고, 그 옆에 선 다니엘만이 유일하게 무표정을 유지하고 있었다. 프리다가 당황스러운 척 눈꼬리를 축 내려트리며 울상을 지었다.

"이런, 제가 큰 실수를 했네요. 그럼 업다이크 후작 영식, 우리 서로 한 번씩 무례를 주고받았으니 오늘 일은 서로 용서해 주기로 해요."

오래간만에 화려한 드레스를 갖춰 입은 프리다가 완벽한 예법에 맞춰 우아하게 무릎을 구부렸다.

"환영합니다. 계시는 동안 모쪼록 뮌하임 성에서 즐겁게 지내시길 바랄게요."

"아, 아무리 그래도 나한테 시, 시종이라니……."

폭발하기 일보 직전인 하인리히 앞에서 생글생글 웃어 보인 프리다는 마지막 인사를 남기고 휙 계단으로 돌아섰다. 풋. 두어 발짝 떨어져서 그들을 보고 있던 뮤리엘의 입에서 소리가 사라진 웃음이 터져 나왔다. 꽃사슴이 미쳐 봐야 꽃사슴이지. 진짜 맹수인 프리다 앞에선 한 입 거리일 뿐이다.

업다이크 후작 영식과의 예기치 않은 만남을 시작으로, 이후 일어난 일

모두가 슈테판의 예상과는 완전히 달랐다. 오는 내내 날 선 질문으로 슈테판을 떠보던 하인리히에게 휘말리지 않으려 애쓰느라 진이 다 빠진 상태였지만, 무엇보다 그를 놀라게 한 건 조금 전 마주한 리하르트 공작 부인이다.

"골골대며 오늘내일하고 있을 줄 알았더니 멀쩡하게 살아서 걸어 다니네!"

입으로 내뱉지 않았을 뿐 슈테판도 하인리히와 비슷한 생각을 했던 건 사실이다. 황태후의 의견 역시 그와 다를 바 없었고.

"문제는 다니엘의 수족인 몰리 부자라네. 그들이 뭘 하는지 잘 감시하게. 만약 다니엘에게 숨겨 둔 여자가 있다면, 다름 아닌 그 두 사람이 돌보고 있을 거야."

"공작 부인 말고 다른 여자가 있을 거라고 의심하시는 까닭이 있으십니까?"

"하크본? 여태껏 살아 있는 게 놀라운 그 집 딸을 누가 신경이나 쓴다고."

황태후가 단언할 정도면 오늘내일은 아니더라도, 병색이 완연한 다 죽어 가는 환자려니 상상했었다. 그런데 슈테판의 눈앞에 나타난 여인은 활기가 넘친다고는 말 못 하겠으나, 곧 죽을 사람으로 보이진 않았다.

소문으로만 접했던 외모는 듣던 대로 독특하긴 했다. 핏기 없는 창백한 피부, 새하얀 눈썹, 눈썹과 같은 색의 긴 머리칼. 하얀색들에 둘러싸인 탓인지 유독 신비로워 보이는 보랏빛 눈동자. 생기만 좀 더해진다면 그가 봐 온 여인 중 손에 꼽히는 미인이라고 말해도 부족함이 없었다.

게다가 남편인 공작과의 사이도 나쁘지 않아 보였다. 뭐랄까. 풋풋하다고 해야 하나. 서로를 바라보는 얼굴에 드러난 감정은 뜨겁다고는 할 수 없을지 몰라도, 적어도 온기가 깃든 애정을 담고 있었다.

"내 옷을 봐. 이게 시종 따위가 입을 옷이야? 이 비싼 천이? 이 화려한 문양이? 내가 너 만난다고 얼마나 심혈을 기울여서 골라 입은 옷인데!"

슈테판의 긴 상념은 지칠 줄 모르고 투덜대는 하인리히의 고성에 의해 강제로 깨졌다.

"눈이 어떻게 되면 내가 저 늙은이의 시종으로 보이는 건데? 저 여자 이상해! 그렇지, 다니엘?"

'늙은이…… 라니. 저 인간이 정말.'

슈테판은 햇볕을 받아 반짝이는 하인리히의 황금색 뒤통수를 노려보며 속으로 중얼거렸다. 솔직히 말하자면 공작 부인에게 가장 놀란 점은 저 미친 인간을 골탕 먹이던 그 재기 발랄함이다.

"전 보일드 남작을 따라온 시종인 줄 알았지 뭐예요."

일부러 골탕 먹이고 있음을 숨기지도 않고 능청을 떠는데 얼마나 통쾌하던지. 순간 큰 소리로 웃음을 터트릴 뻔했다.

"하인리히."

집무실 안, 자신의 책상 앞에 앉아 뭔가를 적고 있던 공작이 고개를 들었다. 그는 의식을 찾은 지 얼마 되지 않았다고는 믿어지지 않을 만큼 멀쩡한 모습이었다. 무엇보다 차분한 눈빛이 퍽 매서웠다. 눈동자가 살짝 붉은 기를 머금으니 더 그랬다.

"'저 여자'가 아니라 '리하르트 공작 부인'이다. 자꾸 잊어버리는 걸 보니 머리통에 검으로 새겨 줘야 할 모양이군."

살벌한 얘기를 담담하게 하는 모습이 으스스해 등골에 소름이 돋을 정도였다. 희한하게도 하인리히의 반응은 슈테판과는 전혀 달랐다.

"이야, 다니엘."

만면에 환한 웃음을 드러내자 더 미친놈처럼 보이는 하인리히가 공작 가까이 어깨를 쓱 들이밀었다.

"너 진짜 살아났구나. 이 냉기 서린 무시무시한 독설. 내가 이걸 얼마나 그리워했는데! 정말 반갑다, 친구야."

제국의 방패라 불리는 업다이크 변경백의 하나뿐인 아들이자 차기 변경백이 될 인간이 저런 정신 나간 자라니. 후우……. 태어날 자식이 살아갈 제국의 미래가 걱정스러워진 슈테판은 긴 한숨을 깊이 내쉬었다.

"보일드 남작."

작성이 끝났는지 마무리한 서류 위에 압지를 올린 다니엘이 손을 까닥여 슈테판을 불렀다. 하인리히가 옆에서 뭐라 뭐라 더 떠들었지만, 그쪽으로 눈을 돌리기는커녕 아예 없는 사람 취급이었다. 슈테판이 책상 앞에 도착하자 다니엘이 압지를 제거한 서류를 집어 들어 그에게 내밀었다.

"오늘은 쉬고, 내일부터 시작하지."

서류를 받아 든 슈테판은 저도 모르게 숨을 들이켰다. 게슴츠레 뜬 눈으로 서류를 노려보던 그는 믿기지 않는다는 듯 미간을 잔뜩 일그러트리며 물었다.

"이, 이 일들을 언제까지 마무리하실 예정이십니까?"

"올해 안에."

정확히 스물두 가지 일이 적힌 문서를 쥔 슈테판의 손이 파르르 떨렸다.

한 손으로 뒷짐을 진 채 어둠이 깃든 창문 밖을 바라보던 다니엘은 깊이 숨을 들이마셨다. 열린 창을 타고 넘어오는 저녁 바람이 상쾌해 머리가 다소 맑아졌다. 어디로 사라졌는지 코빼기도 보이지 않는 도미닉 때문에 오후를 통째로 하인리히에게 시달렸다.

주름이 떠나지 않던 이마가 겨우 펴지던 순간 공작 부인과 제 방 사이의 벽을 두드리는 소리가 들렸다. 똑똑. 이 시간쯤 저 벽이 울릴 거라 짐작했었다. 솔직히 말하면 기다렸다. 똑똑. 프리다가 저를 보러 와 주길. 그녀에게 묻고 싶은 말이, 아니, 한 번 더 듣고 싶은 말이 있었기에. 똑똑……. 소심히, 그러나 끈질기게 벽을 두드리는 소리를 들으며 다니엘은 어둠에 박아 두었던 시선을 문으로 옮겼다.

자신이 기척을 내든 내지 않든 저 문은 곧 열릴 것이다. 평소 그가 보아

온 프리다라면 그러고도 남을 여자니까. 그걸 알면서도 움직이지 않는 이유라면……. 글쎄. 오늘 저 문을 연다면 되돌릴 수 없는 일이 벌어질 것만 같은 예감 때문에? 끼익. 역시나 프리다는 그의 답을 기다리지 않고 문을 열었다.

"아, 공작님. 계셨네요."

프리다가 어색한 듯 눈꼬리를 살짝 접으며 냉큼 벽을 넘어왔다.

"들어가도 될까요?"

이번에도 뒤늦게 그의 의향을 물어보며. 여러모로 뻔뻔한데, 그게 왜 보기 싫지 않은 걸까.

"원하는 대로 하십시오."

다니엘의 말이 끝나자마자 프리다가 총총히 그의 옆으로 다가왔다.

"보일드 남작 부인이요. 용감하고 좋은 분 같아요. 그 몸으로 어떻게 여기까지 올 결심을 했냐고 물었더니 남편을 보내고 혼자 남아 걱정만 하는 것보단 나을 것 같아서 그랬대요. 부부란 힘든 일일수록 서로 도와 가며 함께 이겨 나가야 하는 거라고. 대단하죠?"

"……."

'왜 저러시지?'

말없이 저를 바라보기만 하는 다니엘을 빤히 올려다보던 프리다가 조심히 그를 불렀다.

"공작…… 님?"

"다시 한번 불러 주겠습니까?"

고요한 눈으로 프리다를 바라보던 다니엘이 천천히 입을 뗐다.

"다니엘…… 이라고."

우습지만 인정해야겠다. 이 나이가 되고도 어머니의 목소리가, 그 안에 담긴 다정함이 그리웠음을. 다시 깨어난 후 유난스레 어머니에 대한 기억이 자주 찾아온다. 시도 때도 없이 불쑥불쑥. 아무래도 머리에 문제가 생긴 게 틀림없다.

다니엘은 어둠이 깊이 내려앉은 창문 밖으로 시선을 돌렸다. 더는 아무것도 떠올리고 싶지 않아 눈을 감아 버렸다.

"아닙니다. 못 들은 것으로 하십시오."

최대한 다정히 대해 달라는 부탁을 한 건 맞다. 다만 그녀가 친근하게 이름을 불러 줄 거라곤 예상치 못했었다. 그 이름이 제 기억을 마구 헤집을 거란 것도. 이토록 머리가 두서없이 복잡한 까닭은 그래서일 것이다. 미처 대응 방법을 준비하지 못한 채 의외의 일을 맞닥트려서.

단지 그뿐이라 스스로 설득하며 진정해 보려 애썼다. 하지만 사뿐사뿐 조용히 움직이는 발걸음 뒤. 봄바람에 실려 그의 턱 끝에 닿는 다소 가쁘고 여린 숨결이 느껴지는 순간, 모든 게 허사가 되었다.

"괜찮으세요? 공…… 아니, 다…… 니엘."

프리다가 머뭇머뭇 그의 이름을 불렀다. 오늘 아침, 최대한 다정하게 대해 달라는 어이없는 다니엘의 부탁을 들었을 때처럼 왜 그래야 하냐고 묻지도 않고. 이 여자는 자신이 왜 그런 부탁을 했는지 알기나 할까?

보일드 남작이 도착했으니 펜하임 성의 동향이 속속들이 황태후에게 전해지는 건 시간문제다. 두 사람이 데면데면한 사이라는 소식이 황실에 들어가는 게 귀찮았다. 황태후는 다니엘이 숨겨 둔 여자를 찾는다며 걸핏하면 그의 주변을 캐고 다녔다. 그가 사생아든 뭐든, 황제인 레오폴드보다 먼저 자식이라도 낳을까 봐 전전긍긍하며.

길게 살지 못한다고 알려진 여자와 잘 지낸다는 소식을 들으면 감시의 눈이 덜해질까 싶었다. 지독히도 이기적인, 오직 저 하나 편해지자고 한 부탁이었다. 도대체 그걸 왜 군소리 없이 따라 주는 건데. 아들이 고의로 저지른 일에 휘말려 죽게 되었을 때까지도 애타게 다니엘만을 걱정하던 어머니가 떠올랐다. 바보같이 착해 빠져서는.

머리가…… 아프다. 심장이 불에 타는 것처럼 욱신거렸다. 참을 수 없는 통증에 느리게 눈을 뜨자 시야에 한가득 프리다가 들어왔다. 그녀가 다니엘의 눈치를 살피며 조심히 물어 왔다.

"왜 그래요, 다니엘? 어디 아파요?"

"……네."

시리지도 않은 바람이 살갗을 날카롭게 베고 지나간다.

"아픕니다."

창문을 넘어오는 산짐승들의 울음이 그의 목을 물어뜯는 것만 같다.

"살아남아, 다니엘. 살아 있다는 게 중요한 거야."

후에라도 하늘나라에서 어머니를 만나게 된다면 물어보고 싶다. 그게 왜, 뭐가 중요하냐고. 대체 이렇게까지 꾸역꾸역 살아가는 게 무슨 의미가 있는 거냐고. 어머니를 죽인 게 나란 걸 아느냐고.

그가 죽인 목숨이 어머니 한 분뿐이겠는가. 밤이 되면 그의 검에 스러졌던 사람들의 울부짖음이 다니엘의 온몸을 짓누른다. 그들이 살려 달라 애원하는 소리가, 저를 저주하는 소리가 빈 곳 없이 머리를 꽉 채운다.

"어머니를, 제 어머니를 살려 주세요. 잘못했습니다. 제발 한 번만 용서해 주세요."

마지막 용기를 짜내어 공작 부인의 치맛단을 붙들려 애쓰던 가련한 제 손가락이 그 기억을 덮는다.

"똑똑히 보아라. 다니엘. 네 것이 아닌 것을 탐하면 어찌 되는지를. 분수를 모르는 네 하찮은 욕심이 죽인 수많은 목숨을."

어린 눈이 다 담아내지 못할 만큼 많은 시신이 또 그 위를 덮을 때면……. 머리가 깨질 것 같았다. 아니, 깨져 버렸으면 좋겠다. 아무것도 떠오르지 않게, 죄다 잊어버리게. 이 빌어먹을 죄책감이 더는 자신을 옥죄지 못하도록.

"너무 아파요."

제발. 숨이라도 좀 쉬어지게.

"그러니까."

죽을 것 같으니까. 제발 날 좀 내버려 둬. 제발.

"그만 방으로 돌아가십시오."

다니엘은 등을 돌렸다. 더는 아무것도 듣고 싶지도, 보고 싶지도 않았다. 이토록 쉽게 허물어지는 약해 빠진 저를 들키기는 더욱 싫었다.

"할 말이 있으시면 내일……."

"걱정 말아요, 다니엘."

엉키고 비틀린 마음이 끝 모를 심연 속으로 끌려가던 그 순간, 따스한 손길이 그의 등을 쓰다듬었다.

"한숨 푹 자면 괜찮아질 거예요."

뒤에서 허리를 감아 안는 부드러운 손길에 잔뜩 날이 서 있던 다니엘의 몸에서 서서히 힘이 빠졌다.

"오늘 밤은 내가…… 곁에 있을게요."

그러니 괜찮아요. 다 괜찮아질 거예요. 끊임없이 들려오는 가늘고 여린 속삭임이 계속, 또 계속 다정히 그를 달래고 어루만졌다.

살금살금. 모두 잠든 깊은 밤, 누군가가 발소리를 죽이며 조심히 주방 문을 열었다.

"아이고, 깜짝이야."

벽면에 드리워진 검은 그림자를 발견하고 놀란 사람은 도미닉. 그림자의 주인공은 식탁에 홀로 앉아 술을 즐기던 뮤리엘이었다.

"이 시간에 여긴 어쩐 일입니까? 아델은요?"

놀란 가슴을 쓸어내린 도미닉은 능숙하게 선반을 뒤져 먹을거리를 찾아 접시에 담았다.

"먼저 들어갔어요. 온종일 귀한 손님들 식사를 마련하느라 긴장했더니 몸에 마비가 올 것 같다나. 피곤해 죽겠대요."

"나도 아델의 특제 요리를 맛보고 싶었는데. 아쉽네."

한가득 채운 접시를 뮤리엘의 건너편에 내려놓던 도미닉이 번득 뭔가가 떠오른 듯 다시 주방으로 돌아갔다. 그가 선반과 구석을 뒤지며 중얼댔다.

"아델이 분명 비싼 포도주를 몇 통 샀다고 했는데."

"화덕에서 제일 멀리 떨어진 구석에 있는 오크통 보여요?"

"저거요?"

"네. 그거. 가득 따라 와요. 아직 많이 남았으니까."

포도주가 찰랑거리는 게 보일 정도로 가득 담아 온 도미닉이 식탁 위로 조심조심 잔을 내려놓았다. 아델의 특제 소시지를 우물거리던 뮤리엘이 잽싸게 제 잔으로 반 가까이 포도주를 덜어 갔다. 식탁 위로 흘러내리는 포도주를 아깝게 바라보던 도미닉이 구시렁거리며 제 잔을 확 잡아당겼다.

"로시발트 경께선 실컷 마셨을 거 아닙니까?"

"술은 마셔도 마셔도 부족한 법이죠. 그나저나 오후 내내 어디 숨어 있다가 이제 나타나요?"

"음. 이 술 진짜 맛 좋네."

입가에 묻은 붉은 자국을 손등으로 닦은 도미닉이 빵 위에 잼을 듬뿍 발라 입에 밀어 넣었다.

"숨어 있긴요. 벌목꾼들 숙소로 쓸 곳을 둘러보고, 장비도 확인하고. 나름 바빴다고요."

"늑대랑 올빼미가 꽤 분주해 보이던데."

"보일드 남작이 도착했으니까요. 뒤따르는 쥐새끼들을 감시하려면 부지런히 움직여야죠."

뮤리엘은 턱을 괸 채 도미닉이 꿀꺽꿀꺽 잔을 비우는 것을 기다렸다.

도미닉 이 작자의 속은 알다가도 모르겠다. 삼 년 동안 아가씨를 속인 걸 생각하면 소문대로 차가운 심장이구나 싶어 정나미가 뚝뚝 떨어진다. 그런데 또 이리 열심히 아가씨 일을 돕는 걸 보면 든든하기도 하다.

세상 생각 없이 사는 단순한 인간처럼 보이다가도, 어떨 땐 잘 벼린 검보다 날카롭다. 명확하게 정의하기 힘든 복잡한 사내를 물끄러미 바라보던 뮤리엘이 질문을 건넸다.

"업다이크 후작 영식은 공작 전하께 왜 그렇게 들러붙는 겁니까? 다니엘, 다니엘 아주 이름이 닳아 없어질 지경이던데."

"비밀인데요."

흥. 코웃음을 친 뮤리엘이 꿈틀, 음흉스럽게 눈썹을 치켜뜨며 말했다.

"나한테도 최근에 생긴 도미닉에 대한 비밀이 하나 있는데."

씩 웃는 뮤리엘과 시선이 마주친 도미닉은 작은 소리로 툴툴거리며 씹고 있던 음식을 꿀꺽 넘겼다.

"어째 단단히 코가 꿰인 기분이네요."

"누가 뭐랬나요? 말하기 싫으면 안 해도 돼요."

평소의 도미닉이라면 누구한테 협박이냐, 가서 공작 부인에게 털어놔라 으름장을 놓고 말았을 거다. 하지만 지금은 차마 입이 떨어지지 않았다. 공작 부인께 계속 좋은 놈으로 남을 것이냐, 배신자가 될 것이냐. 들고 있던 빵을 접시에 내려놓은 도미닉은 빠르게 결정을 내렸다. 하인리히 그 개망나니 비밀 지켜 주자고 좋은 놈 노릇을 포기할 순 없지.

"칼레 전투 알죠?"

"당연히 알죠. 변경백이 군사 오백으로 다섯 배가 넘는 솔론족의 침범을 막아 낸 전투잖아요."

"황실에선 모르는 이야긴데 그 전투가 있던 장소에 우리도 있었어요. 다니엘과 용병단원 스무 명 정도."

"동쪽 국경에서 벌어진 전투에 공작이 갔었다고요?"

업다이크 변경백 최고의 업적이라 불리는 '칼레 전투'. 레오폴드 볼슈타크 2세가 즉위한 다음 해였으니 육 년쯤 전이던가? 처음 듣는 얘기에 뮤리엘의 어깨가 테이블 앞으로 쑥 기울었다.

"볼슈타크 2세가 즉위하던 해에 하츠펠트 공작가의 반란이 있었던 것도 아실 테고."

"알죠. 거기서 죽은 로시발트 가문 사람이 몇 명인데."

"그 반란에 꺼림칙한 구석이 있었어요."

꼬리를 확실하게 잡지 못했던 탓인지 다시 생각해도 영 찜찜하다. 도미닉은 손끝으로 턱을 긁으며 골똘히 그날을 떠올렸다. 그는 자신이 다니엘을 주군으로 칭하고 있지 않다는 것도 깨닫지 못했다.

"다니엘이 항상 하는 말이 있거든요. 전쟁은 돈이다. 자고로 전쟁이란 상대 장수의 목이 아니라 돈줄을 끊어 놔야 끝나는 법이다."

사람들이 모르는 진짜 다니엘의 모습을 하나 더 말하자면, 그 자식은 싸움을 치 떨리게 싫어한다. 죽도록 싫어해서 어떻게든 전쟁이 재발할 불씨를 초장에 밟아 버려야 직성이 풀리는 놈이다.

쉔달 성의 늙은 여우는 자신의 정치력이 아들을 황제로 만들었다 뻐기겠지만, 천만의 말씀. 반역을 도모할 만한 자들의 뿌리를 도려내 싹을 틔울 수 없게 만들어 버린 다니엘의 공이 반은 넘는다. 그 녀석이 잠들어 있던 지난 삼 년 동안 제국이 조용했던 게 다 누구 덕이겠냐고.

"하츠펠트 공작가의 반란은 돈줄이 명확히 보이지 않았어요. 그래서 최소한의 인원만 데리고 몰래 동부 지역을 돌아보고 있었죠."

"그러다 변경백을 돕게 된 건가요?"

"돕기는. 우린 원래 남 돕고 이런 건 안 하는 인간들입니다. 확인할 것만 하면 바로 돌아오려고 했죠. 거기 휘말려 좋을 게 뭐라고. 그런데 재수 없게 그놈들이 눈앞에 나타나 가지고……. 에휴."

포도주를 들이켠 도미닉은 혀를 끌끌 차며 고개를 절레절레 저었다. 그날 일은 재수가 없었다고밖에는 표현할 말이 없다. 동부 땅이 얼마나 넓은데 딱 거기서 부닥치다니.

“멍청한 하인리히 업다이크가 정찰을 나왔다가 솔론족에게 포로로 잡혔는데 우리가 하필 그때 근처를 지나가다 그놈을 본 거죠. 사람 맘이 그렇잖아요. 안 보였으면 모를까. 봤는데 어떻게 그냥 가요. 그것도 나무에 대롱대롱 매달려 있는 놈을.”

일이 되려고 그랬는지 주변을 쑥대밭으로 만들고 하인리히를 구해 나오다 솔론족의 보급 부대와 부딪혔다. 서른 명 남짓 됐던가. 다 처리하고 보급품을 불사르기까지 눈 깜짝할 새에 끝났다.

하나뿐인 아들이 포로로 잡히자 이도 저도 못 하고 있던 업다이트 후작에겐 그야말로 희소식. 아들이 안전하다는 걸 알게 된 순간, 일사천리로 휘몰아쳐 전투를 끝내 버렸다.

“아들 구해다 줘, 적의 보급 부대를 전멸시켜 시간 벌어 줘. 변경백 입장에선 우리가 은인이죠, 은인. 그 뻿뻿한 인간이 고맙다고 인사를 다 하더라고요.”

“그런 얘기를 왜 아무도 몰라요?”

“알려지면 귀찮으니까. 황태후가 알아봐요. 거긴 왜 갔느냐부터 시작해서, 꼬치꼬치 캐물을 게 뻔하잖아요. 황실의 허가 없이 몰래, 그것도 국경지대를 돌아다녔는데. 괜한 의심을 살 수도 있고.”

변경백 또한 제힘만이 아니었다는 사실이 알려지면 좋을 것이 없었던 터라 그 일은 서로의 합의하에 묻혔다.

“그때부터 저래요. 귀족이라는 인간이 부끄러움을 몰라. 명색이 변경백 가문의 적통 후계자가 사생아 귀족에게 영웅이니 친구니, 낯간지럽게.”

낯간지럽다는 말에 뮤리엘은 고개를 끄덕이는 것으로 동의를 표했다. 프리다에게 골골할 줄 알았다느니 어쩌고 할 때부터 하인리히는 완전히 뮤리엘의 눈 밖에 나 버렸다. 술잔을 들던 도미닉이 갑자기 잔을 식탁에 탁 소리가 나도록 세게 내려놓으며 소리쳤다.

"그러고 보니 그 미친 꽃사슴이 우리 공작 부인 앞에서 망할 주둥아리를 놀렸다던데. 사실입니까?"

"아…… 그거요?"

피식 웃던 뮤리엘이 이내 어깨를 들썩이며 키득거렸다.

"걱정하지 말아요. 제대로 한 방 먹여 줬으니까. 우리 아가씨가 보기와는 달리 성격이 있어서 그냥 당하고 살진 않으시는 분이거든."

"부인께서 직접 그 자식을 한 방 먹였다고요? 자세히 말해 봐요."

이번엔 도미닉의 어깨가 테이블 위로 쑥 건너왔다.

아침 해가 뜨기 바쁘게 하인리히가 마리안 홀로 들이닥쳤다. 눈곱이 떨어지지 않은 얼굴에 군데군데 떡이 진 부스스한 머리. 복도를 걸어오는 그는 말끔한 옷차림과는 달리 꾀죄죄한 몰골을 하고 있었다.

"대체 성 관리를 어떻게 하는 거야? 호출 종을 울린 지가 언젠데 왜 한 놈도 안 와? 젠장."

그는 자신의 아래층에 머무는 보일드 남작 부부 방의 호출 종엔 아무 문제가 없음을 몰랐다. 프리다에게 못된 소리를 했다는 소문이 퍼져 하인들이 그의 호출에 늦장을 피우며 일부러 무시하고 있다는 것도.

복도를 지나 성큼성큼 계단을 오른 하인리히는 어제 다니엘과 함께 저녁 식사를 했던 그의 침실로 향했다.

"이것도 맘에 안 들어. 이 큰 성에 손님을 맞을 변변한 응접실 하나가 없다는 게 말이 돼? 그 여자 약값 대느라 우리 다니엘 등골 빠지고 있는 거 아냐?"

하인리히는 투덜대며 노크도 없이 힘껏 문을 밀었다.

"다니엘! 대체 이 성의 안주인이란 여자는 뭘 하고 있……."

방 안으로 들어서자 그의 눈으로 햇살이 쏟아졌다. 하인리히는 급히 손을 들어 밀려드는 빛을 막았다. 그러나 시야가 회복된 다음에도 그의 손은 아래로 내려오지 못하고 그 자리에 굳은 듯 멈추어 서 버렸다.

눈부신 아침 햇살이 통과하는 창문이 비켜난 자리. 갈색 바탕에 금색 나뭇잎이 새겨진 점잖은 침대 커튼이 걷혀 있는 커다란 침대 한가운데. 하인리히의 영웅 다니엘 리하르트가 있었다. 새하얀 그의 아내와 함께.

밤새 뒤척거릴 거란 예상과 달리 슈테판은 한 번도 깨지 않고 꿀잠을 잤다. 심지어 잠에서 깬 다음에도 그답지 않게 한참을 뭉그적거리는 중이다. 긴 여정에 지친 탓에 남작 부인 역시 쉬이 침대에서 몸을 일으키지 못했다. 그녀는 이불을 목 끝까지 끌어 올리며 푹신한 베개 속으로 얼굴을 묻었다.

"여보. 난 더 잘래요. 며칠은 침대에서 꼼짝도 하지 않을 거야."

"당연히 그래야지. 의사도 무리하지 말고 푹 쉬라고 했다며."

"네. 의사 이름이 안톤인데 참 친절하더라고요. 사람도 좋아 보이고, 의학 지식도 풍부해 보였어요."

"다행이군. 이 외진 곳에 제대로 된 의사가 있다니 안심이야."

게으름을 피우고 싶은 마음이 굴뚝같았지만, 공작이 건넨 서류가 눈앞에 아른거렸다. 깊은 한숨을 내쉰 슈테판은 지친 몸을 꾸역꾸역 일으켜 세웠다.

"난 이제 일어나야겠어. 공작이 어제 무려 스물두 가지나 되는 일을 올해 안에 끝내야 한다고 엄포를 놓더군."

마틸다는 베개에 얼굴을 묻은 채 놀라는 척 소리를 높였다.

"스물두 가지나요? 어머. 당신을 단단히 부려 먹을 생각인가 보네요. 그러게 왜 챔벌린 백작의 눈에 들어서 이 고생이람. 이게 다 당신이 지나치게 똑똑한 탓이라고요."

슈테판은 피식 웃으며 아내의 목덜미로 파고들었다.

"제가 머리가 텅 빈 귀족 영식들과 달라서 좋다고 하지 않으셨나요, 보일드 남작 부인?"

"꺄악. 슈테판! 그만해요. 간지러워요."

깔깔깔 숨이 넘어가게 웃던 마틸다는 긴 입맞춤을 끝내고서야 겨우 웃음을 멈췄다. 그녀는 남편을 올려다보며 빙긋이 미소 지었다.

"슈테판, 난 우리가 이곳에서 잘 지낼 것 같다는 예감이 들어요. 리하르트 공작도 소문처럼 난폭한 인간으로 보이지 않고, 무엇보다 공작 부인 말이에요. 너무 귀엽지 않아요?"

"그렇더군."

공작이 어떤 사람인지는 아직 잘 모르겠지만, 적어도 공작 부인이 귀엽다는 건 사실이라 슈테판은 이견 없이 고개를 끄덕였다.

"옛날 사람들이 왜 하크본 가문의 여자들을 성녀라고 여겼는지 알겠더라고. 나라도 몇백 년 전에 그런 외모를 가진 여자를 봤다면 천사 아니면 마녀라고 떠들었을 것 같아."

"정말 안타까워요. 그 집안 여자들이 단명한다는 건 진짜예요? 부풀려진 소문일 수도 있잖아요?"

"글쎄."

슈테판이 존경하는 첼리노 대학의 지도 교수님께서 하크본 가문에 대해 한 말이 있다.

"저주는 무슨. 무식한 소리. 그 집안은 저주를 받은 게 아니라, 그저 여자들에게만 생기는 병이 있다고 봐야 하네. 자네가 아버지께 갈색 머리를 물려받고, 내가 어머니의 초록색 눈동자를 닮은 것과 마찬가지인 거지."

저주니 뭐니 하며 다소 과장되기는 했으나 병이 있다는 건 사실이란 얘기였다.

"건강이 안 좋아 보이는 건 맞잖아. 내가 보기엔 걸어 다니는 게 신기하던데."

"나도 처음엔 그렇게 느꼈는데 대화를 해 보니 전혀 아니더라고요. 어찌나 씩씩하고 성격이 밝은지. 공작 부인에게 이렇게 말해도 될지 모르겠지만, 털이 보송보송한 강아지 같다고 해야 하나. 여동생으로 삼고 싶던걸요."

아내의 짙은 금발 머리를 쓸어내리는 슈테판의 입가가 한결 누그러졌다.

"당신이 이곳을 꽤 마음에 들어 해서 다행이야. 우리 아이가 건강하게 버텨 준 것도 그렇고. 엄마를 닮은 용감한 녀석이 나오려나 봐."

"가족을 지키기 위해 황제의 광견이 사는 땅에 제 발로 걸어온 아빠만큼만 용감했으면 좋겠어요."

아무리 황제의 광견이라도 긴 여행을 마치고 난 다음 날의 게으름쯤은 이해해 주겠지. 슈테판은 아내의 뺨을 감싸 쥐고 조금 전보다 더 긴 입맞춤을 시작했다.

'히익.'

마리안 홀로 들어서던 도미닉은 급히 기둥 뒤로 몸을 숨겼다. 간발의 차이로 그를 발견하지 못한 하인리히가 그가 숨어 있는 기둥 앞을 빠르게 지나쳤다.

“저 인간이 웬일이야. 땀 흘리는 거 싫다고 달리기도 질색하는 인간이.”

전쟁터를 전전하는 팔자를 타고난 변경백의 아들이면서도 얼마나 깔끔한 체를 하는지. 포로로 잡혀 나무에 거꾸로 대롱대롱 매달려 있는 중에도 얼굴에 먼지 묻는 걸 더 질색하던 인간이다.

무더운 계절에 전쟁을 일으키는 놈들을 제일 증오하는 이유는 더 가관이다. 땀에 젖은 옷이 끈적끈적 몸에 달라붙는 느낌이 싫다나 뭐라나. 어디 하나 정상인 구석이 없는 인간. 그게 하인리히 업다이크다.

도미닉은 하인리히가 눈에서 완전히 사라지고 나서야 기둥을 벗어났다. 처음 볼 때부터 별로였지만 도미닉이 그를 멀리하기로 마음먹은 건 다니엘의 결혼이 결정되고 난 직후였다. 수도에 들른 다니엘을 찾아온 하인리히가 다짜고짜 성질부터 내는 것을 본 다음부터.

“황태후 그 여자, 노망난 게 틀림없어. 다니엘, 그딴 개소리는 무시해. 계속 귀찮게 하면 까짓것 뒤집어 버리자고. 업다이크 후작가는 다니엘 네 편…….”

황태후가 보낸 첩자들이 득실득실한 첼리노에서 아무렇지도 않게, 심지어 큰 소리로 그따위 망발을 서슴없이 해 대는 인간이 하인리히다. 결국 못 참고 하인리히의 입을 틀어막다 물린 손가락은 아직도 비가 오면 욱신거린다.

그뿐이면 말도 안 한다. 삼 년 전, 다니엘이 정신을 잃었다는 소식을 들었을 땐 더했다.

“도미닉 넌 뭐 하고 있었는데? 왜 다니엘이 널 위해 목숨을 걸게 만들어? 아니다. 이게 다 노팅겐 개자식들 때문이야. 내 이것들을 잡아다 사지를 뽑…….”

“하아…….”

더는 자세히 떠올리고 싶지도 않다. 고개를 절레절레 저으며 계단을 오르던 도미닉은 급히 아래층으로 내려오는 뮤리엘과 마주쳤다. 얼핏 봐도 몹시 초조하고 어두운 표정이었다.

"무슨 일 있어요? 아니면 어제 마신 술이 덜 깼나?"
"도미닉, 프리다 아가씨 못 봤어요?"
"방에 안 계십니까?"
이 시간에 공작 부인이 있어야 할 곳이 침실 말고 어디 있다고.
"안 계세요. 어제 몸이 무겁다시며 스카디 홀에서 돌아오시자마자 침실로 드셨는데 아침에 가 보니 없어요. 대체 어디로 가신 거야?"
"산책하러 가신 거겠죠. 아무튼 뵙게 되면 알려 드리리다."
뮤리엘을 진정시키려 말은 그렇게 했지만 그럴 리가 없다는 것쯤은 안다. 펜하임 성의 안주인께선 산책 같은 돈도 안 되고 비효율적인 일로 시간을 보내지 않으니까. 강한 햇볕을 쬐면 물집이 생기는 연약한 피부를 보호하고자 요란하게 갖춰 입는 건 특히 더 질색하시는 편이고.
다니엘의 침실 앞에 선 도미닉은 쇠 문고리를 잡으려다 말고 손마디로 작게 문을 두드렸다. 평소 누구보다 아침을 일찍 시작하는 다니엘이 아직 연무장에 나타나지 않은 걸 보면 여태 자고 있을지도 모른다.
똑똑. 혹 자고 있었더라도 이 정도 소리는 문제없이 잡아내는 다니엘이다. 그럼에도 안에서 별다른 기척이 들려오지 않자 도미닉이 슬그머니 문을 열었다.
"……."
살짝 열린 문안에 눈길을 주던 도미닉은 열 때보다 더 소리를 죽이며 조심조심 문을 닫았다. 입이 있어도 말을 할 수 없다는 게 이런 경우를 두고 하는 말인가 보다. 공작 부인의 행방을 찾았다고 뮤리엘에게 알려야 하나 말아야 하나 고민하며 마지막까지 조심스레 문고리를 당겼다.
딸깍.
"으음……."
부스스 몸을 일으킨 프리다는 무거운 눈꺼풀을 치켜올렸다.
"무슨 소리가 들린 것 같았는데……."

멍하니 앉아 눈을 끔뻑거리다 보니 이내 시야가 밝아졌다. 저 멀리 굳게 닫혀 있는 튼튼한 나무 문이 또렷이 보였다.

"잘못 들었나?"

혼잣말을 중얼대던 프리다의 시선이 아래로 떨어졌다. 그곳엔 베개 끝에 아슬아슬하게 머리를 댄 다니엘이 얌전히 잠들어 있었다. 약하게 들려오는 숨소리가 아니었다면, 삼 년 전처럼 의식을 잃어버린 건 아닌가 의심되는 모습이었다.

어젯밤 그는 계속 머리가 아프다고 했었다. 머리를 부여잡고 고통스러워하던 얼굴이 눈에 선하다.

'아프면 아프다고 진즉 말할 것이지. 바보같이 꾹꾹 참기는. 강한 사내인 줄 알았더니 인제 보니 강한 척하는 거였던 거 아냐?'

특별히 회복이 빠르다고만 여기며 안심했었는데 그게 아니었다. 오랜만에 마주하는 남편의 잠든 얼굴이 낯설면서도 안쓰러워 눈이 떨어지지 않았다.

"설마…… 진짜 정신을 놓은 건 아니겠지?"

프리다는 그의 코끝에 조심스레 귀를 가져다 대 보았다. 깊은 잠에 빠졌음을 알려 주는 다니엘의 규칙적인 숨결이 그녀의 귀를 간지럽혔다.

"휴우. 다행이다."

프리다는 허리까지 흘러내린 이불을 끌어와 다니엘의 어깨를 꼼꼼하게 덮어 주며 나지막이 속삭였다.

"내가 신경을 좀 더 썼어야 했는데. 미안해요."

얼마나 아팠으면 그렇게 힘들어했을까. 괴로워하는 다니엘을 침대에 눕힌 후 등을 토닥여 준 것까지는 기억이 나는데 언제 잠이 들었는지는 모르겠다. 설마 자신이 잠들고 난 다음에 홀로 계속 아파했던 걸까? 안타까운 마음에 자꾸만 잠든 얼굴을 빤히 바라보게 된다.

때마침 태양이 구름을 벗어났는지 침대 옆으로 햇살 자국이 길게 늘어졌다. 창문 밖을 보니 하늘이 화창한 것이 오늘도 맑은 하루가 될 듯싶었다. 문득 쨍한 햇살이 그의 잠을 방해하진 않을까 걱정스러웠다. 조심조심 침대에서 내려선 프리다는 어젯밤 미처 치지 못했던 침대 커튼을 풀어 볕을 차단했다.

얼마나 깊이 잠들었는지 다니엘은 프리다가 보스락거리고 다녀도 깨어날 기미가 보이지 않았다. 다시 침대로 돌아온 프리다는 엎드린 자세로 접어 세운 양팔에 턱을 받쳤다. 그녀는 비스듬히 고개를 기울인 채 잠든 모습마저 근사한 남편을 지그시 바라보았다.

이러고 있으니 꼭 그가 깨어나기 전으로 돌아간 기분이다. 그와 함께했던 짧지 않은 시간의 기억들이 밀려와 새삼스레 그녀를 먹먹하게 만들었다. 같은 방을 썼던 처음 며칠은 침대 끝에 아슬아슬 몸만 걸치고 잤었다. 제 곁에 누가 있는 게 익숙해질 때까지 불편한 잠자리가 이어졌다.

그에게 잘 잤냐고 혼잣말로 인사를 건네기 시작한 건 한 달쯤 지나서였던 것 같다. 하루에도 몇 번씩 미동도 없는 그의 몸을 주무르면서 주절대기 시작한 것도 아마 그때쯤.

하인들이 들려주는 영지 안의 시시콜콜한 소문들, 그녀가 공작령에 벌여 놓은 일들의 진척 상황 같은 것을 혼자 떠들다 지금처럼 잠든 남편의 얼굴을 빤히 내려다보곤 했다. 왜 의식을 찾지 못하는 걸까. 이러다 끝내 잘못되는 건 아닐까. 가끔은 일어나지도 않은 일을 걱정하며 밤을 지새운 적도 있다.

다니엘의 이마 위로 흘러내린 머리칼이 그의 얕은 숨소리를 따라 살랑거렸다. 프리다는 손끝이 다니엘의 피부에 닿지 않도록 주의하며 머리칼을 걷어 올렸다. 이마가 온전히 드러난 다니엘을 유심히 바라보던 그녀는 갸우뚱 고개를 기울였다.

"이상하다. 왜 그때랑 달라 보이지?"

깨어난 지 두 달도 안 됐으니 크게 변한 게 없을 텐데……. 뭔가가 미묘하게 달랐다. 턱선이 조금 날카로워졌나? 아니, 표정이 좀 달라 보이는 것 같기도 하고. 희한하게도 고요히 잠든 얼굴에서 남편이 그동안 보여 주던 여러 가지 감정이 느껴졌다. 가끔 무섭다고 여겨질 만큼 엄하게 굴 때도 있지만, 대부분 친절하고 상냥한.

'얄미울 때도 있긴 하지.'

빙긋이 웃던 프리다가 다시 심각해졌다. 숨소리를 확인했음에도, 작은 기척도 하지 않는 다니엘의 모습에 덜컥 겁이 났다.

"아직도 많이 아픈가."

아무리 괜찮다고 우겨도 안톤을 데리고 올 걸 그랬다. 어젯밤 머리의 통증이 꽤 심해 보였는데 혹시 사고의 후유증이 남은 거면 어떡하지? 설마 이대로 영영 눈을 뜨지 못하게 되는 건 아니겠지? 불길한 예감에 휘말린 프리다는 살금살금 침대 위로 올라갔다. 그러곤 조심히, 하지만 힘을 실어 다니엘의 팔을 흔들었다.

"공작님. 일어나 보세요. 공작……."

불현듯 이름을 불러 달라던 부탁이 생각났다.

"다니엘, 일어나요."

프리다는 다니엘을 부르며 그의 어깨를 잡았다.

"아침이에요, 다니엘. 다니…… 어맛!"

그 순간, 다니엘이 눈을 감은 채 자신의 어깨를 흔드는 프리다의 가녀린 손목을 붙들었다.

"다니엘, 정신이 들어요?"

그녀의 손목을 쥔 다음에도 그는 바로 눈을 뜨지 않았다. 내내 감겨 있던 그의 눈꺼풀은 몇 분의 시간이 더 흐른 뒤에야 느릿느릿 올라갔다. 피로감이 느껴지는 짙은 적갈색 눈동자가 흔들림 없이 단번에 그녀를 찾아냈다. 눈을 크게 뜬 프리다는 고개를 옆으로 숙여 그와 눈을 마주쳤다.

"괜찮아요? 아니면 아직도 아파요? 안톤을 오라고 할까요?"

다니엘은 말없이 그녀를 응시하기만 했다. 느리게 눈을 깜박이는 걸 제외하면 잠들어 있을 때와 마찬가지로 조용히. 불안해진 프리다의 미간에 작은 주름이 생겼다.

"다니엘……. 왜 그래요?"

"당신이야말로."

그 어느 때보다 묵직하게 가라앉은 저음이 힘들게 열린 입술을 가르고 나왔다.

"나한테 왜 이러는 건데."

프리다의 손목을 확 잡아당기며 내뱉는 목소리가 제법 탁하고 거칠었다.

"다, 다니엘?"

얼떨결에 다니엘의 품 안에 안겨 버린 프리다의 새하얀 머리칼이 침대 위로 어지럽게 흐트러졌다. 프리다의 뺨을 감싸 쥔 그의 눈동자가 언제 고요했었냐는 듯 막다른 절벽에 몰린 사람처럼 절박하게 요동쳤다.

"어떻게 감당하려고 이러냐고."

다니엘이 몸을 일으키며 프리다의 손목을 누르자 그녀의 양어깨가 풀썩 침대에 닿았다. 눈을 질끈 감으며 놀라는 프리다의 얼굴 위로 다니엘의 검은 그림자가 포개졌다.

"대체 뭘 믿고 이렇게 겁이 없습니까?"

선이 고운 작은 어깨가 움찔대더니 이내 프리다가 눈을 떴다. 다니엘의 눈 아래 보랏빛 호수가 펼쳐졌다. 오염되지 않은 순수한 보랏빛 결정체가 지독히도 맑았다. 때 묻지 않은 순결한 눈동자가 혼란에 빠진 그를 담은 채 격렬하게 물결쳤다. 역설적이게도 그 맑은 눈을 본 순간, 꾹꾹 처박아 두었던 다니엘의 광폭한 본성이 마구 꿈틀댔다.

가끔, 아니, 사실은 자주 상상했었다. 이 여자의 새하얀 머리칼을 엉망으로 헝클어 놓으며 뒹구는 점잖지 못한 저를. 추악한 속내를 숨기고 거죽만 사람인 척 구는 음흉한 다니엘이 벌써 몇 차례나 성을 내며 그를 다

그쳤는지 모른다. 어쩌면 다니엘의 이런 본성을 가장 먼저 눈치챈 사람은 황태후였을지도.

"너는 고귀한 리하르트의 핏줄이야, 다니엘. 두고 보렴. 넌 곧 이 제국에서 가장 뛰어난 기사가 될 테니. 난 라우라가 왜 널 몰리의 자식 같은 천한 것들과 어울리게 하는지 모르겠구나."

다니엘의 천박한 과시욕, 허영심을 간파해 부추겼던 걸 보면 말이다. 속으론 다니엘과 도미닉을 하나 다를 것 없이 여기고 있었으면서도, 태생이 천한 도미닉과는 다르다는 말로 그를 우쭐대게 했다.

이제 와 황태후를 원망해서 뭐 하겠는가. 어렸다는 핑계도 우습다. 거기에 완전히 놀아난 자신이 바보였던 거다. 황태후에 대한 기억은 과열된 다니엘의 가슴과 머리를 진정시켜 주는 특효약이었다. 뜨겁게 뛰는 심장에 냉기가 돌게 했고, 지끈거리는 머리에는 온몸이 얼어붙고도 남을 찬물을 끼얹었었다.

하지만 이번엔 달랐다. 눈앞에 펼쳐진 당혹스럽도록 황홀한 아내의 모습이 황태후의 기억을 밀어냈다. 가슴, 목덜미, 저 아래 발끝까지 찌릿한 통증과 비슷한 기묘한 감각이 연이어 찾아왔다. 다니엘은 가녀린 팔목을 세게 움켜쥐고 말았다.

"아……."

작고 미약한 신음이었다. 눈매가 찡그려지는 걸 못 봤다면 창틀에 앉아 우는 새소리에 묻혀 들리지도 않았을. 그러나 다니엘은 마치 비명이라도 들은 사람처럼 득달같이 프리다의 손목에 가해졌던 힘을 풀었다.

"나는…… 아니란 말입니다."

잠에서 깨어난 그 순간부터 당혹스러웠다. 고작 이 작은 여자가 제 곁에 남아 주었다는 것만으로, 의식이 돌아오고 난 이후 가장 깊은 잠을 잤다는 사실에.

자꾸만 이 작은 여자를 욕심내고 있는 저를 발견한다. 이건…… 결코 좋은 일이 아니다. 그의 탐욕이 낳은 결과는 대체로 끔찍했으니까.

"나는 당신이 상상하는 그런 부류의 사람이 아니라고."

"정말 감사해요. 공작님은 제 꿈을 이뤄 주신 은인이세요."

은인이라니. 말도 안 되는 소리.

"은인 같은 건 더더욱 아니고요. 그러니 만약 나에게 기대하는 게 있다면 포기해요."

지난밤처럼 아이를 달래듯 그의 등을 토닥여 주는 밤도 더는 사양이다. 저 역시 두 번 다시 그따위 우습지도 않은 어리광 같은 건 부리지 않을 것이다.

프리다는 삐뚤어진 시선으로 세상을 보지 않는, 볼 줄도 모르는 순수하고 올곧은 여자다. 훌륭한 부모 밑에서 자라 책임, 의무 같은 단어를 신봉하며, 그와 달리 남다른 사명감까지 가진 완벽한 귀족.

틈만 나면 아내든 뭐든 편한 대로 이용하려 드는 저같이 이기적인 놈과는 결이 다른 좋은 사람. 가진 건 가늘디가늘고 힘없는 맨손뿐이어도, 검을 들고 싸우는 자신보다 몇 배는 용감한 여자. 지금처럼 그의 그림자로도 검게 물들여선 안 되는 여자.

그 여자가 다니엘을 올려다보며 얼굴 중 유일하게 색이 도드라진 입술을 삐죽거렸다.

"프리다요."

그래. 프리다 당신. 당신 말하는 거야.

"부인이 아니라 '프리다'라고요."

사나워졌던 호흡을 가다듬은 다니엘이 살짝 어깨를 들어 그녀와의 거리를 벌렸다. 프리다의 하얀 이마가 그의 그림자를 벗어나 본래의 색을 되찾았다.

"전 공작님이 저를 프리다라고 불러 주셨으면 좋겠어요. 저도 공작님을 계속 다니엘이라고 부르고 싶거든요."

종알대는 프리다의 작고 붉은 입술이 마치 그를 유혹하듯 이리저리 팔랑거렸다.

"보일드 남작 부부도 서로 이름을 부른대요. 우리도 그러면 안 될까요? 세상에, 남작 부…… 의 이름이……."

"이 자식들 똑바로 안 하냐! 너희들이 아직도 용병 나부랭인 줄 알아? 곧 공작가의 기사가 될 놈들 정신 상태가……!"

"마…… 래요. ……. 우리 마틸다랑…… 같더라고요. 너무 신기하죠?"

창문을 넘어오는 리카르도의 쩌렁쩌렁한 고함에 프리다의 말이 제대로 들리지 않았다. 저 인간이 진짜. 확 평생 용병으로 썩게 만들어?

순식간에 눈빛이 사나워진 다니엘이 창가로 고개를 돌렸다. 그때 솜털처럼 보드라운 손가락이 그의 뺨을 감싸 끌어 내리며 눈을 마주쳐 왔다.

"그래도…… 될까요?"

떠듬떠듬 묻는 프리다의 이마에 다시 어둠이 스며들었다. 하지만 그가 만들어 낸 그늘을 덮고도 프리다는 눈이 부시도록 아름답고 신비로웠다. 첫눈이 내린 하얀 설원 위에 신이 흘려 놓고 간 보석 같은 여자. 어디에 있어도 빛을 잃을 리 없는 그녀의 눈이 초롱초롱 곱게 반짝였다.

"난, 그러고 싶은데."

투정하는 아이처럼 삐죽 나온 입술과 해맑은 눈망울을 보는 순간, 목덜미에 바짝 힘이 들어갔다.

'젠장.'

그녀와 나눴던 지난 입맞춤의 기억 위에 그때와 다른 상상이 더해졌다. 더 깊고, 거칠고, 자비 없는. 만족할 때까지 그녀를 헤집으며, 오로지 사내의 욕구를 따르기 위한 그런 입맞춤을 하는 자신이.

'미친 자식.'

자괴감에 빠진 다니엘의 머릿속이 또다시 꼬여 들었다. 미세한 통증을 느낀 다니엘이 고개를 틀려 하자 프리다의 손이 그를 말리듯 따라왔다.

"싫다고만 하지 말고, 좀 더 고민해 보세요."

아마 그가 이름을 부르는 건 안 된다고 할까 염려가 된 모양이다. 그의 뺨을 붙든 프리다는 지난밤처럼 다정한 목소리로 아이 달래듯 말했다.

"전 공작님께 아무것도 기대 안 해요. 이미 너무 완벽하신데 뭘 더 기대하겠어요. 더 바라는 건 욕심이죠."

작게 숨을 몰아쉰 그녀의 뺨이 발그레하게 달아올랐다.

"공작님은 이미 제가 상상했던 것보다 훨씬 더 강하고 멋진 분인걸요."

말을 꺼내 놓고 보니 몹시 부끄러워 시선이라도 피하고 싶었지만, 새삼 자세가 민망해 움직일 수가 없었다. 때마침 다니엘이 얼굴을 찡그리는 모습이 예사롭지 않았다. 걱정이 된 프리다는 그나마 자유로운 왼팔을 뻗어 손바닥으로 그의 이마를 짚었다.

"바라는 게 하나 있긴 해요. 아프고 힘들면…… 참지만 말고 꼭 알려 주세요. 공작님을 돌보는 건 의사보다 제가 잘한다고요. 진짜예요."

다니엘의 이마에선 열이 느껴지지 않았다.

"열은 없네요. 휴. 다행이다."

안심한 프리다가 팔을 내리던 찰나, 손목이 다시 그의 손에 잡혔다. 그녀의 손가락 마디 사이로 다니엘의 굳은살 박인 길고 단단한 손가락이 빈틈없이 엉켜들었다.

"다니엘이요."

"……네?"

꼴깍 숨을 삼키며 되묻던 프리다는 점점 다니엘의 얼굴이 제게 가까이 다가오는 것 같은 느낌을 받았다. 그 증거로 코끝에 닿는 그의 숨결이 점점 뜨거워지고 있었다.

"이름 부르고 싶다면서요."

다니엘의 붉은 눈 안에 담긴 자신이 점점 커졌다. 가만, 부, 붉다고? 왜 갑자기? 내가 또 뭘 실수했나? 당황한 프리다의 말이 빨라졌다.

"호, 혹시 아직 두통이 있으신 거면 따뜻한 허브차를 가져올게요. 마시면 기분이 나아질 거예요. 얼른 가지고 올……."

다니엘이 허둥대는 프리다의 손목을 침대 깊숙이 누르며 이름을 불렀다.

"프리다."

확실했다. 유심히 저를 내려다보는 다니엘의 눈이 조금씩 더 붉어지고 있었다.

"당신도 꼭 말해요."

"……."

자신을 압도하는 사내의 낯선 기운에 프리다는 아무것도 묻지 못한 채 입을 닫고 말았다. 그리고 다니엘의 숨이 거칠어졌다.

"아프고 힘들거나…… 참기 힘들어지면…… 반드시 말해 줘요."

꼭. 들릴락 말락 작게 속삭인 그는 프리다의 여린 손가락을 부러트리지 않기 위해 필사적으로 손에서 힘을 뺐다. 대신 프리다의 머리칼이 늘어트려진 하얀 시트를 힘껏 꽉 움켜쥐었다. 그의 손안에 엉켜 들어간 흰 천이 당장 뜯겨도 이상하지 않을 정도로 엉망으로 구겨졌다.

"난 이제 한계니까."

천을 움켜쥔 거친 손길과 달리, 살짝 벌어진 프리다의 입술로 파고드는 다니엘의 입맞춤은 부드러웠다. 시작은 그랬다.

한 시간쯤은 허리를 꼿꼿하게 세우며 버티던 슈테판도 더는 한계였다. 꽤 늦장을 피웠다고 생각했는데 공작의 집무실에 들어온 지 두 시간이 지나도록 방 주인은 코빼기도 볼 수 없었다.

"진정 일 년 동안 이걸 다 하실 작정이신가?"

리하르트 공작이 건넨 문서를 들고 어슬렁어슬렁 집무실 안을 걷던 그는 문이 열리는 소리에 재빨리 어깨를 쭉 펴며 자세를 잡았다. 그러나 방으로 들어온 이는 그가 기다리는 공작이 아니라 낯선 남자였다.

'검은 머리? 라파스 출신인가?'

주의 깊게 남자를 살펴보던 슈테판은 곧 그의 정체를 알아챘다. 영주의 집무실을 이리 자유로이 드나드는 걸 보면 공작과 꽤 가까운 사이란 뜻. 검은 머리에 공작과 가까운 자라면? 참, 어제 공작 부인이 저 남자를 불러 뭔가를 지시하기도 했었지, 아마.

'혹시 저자가 그 유명한 도미닉 몰리?'

남자는 제게서 눈을 떼지 못하는 슈테판을 보며 과장되게 허리를 숙였다.

"처음 뵙습니다. 도미닉 몰리입니다."

슈테판의 예상대로였다. 리하르트 공작이 출정하는 곳이라면 어디든 함께한다는 용병단의 단장 리카르도 몰리의 아들. 공작의 모친인 라우라 차르도의 손에 거둬져 어릴 적부터 형제처럼 자랐다는 사내. 다니엘 리하르트를 위해서라면 무슨 일이든 한다는 일명 '차가운 심장'. 황태후가 지목한 요주의 인물 중 한 명이었다.

"나는 슈테판……."

"압니다. 슈테판 고든 보일드 남작. 낙후된 휀하임 성이 염려되어 황실에서 친히 고르고 골라 보내 주신 우리의 집사장님. 첼리노 대학 수석 졸업생이자 챔벌린 백작이라는 든든한 사돈을 두고도 쉔달 성과는 인연을 맺지 못했던 불운한 사내."

창가로 다가간 도미닉이 커튼을 휙 걷자 집무실 안으로 햇볕이 쏟아져 들어왔다.

"리하르트 공작이 황제의 사냥개라면 우리 남작께선 꼬리 흔들 준비를 마친 애완견쯤 되시려나."

"……."

다짜고짜 무례한 말을 늘어놓는 도미닉을 보면서도 슈테판은 화를 내거나 별다른 변명을 늘어놓지 않았다. 슈테판은 창을 등지고 돌아선 도미닉의 능글맞지만 매서운 시선도 피하지 않고 있었다. 딱히 겁을 먹은 표정도 아니었다. 공부만 한 샌님치곤 배포가 있는 게 꼭 공작 부인을 닮았다.

'어찌 되었든 귀족 나리라 이거지?'

피식거리며 도로 뒤를 돈 도미닉이 창을 열었다. 하긴 어린 시절 다니엘 그 자식도 그랬다. 반쪽짜리 귀족 떨거지라도, 저는 고귀한 가문의 핏줄이라며 오지게도 잘난 척을 했었지.

"다른 건 몰라도 공작령이 날씨 하나는 죽여줍니다."

양쪽으로 활짝 창문을 열어젖힌 그는 기지개를 쭉 켜며 슈테판을 돌아보았다.

"우리 주군께선 참으로 야박하시지. 그 먼 길을 오신 분께 하루쯤은 쉬라고 하셔도 될 텐데 말입니다. 그나저나 오늘 여기 계셔 봤자 할 일도 없는데 방을 잘못 찾아오셨네요."

"공작 전하의 집무실은 이곳 하나라고 들었네만."

"집무실이 여기 하나인 건 맞는데요."

의미심장한 미소를 지으며 슈테판에게 다가온 도미닉이 그가 들고 있던 서류를 휙 낚아챘다. 동요 없이 침착하던 슈테판의 미간이 이때만큼은 뚜렷하게 찌푸려졌다.

"뭐 하는 짓인가?"

도미닉이 손에 든 서류를 팔랑이며 어깨를 으쓱거렸다.

"죄송. 내가 보고 배운 것 없는 무식한 용병 출신이라. 어디 보자. 아이고, 무슨 할 일이 이렇게 많아? 하나, 둘……."

손끝으로 문서에 적힌 내용을 가리키며 세 보던 도미닉이 종이 위로 불쑥 고개를 들며 물었다.

"이걸 언제까지 끝내겠다고 하시던가요?"

도미닉의 손에서 도로 문서를 빼내 온 슈테판이 그를 노려보았다.

"자넨 알 것 없어. 이건 공작 전하와 내가 해결할 일이다."

"아닐 텐데."

팔짱을 낀 도미닉이 슈테판 앞으로 어깨를 쓱 들이대며 으스스하게 목소리를 낮췄다.

"비밀 하나 알려 줄까요?"

그는 검지를 들어 슈테판의 눈앞에서 까딱까딱 얄밉게 흔들어 댔다.

"리하르트 공작은 하는 게 없어요. 아무것도."

그러다 느닷없이 딱 소리가 나게 손가락을 튕겼다.

"아, 맞다. 지금은 뭘 하고 있겠네."

여인과 한 침대에서 잠든 다니엘이라. 직접 눈으로 보지 않았다면 죽어도 믿지 않았을 얘기다. 곱씹을수록 어이가 없어 도미닉은 실성한 사람처럼 고개를 절레절레 흔들며 피식거렸다.

'엉큼한 자식. 그렇게 점잔을 빼더니 뒷구멍으로 할 건 다 하고 있었던 거였어? 그나저나 이 자식. 뭘 하고 있긴 한 거 맞겠지? 가만, 방법은 아나?'

순간이나마 '혹시' 하는 마음을 가졌던 제가 어이없어 실소를 터트렸다. 그 짓에 환장한 사내 녀석들 틈바구니에서 지내 온 세월이 얼만데. 설마 모를 리가.

'아냐. 의외로 맹탕인 구석이 있는 녀석이라.'

웃다 생각해 보니 다니엘 자식이라면 그럴 수도 있지 않을까 싶어 도미닉의 미간이 다시 심각하게 좁혀졌다. 도미닉과 다니엘은 둘 다 여자라면 몸서리나도록 치가 떨리는 상황 속에서 어린 시절을 보냈다.

그러다 보니 본의 아니게 여자들과 거리를 두고 살았다. 다른 녀석들이 돈만 생기면 술과 여자를 찾아 나설 때, 두 사람은 사냥하고, 검을 벼르고,

말을 길들이며 시간을 보냈다.

그래도 도미닉은 술이라도 좀 퍼마셨지. 다니엘은 사람들과의 술자리엔 아예 어울리지도 않을뿐더러, 마신다고 해도 남들 다 자는 시간에 혼자 앉아 청승을 떨기 일쑤였다.

라우라 님이 돌아가시고 난 후 다니엘은 사람들과 어울리는 걸 극도로 피했다. 사방에 선을 긋고, 벽을 쌓고, 아무도 그 안에 들어오지 못하게 스스로를 고립시켰다.

어찌나 말을 안 하는지 입이 붙어 버린 줄 알았다. 억지로 벌리겠다고 달려들다 여지없이 걷어차인 적도 한두 번이 아니다. 평소의 저라면 그딴 자식 죽든 말든 유난 떨지 말고 내버려 두라고 했겠으나……. 휴우, 당시엔 실없는 농담도 할 수 없을 만큼 다니엘의 상태가 심각했다.

아버지와 도미닉은 긴 시간 엄청나게 공을 들이고서야 그 자식의 선 안에 발을 디딜 수 있었다. 이후로도 저러다 사고 치는 거 아닌가 싶어 두 사람 모두 다니엘에게 한시도 눈을 떼지 못했다.

그러니 가까이하는 여자가 있었겠냐고. 쉔달 성에 드나들 때마다 대놓고 유혹하는 여자들이 적지 않았는데도 눈 하나 깜짝 안 했다. 하도 목석같이 굴기에 이 자식이 저 몰래 거세라도 한 건가 의심까지 했었다.

"전하께 바쁜 일이 있다는 뜻인가?"

슈테판의 질문에 도미닉이 눈을 가늘게 일그러트리며 턱을 매만졌다.

"글쎄요……. 많이 바빠야 할 텐데."

솔직히 아직도 안 믿어진다. 다니엘이 여자와 밤을 보냈다고? 공작 부인이 다니엘에게 달려들던 무수한 여인들처럼 홀라당 벗고 유혹했을 리도 없는데?

'아이고. 나도 모르겠다. 내가 심오한 부부의 세계를 어떻게 알아?'

도미닉은 뒤통수를 벅벅 긁으며 집무실 구석에 놓인 의자에 털썩 주저앉았다.

"아무튼 거기 적힌 일 하나라도 제대로 끝내고 싶으면, 주군이 아니라 공작 부인을 찾아가는 게 빠를 겁니다. 이 공작령은 공작 부인 없이는 아예 돌아가질 않으니까."

"연약하신 공작 부인께 폐를 끼칠 생각은 없다."

연약? 개 풀 뜯어 먹는 소리 하고 있네. 게다가 일이라면 덮어놓고 뭐든 엄청나게 좋아하시는 분을 두고 웬 쓸데없는 걱정? 하크본 가문의 저주니 뭐니 하는 소문과 조금 특이한 외모. 이 두 가지를 빼고 보면 공작 부인께선 저보다 오래 사실 분이다.

저야말로 삼 년 전에 다니엘이 구해 주지 않았다면 이미 죽었을 목숨 아닌가. 언제 또 전쟁터에 끌려 나가 어찌 될지도 모르고. 그리고 원래 골골대는 인간들이 오히려 가늘게 오래 가는 법이다. 도미닉이 검지로 제 머리를 콕콕 찍으며 잇새로 웃음을 흘렸다.

"머리가 있으면 생각이란 걸 좀 하시죠, 남작님. 지난 삼 년 동안 주인 없는 이 땅이 안 망하고 잘 버티고 있었다는 보고는 받으셨을 테고. 그럼 이곳을 누가 돌봤을까요? 죽은 거나 다름없는 리하르트 공작이? 아니면 일자무식인 용병들?"

보고를 받지 않았냐는 말에 점잔을 빼며 서 있던 슈테판의 얼굴에 균열이 생겼다. 뻔히 다 아는 처지에 뭘 저렇게까지 티 나게 구시는지.

도미닉은 정원을 장식한 석고상처럼 집무실 한가운데 반듯하게 서 있는 슈테판을 보며 또 피식댔다. 이번엔 웃음을 흘리는 입매가 좀 더 부드러워져 있었다.

"이렇게 눈치가 없으셔서 어쩌나. 큰일이네."

눈치가 없다는 말은 전부터 종종 들어 왔던 터라 슈테판은 별다른 반박을 하지 못하고 입을 꾹 다물었다. 도미닉이 제게 비웃음과 경고를 동시에 건네고 있다는 걸 알았지만, 일견 동의하기도 했다.

요행을 모르는, 답답하고 꽉 막힌 원칙주의자. 슈테판을 아는 사람들은 대체로 그를 이렇게 평가했다. 대체 챔벌린 백작이 왜 황태후에게 자신을 추천했는지 아무리 생각해도 까닭을 모르겠다. 가슴이 들썩일 정도로 긴 한숨을 내쉰 슈테판의 눈에 의자에 대충 엉덩이만 걸치고 앉은 도미닉의 불량한 자세가 들어왔다.

슈테판의 눈살이 대번에 찌푸려졌다. 어제 공작이 준 문서에서 리하르트 공작가의 기사단 창설과 기사 서임식을 준비하라는 내용을 본 기억이 났다.

그렇다면 저 인간도 더는 떠도는 용병이 아니라 리하르트 공작의 봉신 기사가 된다는 뜻. 평범한 가문도 아닌, 무려 십이 공작 가문의 봉신 기사다. 당장 저 무례한 자세부터 바로잡으리라는 교육 의지가 불타올랐다.

우선 저 삐뚜름한 자세를 고치려면 튼튼한 밧줄로 의자와 상반신을 반 나절 정도 꽁꽁 묶어 놓는 게 좋을 것 같군. 슈테판이 저를 보며 무슨 상상을 하는지 알 리 없는 도미닉은 종아리를 까딱대며 앞으로 마주 잡은 손에 깍지를 꼈다.

"우리 집사장님. 이래서 출세하시겠습니까?"

"충고와 걱정은 이쯤이면 됐네. 공작 전하께서 지금 어디에 계시는지 알면 말해 줬으면 좋겠군. 자네도 알다시피 내가 할 일이 많아서 말이야."

도미닉의 입꼬리가 슬그머니 위로 치켜 올라갔다.

"침실에 계십니다."

환하게 밝은 아침 하늘로 잠시 눈을 돌렸던 슈테판은 고개를 갸웃하며 물었다.

"여태 말인가?"

"말했잖아요. 우리 주군께선 아무것도 안 하시는 분이라고. 이 공작령의 실세는 공작 부인이시라니까요."

리하르트 공작이 영지에 관심이 없는 자라는 얘기야 저도 들었으니 그럴 수 있다. 그래, 뭐 그렇다 치고.

"그럼 공작 부인께서 어디에 계시는지도 알고 있나?"

"그분 역시 침실에 계십니다."

침실? 슈테판이 게슴츠레 실눈을 뜨며 도미닉을 노려봤다.

"……부인께서 침실에 계시는 걸 자네가 어떻게 아나?"

"무슨 상상을 하시는 겁니까? 주군의 침실에 계신다고요."

도미닉이 어이없다며 혀를 차자 슈테판은 '흠흠' 헛기침을 하며 고개를 돌렸다. 그래. 부부가 침실에 함께 있는 거야 이상할 것 없지. 하지만 이렇게나 날이 밝았는데? 구름 한 점 없는 파란 하늘을 한 번 더 바라보고 난 슈테판이 조금 더 크게 고개를 갸웃거렸다.

"아직도?"

팔짱을 낀 채 의자에 눕다시피 등을 기댄 도미닉이 크게 코웃음을 쳤다.

"거 참. 좀 봐줍시다. 신혼인데."

그러네. 우리 다니엘 나름 신혼이었네. 결혼 후 삼 년 만에 맞는 진짜 신혼. 뭐야, 그럼 이 자식 지난밤에 불타는 첫날밤을?

불현듯 찾아온 깨달음에 도미닉은 코웃음에 이어 피식, 실소를 터트리고 말았다.

프리다는 숨을 쉴 수도, 눈을 뜰 수도 없었다. 다니엘이 그녀의 손목을 움켜쥔 채 꽉 누르고 있는 탓에 그만하라고 어깨를 두드리는 것도 불가능했다. 어느 틈엔가 이대로 한 몸이 되어 버리는 게 아닌가 싶을 정도로 두 사람의 몸이 바짝 달라붙었다.

무겁다고 다리라도 밀어내 볼까 싶었지만, 그건 더 엄두가 안 났다. 본능적으로 더는 그를 자극하지 말아야 한다는 걸 느꼈다. 더는 못 견디겠다 싶을 때쯤 그의 입술이 겨우 떨어져 나갔다. 그 입술이 곧장 뺨을 지나 목으로 내려가긴 했지만.

어깨를 움찔댄 프리다는 그 틈을 놓칠세라 후다닥 입을 열었다. 지난 두 번의 시도가 실패로 끝난 후라 더는 여유가 없었다.

"아, 아파요. 다니엘. 나 아파요. 윽!"

목덜미를 타고 올라와 막 그녀의 귓불을 물던 다니엘이 그대로 멈췄다.

"휴우……."

참았던 숨을 몰아쉬는 프리다의 이마로 손을 뻗은 그가 땀에 젖은 그녀의 머리칼을 넘겨 주며 물었다.

"어디가 아픈데요?"

낮게 잠긴 다니엘의 목소리가 가늘게 떨렸다.

"소, 손이요. 제발 힘 좀……."

프리다의 말을 들은 뒤에야 다니엘은 자신이 그녀의 손목을 틀어쥐고 있다는 사실을 알았다. 시트를 쥐고 있었는데 어느 틈엔가 다시 프리다를 잡아 버린 모양이었다. 손목을 놓아준 그는 손가락을 뻗어 프리다의 머리칼을 조심히 휘감았다.

눈처럼 하얀 프리다의 머리칼이 갈색으로 그을린 그의 손가락에 돌돌 말렸다. 분명 한겨울을 연상시키는 빛깔을 지녔는데……. 신기하게도 프리다에게선 언제나 따스한 온기가 느껴졌다. 그 온기를 품고 싶었다. 닿고 싶고, 틀어쥐고 싶어 미칠 것만 같았다.

봉인이 풀려 버린 갈망이 평지를 내달리는 야생마처럼 속도를 냈다. 어깨 뒤로 팔을 뻗은 다니엘은 입고 있던 셔츠를 벗어 침대 아래로 내동댕이쳤다. 그는 완벽하게 회복된 탄탄한 팔뚝을 프리다의 얼굴 옆으로 뻗어 내리며 말했다.

"싫으면 지금 말해요."

싫다고 한들 멈출 수 있을진 모르겠다. 휘둥그레 커진 눈동자에 담긴 제 모습이 이미 정신이 반쯤 나가 미쳐 있는 상태였으니까. 언제부터였을까. 그의 삶에 제멋대로 던져진 이 여자를 조금은 다르게 보게 된 것이.

다들 하도 금세 죽을 사람이라고 하니 한 번 더 눈이 갔던 것 같긴 한데, 분명 그게 전부는 아니었다. 리카르도와 도미닉이 왜 그토록 쩔쩔매나 싶어 호기심이 생긴 걸까. 아니, 시작은 그날이었던 것 같다. 제 방을 뒤지다 비밀 통로에 갇혀 쓰러졌던 날. 반쯤 쥐어뜯긴 앞자락 사이를 보며 차마 입 밖으로 뱉기 민망한 상상을 하고 말았던 그날.

"오늘의 프리다가 오늘의 공작님께 고백하는 거예요."

그를 좋아한다는 황당한 고백을 들으며, 태어나 처음 여인을 앞에 두고 심장이 두근거렸다. 리카르도가 그녀에게 자신의 과거를 털어놓았다는 걸 알았을 때, 화가 나고…… 초조했다. 틀림없이 제게 실망했겠구나. 프리다의 맑은 눈이 저를 경멸하는 상상을 하며 그녀를 찾아 헤맸다.

"제 말은 공작님이 잘했다는 게 아니라, 이건 명백히 황태후께서 나쁘셨다는 뜻이에요."

염려와 달리 프리다는 제 편을 들어 주었다.

"글쎄요. 잘 모르겠네요. 오늘의 공작님은 영 제 취향이 아니라서."

안심하던 것도 잠시. 취향이 아니라는 새침한 말에도 금세 실망하는 스스로가 낯설었다. 프리다에게 좋은 사람으로 보이고 싶어질 때마다 그 시절의 제 모습이 떠올랐다. 속셈이 있어 저를 추켜세우는 줄도 모르고 황태후 마그리트 앞에서 속없이 우쭐대던 어린 날의 다니엘이. 그래서 거리를 두려 했으나, 그럼에도 점점 욕망은 커져만 갔다.

그녀의 이 눈이, 절대 더럽혀지지 않을 것 같은 이 깨끗한 눈동자가 저와 같은 열망으로 흐트러졌으면 좋겠다고. 이 하얀 머리칼이 땀에 젖어 질척질척 제 살갗에 달라붙는 느낌이 궁금하다고. 아내를…… 안고 싶다고.

"오늘은 어떻습니까?"

프리다의 치맛자락에 손을 대기 전, 다니엘은 마지막 인내심을 발휘해 질문을 건넸다.

"오늘의 나는…… 당신 취향에 맞습니까?"

불안을 담고도 프리다는 저를 향한 눈길을 피하지 않았다. 그가 촉촉이 적셔 놓은 입술이 살짝 부풀어 올라 있는 것도, 소심하게 꿈틀대는 가는 허리가 그의 허벅지에 닿는 느낌도 환장하게 자극적이다.

점 하나 없는 하얀 목에 그가 새긴 자국이 남을 걸 상상하자 더는 참을 수가 없었다. 대답과 상관없이 입술을 내리려던 찰나. 프리다가 양손을 들어 그의 목을 끌어안았다.

"있잖아요, 다니엘. 나…… 당신한테 진짜 아내가 되고 싶어요."

미치겠네. 그는 사락거리는 아내의 머리칼을 움켜쥐며 목을 물었다. 하얀 살갗 위에 조심스레, 하지만 뚜렷한 자국을 남기며 웅얼거렸다.

"당신은 이미 황실이 승인한 내 아내입니다."

그가 목을 간질대자 프리다가 다니엘의 맨 어깨를 꽉 붙들며 말했다.

"그, 그거 말고요. 다른 것도 함께하고 싶다고요."

"지금 하고 있는 거 같은데."

"아니요. 내 말은 소소한 일상을 함께하고 싶다고요. 대화를 나누고, 마주 보고 앉아 식사도 하는…… 그런 거요."

얼마든지. 순진한 귀족 아가씨의 소꿉놀이쯤이야 얼마든지 장단을 맞춰 줄 용의가 있다. 솔직히 지금 기분이라면, 그보다 더한 걸 해 달라고 해도 할 수 있을 것 같았다. 만족스러울 만큼 목을 지분거린 다니엘이 이번엔 좀 더 아래로 내려가며 속삭였다.

"또 하고 싶은 게 있으면 말해요."

"저…… 가지고 싶어요."

"말해요. 원하는 건 뭐든 말해."

인내의 끈을 놓아 버린 그의 손끝이 프리다의 치마를 살짝 쥐었을 때였다.

"아이요. 당신 아이를 가지고 싶어요, 다니엘."

"……."

다니엘은 순간, 알타스의 눈이 녹아 만들어진 차가운 호수에 머리부터 처박힌 듯한 아찔한 기분을 맛봤다.

'아이?'

순식간에 온몸이 얼어붙은 그는 쥐고 있던 프리다의 치마를 놓고 천천히 몸을 일으켰다. 그의 어깨를 감싸고 있던 프리다의 손이 스르르 팔을 타고 미끄러져 내렸다. 가슴을 짓눌렀던 무게가 덜어지자 프리다는 한결 가벼워진 호흡을 내쉬며 얼굴을 붉혔다.

그러나 탄탄한 다니엘의 맨몸이 시야를 가득 채워 눈 둘 곳을 찾을 수가 없었다. 별수 없이 남편과 눈을 맞춘 그녀는 당장 튀어나와도 이상하지 않을 심장을 누르며 싱긋 웃었다.

"부, 불가능할지도 모르지만, 노력이라도 해 보고 싶어요. 혹시 모르잖아요. 기적이 생길지."

보일드 남작 부인과 얘기를 나누는 동안 간절히 바라면 제게도 기적이 올지 모른다는 희망이 싹텄다. 남작 부인은 자신도 아이를 가지기까지 아주 힘든 시간을 보냈다고 했다.

"나이도 많고, 이젠 틀렸구나 싶었죠. 거의 포기하고 있었는데 어느 날 갑자기 기적처럼 아이가 찾아왔지 뭐예요."

그토록 소중한 아이를 가졌으니 남편과 더 떨어질 수가 없었다며 수줍게 웃는 남작 부인은…… 정말 행복해 보였다. 남작 부부가 다니엘을 감시하기 위해 이곳에 왔다는 걸 알면서도, 자연스레 그녀에게 호감이 생겨버렸다.

사랑하는 남편을 위해 힘든 여정을 참아 내는 귀족 여자가 어디 흔한가. 다소 무모해 보일지라도 프리다는 보일드 남작 부인의 용기가 그저 감탄스러웠다.

어제저녁, 꼼꼼하게 남작 부인의 진찰을 마친 안톤은 특별한 문제는 없지만 푹 쉬셔야 한다며 신신당부를 하고 돌아갔다. 조심하느라 일정을 최대한 늦추며 왔다고 해도 쉽지 않은 길이었을 테니, 며칠 동안은 침대에서 꼼짝도 하지 말라고 몇 번이나 주의를 주었다.

아무리 안정기에 들어섰다지만, 얼마나 남편을 사랑하면 이 먼 길을 함께 올 생각을 했을까. 남작 부인에 대한 호기심과 동시에 존경심이 일었다.

"두렵진 않았어요? 아이를 가진 몸으로 여기까지 오겠다는 결정을 하기가 쉽진 않았을 텐데요."

"전혀요. 첼리노에 혼자 남아 걱정만 하는 게 더 몸에 안 좋을 것 같더라고요."

프리다의 질문을 받은 보일드 남작 부인은 찰나의 망설임도 없이 고개를 저었다.

"첫 아이를 낳는 순간을 꼭 함께하고 싶었어요. 사실 슈테판은 제가 없으면 아무것도 못 한답니다. 앞으로 힘든 일이 많을 텐데 제가 옆에 있어 줘야지요. 부부가 그런 거 아니겠어요? 힘든 일일수록 서로 도와 가며 함께 이겨 내야죠."

그렇게 말하며 웃는 남작 부인이 너무 예뻤다. 첫날부터 오래 붙잡을 수 없어 다음을 기약하며 방을 나섰지만, 더 깊은 얘기를 나누고 싶은 사람이었다. 그렇게 마리안 홀로 돌아오는 길, 프리다는 미약한 기대에 두근두근 가슴이 설레었다.

'노력하면 우리도 가능하지 않을까.'

비록 그녀의 몸은 약하지만 대신 다니엘이 몇 배는 건강하니 운이 좋으면 아이를 가질 수 있을지도 모른다. 지난번엔 겁도 나고 달거리도 있던 터라 물러섰지만, 이번엔 그녀가 먼저 다가가 보면 어떨까.

낮에 이름을 불렀을 때, 다니엘은 조금 당황한 듯했지만 불편한 기색을 보이진 않았다. 이번 기회에 남작 부부처럼 아예 서로 이름을 부르며 친근해져 보자 결심했다.

뒤늦은 초야가 솔직히 많이 두렵다. 그렇지만 부부가 된 이상 언젠간

겪을 일. 또한 공작은 제 입으로 정부를 두지 않겠다 분명하게 다짐까지 하지 않았던가.

그렇다면, 기왕 그리될 거라면. 남은 생을 이 남자를 사랑하고, 사랑받으며 그렇게 행복하게 살 수 있을지도. 프리다는 떨림이 가라앉지 않은 손을 들어 다니엘의 턱 끝을 매만졌다.

"다니엘. 나, 당신을 닮은 아이를 낳고 싶어요."

약하고 비리비리한 자신이 아니라 건강하고 튼튼한 이 남자를 닮은 아이를. 차양이 달린 모자를 쓰지 않고도 맘껏 햇살 아래를 뛰어다닐 수 있는 아이. 매년 다가오는 생일을 기쁘게 축하해 줄 수 있는 아이.

설혹 그녀가 먼저 세상을 떠나 아이가 자라는 모습을 볼 수 없게 되더라도. 그런 일이 생긴다 해도, 엄마보다 몇 배는 강한 아빠가 옆에 있을 테니까. 사는 동안 후회 없도록 아주 많이 사랑해 주면 되니까. 붉어지는 눈시울을 참기 위해 프리다는 억지로 크게 미소 지었다.

"당신만 도와준다면, 나 열심히 노력해 볼게요."

다니엘은 아무 말 없이 고요히 프리다를 내려다보았다. 이성이 끊긴 것처럼 다소 급하게 달려들던 낯선 남자가 아닌, 프리다가 익히 아는 다니엘 리하르트 공작이었다. 탐색하듯 유심히 그녀를 내려다보는 눈빛에 평소와 다른 기이한 이채가 돌았다. 거칠었던 숨소리마저 다스린 그의 다물린 입술은 의식 없이 누워만 있던 지난 삼 년을 연상시켰다.

갑자기 왜? 문득 그의 상태가 걱정된 프리다가 팔꿈치로 침대를 짚으며 일어서려던 순간, 다니엘이 먼저 멀어졌다. 침대 아래로 내려간 그는 바닥에 떨어진 셔츠를 주워 머리를 집어넣었다. 조금 전까지 숨김없는 열정을 드러내던 남자라고는 상상하기 힘든 서늘한 기운이 뿜어져 나왔다.

"다, 다니엘? 왜 그래요?"

이 상황을 이해하지 못한 프리다의 목소리가 길을 잃고 방황하는 아이처럼 갈팡질팡 흔들렸다. 길어질 수도 있었던 혼란은 다니엘의 한마디로 빠르게 종결되었다.

"방으로 돌아가십시오."

쾅.

사소한 것 하나하나가 모두 다니엘의 신경을 긁어 댔다. 유난히 크게 들리는 제 방문이 닫히는 소리가. 하다못해 공작 부인의 방에서 나오다 그를 보고 놀라는 하녀까지. 평소 성에 드나드는 모습을 잘 보이지 않는 영주를 마주하니 놀라는 게 당연한 일이겠지만, 지금은 그마저도 거슬렸다. 뚜벅뚜벅 복도를 걸어간 그는 고개를 푹 숙이고 있는 하녀에게 차갑게 말을 건넸다.

"왜 주인 없는 방에서 나오는 거냐?"

"마, 마님께서 문을 두드려도 기척이 없으셔서……."

"고개를 들어라."

프리다의 근처에 있는 걸 종종 봤던 하녀였다. 이름은 모르겠지만 얼굴과 목소리가 낯익었다. 무심히 고개를 돌린 다니엘은 손에 들고 있던 재킷을 걸치며 다시 복도를 걸었다. 미처 세 걸음도 걷기 전, 급한 발걸음 소리에 이어 뮤리엘이 복도에 나타났다.

"마틸다, 아직도 아가씨 못 찾았……?"

방에 없는 프리다를 찾아 여기저기 뒤지고 돌아다녔는지 땀으로 범벅된 뮤리엘이 그 앞에서 허리를 숙였다. 자주 보아 왔던 여기사의 유난도 오늘은 심히 못마땅했다.

"공작 전하를 뵙습니다."

"웬 소란인가?"

"그게…… 아침부터 아가씨가 안 보이셔서 찾는 중입니다."

"그래서?"

보통 말 한마디 없이 본 척 만 척 지나치기 일쑤인 공작이 싸늘한 기운을 풍기며 묻자 뮤리엘이 긴장하며 어깨를 숙였다.

"이곳에 안 계시는 걸 보면 아마 스카디 홀에 가신 모양입니다. 급하게 손님을 맞아들이게 된 터라 내내 걱정이 많으셨는데 아침부터 둘러보러 가신 것 같습니다. 전하께선 염려하지 않으셔도 됩니다."

프리다가 그의 방에 있을 거라는 의심은 단 한순간도 하지 않는 단호한 말투가 또 거슬렸다. 온 성안을 뒤지고 돌아다니든가 말든가. 오롯이 자신을 향했어야 할 화가 아내에 이어 죄 없는 하녀, 충직한 기사에게까지 뻗어 나오고 있었다. 그들을 다그치는 꼴사나운 일이 벌어지기 직전. 끼익.

"공작님! 대체 왜 화가 나신 건지 말을……."

침대에 눌려 뒤통수가 잔뜩 헝클어진 부스스한 머리. 살포시 부어오른 입술. 붉은 뺨. 군데군데 유난히 입술 자국이 선명하게 남은 하얀 목. 누가 봐도 무슨 일이 있었음이 명확해 보이는 몰골을 한 프리다가 뒤편에서 그의 침실 문을 열고 나왔다.

"마, 마님. 거기 계셨던 거예요? 제가 아침부터 얼마나 찾았는데요."

"……아, 마틸다."

하녀가 빠른 걸음으로 프리다에게 다가가는 모습에 잠시 눈을 두었던 다니엘은 그대로 걸음을 옮겨 계단으로 향했다.

"대체 뭘 하시다 머리가 이 모양……. 아니, 목에는 왜 이런 자국이……. 헉!"

그의 뒤통수를 노려보고 있을 뮤리엘 로시발트의 눈초리가 느껴졌다. 두 여자가 질러 대는 소리 없는 외침도. 양심도 없는 놈. 짐승, 호색한, 색골. 응어리진 억울함을 풀 곳이 절실해진 다니엘이 갈 곳은 단 하나뿐이었다.

저벅저벅 집무실을 향해 걸어간 다니엘은 제 앞을 가로막는 나무 문을 벌컥 밀어젖혔다. 쾅. 웬만한 사람은 밀고 들어오기도 힘든 두꺼운 나무 문이 요란한 소리를 내며 열렸다.

의자에 등을 기댄 채 거만하게 앉아 있던 도미닉이 문이 열림과 동시에 벌떡 일어섰다. 꼿꼿하게 서서 도미닉을 한심하게 내려다보고 있던 슈테판도 일시에 자세를 바로잡았다. 문을 밀 때와 같은 사나운 기세로 성큼성큼 방으로 들어온 다니엘은 슈테판은 쳐다보지도 않은 채 손가락을 까닥이며 도미닉을 불렀다.

"사냥 떠날 준비 해. 당장."

다니엘의 말이 끝나자마자 도미닉이 별 반발 없이 즉시 호출 종을 당겼다.

"슬슬 몸이 근질거리십니까?"

흔히 있는 일이라는 듯 심상한 태도였다. 하기야. 갑갑하실 때도 됐지. 도미닉은 심드렁하게 중얼대며 다니엘이 건네는 것들을 받아 챙겼다. 구석에 세워 두었던 화살에 이어 빈 활 통이 그의 품으로 던져졌다.

"식량은 며칠분이나 준비하라고 할까요?"

"많이 챙길 거 없어."

"그렇죠. 널린 게 사냥감인 계절인데 식량 걱정이 웬 말이랍니까."

멀뚱히 서 있는 슈테판에게 좀 비켜 보라고 손짓한 도미닉이 받은 물건을 한쪽에 차곡차곡 세웠다. 그러다 번뜩 떠올랐는지 있는 대로 얼굴을 찡그리며 물었다.

"참, 꽃사슴도 데려갑니까?"

"데려간다."

"쳇. 시끄럽게 생겼네."

투덜투덜하던 도미닉은 문 두드리는 소리가 들리자 밖으로 나가 뭔가를 지시해 댔다. 사냥, 기본 식량, 발자크, 업다이크 후작 영식을 찾아 등등, 이런저런 얘기가 열린 문틈으로 들려왔다. 어수선한 상황이 펼쳐지는 가운데 슈테판은 끈질기게 다니엘에게 눈빛을 보내고서야 겨우 눈을 마주칠 수 있었다.

"말해."

다니엘이 가죽 띠에 쓱쓱 검을 문지르며 말했다. 손님을 맞는 예법에 한 치도 어긋남 없던, 품격 높은 어제의 리하르트 공작. 검은 맹수라는 별명에 걸맞은 거친 야성의 아우라를 내뿜고 있는 오늘의 공작. 어느 것이 이 사내의 진짜 모습일까. 숨을 고른 슈테판은 천천히 입을 열었다.

"공작 전하, 사냥은 며칠이나 가실 예정이십니까?"

"가 봐야 알겠지."

"저도 따를까요?"

"활은 쏠 줄 아나?"

뒤편에서 도미닉이 대놓고 쿡쿡 웃는 소리가 들렸다. 평정심을 잃지 않기 위해 허리를 더 꼿꼿이 세운 슈테판은 고저 없는 담백한 목소리로 답했다.

"모릅니다."

"짐승의 피를 빼는 방법은? 가죽을 벗기는 건?"

공작은 특별히 소리를 높이진 않았으나 말속에서 미묘한 신경질이 느껴졌다.

"모릅니다."

"산속에서 노숙해 본 경험은 있고?"

"없습니다."

공작은 손질을 마친 검을 햇볕이 비치는 창가로 올려 들었다. 매끈한 검날에 반사된 빛이 슈테판을 향했다. 찡긋. 눈을 감았다 뜨니 어느새 검집에 검을 넣은 공작이 담담한 눈으로 슈테판을 바라보고 있었다.

살짝 흐트러진 앞머리. 슈테판을 향한 예리한 듯 무심한 눈빛. 웃음기 없는 다부진 입매. 속을 알 수 없는 느긋한 표정. 정치력이라면 스베르겐을 이끌었던 어떤 황제들보다 뛰어나다는 평을 듣는 황태후가 유일하게 경계하는 사내. 대체 왜? 이 사내의 어디가 그 오만한 여인을 신경 쓰이게 하는 것일까.

"어떨 것 같나?"

공작의 다부진 입매가 열리고 나서야 슈테판은 자신이 지나치게 빤히 그를 바라보고 있었다는 사실을 깨달았다.

"흠흠."

민망한 헛기침을 하고 난 슈테판은 다시 자세를 가다듬었다.

"무슨 말씀을 하시는지 여쭤도 되겠습니까, 전하?"

"자네라면 어쩌겠냐고. 데려가 봐야 아무짝에도 쓸모없는 자와 굳이 사냥을 함께해야 할 이유가 있으면 말해 보고."

"……없습니다."

다니엘은 천천히, 서두르지 않는 느릿느릿한 걸음으로 슈테판에게 다가왔다. 슈테판은 자신보다 머리 하나는 큰 다니엘을 올려다보기 위해 고개를 약간 치켜들었다.

"리하르트 공작 부인한테나 가 봐. 내겐 하등 쓸모없는 자네를 손꼽아 기다리고 계실 테니."

단호히 축객령을 내린 다니엘은 미련 없이 집무실을 떠났다. 당장 어디든, 이곳이 아닌 어디로든 떠나야 미칠 듯이 끓어오르는 이 분노를, 누구에게 향하는 건지 알 수 없는 이 짜증을 잠재울 수 있을 것 같았다.

쉬이익. 퍽!

포물선을 그리며 날아간 화살이 정확히 사슴의 목에 박혔다.

"야호. 휘잇!"

하인리히가 요란한 괴성을 지르고 휘파람을 불며 사슴이 쓰러진 곳으로 내달렸다. 그 모습에 동요하는 말을 달래기 위해 도미닉은 고삐를 바짝 당겼다.

"워워."

잡아도 꼭 저 같은 것만 잡는다니까. 쯧쯧. 쓰러진 사슴을 향해 달려가는 하인리히 일행의 머리 위쪽으로 태양이 기울고 있었다. 점점 산등성이에 가까워지는 태양을 올려다본 도미닉이 뒤편에 있는 다니엘을 향해 어깨를 틀었다.

"주군. 이만 정리하고 야영지로 돌아가시죠. 곧 해가 질 겁니다."

도미닉의 재촉에도 다니엘은 말 머리를 돌리지 않았다. 그는 크고 작은 산들로 둘러싸인 알타스 산자락에 고요한 눈길을 준 채 미동조차 없었다. 도미닉은 다니엘을 더 채근하는 대신 말 머리를 돌려 그 옆으로 다가갔다.

펜하임 성을 떠나온 지 일주일. 숲으로 오며 무심코 공작 부인께서 도로 공사를 계획하고 있는 곳의 위치를 알려 줬더니 내내 저 상태다. 본인이 의식하고 있는지는 모르겠지만 사흘째부턴 사냥이라는 원래의 목적 자체가 퇴색된 모양새다. 함께 길을 나선 이들 중 현재 사냥에 열을 올리고 있는 건 하인리히 업다이크뿐.

다니엘은 마치 전투 치를 장소를 고를 때처럼 날카로운 시선으로 영지 이곳저곳을 훑으며 이틀이 멀다고 야영지를 옮겨 다녔다. 아예 이참에 공작령을 죄다 훑을 작정이라도 한 건지 원. 도미닉이 다가오자 다니엘이 손을 뻗어 산 중턱을 가리켰다.

"저곳을 바로 가로지르지 않고 굳이 주변을 우회해 도로를 내겠다는 이유가 뭐야?"

"공작 부인께서 꼭 그러길 원하셔서요."

도미닉은 '꼭'이라는 단어에 바짝 힘을 주었다.

"저기가 지름길이라고 말 안 해 줬어?"

"그럴 리가요. 공사비 차이가 얼만데 당연히 수백 번도 더 말했죠."

지름길을 피해 길을 낼 경우 어림잡아 세 배는 더 돈을 쏟아부어야 한다. 산학 실력이 제법 뛰어난 편인 도미닉은 제 계산은 맞을 거라 확신하고 있었다.

"배우면 다 쓸데가 있단다, 도미닉. 그러니 게으름 피우지 말고 얼른 공부해. 그 책 다 읽기 전까진 검술 연습도 금지다."

다른 책은 쳐다보지도 못하게 하던 라우라 님이지만 유독 용병이 써먹을 데도 없는 산학, 과학 공부는 열심히 독려하셨다. 그 덕에 도미닉은 용병단에서 제일 똑똑하고 일이 많은 사람이 되어 버렸다.

열 살이 된 다니엘이 외조부의 용병단에 가게 됐을 때 도미닉 역시 그 뒤를 따랐다. 라우라 님이 그러라고 한 것도 아닌데 자연스럽게 그리되었다. 무의식적으로 제가 있어야 할 곳은 다니엘의 옆이라 여기고 살아왔던 것 같다. 좀 더 솔직해지자면 공부가 지긋지긋해서 얼씨구나 하고 짐을 쌌다.

십 년 전, 다니엘의 외조부가 소유한 라파스의 돌산에서 금광이 발견되었을 때. 그것을 베네토 공국까지 운송하는 경로를 정하고, 그 비용을 계산하고, 수익을 나누는 것까지. 아무튼 일이란 일은 죄다 도미닉 차지였다. 아버지가 그 일을 자랑삼아 공작 부인에게 말하는 바람에 공작령에 돌아와서도 꼼짝없이 덜미가 잡혔다.

"도미닉. 도와줄 거죠? 내가 믿을 사람이 도미닉 말고 누가 있어요, 네?"

젠장. 그렇게 매달리는데 어떻게 거절하냐고. 말에서 내린 도미닉은 하늘 높이 기지개를 쭉 켜며 투덜거렸다.

"비용도 많이 들고 시간도 곱절은 더 걸린다고 설득했는데 요지부동이십니다."

"이유는?"

빼근한 목을 이리저리 흔들던 도미닉이 팔을 쭉쭉 당기며 인상을 썼다.

"산 반대편 끝에 꽤 큰 마을이 하나 있어요. 만약 이쪽 나무를 모두 벌목해 버리면 큰비가 왔을 때 산사태가 날 수 있어서 안 된대요."

"성 근처로 이주를 시켜 주면 되잖아. 그 비용이 더 싸게 먹힐 것 같은데."

저도 똑같이 답했던 게 기억나 도미닉이 피식 실소를 터트렸다. 검만 들고 설치는 것들의 생각이란 하나같이 단순하다는 게 이로써 증명된 셈이다.

"다른 방법이 없는 것도 아닌데 굳이 영지민들이 사는 터전을 건드리고 싶지 않으시답니다. 게다가 웬하임 성의 정비가 끝나지 않은 상황에 성 근처로 사람이 몰리면 식수나 치안에 문제가 생길 수도 있다고 하시던데요."

아무튼 귀족 아가씨가 별걸 다 안다니까. 괜스레 뿌듯해진 도미닉이 씩 웃었다.

"말했잖아요. 우리 공작 부인께선 천재라니까요."

번지르르 옷만 차려입은 쉔달 성의 머리 빈 사내놈 백 명보다 낫다.

"영지에 사는 이들을 불안하게 만들어선 안 돼요. 한 번에 하나씩, 그러나 빠르고 확실하게. 믿을 만한 결과를 보여 주면, 그들은 알아서 우리를 따를 거예요."

야무지게 말하는 얼굴이 어찌나 귀엽고 기특했는지 저도 모르게 공작 부인의 머리를 쓰다듬어 줄 뻔했었다. 아무 답도 들려오지 않자 도미닉은 어깨를 돌려 말 위에 있는 다니엘을 올려다보았다. 바람이 머리칼을 흔들고 지나갈 때마다 속을 알 수 없는 진중한 적갈색 눈동자가 얼핏얼핏 드러났다.

산 중턱에 고정된 눈동자엔 한 치의 흔들림도 없었다. 사냥을 떠나온 그날 아침, 대체 무슨 일이 있었던 걸까. 무슨 일이 있었기에 그날로 성을 떠나와 일주일째 돌아가질 않고 버티고 있는 거냐고.

'설마, 저 자식 진짜 아무것도 몰랐나? 그래서 못…… 한 건가?'

"주군, 혹시……."

"공사는 언제부터 시작할 수 있지?"

망설이며 입을 열던 도미닉은 다니엘의 되물음에 질문을 삼켰다.

"시작이야 당장이라도 하죠. 문제는 언제 끝낼 수 있느냐입니다. 돈만 들이붓고 영영 못 끝낼 확률이 높아요."

'한마디로 미친 짓입니다.'라고 덧붙이고 싶었으나 다니엘의 눈을 본 순간, 도미닉은 입을 다물고 말았다.

"그래도 시작해. 내가 해 줄 수 있는 건…… 그런 것뿐이니까."

분노도 차가움도 아닌, 뭐라 형언하기 어려운 막막한 감정이 깃든 채 작게 떨리고 있는 다니엘의 붉은 눈이 퍽 낯설어 무슨 뜻이냐고 물을 수가 없었다.

스베르겐 제국의 수도 첼리노의 다른 이름은 '꽃의 도시'다. 겨울의 추위가 혹독하긴 했으나 짧은 편이고, 한여름 무더위도 없는 대체로 온난한 기후를 가진 첼리노의 봄엔 각양각색의 꽃들이 만발했다. 특히 황제가 머무는 쉔달 성은 웅장함이 느껴지는 화려하고 고풍적인 외관에 더해 아름다운 정원으로 명성이 높았다.

쉔달 성의 많은 정원 중 가장 유명한 곳은 누가 뭐라 해도 황태후 궁의 '미라벨 정원'이다. 사계절 내내 다른 꽃이 잇달아 피어나도록 꾸며진 조경은 최고라 일컫기에 부족함이 없었다. 다만 그곳에 다녀온 귀족들의 허세가 섞여 실제보다 부풀려진 소문이라는 것이 진실에 좀 더 가까웠다.

미라벨 정원의 출입은 황태후의 부름을 받은 극히 일부의 귀족에게만 국한되었다. 그런 탓에 한 번이라도 '미라벨 정원'에 다녀온 귀족들은 앞다투어 제 저택 안에 비슷한 모양의 정원을 꾸며 황태후와의 친분을 과시해 댔다.

지난봄에는 미라벨 정원의 가든 아치가 연보랏빛 등나무꽃으로 바뀌었다는 말에 제국 내 등나무의 씨가 마르고, 가격이 천정부지로 뛰는 웃지 못할 일도 있었다.

봄기운이 완연한 미라벨 정원으로 들어서던 울리히 챔벌린 백작은 흰색과 분홍색 장미가 어우러진 올해의 가든 아치를 바라보며 잠시 걸음을 멈췄다. 그는 올봄 첼리노의 꽃 시장이 열리기 전, 미리 귀띔 받은 대로 이곳과 같은 색의 장미 묘목을 잔뜩 사들였다. 그것들을 되팔아 얻은 이익이 짭짤했던 터라 장미 아치만 봐도 흐뭇한 미소가 지어졌다.

장미 아치 아래 놓인 원탁의 하얀 테이블. 그 테이블 한쪽에 놓인 등받이가 있는 빈 의자. 우아하게 틀어 올린 금발 머리 위에 사방으로 광채를 내뿜는 아다마스 티아라를 쓰고 앉은 황태후까지. 챔벌린의 눈길이 그 모든 것을 한눈에 담았다.

허리를 곧게 세운 기품 있는 자세의 황태후는 심상한 표정으로 문서를 읽고 있었다. 황제가 꽤 시끄러운 소란을 일으키며 성을 떠난 지도 사흘. 애초에 어떤 소동도 없었다는 듯 담담하게 구는 모습이 영락없는 '바이첸'이다.

평소 심장이 가슴이 아니라 머리에 붙은 거 아니냐는 우스갯소리를 듣는 바이첸 공작가. 냉철한 이성의 소유자들로 알려진 그 가문의 자손 중에서도, 가장 합리적이고 독하다는 평을 듣는 황태후였다. 그러나 황태후도 어쩔 수 없는 부분이 있었으니. 결국 정부인 뷔테인 남작 부인을 보러 가겠다는 아들의 고집을 말리지 못했다고 한다.

'쯧쯧. 자식을 이기는 부모는 없는 법이라더니.'

챔벌린은 입가에 퍼지는 특유의 냉소를 지우고 온화하게 입꼬리를 끌어 올렸다. 아들을 그토록 못마땅해하는 정부의 품으로 보냈으니 내색은 안 해도 속이 부글부글 끓고 있을 터. 황태후의 심화를 달래려면 없는 넉

살이라도 박박 모아 풀어놔야 한다.

"황태후 폐하. 여기 계셨군요. 소신 폐하를 찾아 이 미라벨 정원을 한참 헤맸지 뭡니까. 하하."

고상한 고갯짓으로 챔벌린을 반긴 황태후 마그리트는 손에 들고 있던 문서 두 장을 무릎 위에 내려놓았다.

"내가 여기에 있다고 말해 준 사람이 없었나 보군요. 그대가 불편한 다리로 정원을 헤매게 만들다니. 주의하라고 엄히 경고하겠습니다. 어서 앉으세요, 울리히."

황태후 마그리트는 다정히 챔벌린의 이름을 부르며 반대편 의자를 가리켰다. 챔벌린 백작은 저로 인해 괜한 경고를 받게 될 황후 궁의 수많은 시종을 위해 급히 고개를 저었다.

"그러실 것 없습니다, 폐하. 이곳에 계실 거라고 미리 귀띔을 받고도 찾지 못한 소신의 잘못인걸요."

황태후의 손등에 입을 맞춘 챔벌린은 그녀가 가리키는 의자에 앉았다. 손에 들고 있던 지팡이는 화려한 금색 덩굴무늬가 구멍이 숭숭 뚫린 라탄 등받이를 감싸고 있는 크림색 의자에 걸쳐 놓았다. 라탄 의자는 바이마르의 안드레아 공작이 동방에서 사들여 황실에 선물한 것으로, 요사이 귀족들 사이에서 폭발적인 인기였다.

"꽃에 둘러싸여 계시니 당최 알아뵐 수가 있어야 말이지요. 저는 미라벨 정원에 꽃의 여신이 오신 줄 알았습니다."

어울리지도 않는 능청을 떠는 챔벌린의 노력에도 불구하고 황태후는 작은 미소조차 짓지 않았다. 그녀가 고갯짓으로 신호를 보내자 대여섯 발자국 떨어져 있던 시종이 다가와 챔벌린 앞에 놓인 잔을 채웠다. 겉면이 금빛으로 칠해진 찻잔의 새하얀 안쪽 면에 빨간 히비스커스차가 채워지는 장면이 무척이나 인상적이었다. 시종이 잔을 모두 채우자 손을 든 황태후는 뒤로 물러나라는 듯 까닥 가볍게 손짓했다.

"한 사람도 빠짐없이 물러나라. 이 시간 이후로 정원엔 아무도 들이지 말고."

"예. 폐하."

시종들의 걸음 소리가 멀어지자 황태후가 무릎 위에 있던 서류를 테이블 위로 꺼내 들었다. 챔벌린은 흐릿하게 보이는 문장에 집중하며 눈을 가늘게 떴다. 문서의 하단에 알타이카 두 마리와 그 사이에 엇갈려 겹쳐진 두 개의 창이 새겨져 있었다.

스베르겐 제국의 변경백만이 쓸 수 있는 공식 문장이다. 업다이크 후작가의 문장인 푸른 독수리가 아니라 변경백의 공식 문장이 찍혔다면 당연히 국경의 동향에 관한 일.

'이걸 내 앞에 왜 꺼내 놓는 거지?'

바이첸 가문이 어떤 식으로 일을 꾸미고, 주변을 관리하는지 누구보다 잘 아는 챔벌린이다. 그는 문서의 내용을 마저 읽는 대신 고개를 들어 황태후를 보았다. 스베르겐의 근간이던 십이 공작 중 이제 남은 건 네 가문. 그중 군사력이 가장 별 볼 일 없던 바이첸이 이때껏 버틸 수 있었던 건 탁월한 정보력을 바탕으로 귀족들을 쥐고 흔들었기 때문이다.

황태후 마그리트는 정보를 유별나게 중히 여기는 바이첸 가문의 적통. 근 십여 년을 최측근으로 살아온 챔벌린에게조차 부스러기 정보 하나 쉽게 흘리는 법이 없는 여자였다.

'혹시 나를 시험하는 건가?'

툭하면 황제와 귀족들이 죽어 나가는 스베르겐 황실에서 꿋꿋이 살아남은 노회한 챔벌린의 촉이 경고를 보냈다.

"읽어 보세요, 울리히."

황태후의 권고를 듣고도 챔벌린은 문서로 손을 뻗기 전 한 번 더 확인을 거쳤다.

"제가 봐도 되는 것입니까?"

황태후는 작게 고개를 끄덕이는 것으로 허락을 표한 후 붉은 차가 담긴 금빛 잔을 들었다.

"그대의 도움이 필요해요, 울리히. 날 돕자면 당신도 우리가 어떤 상황에 처해 있는지 확실히 알 필요가 있겠죠."

"도움이라니요, 폐하. 저야 황실에서 원하신다면 기꺼이 목숨을 바칠 준비가 되어 있는……."

그때, 슬쩍 눈길을 준 문서에서 유독 눈에 띄는 낯익은 이름을 발견한 챔벌린 백작은 소스라치게 놀랐다.

"맙소사! 이자가 여태 살아 있다는 말입니까?"

문서에는 국경 근처에서 아서 노팅겐을 본 자가 있다는 변경백의 보고가 적혀 있었다. 아서 노팅겐. 그는 십이 공작 중 하나인 노팅겐 공작의 장남이며, 전 황제의 사위로 거론되던 자였다.

노팅겐 공작가는 볼슈타크 2세가 황위를 찬탈했을 당시엔 의외로 잠잠했다. 사전에 작업을 해 둔 바이첸 가문의 기세에 눌려 찌그러져 있었다고 해야 하나.

결국 반역의 깃발을 들긴 했지만, 삼 년 전 리하르트 공작의 손에 가문이 통째로 사라졌다. 홀로 간신히 도망쳤다 알려지긴 했으나 하도 소식이 없기에 어디 산속에서 죽었겠거니 했는데.

"아무도 죽였다는 자가 없었으니 당연히 살아 있겠지요."

챔벌린은 차분히 답하는 황태후의 목소리에서 당시 노팅겐의 진압을 책임졌던 리하르트 공작에 대한 책망을 읽어 냈다.

'아무튼 매몰차기는.'

백작은 혀를 차는 소리를 들키지 않기 위해 적당히 식은 차를 꿀꺽 삼켰다. 다니엘 리하르트가 아서 노팅겐을 놓쳐 후환을 남긴 건 사실이지만, 그 일로 본인도 크게 다쳐 최근에야 겨우 의식을 차렸다. 그리고 지금의 황제가 그 자리에 오르는 데 가장 큰 공을 세운 이가 바로 다니엘 리하르트 아닌가.

황제의 사냥개가 없는 지난 삼 년 동안 제국 내 큰 소요가 없었던 것 역시 반대파를 싹 쓸어 후환을 남기지 않은 리하르트 공작의 공임을 부정할 수는 없다. 다니엘의 존재 자체는 껄끄럽지만, 능력만큼은 인정하는 편인 챔벌린은 별안간 그에게 동정심이 생겼다. 그때, 황태후의 온기 없는 짙은 파란 눈이 챔벌린과 마주쳤다.

"울리히, 다니엘이 아서 노팅겐을 일부러 놓아줬을 가능성은 없을까요?"

가을이 끝날 때가 되면 첼리노엔 겨울의 시작을 알리는 비가 내린다. 그리고 겨울비가 멎고, 먹구름이 떠난 자리엔 냉기를 가득 품은 맑은 하늘이 펼쳐진다.

하지만 청명한 하늘색에 속아 옷을 두툼히 입지 않고 나가면 온종일 냉기에 몸을 떨게 된다. 차분하고 싸늘한 황태후의 파란 눈동자를 볼 때면 챔벌린은 그 계절의 한기가 떠오르곤 했다.

"그리 의심하시는 까닭이라도 있으십니까?"

"이상하잖아요. 그 다니엘이, 겨우 아서 노팅겐에게 당했다는 게."

큰 의미를 담은 질문은 아니었던지 황태후는 더는 그 문제에 대해 언급하지 않았다.

"울리히, 그대가 이 편지를 들고 뷔테인의 영지로 가 줬으면 합니다. 공식적으로 아서 노팅겐이 살아 있다고 확인된 지금, 황제께서 그곳에 머무는 건 위험한 일이에요. 제 말은 도통 듣지를 않으시니 그대가 황제를 설득해 모시고 오세요."

제아무리 황태후라도 오늘만큼은 씁쓸한 심사를 숨기기 힘들었다.

"이곳에 더 있다간 미치거나 숨이 막혀 죽을 것 같으니 절 좀 가만 내버려 두세요! 그토록 원하시는 자식, 누구에게서든 낳아 드리면 될 거 아닙니까?"

레오폴드는 끝내 언성을 높이고 성을 떠났다. 그녀를 닮아 감정을 잘 드러내지 않는 아들이지만, 이럴 때 보면 영락없는 리하르트다. 무가치한 감상에 빠져 허우적대기나 하는 나약한 인간들. 하나같이 그녀의 손을 빠져나가려 의미 없이 발버둥 치는 걸 멈추지 않는다. 숨이 끊어지는 순간까지.

"이젠…… 당신도 더는 날…… 어쩌지 못해, 마그리트."

남편인 브루노 리하르트 공작은 생의 마지막 순간 미소를 지었다. 디기탈리스 독에 중독되어 하루하루 몸이 굳어 가면서도 마치 진정한 자유를 얻은 사람처럼 행복하게.

'끝까지 어리석고 순진하기는.'

얌전히 그녀의 뜻에 따랐다면 황위는 아들이 아니라 남편의 몫이었을지도 모른다. 자신이 그리 만들어 줬을 테니까. 브루노 리하르트는 황제가, 그녀는 황후가 되는 꿈을 꾼 적이 있다. 모든 영광을 둘이 함께 누리는 날도 상상했었다. 돌이켜 보면 그녀에게도 젊었기에 순수했던 시절이 있었을지도.

순간적으로 찻잔의 손잡이를 쥔 손에 힘이 들어가자 마그리트는 입 안의 부드러운 살을 꾹 깨물어 감정을 다스렸다. 이제 그녀는 풋내 나는 소녀 마그리트 바이첸이 아니다. 얄팍한 감상에 빠져 허우적거리는 어리석은 짓은 철없던 어린 시절 한 것으로 충분하다.

현 황제 레오폴드와 그다음 황제, 그리고 또 그다음까지. 향후 스베르겐 제국의 백 년을 고민해야 할 의무가 있는 황태후 마그리트. 이젠 그것이 그녀의 이름이 되었다.

"하지만 황제께서 첼리노가 아닌 유트레히트로 가겠다고 고집을 피우시거든, 말리지 말고 그대가 뒤를 따르세요."

"황제께서 리하르트 공작에게 가실 거란 말씀입니까?"

"뷔테인에게 간다는 건 핑계고, 애초부터 목적이 거기였을 겁니다."

다니엘이 깨어났다는 소식을 들은 순간부터 예상했던 일이다. 어릴 적부터 유독 다니엘에게 호감을 보여 온 레오폴드가 무슨 구실을 만들어서라도 공작령으로 향할 것임을 알았다. 레오폴드는 종종 동경과 부러움을 담아 다니엘을 바라보곤 했었으니까.

두 살의 나이 차이가 믿어지지 않는 압도적으로 큰 키. 용병 출신인 외조부를 닮아 어릴 적부터 두각을 보이던 타고난 검 실력. 거기에 스베르겐의 귀족 사회에선 볼 수 없는 검은 머리칼과 붉은빛이 진한 적갈색 눈동자.

다니엘은 가만히 서 있기만 해도 존재 자체로 모든 면에서 눈을 끄는 아이였다. 레오폴드에게 가야 할 주목을 제 것인 양 가로채 가는 아이.

마그리트가 받아야 할 남편의 마음을 중간에서 채 간 라우라처럼, 그녀의 아들마저 제 자식인 레오폴드를 그림자에 가뒀다. 당시엔 레오폴드가 어렸고, 무엇보다 외가인 바이첸 가문의 성정을 더 닮은 레오폴드인지라 저러다 말겠지 싶어 내버려 두었다.

어린 다니엘이 생각보다 쉽사리 그녀의 손에 놀아나 주었기에 경계를 푼 것도 사실이다.

그런데 놀랍게도, 문제는 레오폴드가 아니라 다니엘이 일으켰다. 사생아 주제에, 심지어 태생이 천한 어미를 두고도 분수를 모르고 날개를 달고 날아오르려던 햇병아리.

있는 힘껏 머리를 짓누르고 날개를 꺾어 버렸음에도 찜찜함을 감출 수가 없다. 지금이야 날카로운 이빨을 감추고 고분고분한 척 굴지만, 언제 레오폴드의 목을 물어뜯을지 모른다.

죽을 고비를 넘기고 깨어난 그 아이가 과연 전과 같을지도 의문이다. 다니엘은 평온한 겉모습 안에 언제 폭발할지 알 수 없는 화산을 품고 있는 사내다. 욕망의 크기와 그것을 이루고자 하는 집념만 보면 바이첸이란 이름이 더 어울렸다.

레오폴드가 다니엘 곁에 가도록 두는 게 몹시 껄끄러웠지만, 이번만큼은 아들의 고집을 말리지 못했다.

막을 수 없다면, 적어도 울리히 같은 눈치 빠른 자를 곁에 두어 경계하는 게 나올지도. 보일드 남작이 제 몫을 하려면 좀 더 시간이 필요할 테니. 마음에 걸리는 일이 한둘이 아니었지만, 다니엘에 관한 일은 이쯤에서 생각을 끝내야 했다. 그녀 앞엔 현재 그보다 더 급한 일이 산적해 있었으므로.

"울리히. 그대가 해 줄 일이 하나 더 있어요."

"말씀하십시오, 폐하."

"알타스 서쪽에 여자 황제가 들어선 지 꽤 되었지요?"

알타스 서쪽이라면 '륑겐 제국'? 과거 챔벌린은 여인의 몸으로 황제가 된 '스카디아 륑겐'의 대관식에 스베르겐의 대표로 참석했었다.

"네. 올해로 여섯 해가 되어 갑니다."

"그들이 살리카 법을 따르지 않는 이유가 뭔지 알아보세요. 그저 스베르겐에 대한 반감 때문인지, 아니면 다른 이유가 있는지. 있다면 근거가 있는지까지."

오직 남자만이 선대의 작위와 재산 상속의 권한을 상속받을 수 있다는 '살리카 법'. 몇백 년 동안 제국의 질서를 유지하는 근간이 되어 온 그 법을 따르지 않게 된 이유를 조사하라고?

"폐하, 연유를 여쭤봐도 되겠습니까?"

황실에서 그 일에 관심을 두었다는 것만으로도 온갖 이상한 소문이 들불처럼 번져 나갈지도 모르는데, 어째서 굳이 위험한 일을?

"그저 작은 호기심입니다."

"누구보다 영민하신 폐하께서 이것이 얼마나 위험한 호기심인지 모르시진 않을 텐데요."

"그래서 당신께 부탁하는 겁니다, 울리히. 아무도 모르게, 은밀히 알아보세요."

장미 이파리를 부드럽게 스치던 따스한 봄바람이 일순간 차갑게 얼어붙었다.

"말이 새어 나간다면 범인은 당신과 나, 둘 중 하나. 다행히 배신자를 색출하는 수고는 덜겠군요."

챔벌린의 주위가 순간 싸늘한 냉기에 휩싸였다.

참나무에 은을 입혀 정교하게 세공한 빗이 프리다의 머리칼을 깊이 누르며 쓸어내렸다. 빗질이 더해질 때마다 조금씩 더 가지런해진 은빛 물결이 보기 좋게 찰랑댔다.

흐뭇한 표정으로 한 번 더 빗을 가져가려는데 갑자기 고개가 휙 돌려졌다. 지난 일주일 동안 수십 번의 빗질을 거치며 가지런히 정리해 놓은 머리칼이 결을 맞춰 부드럽게 흔들렸다.

새하얀 파도가 밀려 나간 자리를 차지한 초조한 보랏빛 눈동자가 보일드 남작 부인을 올려다보았다.

"충분히 빗은 거 같은데 아직도 더 해야 하나요? 남작께서 집무실에서 절 기다리고 계실 거예요."

"좀 더 기다리라고 하세요. 스무 번은 더 빗어야 제대로 윤기가 흐른답니다, 부인."

며칠간의 휴식을 끝낸 보일드 남작 부인은 누가 시키지도 않았건만, 아침마다 꼬박꼬박 프리다의 방에 들러 그녀를 챙겼다. 거의 텅텅 비다시피 한 보석함과 옷장, 멀쩡한 응접실이나 공작 부부만을 위한 식당 하나 없는 펜하임 성의 상태에 놀란 그녀는 당장 공작 성을 격에 맞게 손봐야 한다고 주장했다.

"영주의 권위를 세우지 않으면 질서가 무너지는 건 순간입니다."

보일드 남작 역시 아내와 입장이 같았다.

"권위 없이 영지를 다스릴 수 있다는 건 하나만 알고 둘은 모르는 행동입니다. 상대가 나를 우러러보고 동경하며, 동시에 두려워해야 합니다. 그 마음이 충성의 시작인 겁니다."

남작은 보기보다 꽤 직설적으로 말하는 편이다.

"영지의 아이들을 대학에 보내 공부를 시키고 싶으시다고요? 훌륭한 생각이십니다. 그런데 부인, 공부를 마친 아이들이 과연 후일 공작령으로 돌아오고 싶어 할까요? 영주 부부가 일반 하인들과 다를 바 없이 사는 이 가난한 땅에?"

나름 합리적인 면도 많고.

"재정의 여유가 넉넉지 않으시다면, 우선 두 분이 머무시는 마리안 홀만이라도 정비하게 해 주십시오. 사흘 내로 예산을 짜서 보고드리겠습니다."

점잖은 외모와 달리 저돌적인 성격이었다. 공작님이 안 계시니 오시면 결정하겠다는 프리다의 말에도 단호히 고개를 저으며 시간 낭비는 안 된다고 주장하곤 했다.

"전하께선 성안의 일은 모두 안주인인 부인과 상의해서 결정하라고 하셨습니다. 언제 귀환하실지 모르는 공작 전하를 기다리며 차일피일 미룰 일이 아닙니다."

남작이 작성해 온 예산서는 군더더기 하나 없이 깔끔했다. 결국 프리다는 고개를 끄덕이고 말았다. 이번에 손님들을 맞으며 그동안 성을 너무 방치했다는 걸 뼈저리게 느낀 터라 어떤 식으로든 손볼 필요성을 느꼈기 때문이다. 그렇게 성의 한 해 예산이 몽땅 들어간 주문서가 바이마르의 상인에게 건네졌다.

차라리 이 돈으로 구근 밭에서 일할 일꾼을 더 모으는 게 낫지 않을까. 서류 두 장을 빼곡히 채운 주문서를 건네며 마지막까지 얼마나 망설였는지 모른다. 그러나 서류는 바로 어제 상인의 손에 넘어갔고, 당장 며칠 뒤면 주문한 물건이 차례차례 도착할 예정이다.

이제 와 고민해 봐야 소용없는 일이란 뜻이다. 풀 죽은 프리다의 머리칼에 빗질이 계속 이어졌다.

"전하의 사냥이 길어지시네요. 벌써 열흘은 되지 않았나요?"

그렇다. 다니엘이 성을 떠난 지 벌써 열흘이 지났다.

프리다는 말없이 고개를 끄덕였다.

"언제 돌아오시려나요. 전하께서 돌아오셔서 달라진 부인을 보시면 아마 깜짝 놀라실 거예요."

빗질을 마친 남작 부인은 프리다의 머리를 곱게 땋은 다음 단정하게 말아 올려 핀을 꽂았다. 한참 가꾸고 꾸밀 나이에 제대로 돌봐 줄 사람 하나 없는 이 시골에 처박혀 사는 공작 부인이 안쓰러워 마틸다는 제 솜씨를 한껏 발휘해 매일같이 프리다를 꾸며 주었다. 워낙 외모에 변화가 없던 프리다인지라 머리 스타일을 바꾸는 것만으로도 주변의 찬탄을 들었다.

"두고 보세요. 돌아오시면 이리 예쁜 아내를 두고 사냥을 떠나신 걸 뼈저리게 후회하실 테니."

남작 부인의 세심한 손길이 꼼꼼하게 머리를 마무리 지었다. 기사단 제복을 맞출 재단사들이 도착하면 이참에 공작 부인의 드레스도 몇 벌 만들자고 해야겠다.

"자, 이제 됐습니다. 어디 봐요. 오늘도 정말 너무 예쁘……. 부, 부인. 왜 그러세요?"

눈망울 한가득 그렁그렁 눈물을 단 프리다가 고개를 숙이고 울먹였다.

"그분은 아마…… 나와 결혼한 걸 후회하고 계실 거예요."

열흘 전, 다니엘은 다녀오겠다는 인사도 없이 떠났다. 그가 사냥하러 갔다는 소식도 보일드 남작에게 전해 들었다. 프리다에게 방으로 돌아가라는 말을 남긴 다음 훌쩍 성을 떠난 것이다. 처음엔 급한 사정이 있었을 거라고 이해하며 넘어갔다. 그래서 미처 다녀오겠다는 인사를 따로 할 시간이 없었던 거라고.

그날 아침까지만 해도, 두 사람 사이엔 분명 전과 다른 감정이 싹트고 있었으니까. 그녀의 몸에 닿던 다니엘의 손이 얼마나 뜨거웠는지 기억한다. 제 심장이 숨도 쉬지 못할 만큼 빨리 뛰었다는 것도. 설레는 마음으로 해가 지면 돌아올 그를 기다렸다. 저를 찾아와 실은 이러저러한 사정이 있었다 설명해 줄 거라고 믿었다. 다니엘은 예의 바른 사람이니까 분명 그럴 거라고, 한순간도 의심하지 않았다.

하지만 사흘이 지나고 나흘이 돼도 그는 돌아오지 않았다. 그제야 어렴풋이 깨달았다. 남편에게…… 거부당했다는걸. 그리고 그 이유가 자신이 아이를 갖자고 해서라는 자각이 뒤늦게야 찾아왔다.

'바보, 멍청이.'

어떤 사내가 저 같은 여자의 몸에서 자식을 보고 싶어 한다고. 다니엘이 놀라서 가 버린 것도 당연하다.

'그래도…… 아무리 그래도 다녀오겠다는 말쯤은 해 줄 수 있는 거잖아.'

후드득. 프리다의 푸른 드레스 위로 굵은 눈물방울이 떨어졌다. 당황한 남작 부인이 급히 손수건을 꺼내 눈물을 닦았다.

"왜 그러세요? 어디 편찮으신 데라도 있으세요? 의사를 부를까요?"

프리다는 억지웃음을 웃으며 손사래를 쳤다.

"아니에요. 이건 그냥……. 제가 괜히……."

아무것도 아닌데. 처음부터 그녀는 남편에게 아무것도 아니었단 걸 아는데. 뭐가 이리 서러워서 눈물이 나는 걸까. 황명에 의해 억지로 한 결혼이라는 거 알았잖아. 어떤 것도 바라지 말고, 묵묵히 내 몫만 열심히 하면서 살자고 다짐했잖아.

내겐 오늘뿐이니 기죽지 말고, 처지지 말고. 괜한 욕심부리지 말고, 내가 할 수 있는 것만 하자고. 그런데 그깟 거부 한 번에 왜 이렇게 슬퍼하는 건데. 스스로 생각해도 어이없음을 알면서도, 프리다는 눈물이 멈춰지지 않았다. 오히려 점점 굵은 눈물이 쉴 새 없이 치맛단 위로 떨어졌다.

"이, 이상해요. 내가 왜…… 왜 이러는지 모르겠는데. 흑, 흑흑흑."

프리다는 결국 고개를 떨구고 흐느끼기 시작했다. 그런 프리다를 남작 부인이 꽉 끌어안으며 등을 토닥였다.

"괜찮아요. 괜찮으니까 울고 싶으면 우세요. 사람이 그럴 때도 있는 거죠. 맘 놓고, 속 시원하게 펑펑 울어요."

엉엉엉. 프리다는 이후 눈이 벌게지도록 한참을 울어 댔다. 수없이 많은 기억이 머리를 스치고 지나갔고, 그 기억들 하나하나가 다 서러웠다.

삼 년 전, 마차를 타고 몇 날 며칠을 달려 공작령으로 오던 길. 머리는 어지럽고, 목은 마르고, 엉덩이도 아팠다. 힘드니 좀 쉬어 가자는 말이 목끝까지 치밀었지만, 의식이 없는 다니엘을 하루라도 빨리 영지로 데려가야 했기에 꾹 참았다.

영지에 도착하고도 하나부터 열까지 다 불편한 것투성이였다. 교육받지 못한 하인들은 순박했지만 할 줄 아는 게 없었다. 공작 성은 지저분하고, 음식은 맛이 없고, 밤은 춥고 어두웠다. 그래도 프리다는 아침이면 가장 먼저 일어났고, 성안 누구보다 부지런히 움직였다.

남편이 깨어날 때까지는 프리다가 이 땅을 지켜야 하니까. 혹여 남편이 깨어나기 전에 그녀가 먼저 잘못되더라도, 남아 있는 자들이 살아갈 수 있도록 준비해 줘야 하니까. 당연히 할 일을 한 건데 왜 새삼스럽게 이토록 서러운지 도통 알 수가 없다.

흐느낌을 멈추지 못하는 프리다를 달래던 남작 부인이 의자를 가져와 프리다 앞에 앉았다. 그러고 그녀의 양손을 꼭 포개 잡고 다정히 어루만졌다.

"전 결혼 전에 챔벌린 백작 부인의 말벗으로 일했답니다. 아주 깐깐하고 어려운 분이었는데 그분 말이 제게 다 털어놓고 나면 답답한 속이 시원해진대요. 오늘부턴 공작 부인의 말벗이 되어 드릴 테니까 저한테 말해 보세요."

남작 부인은 싱긋 미소를 지으며 프리다의 눈물을 마저 닦아 주었다.

"물론 공작령 사람들이 아직 저희 부부를 믿지 못한다는 거 잘 알아요. 부인께서도 제게 하는 얘기가 황태후에게 전해지는 건 아닐까 걱정되시죠?"
"그, 그게 꼭 그렇지는……."
"네. 알아요. 알고말고요. 그럼 저 말고, 이 아이를 믿어 보시는 건 어때요?"
남작 부인이 아직 티가 나지 않는 배를 감싸며 말했다.
"제가 올해 서른여덟이 되었으니, 이 아이는 아마 제겐 유일한 자식이 되지 않을까 싶네요. 이 소중한 아이를 두고 맹세할게요. 부인의 비밀을 꼭 지키겠다고."
"나, 남작 부인."
"마틸다라고 불러 주세요. 남편이 모시는 영주님의 부인이시니 제겐 그러셔도 됩니다."
겨우 눈물을 멈춘 프리다는 코를 훌쩍이며 마틸다를 빤히 바라보았다. 그 모습이 어찌나 귀여운지 웃으면 안 된다는 걸 알면서도, 마틸다의 입꼬리가 저절로 치켜 올라갔다.
"이래도 절 못 믿으시겠어요?"
"아, 아니요. 아니에요."
프리다는 손수건을 들어 코를 팽 하고 풀었다. 눈물이 멈추고 나니 민망하기도 하고, 왜 이리 서럽게 울었는지 스스로 이해가 되지 않았다.
하지만 저를 믿고, 아니, 배 속의 아이를 믿고 털어놔 보라는 남작 부인의 말엔 귀가 솔깃해졌다. 이런 얘기는 뮤리엘보다는 결혼 생활을 오래 한 보일드 남작 부인이 더 잘 이해해 줄 것도 같았다.
"내가요……. 남작 부인."
"마틸다요."
"아, 마틸다. 그러니까 내가요. 나도 모르게 기대란 걸 했던 것 같아요."
"기대요?"
다시 흥 하고 코를 푼 프리다가 천천히 고개를 끄덕였다.
"다른 부부들처럼 남편과 함께 정원을 산책하고, 대화를 나누고, 그러다 예쁜 아이도 낳아 기르는 평범한 결혼 생활이요. 아니라고 하면서도 그렇게 살고 싶었나 봐요. 남편은 그럴 마음이 없는데 괜히 저 혼자…… 들떠서 욕심을 부린 거죠."

결혼하기 전 어머니께선 당부하고 또 당부하셨다.

"프리다. 언제나 네 건강을 가장 먼저 생각하렴. 그리고 만약 힘들면 언제든 다시 엄마에게 돌아와도 좋아."

몇 번이나 돌아가고 싶었지만, 그렇게 되면 저는 이제 죽을 때까지 병자 취급을 받으며 갇혀 살 게 뻔했다. 그래서 더 공작령의 일에 매달렸다. 하루라도 더 의미 있는 삶을 살고 싶어서.

돌이켜 보면 누구를 위해서가 아니라 저를 위해 그리한 것이다. 그러면서도 은연중에 칭찬을 바랐던 것 같다.

"그동안 공작령을 돌봐 온 거요. 누가 시킨 것도 아니고 제가 좋아서 해놓고도…… 공작님이 제 노력을 알아봐 줬으면 좋겠다, 제대로 된 아내로 인정해 줬으면 좋겠다, 그랬던 것 같아요."

"어머, 부인. 그건 욕심이 아니라 당연한 바람이에요."

마틸다는 프리다의 작은 손을 꼭 쥐었다.

"부인께서 얼마나 고생이 많으셨는지 저도 대충 들었어요. 산등성이 허브밭도 부인이 만드신 거라면서요? 세상에 그렇게 열심히 일하는 안주인은 흔치 않답니다."

하인들의 말을 듣고, 직접 눈으로 보면서도 믿지 못했던 일이다. 마틸다와 나란히 서 허브밭을 보던 슈테판도 대단하다고 혀를 내둘렀을 정도니.

"부인께선 충분히 인정받으실 만해요. 공작 전하께서도 당연히 부인께 감사하셔야 하고요."

마틸다는 프리다가 하고픈 말이 뭔지 어렴풋이 알 것 같았다. 리하르트 공작이 누군가? 자로 잰 듯 정확한 예법을 여인들에게 철벽을 치는 데 쓰기로 유명한 사내다. 그뿐인가. 이날 이때껏 전쟁터를 전전하며 살아왔으니, 여인의 마음을 알 리가 없지.

이렇게 밝고, 예쁘고, 똑똑한 아내를 뒀으면 감사한 줄 알고 살아야지. 감히 맘고생을 시켜? 하여튼 남자들이란 하나같이 모자란 반편이들이지. 마틸다는 프리다의 뺨을 들어 올려 구석구석 꼼꼼하게 눈물을 닦았다.

"저만 믿으세요, 부인. 공작 전하가 부인의 발아래 무릎 꿇게 만들어 드릴게요."

두고 보시죠, 리하르트 공작 전하. 당신은 곧 아내의 뒤를 졸졸 따라다니는 강아지 신세가 될 테니. 목표가 생긴 마틸다 아그네스 보일드의 의지가 활활 불타올랐다.

5. 지키기 위해서라면

밤이 깊어진 야영지 곳곳에서 타닥타닥 소리를 내며 타들어 가는 장작 소리가 들렸다. 불 옆에 선 하인리히의 시선이 열 걸음 떨어진 천막 옆에서 검을 다듬고 있는 다니엘을 쳐다보며 심각해졌다.

두 눈을 다니엘에게 고정하고 있으면서도, 어떻게 본 건지 슬그머니 옆을 지나치는 도미닉을 잡아채 제 쪽으로 당겼다.

"도미닉, 내가 생각해 봤는데 말이야."

도미닉이 하인리히의 손에서 벗어나기 위해 안간힘을 쓰며 낑낑댔다.

"생각 같은 거 하지 마세요. 누가 반긴다고."

누가 무인 집안 아니랄까 봐 귀족 도련님이 무식하게 힘만 세 가지고. 몇 차례 힘을 쓰던 도미닉이 제풀에 지쳐 축 늘어졌다.

"다니엘 자식, 하크본 여자랑 문제가 있는 게 틀림없어."

"하아……. 귀족이란 분이 이리 무식하니 나라가 이 꼴인 겁니다."

"뭐야?"

"하크본 여자가 뭡니까? 리하르트 공작 부인. 남의 부인을 어찌 불러야 하는지도 모르십니까?"

도미닉을 꾹 눌러 주저앉힌 하인리히가 옆에 바짝 붙어 앉아 그를 뚫어지게 노려봤다. 화가 났다기보다는 뭔가 대단히 흥미로운 걸 발견해 신이 난 듯 보였다.

"다니엘도 그렇고, 너도 그렇고. 은근히 그 여자 편을 들더라? 이거 좀 재밌어지는데."

"뭐, 뭐가 재밌다는 겁니까?"

질겁하며 어깨를 뒤로 물린 도미닉이 슬금슬금 거리를 벌렸다. 벌건 불빛을 품은 파란 눈이 희번덕거리는 꼬락서니가 영락없는 미친놈이다. 눈이 조금만 더 컸다면 주먹도 들어갈 판이다.

"내가 그날 아침에 뭘 좀 봤거든."

그날 아침? 도미닉이 눈을 찡그리자 하인리히가 다니엘을 쓱 돌아보며 입매를 끌어 올렸다.

"다니엘 저 자식, 분명 하크본한테 퇴짜 맞은 게 분명해. 너도 알다시피, 다니엘이 여자에 대해 뭘 알아? 아무것도 모르고 어설프게 들이대다 거절당한 게 틀림없다고. 저 자식, 창피해서 도망 나온 거야."

미친놈인 건 맞는데 눈치는 있고, 또 눈치가 있다고 하기엔 정상은 아니고. 이런 인간은 무조건 피하고 보는 게 상책이다. 재빠르게 뒤로 물러나며 일어난 도미닉은 하인리히가 붙잡지 못하게 후다닥 다니엘에게로 뛰어갔다. 손질을 끝낸 콜다르를 검집에 넣은 다니엘이 자리에서 일어나 어깨에 망토를 둘렀다.

"어디 가시게요?"

"늑대 소리가 심상치 않아."

"안 그래도 보초들에게 단단히 일러두고 오는 길입니다. 노숙엔 이골이 난 놈들이 천지에 깔렸는데 뭔 걱정입니까."

다니엘은 주위를 돌아보겠다고 고집을 피우는 대신 바위 위에 걸터앉았다. 거하게 한숨을 내쉰 도미닉도 그 옆에 털썩 엉덩이를 내렸다.

"이 산의 짐승들 씨를 다 말릴 작정을 한 게 아니라면, 인제 그만 성으로 돌아가시죠. 하다못해 미친 꽃사슴까지 주군께서 왜 이러고 다니는지 눈치를 챈 것 같습니다."

도미닉이 장작 하나를 들어 모닥불에 집어넣자 화르르 불꽃이 높이 솟아올랐다. 다니엘의 담담한 얼굴 위에서 불꽃이 요란하게 춤을 췄다.

"너도 안다는 말같이 들리는군. 그럼 나만 모르는 건가."

"모르긴 뭘 몰라요. 다 알면서."

도미닉이 장작 하나를 더 들어 냅다 불 속으로 집어 던졌다. 위로 솟구치고 옆으로 퍼져 나가는 정신 사나운 불꽃이 꼭 요 며칠 다니엘을 보는 제 마음 같다. 저 답답이를 확 두들겨 팰 수도 없고, 그냥 놔두자니 울화가 치민다. 갑갑증이 일어 저도 모르게 빽 소리를 지르고 말았다.

"대체 뭐가 겁나서 이래?"

철이 들어 버린 다니엘은 정말 밥맛이다.

"왜 열흘이 넘도록 머리만 쥐어뜯고 있는 건데?"

재수 없이 굴지도, 잘난 척을 하지도 않고, 혼자 속이 썩어 문드러질 때까지 입을 꾹 다물고 앉아만 있다.

"말을 해야 알 거 아니냐, 말을. 너 진짜 사람 속 터지게 할래?"

황태후, 이 망할 늙은 여우. 어린애를 얼마나 잡았으면, 저 뻔뻔한 자식이 나이를 스물여덟이나 처먹고도 여태 저 꼴이냐고.

"프리다가…… 내 아이를 가지고 싶대."

짜증스레 장작 하나를 더 집어 들던 도미닉은 다니엘의 중얼거림을 듣고 그 자리에 굳어 버렸다.

아이? 뭔 소리야 이게?

"부인께선 그 뭐냐, 아이 못 낳는 거 아니었어?"

아니라면…… 좀 심각해지는데.

"웃기지 않아? 한 여자는 있지도 않은 자식을 찾겠다고 날 감시하고,

한 여자는 그 자식을 대놓고 낳고 싶어 하다니."

웃기진 않는데 진지하게 심사숙고할 일이긴 하다. 가만, 그러니까…… 우리 다니엘이 뭘 하긴 했다는 거잖아? 도미닉은 픽 헛웃음을 터트렸다.

"무시하고 넘어가면 될 일 가지고 이렇게까지 고민하는 거, 부인한테 마음이 있어서 아냐? 막말로 아이가 생길지 안 생길지도 모르는데, 뭘 벌써 거기까지 앞서가고 그래."

도미닉이 나뭇가지로 툭툭 장작을 건드리자 검은 재와 붉은 불꽃이 동시에 날아올랐다. 어른거리는 불꽃 속에서 피어난 새하얀 프리다가 다니엘을 보며 환하게 미소 지었다. 그녀의 얼굴이 떠오르자 한밤중임에도 눈이 부시고 머리가 어지러웠다.

"오늘의 프리다가 오늘의 공작님께 고백하는 거예요. 당신을 좋아한다고."

목소리를 떠올리는 것만으로도 동굴 속을 걸을 때처럼 귀가 먹먹해졌다.

"마음 가면 줘 버려. 뭐가 어렵다고 이 난리야."

도미닉의 음성이 먹먹해진 귓가를 웅웅 울렸다.

"그러다……."

장작더미를 바라보는 다니엘의 눈동자가 붉게 타올랐다. 정말로 이러다…….

"진심으로 그 여자를 가지고 싶어지면?"

그러다 만약…….

"미치도록 욕심이 나서 내 것으로 만들고 싶어지면?"

하루에도 수십 번 상상한다. 아무리 발자크라도 사흘 내론 돌아갈 수 없는 곳까지 달려 나와서도, 한달음에 그녀에게 향하는 저를. 제 품 안에 그녀를 안고, 입을 맞추고, 새하얗고 가녀린 그녀의 목에 입술을 묻는 상상을. 멈추려고 해도 어느새 머릿속에선 프리다를 더듬고 있다.

그녀가 진심으로 하고 싶어 하는 일은 뭘까? 공작령을 살 만한 곳으로 만드는 거? 그거라면 얼마든지 해 줄 수 있다. 금화가 얼마가 들든 상관없다. 뮌하임 성의 금고를 다 비우고, 라파스 산의 금광을 거덜 낸다 해도 괜찮다.

그런데 아이라니. 아이를 낳아서 뭘 어쩌자고. 왜…… 내가 해 줄 수 없는 것을 바라는 건데.

“만에 하나 그녀가 아이를 가지게 된다면, 황태후가 가만 놔둘 것 같아?”

절대, 무슨 일이 있어도 프리다를 해하고 말 여자다. 스베르겐 제국의 불행이 어디서 시작되었는지 누구보다 잘 아는 황태후가 다니엘의 자식을 가만둘 리 없다. 황권을 약하게 만드는 귀족 세력을 억누르기 위해 황태후가 꾸민 무수한 협잡을 보아 온 다니엘이다.

몰래 뒷돈을 대 반역을 부추기고, 그들이 세력을 모아 일어나면 기다렸다는 듯 다니엘을 보내 한 번에 휩쓸어 버렸다. 그들은 자신들이 속았다는 것도 모른 채 죽어 갔다.

“그리되면 나는? 이번에도 가만히 숨죽이고 앉아 그 여자 앞에서 머리를 조아려야 하나?”

아니. 더는 싫다. 이쯤 뜻대로 살아 줬으면 할 만큼 한 거 아닌가? 얼마나 더 젖값을 치러야 하는데?

“아니. 더는 안 참아. 그 여자가 다시는 내 것에 함부로 손대지 못하게 할 거야. 쉔달 성의 담벼락 아래 그 여자를 파묻어 버릴 거야. 이 세상에 뼛조각 하나도 남기지 못하게 해 주겠어.”

도미닉은 얼른 주위를 살폈다. 다행히 다니엘의 저음은 요란한 산짐승 소리에 묻혀 주위로 퍼져 나가지 못했다.

그러나 그가 풍기는 기운이 예사롭지 않았다. 평소 답답할 만큼 스스로를 통제하는 다니엘이지만, 한번 폭발하면 감당할 수 없게 된다. 말려야 한다. 무조건.

“진정해, 다니엘. 제발 심호흡 좀 해. 아직 아무 일도 벌어지지 않았는데 왜 이래, 너?”

다니엘을 달래는 재주는 아버지가 최곤데. 도미닉은 갑자기 아버지가 몹시도 그리워졌다.

"건드리기만 해 봐. 이번엔 같이 지옥에 떨어져 줄 테니."

활활 타오르는 불꽃을 노려보던 다니엘이 나지막하고 음산하게, 작은 거짓도 느껴지지 않는 침착한 목소리로 읊조렸다.

매정하다. 야박하다. 독하다. 지팡이를 끌고 나타난 챔벌린 백작을 보며, 레오폴드는 쉔달 성에 계실 어머니에게 가장 어울리는 표현이 뭘까 골똘히 생각에 빠졌다.

혹시 나 모르게 저 늙은이한테 억하심정이라도 있으셨던가. 그래서 일부러 고생 좀 해 보라고 저러시나? 그렇지 않고서야 걸음도 잘 못 걷는 저 노인네를 굳이 여기까지 보낼 까닭이 뭐란 말인가.

"나 때문에 백작이 고생이 많군."

"고생이라니요, 폐하. 당치 않으십니다. 소신은 황제 폐하를 뵙게 되어 기쁘기 그지없나이다. 다만 황태후께서 폐하를 염려하시는 마음이 크신 터라 건강을 해치실까 걱정입니다."

'입에 발린 소리만 늘어놓는 저 혓바닥은 늙지도 않지 아주.'

어머니의 등쌀에 밀려왔음이 분명한 챔벌린이 아주 살짝 불쌍해지려다 말았다.

"어머니의 건강은 걱정할 것 없네. 대대로 장수하기로 유명한 바이첸 가문 아니신가."

가만히 내버려 두라고 고함까지 치고 나왔건만, 그새를 못 참고 저 능구

렁이를 딸려 보내다니. 챔벌린 백작이 도착했다는 말을 들은 순간부터 짜증이 났던 터라 곱슬곱슬한 머리칼을 쓸어 넘기는 손길에 신경질이 실렸다. 레오폴드는 삐딱하게 의자에 기대앉아 챔벌린을 지그시 굽어보았다.

"어머니께서 백작을 빈손으로 보냈을 리는 없고. 가지고 온 게 있으면 얼른 내놔 보든가."

챔벌린은 기다렸다는 듯 품 안에서 종이 한 장을 꺼내 들어 레오폴드에게 바쳤다.

"변경백이 보낸 문서입니다. 동쪽 국경 지대에서 아서 노팅겐을 봤다는 자가 있다고 합니다."

"빌어먹을. 몇 년 잠잠하다 했더니, 또 시작이군."

아서 노팅겐이라니. 그놈의 황위 다툼에 연관된 이름들. 정말 징글징글하다. 가슴이 답답해져 오자 레오폴드는 목을 감싸고 있는 예복의 장식을 연신 끌어 내렸다. 며칠 편하게 지냈다고, 그새 황제의 예복이 갑갑해졌다.

"어머니가 이 문서를 던져 주며 날 데려오라고 하셨나?"

"아서 노팅겐은 위험한 자입니다. 부디 폐하의 안전을 염려하시는 모친의 마음을 살피시어 쉔달 성으로 환궁하시라 청합니다."

자리에서 일어난 레오폴드는 예복을 벗어 의자의 등받이에 걸쳐 두고 창가로 걸어갔다. 알타스 산자락을 타고 넘어온 봄바람이 그의 이마에 맺힌 땀을 식혀 주었다. 페트리샤의 영지에는 숨이 탁 트이는 청량함이 있다. 지금 레오폴드에게 가장 필요한 자유가. 쉔달 성에서는 절대 느낄 수 없는 것이 여기에 있는데 가긴 어디를 가.

'내가 거길 어떻게 빠져나왔는데. 이리 쉽게 끌려갈 순 없지.'

당분간은 죽어도 안 돌아갈 것이다.

"아서 노팅겐이 발견된 곳이 동쪽 국경이면 현재로선 서쪽의 끝인 여기가 가장 안전한 곳 아닌가?"

"황궁보다 안전한 곳은 없지요."

"아, 남쪽으로 좀 더 내려가서 다니엘 형님에게 가면 어떤가? 제국 최고의 용맹함을 갖춘 형님이 계신 그곳이야말로 진정 안전한 곳이지."

"형님이라니요, 폐하! 어찌 리하르트 공작을 그토록 과분한 호칭으로 부르십니까?"

누가 황태후의 끄나풀 아니랄까 봐 정색하기는. 어머니와 비슷한 반응을 보이는 백작의 모습에 레오폴드는 조소를 머금었다.

"이미 폐하께선 리하르트 공작에게 지나치게 큰 은혜를 내리셨습니다. 사생아가 작위를 물려받는 건 결코 작은 일이 아닙니다, 폐하."

레오폴드는 자신이 황제가 되며 공석이 된 리하르트 공작 위를 이복형인 다니엘에게 주었다.

"다니엘 리하르트는 내 목숨을 구하고 폐황제의 목을 베었습니다. 황제인 나의 목숨을 구한 것보다 더한 공을 세운 자가 있다면 앞으로 나서 보세요. 그런 것이 있을 수 있다면 말입니다."

사생아는 작위를 받을 수 없다 들고 일어나는 귀족들의 목소리를 이렇게 단번에 눌러 버리며. 황태후는 지금도 틈만 나면 그 일이 불합리하다고 말하곤 했지만, 레오폴드의 의견은 달랐다.

"백작. 십이 공작 중 다섯 가문의 이름은 진즉에 역사에서 지워져 전설이 되었고, 미쳐 날뛰던 하이델 공작이 여섯 번째로 가문을 끝장냈지. 다니엘 형님이 전 황제의 목을 벤 덕에 하츠펠트 가문이 일곱 번째로 사라졌고."

아첨하기 좋아하는 자들은 황태후 앞에서 바이첸 가문이 그를 황제로 만들었다 떠들지만, 그건 모르고 하는 소리. 바이첸 백 명이 있은들 뭐 하냐고. 책벌레들을 끼고 전쟁할 것도 아니고

"다니엘 형님이 아니었다면, 이 자리에 노팅겐이 앉았을 수도 있었어. 내가 형님께 지나치게 큰 은혜를 내렸다면, 그건 아마 형님의 공이 그만큼 크

기 때문일 거라네.”

“폐하, 하오나…….”

손을 들어 챔벌린의 말을 막은 레오폴드는 맑고 시원한 알타스의 공기를 깊숙이 들이마셨다.

“말이 나온 김에 안전한 곳으로 피신이나 가 볼까.”

공작의 후계이자 적통인 그의 앞에서도 비굴하지 않고 담백하게 굴던 형 다니엘이 오늘따라 몹시도 그리웠다.

주방을 정리하고 들어가려던 아델은 슬며시 열리는 문을 보며 긴 탄식을 내뱉었다.

“아이고, 마님. 오늘도 또 일거리를 들고 오신 거예요?”

빼꼼히 고개를 내민 프리다가 눈웃음을 치며 멋쩍게 웃었다. 머리를 틀어 올린 탓인지 방실방실 아이처럼 웃는 모습조차 제법 공작 부인다웠다.

“아델, 좀 봐줘. 난 여기서 서류를 봐야 집중이 잘 된단 말이야.”

“집중이 안 되면 주무셔야지. 이 시간에 서류를 왜 봐요, 보길.”

“기사 서임식만 끝나면 안 올게.”

“여기 오시지 말라는 게 아니라 일을 좀 적당히 하시라고요. 벌써 며칠째예요?”

슬금슬금 식당 안으로 들어와 앉은 프리다를 밉지 않게 노려본 아델은 곧 우유를 데우기 시작했다.

“집사장님이 새로 오셨으면 일거리가 줄어야 하는데, 어째 마님 일은 나날이 더 늘어나는지 모르겠네요. 그분, 일은 제대로 하고 계신 거 맞아요?”

식탁 한편에 서류를 내려놓은 프리다는 턱을 괴고 앉아 장난스럽게 웃음을 흘렸다.

"그럼. 보일드 남작 덕분에 얼마나 편해졌는지 몰라. 지금은 기사 서임식이 코앞이라 바쁜 거지, 이거만 끝나면 난 매일 늘어지게 잠만 잘 거야."

우유에 탈 꿀을 꺼내던 아델이 말이 되는 소리를 하라며 크게 혀를 찼다.

"제가 마님이 어떤 분인지 모릅니까? 없는 일도 찾아서 하는 분이신 거 뻔히 아는데. 어디서 절 속이시려고요."

알맞게 데워진 우유에 꿀을 넣어 젓는 손길은 정성스러웠으나 아델의 툴툴거림은 점점 사나워졌다.

"하필 이럴 때 사냥이 웬 말이냐고요. 영주님도 진짜 너무하세요. 일은 마님께 죄다 미뤄 놓고, 혼자 팔자 편하게 사냥이나 다니시고."

사냥을 떠난 일행은 보름이 흐르도록 성으로 돌아오지 않고 있었다. 아델은 이후로도 불만 가득한 투덜거림을 한참이나 늘어놓다 프리다에게 등 떠밀려 주방을 나섰다. 드디어 혼자 남게 된 주방.

"후우. 시작해 볼까."

프리다는 크게 심호흡을 하고 식탁 위로 종이 더미를 한 장 한 장 펼쳤다. 다양한 색과 형태의 제복, 여러 가지 문장과 기호, 깃발이 그려진 종이들이 넓은 식탁을 반 가까이 채웠다. 모두 리하르트 공작가의 첫 기사단을 위해 준비해야 할 것들이었다.

물론 보일드 남작이 대부분의 일을 맡아 주고 있긴 했다. 문제는 다니엘이 사냥을 떠나기 전, 남작에게 자그마치 스물두 가지나 되는 일을 적어 주고 가는 바람에 다른 일로도 눈코 뜰 새 없이 바쁘다는 거였다.

사실 남작이 한가했다 해도 프리다는 이 일만큼은 제 손으로 챙겨 주고 싶었다. 파란 천에 은실이 장식된 제복의 도안을 유심히 바라보던 프리다는 그것을 한편으로 밀어냈다.

"음, 이 색은 리카르도 님과는 어울리지 않아."

제복이 그려진 도안 한 장 한 장을 바라보는 프리다의 눈빛이 무척이나 신중하고 조심스러웠다. 다니엘은 최대한 화려하게 준비하라고 했지만, 리카르도 님을 우스꽝스럽게 만들 수는 없는 법.

"아무래도 밝은색보단 어두운색이 낫겠지?"

짙은 붉은색의 제복은 다니엘의 눈동자를 닮아 손이 갔다.

"아니. 아니라고. 이건 기사단장인 리카르도 몰리 경을 위한 거야. 정신 차려, 프리다."

붉은색 제복의 도안을 탈락한 다른 것들과 함께 밀어낸 프리다는 심각한 얼굴로 나머지를 번갈아 살폈다. 한여름의 가문비나무를 닮은 짙은 청록색에 회색 매듭이 장식된 제복이 마음에 들었다.

"음, 이것도 괜찮긴 한데."

검은색에 은실로 소매를 수놓는 것도 나쁘진 않았지만, 평범해서 영 별로다. 프리다는 입술을 삐죽 내밀며 여러 가지 도안을 계속 살폈다. 제복색이 정해져야만 기사단의 문장, 깃발 등 세세한 것들도 결정할 수가 있으니 서둘러야 한다. 참견쟁이 도미닉이 없는 틈을 타 내 맘대로 후딱 정해 버릴 테다.

골똘히 생각에 빠져 있느라 프리다는 주방 문이 열린지도 몰랐다. 그녀 옆으로 소리를 죽인 발걸음이 다가오고 있다는 것도. 멈춰 선 걸음의 주인이 그녀를 조금 혼란스러운 눈빛으로 주시하고 있다는 것도.

보라색 천을 집어 든 프리다가 그것을 검은색 재킷이 그려진 도안 위에 겹쳐 보며 중얼거렸다.

"이게 제일 예쁜데 말이지. 돈만 있으면 검은색 재킷에 보라색 실매듭을 잔뜩 넣고……. 아, 망토도 보라색 천으로 만들어서 쫘라락!"

어깨에 망토를 뒤집어쓰는 시늉을 하며 빙그르르 한 바퀴 몸을 돌리던 프리다는 그대로 굳어 버렸다. 너무 놀라 소리를 지르는 것도 잊었다. 그저 눈만 깜박깜박. 그녀의 눈앞에 서 있다는 게 믿어지지 않는 남자를 물끄러미 바라보는 것 말고는 아무것도 할 수 없었다.

언제 온 거냐고. 사냥은 잘 마치셨냐고. 보름간의 외출은 즐거우셨냐고. 무탈하게 돌아오신 것을 보니 기쁘다고……. 의례적으로 해야 할 질문과 환영의 말들이 내뱉어지지 않았다. 왜 말 한마디 없이 보름이나 떠나 있었던 거냐는 책망의 말도 쏙 들어갔다. 그렇게 침묵하며 응시하기를 몇 분.

"오늘은……."

다니엘이 먼저 입을 열었을 때, 멈춰 있던 프리다의 숨도 같이 터졌다.

"나랑 말도 하기 싫은가 보군요."

다녀오셨냐는 인사라도 한마디 할 법하건만 프리다의 입술은 굳게 닫힌 채 좀처럼 열리지 않았다. 뜻밖의 상황에 당황한 것도 잠시. 속마음을 감출 줄 모르는 여자는 꾸밈없는 반응으로 대답을 대신했다. 서운한 기색이 역력한 입술이 삐죽 앞으로 삐져나왔고, 하얀 뺨이 부루퉁하니 부풀어 올랐다. 그러다 불현듯 서글퍼졌는지 눈꼬리가 축 아래로 처졌다.

말없이 떠난 그에게 섭섭하고 화가 났지만, 책망하고 싶진 않다는 뜻으로 보였다. 그녀의 대답 하나하나가 눈에 담길 때마다 넘기기 힘든 덩어리를 삼킨 듯 꽉 목이 메어 왔다.

이해를 구하지도 않고, 통보도 없었던 남편의 긴 외출에 대한 아내의 결론이 결국 체념이었다는 사실에 심장이 뻐근해졌다.

'그래. 계속 그렇게 사는 게 나아. 나 같은 놈한테 어떤 기대도 하지 말고.'

차라리 잘되었다 하며 맘이 편해져야 하는데……. 젠장. 세상에서 그늘이 가장 어울리지 않는 여자가 덮고 있는 제 까만 그림자가 맘에 들지 않았다.

저벅. 한 걸음 뒤로 물러서니 그림자가 프리다의 어깨까지 비켜났다. 이만큼의 거리가 그녀에게도 제게도, 서로를 위한 최적의 선택임을 알고 있다. 그러니 더는 갈망하지 말아야 한다.

"다녀왔습니다."

그의 짧은 인사를 듣고도 우두커니 바라만 보던 프리다가 드디어 손에 들고 있던 도안을 테이블에 올려놓은 후 살짝 무릎을 구부려 예를 갖췄다.

"어서 오세요, 공작님. 무탈하게 돌아오셔서 기쁩니다."

평소 생글거리는 미소가 유난히 아름다운 여자의 볼에 억지웃음이 생겼다 사라졌다. 다소곳이 손을 모으고 있지만 고집스럽기 짝이 없는 눈빛. 새쭉 토라져 쌀쌀맞게 구는 모습이 귀여워 다니엘의 입가가 양쪽으로 부드럽게 벌어졌다.

성을 떠나 있는 보름간, 다니엘은 깊은 어둠 속에서조차 종종 환한 빛을 보곤 했다. 프리다를 떠올릴 때면 그의 눈앞엔 언제나 햇살 가득한 봄날의 한낮이 펼쳐졌으니까. 저도 모르게 존재하지도 않는 햇살을 잡기 위해 손을 뻗었던 적도 있다. 아무것도 쥐어지지 않은 빈손을 바라보며 황당하다기보단 화가 났다.

그 손에 쥐지 못한 것에 대한 갈망이 이리도 컸었나 하는 놀라움은 그다음이었다. 어머니가 돌아가신 후, 뭔가를 욕심내는 법을 잊어버리고 살았다. 아주 까맣게. 머릿속에서 아예 지워 버렸다.

"똑똑히 보아라. 다니엘. 네 것이 아닌 것을 탐하면 어찌 되는지를. 분수를 모르는 네 하찮은 욕심이 죽인 수많은 목숨을."

사생아 다니엘의 허황한 욕심이 낳은 참극의 결과를 생각하면 당연한 일이다. 다니엘의 악몽 속에 오직 어머니의 죽음만 머무는 건 아니었다.

"다니엘 도련님, 키가 또 자라셨군요. 내년이면 장검도 무리 없이 들겠는걸요."

선선한 웃음이 멋지던 공작가의 경비병 미하엘은 어린 두 아들을 두고 행방불명이 되었다. 그 사건이 있던 날, 분에 겨워 다니엘의 뺨을 후려치려던 마그리트의 앞을 막아섰다는 이유로. 미하엘의 시신은 끝내 찾지 못했다.

"다니엘 도련님, 여기요. 사탕. 라우라 님이 외출하시는 거 보고 오는 길이니까 편하게 드세요. 후후."

에바는 다니엘의 어머니 라우라의 침실을 돌보던 하녀였다. 다니엘에게 몰래 사탕을 쥐여 주던 장난기 많은 소녀였던 에바는 갓 스무 살이 되던 해 어머니와 함께 형장에서 죽었다. 그를 살려 달라고 애원하다 실신한 어머니를 마그리트의 허락 없이 돌봤다는 이유로.

죄 없는 그들이 다니엘 때문에, 그가 벌인 철없는 짓거리 한 번에 그렇게 죽었다. 그에게 '갈망'이란 곧 누군가의 '죽음'과 연결되는 단어다. 어느 것도 욕심내지 말고, 마음 주지 말고 죽은 것처럼 살아야 하나의 목숨이라도 더 지킬 수 있음을 그때 깨달았다.

'내가 선을 넘지 말아야 반대편에 선 자도 죽지 않는다.'

지난 보름간 수없이 이 다짐을 머리에 새겨 넣고 돌아왔다. 그런데도 이 밤, 프리다 앞에 서자 다짐은 깡그리 잊히고 한 발짝 걸음을 떼 선을 밟고 싶은 충동만 남았다.

"시간이 많이 늦었습니다. 밤늦게 이런 곳에 혼자 계시면 위험합니다."

살며시 치켜 올라오는 보라색 눈동자가 제법 반항적이다. 힘없이 풀어지는 입매를 다잡기 위해 다니엘은 입 안의 여린 살을 꾹 깨물었다.

"성의 치안은 걱정 안 하셔도 돼요. 리카르도 님이 누구보다 안전하게 지켜 주고 계십니다."

고개를 바짝 든 프리다는 불쑥 나타난 불청객을 새침하게 노려봤다.

"밤늦게 손님이 찾아오실 줄은 몰라 맞을 준비를 못 했습니다."

"손님이라. 제가 이 성의 주인이라고 알고 있었는데 이젠 아닌가 보네요."

"제 말은…… 그런 뜻이 아니잖아요."

보라색 눈동자가 대번에 화르르 불타올랐다. 아무튼 어떤 식으로든 빛을 내뿜는 여자라니까. 씩씩대는 프리다 앞에서 웃지 않기 위해 다니엘은 테이블로 눈을 내렸다.

여기저기 늘어진 천들과 제복이 그려진 수십 장의 종이. 그녀가 이 밤에 뭘 하고 있었는지는 주방에 들어섰을 때 바로 눈치챘다. 보일드 남작을 바쁘게 만들 요량으로 시킨 일이 애꿎은 프리다의 밤잠을 설치게 한 모양이다.

온 성안이 늦은 밤까지 등을 밝히고 있기에 설마설마했더니만. 어둠이 무섭다더니. 이 시각까지 지치지도 않고 돌아다니는 아내를 말리려면 벽등을 죄다 치우라고 명령해야 할지도. 어이없다는 걸 아는데 진짜 그러고 싶어졌다.

차라리 침실 근처에 집무실을 따로 만들어 주라고 하는 게 나으려나. 그래야 주방까지 내려와 이 청승을 떨지 않지. 내일 당장 보일드 남작에게 할 일 한 가지를 더 추가해야겠다는 결심을 마친 다니엘이 정중하게 옆으로 비켜섰다.

"그만 돌아가시죠. 방까지 모셔다드리겠습니다."

하지만 프리다는 그를 따라나서는 대신 못마땅한 얼굴로 다시 의자에 털썩 주저앉아 버렸다.

"먼저 가세요. 전 아직 할 일이 남았습니다."

느닷없이 들이닥친 다니엘 때문에 기분이 얼떨떨했다. 마음이 평정을 잃자 테이블 위에 올려진 도안의 색들이 뒤죽박죽 하나로 뒤엉켰다. 말도 없이 성을 떠나 자그마치 보름 만에 돌아와서는 고작 '다녀왔습니다.'라고?

'하아. 기가 막혀서 정말.'

그리고 위험하긴 뭐가 위험해? 프리다를 염려한 하인들이 벽은 물론이고 계단까지 등을 놓아 그녀가 다니는 길을 환하게 밝혀 주었는데. 리카르도 님도 산짐승은 물론이고, 낯선 침입자는 내성 안에 절대 들어올 수 없다고 장담하셨다고. 갑자기 들이닥쳐 그녀를 걱정하는 척 뻔뻔하게 구는 다니엘을 보니 신경질이 치밀었다.

없는 사람 취급할 때는 언제고 쓸데없는 걱정은. 저도 모르게 숨소리가 점점 거칠어지고 종이를 쥔 손에 바짝 힘이 들어갔다. 재단사가 공들여 그린 도안이 그녀의 손안에서 처참하게 구겨지던 순간. 그녀가 평범하다고 판단했던 검은 재킷이 그려진 종이가 눈앞에 내려졌다.

“남은 일이 기사단 제복 색깔을 결정하는 거라면, 이걸로 하세요.”

프리다는 재빨리 종이를 옆으로 밀어냈다.

“제가 알아서 하겠습니다. 공작님은 신경 쓰실 것 없어요.”

말이 끝나기가 무섭게 다시 툭. 그가 이번엔 보라색 천을 프리다 앞에 가져다 놓았다.

“이것도 좋겠네요. 부인이 가장 마음에 들어 하시는 것 같던데.”

“하지만…….”

물론 이 조합이 가장 마음에 들지만, 보라색을 마구 썼다간 비용이 천정부지로 오르게 된다. 보라색 천을 밀어내려던 프리다는 돌연 생각을 바꿔 그것을 꽉 쥐었다.

‘뭐 어때? 리카르도 님을 위해서 이 정도 돈은 쓸 수도 있지.’

홱 고개를 치켜들자 얄밉도록 차분한 표정의 사내가 그녀를 내려다보고 있었다. ‘차분함’이나 ‘침착’과는 거리가 멀었던 보름 전 아침의 다니엘이 지금의 얼굴 위로 겹쳐졌다.

“당신은 이미 황실이 승인한 내 아내입니다.”

‘내 아내’라고 했으면서.

“또 하고 싶은 게 있으면 말해요.”

다 해 줄 것처럼 사람을 들뜨게 해 놓고. 입도 쪽쪽 맞추고, 막 민망하게 여기저기 더듬기까지 했으면서. 그런 일은 기억에도 없다는 듯 무덤덤한 저 표정은 뭐냐고. 왜? 왜 당신은 아무렇지도 않은 건데? 주먹 쥔 손에 힘을 얼마나 줬는지 손톱이 살갗을 아프게 파고들었다. 저 얄밉도록 무덤덤한 남자의 표정에 어떻게든 균열을 내고 싶었다.

“전 망토까지 모두 보라색으로 할 건데요?”

보라색 염료를 쓰면 가격이 몇 배나 뛰는 줄 알아? 그걸로 족히 백 명도 넘는 기사단의 옷을 만들어 보라지. 계산서를 받아 들면 기절할 거다, 아마.

“부인의 뜻대로.”

대수롭지 않다는 듯 승낙하는 모습에 더 약이 올랐다.

"제 말은 기사단 전체 제복을 다 그렇게 한다고요. 검은 재킷에 장식도 보라색 실로 하고, 망토도 죄다 보라색 천으로 만들 거예요. 백 벌도 넘게."

다니엘은 이번에도 가볍게 머리를 끄덕였다.

"보라색 망토라. 기사단 이름과 잘 어울리겠네요."

난데없는 언급에 잔뜩 찌푸려져 있던 프리다의 눈이 어리둥절 그를 살폈다.

"기사단 이름이요? 리카르도 님이 아직 못 지었다고 하셨는데요."

"방금 결정했습니다."

테이블을 손으로 짚은 다니엘이 스르르 허리를 숙여 프리다와 눈을 마주쳤다.

"아메티스 기사단."

아, 아메티스? 보석? 예상치 못했던 고운 이름에 프리다의 고개가 절로 갸우뚱해졌다.

"그 보랏빛 보석을 말씀하시는 건가요? 깊은 동굴에서만 발견된다는."

"네. 맞습니다."

다니엘의 입술이 프리다의 하얀 속눈썹 위에 새털처럼 부드럽게 내려앉았다 떨어졌다. 그녀를 떠나가던 그날의 아침처럼 낮게 잠긴 목소리에 담긴 숨결이 뜨거웠다.

"내 아내의 눈동자와 잘 어울리겠군요."

지, 지금 뭐가 스쳐 간 거지? 흠칫 놀란 프리다는 눈을 깜빡이는 일조차 잊고 멍하니 남편을 바라보았다. 식지 않는 눈꺼풀의 온기가 아니었다면, 그의 입술이 닿았다는 것도 모를 뻔했다.

"결정이 끝났으면 이제 방으로 돌아가실까요?"

혼란에 빠진 프리다와 달리, 다니엘이 언제 무슨 일이 있었냐는 듯 단정히 말을 걸어왔다. 그는 태연히 식탁 위에 펼쳐진 도안을 한 장 한 장 모아 프리다 앞에 놓아 주기까지 했다.

잠시 멍해졌던 프리다는 이내 눈을 찡그렸다. 이 남자는 뭐가 이렇게 쉬울까. 떠나는 것도, 돌아오는 것도, 그녀의 마음을 헤집는 것도.

"그냥 두세요."

서운한 탓에 절로 목소리가 앙칼져졌다. 품 안 가득 종이 더미를 쓸어안은 프리다는 엉덩이를 밀며 식탁의 끄트머리로 움직였다. 그녀를 흔들어 대는 남자의 곁에서 조금이라도 멀리 떨어지고 싶었다. 대놓고 다가오지 말라고 눈치를 줬는데도 다니엘은 개의치 않고 바닥에 떨어진 종이를 주워 그녀에게 건넸다.

"내일 아침 식사는 저와 하시겠습니까?"

프리다가 바라던 일상을 선물하는 것으로 그녀의 화를 풀어 주고 싶었던 다니엘은 그답지 않은 다소 충동적인 제안을 건넸다.

"소소한 일상을 함께하고 싶다고요. 대화를 나누고, 마주 보고 앉아 식사도 하는…… 그런 거요."

웃음 가득한, 평온하고 소소한 일상. 자신에겐 불가능하다 믿었던 것들. 결코 가질 수 없는 것들이었기에 꿈도 꾸지 않고 살았다. 하지만…… 왜 안 되는데?

내 여자가, 나의 아내가 원한다는데. 그깟 평범한 일상 따위 함께해 주는 게 뭐가 어려워? 방해꾼? 걸리적거리는 것들? 싹 쓸어버리면 되는 거 아닌가? 꾹꾹 눌러 두었던 갈망 한 조각이 삐죽 머리를 내밀고 싹을 틔웠다.

안 된다는 걸 알면서도. 이젠 철없는 짓을 할 만큼 어린 나이가 아님에도 또다시 욕망이 앞서는 자신을 말리지 못했다. 자신의 작고 새하얀 아내에게 다가가고 싶다는 마음 외 다른 생각은 떠오르지 않았다.

"식사가 끝나면 함께 산책을 하는 건 어떠십니까?"

"……."

그가 말도 없이 떠난 게 어지간히 서러웠는지 프리다는 화를 풀 기미가 보이지 않았다. 오히려 생명 줄이라도 되는 듯 고집스럽게 서류 더미를 끌어안으며 시선을 돌려 버렸다. 저도 모르게 흘려 버린 투명한 물기를 눈가에 머금고.

"왜, 왜요?"

불퉁한 되물음을 들은 다니엘이 성큼 다가와 프리다의 앞에 섰다. 그를 외면하며 돌아선 얼굴 위로 끝내 참아 내지 못한 눈물방울이 도르르 굴러 떨어져 내렸다.

"저한테 왜 그런 걸 청하시는 건데요? 말도 없이 사라졌다 보름 동안 연락 한 번도 없었으면서. 왜 인제 와서……."

당신 때문에 한껏 설레게 해 놓고, 냉정하게 돌아섰으면서. 나를 거부했으면서. 그래 놓고 왜 보석과 잘 어울린다느니 하면서 사람을 싱숭생숭하게 만드는 거냐고. 그만 놀리라고 화를 내려던 순간. 굳은살이 단단히 박인 다니엘의 투박하고 넓은 손바닥이 프리다의 뺨을 감쌌다.

그 바람에 아래로 흐르지 못한 눈물이 다니엘의 손 안쪽으로 차곡차곡 모여들었다. 물기 가득한 보랏빛 눈동자가 무척이나 곱고 예뻤다. 하지만 보기 싫었다. 그늘이 드리운 것, 그녀가 눈물을 흘리는 것 모두 별로였다.

"프리다."

한 가지는 확실히 알겠다. 나의 그녀에게는 빛이 어울린다는 것을.

"당신을 두고 간 걸 후회했다고 하면, 믿어 주겠습니까?"

그녀를 울게 만드는 것들은 누구든, 무엇이든 용서하지 못할 것 같았다. 그것이 자신이라면 더더욱.

다음 날 아침, 여느 때처럼 보일드 남작 부인이 프리다의 방을 찾아왔다. 평소라면 단정하게 옷을 갖춰 입고 그녀를 기다렸을 프리다가 멍한 표정으로 침대맡에 앉아 있었다. 화들짝 놀란 마틸다는 프리다의 이마부터 짚었다.

"부인, 몸이 안 좋으세요? 어머, 열이 있네요."

물수건을 만들기 위해 돌아서던 그녀를 프리다가 붙잡았다.

"마틸다. 왜…… 그러는 걸까요?"

프리다는 살짝 넋이 나간 듯 보였다. 어제만 해도 과할 만큼 힘이 넘쳐 걱정이었는데. 왜 이러시지? 마틸다는 프리다의 상태를 살피기 위해 침대에 걸터앉았다.

"무슨 일이라도 있으셨던 거예요? 사람들이 어젯밤에 공작 전하께서 돌아오셨다고 하던데. 혹시 벌써 만나셨어요?"

만났냐고? 만나기만 했을까.

"그 사람이요. 공작님이……."

내가 귀찮고 싫어서 인사도 없이 떠났던 거 아니었어? 그런데 어제 한 말은 뭐냐고.

"당신을 두고 간 걸 후회했다고 하면, 믿어 주겠습니까?"

남편이 이상해졌다. 또 머리를 다쳤나? 도미닉에게 사냥터에서 무슨 일이 있었냐고 먼저 물어볼 걸 그랬나? 다니엘의 손이 아직도 제 뺨을 감싸고 있는 것만 같아 열이 오르고 뺨이 뜨거워졌다.

"그 사람이요. 날 두고 간 걸 후회했대요."

그 말은 꼭 날……. 그러니까 나를……. 프리다가 답을 내리지 못하고 망설이는 사이, 마틸다가 그녀의 손을 붙들며 환하게 웃었다.

"어머. 공작 전하께서 오래 떨어져 계시더니 정신이 좀 드셨나 보네요. 제가 그랬잖아요. 이렇게 예쁜 아내를 두고 간 걸 반드시 후회하실 거라고."

"하지만 이상하잖아요, 마틸다. 지난 보름간 연락 한 번 안 주셨던 분이 갑자기 그런 말을 한다는 게."

침대 옆 콘솔에 올려져 있던 빗을 들고 온 마틸다가 쿡쿡 웃으며 프리다의 머리끝을 빗겨 내렸다.

"사내란 원래 제 마음을 쉬이 인정하려 들지 않는 삐딱한 습성을 지니고 있답니다. 공작 전하처럼 남의 이목에 둘러싸여 사신 분일수록 더 그렇지요."

마틸다는 이를 드러내며 으르렁거리는 시늉을 했다.

"약한 모습을 보이는 순간 바로 물어뜯길 텐데 속내를 드러낼 수 있었겠어요? 그러니 점점 더 자신을 감추는 데 익숙해지셨을 거고요. 첼리노의 귀족 아가씨들은 전하를 '철벽 리하르트 공작'이라고 부르곤 했지요."

철벽 리하르트 공작은 어떤 결혼 생활을 하려나 했는데 이토록 재밌는 소꿉놀이를 보게 될 줄이야. 멍하니 생각에 빠져 있던 프리다는 처음 듣는 다니엘의 이야기에 귀를 쫑긋 세웠다.

"마틸다는 공작님을 예전에도 본 적이 있어요?"

"그럼요. 전하께선 절 기억하지 못하시겠지만, 저야 쉔달 성에 오실 때마다 뵈었죠. 공작 전하께서 승전하고 귀환하실 때면 파티가 열렸거든요. 전 챔벌린 백작 부인을 따라 자주 갔었는데 거기에 전하도 참석하셨었죠."

리하르트 공작은 자신이 주인공인 승전 기념 파티에서조차 분위기를 살벌하게 만들기로 유명했다. 항상 똑같은 얼굴, 웃음기 하나 없는 싸늘한 표정으로 앉아 있곤 했는데, 그것만으로도 귀족 아가씨들의 애간장을 녹인다는 게 문제였다.

날아올 생각도 않는 나비를 잡아 보겠다고, 알아서 뿌리를 뽑고 달려들던 꽃들이 한둘이 아니었지만 대부분 제풀에 지쳐 시들고 말았다. 천박한 짓이라며 혀를 차던 챔벌린 백작 부인도 리하르트 공작의 스캔들엔 관심이 많았다. 그가 샤이데만 백작 영애의 청혼을 들은 척도 안 하고 무시했다는 말에 통쾌해하며 채신머리없이 깔깔 웃어 댔을 정도니.

"그걸 '참석'이라고 부를 수 있는지 모르겠지만요."

"파티요?"

"네. 황제께선 전하가 오실 때면 항상……."

똑똑. 마틸다가 막 본격적으로 입을 열려던 찰나, 공작 부인의 침실 문을 두드리는 소리가 들렸다.

"그냥 계세요, 부인. 제가 나가 볼게요."

문밖으로 나갔던 마틸다는 이내 조금 들뜬 표정으로 돌아와 침대 커튼을 모두 확 열어젖혔다.

"부인, 어서 일어나세요. 전하께서 아침 식사를 함께하자고 사람을 보냈어요."

"아침 식사요?"

어젯밤 다니엘이 그렇게 말하긴 했었다. 식사를 같이하고, 산책도 하자고.

'그런데…… 내가 그러자고 했던가?'

경황이 없어 무슨 말을 했는지도 기억이 나지 않았다. 프리다가 잠시 어제 일을 떠올리는 사이, 마틸다는 창문에 이어 옷장 문도 확 열어젖혔다.

"자, 우리 제대로 준비해서 철벽 공작님을 아주 흐물흐물 녹여 보자고요. 저만 믿으세요, 부인."

마틸다가 어깨 너머로 프리다를 돌아보며 싱긋 웃었다. 무척이나 신난 표정이라 심각했던 프리다마저 그만 픽 웃고 말았다.

다니엘과 그의 일행은 어마어마한 포획물을 가지고 돌아왔다. 사냥한 짐승들의 가죽을 벗기고 살을 다듬느라 이른 아침부터 계곡 언저리가 시끌시끌해졌다.

"가죽 안 상하게 잘 벗겨 내. 올겨울에 우리의 새 부츠가 될 거니까. 야, 거기. 내장을 완전히 제거해야 부패가 늦어진다고 몇 번을 말해? 제대로 하라고, 제대로."

용병단은 도미닉의 지시에 따라 일사불란하게 움직였다. 그 모습을 바라보는 슈테판의 입에서 장탄식이 흘러나왔다.
"정말 큰일이군."
기지개를 쭉 켜며 다가온 하인리히가 슈테판에게 말을 걸었다.
"뭐가 큰일인데? 아구구, 삭신이야. 오랜만에 편한 침대에서 늘어지게 잠 좀 자나 했더니, 더럽게 시끄럽네."
하인리히가 목을 꺾을 때마다 우두둑우두둑 뼈마디가 부러지는 소리가 났다.
"우리 집사장님께선 영주님 없는 동안 염탐은 잘 하셨고? 슬슬 쉔달 성으로 소식도 보내야 하지 않아? 궁금해하고 있을 텐데."
팔을 쭉쭉 늘이며 몇 번 더 우두둑 소리를 내던 하인리히가 재킷을 툭툭 떨며 다시 물었다.
"근데 큰일이 뭐냐니까? 심각한 일이야?"
"제 답을 듣고 싶으시다면 업다이크 후작 영식께서 먼저 입을 다물고 귀를 여셔야 하지 않을까요?"
마차를 함께 타고 오면서도 느꼈지만, 펜하임 성의 새 집사장님께서는 보통 까칠한 양반이 아니다.
"크큭. 아무튼 성깔 있다니까."
하인리히는 낄낄대며 슈테판 쪽으로 몸을 기울이고는 장난스럽게 그의 어깨를 툭툭 쳤다.
'하아…… 대체 변경백께선 자식 교육을 누구에게 맡기셨기에.'
별 볼 일 없는 가문이라 해도 슈테판은 엄연히 작위가 있는 남작이건만, 말을 높이는 기본 예법도 모르다니. 명색이 후작 영식이라는 인간의 한심한 꼬락서니가 계곡가에 몰려 있는 미래의 기사단과 별다를 바가 없으니 원.
"걱정이 돼서 그럽니다."
무슨 뜻이냐고 묻는 듯 하인리히의 눈썹이 위로 바짝 올라갔다.
"용병들 말입니다. 서임식을 마치면 이제 용병이 아니라 리하르트 공작가의 기사가 아닙니까? 그런데 여전히 과거의 습성을 버리지 못하고 예법조차 익힐 생각을 안 하니 큰일입니다. 저러다가는 다른 귀족들의 웃음거리로 전락하고 말 텐데."

"아……."

느릿느릿 고개를 끄덕이던 하인리히의 시선이 짐승의 피를 뒤집어쓴 채 돌아다니는 용병들에게로 향했다. 전쟁터보다는 연회장에 어울릴 법한 번드르르한 제복 차림과 깔끔한 머리를 한 다른 기사들에 비하면야 분명 기사다운 모습은 아니다. 하지만 그게 뭐?

"남작은 저 인간들 싸우는 거 본 적 없지?"

"네. 없습니다."

"다른 전투를 본 적은 있나?"

"없습니다. 저는 첼리노에서만 머물렀으니까요."

"그러셨겠지. 쉔달 성을 누가 차지할지를 두고 온 제국에 칼부림이 난다 해도, 모두 수도 첼리노 밖에서 정리를 끝내고 들어오니까."

히죽, 웃음을 흘린 하인리히가 한 발 앞으로 나섰다.

"보일드 남작. 수도의 귀족들이 죽을 때까지 전투 한 번 겪어 보지 않고 지낼 수 있는 게 누구 덕일 것 같아?"

숲길 사이로 보이는 계곡에 고정되어 있던 하인리히의 시선이 동이 터 오는 하늘을 한 차례 흘깃거렸다. 알타스 때문인지는 몰라도, 공작령의 일출은 변경백이 지키는 동부 지역보다 훨씬 웅장한 맛이 있어 볼만하다. 도미닉이 들으면 식겁하겠지만 이 땅이 점점 마음에 들어 죽치고 있어 볼까 싶다.

'괜찮은 사냥감도 널렸고, 자연 경관도 멋지고…….'

그의 눈길이 이번엔 왼편으로 보이는 마리안 홀의 한 창문에 닿았다가 돌아왔다.

'사람들도 재밌단 말이지. 확 말뚝을 박아?'

그러겠다고 하면 다들 기함하겠지? 도미닉도 그렇지만, 다니엘 자식의 무덤덤한 낯짝에 빠작 하고 금이 갈 걸 생각하니 웃음을 참을 수가 없다. 하인리히는 낄낄대며 입을 열었다.

"머리 좀 잘 굴린다고 뒷구멍으로 일 꾸미는 거나 좋아하는 바이첸? 이게 전투를 하자는 건지 여자를 후리자는 건지 모를 매끈매끈한 놈들로 채워진 황실군?"

실없이 웃어 젖히던 하인리히의 입가에서 순식간에 미소가 사라졌다. 슈테판을 마주 보기 위해 돌아선 하인리히는 날이 잔뜩 선 싸늘한 얼굴이었다.

"천만에. 그대가 안전을 보장받는 건 바로 저 꾀죄죄한 인간들 덕이라고. 진짜 전투에서 필요한 건 오직 실력이니까. 늑대도 안 물어 갈 기사도나 부리고 있다간, 저 사슴처럼 목이 뚫려 죽을걸."

슈테판이 그와 만난 이후 처음 접하는 장난기 없는 얼굴이다. 제멋대로 개차반처럼 굴긴 해도 심각하게 화를 내는 걸 본 적이 없어 그런지, 싸늘한 하인리히는 꼭 다른 사람 같았다.

"특히나 적은 물론 아군까지 죽이려고 덤벼드는 다니엘 같은 녀석 주변에 예법이나 지키는 놈들이 웬 말이냐고. 오직 실력. 다른 건 필요 없어. 웃음거리가 되는 게 죽는 것보다는 낫잖아?"

"아군까지 죽이려고 덤벼든다는 건 무슨 소립니까? 리하르트 공작을 누가……."

귀찮다는 듯 손을 휘휘 저은 하인리히가 슈테판의 어깨를 툭 치며 그를 지나쳤다.

"됐고. 아침이나 먹으러 가자고. 저걸 계속 보고 있다간 음식만 봐도 헛구역질이 나올 거 같으니까."

하인리히의 걸음에 맞춰 빠르게 걷던 슈테판이 그에게 옳은 길을 상기시켰다.

"스카디 홀은 저쪽입니다."

공작 성에 만찬장이 갖춰지지 않은 탓에 그들은 내내 각자의 방에서 식사를 해 왔다.

“다음 주면 내성의 만찬장 정비가 끝날 테니 그때까진 지금처럼 숙소에서 하시면 됩니다.”

“아니. 오늘은 그냥 주방에서 먹지 뭐. 공작 부인도 거기서 식사한다는데 나라고 그러지 못할 것 없잖아?”

화들짝 놀란 슈테판의 걸음이 빨라졌다.

“네에? 그래도 후작 영식께선 엄연한 손님이신데…….”

“고리타분하게 굴지 말라고, 집사장 나리. 잔소리는 내 아버지한테 들은 것만으로도 충분하니까 그만 좀 하고.”

총총히 1층 복도로 들어서던 하인리히는 아침부터 바쁘게 드나드는 하인들을 보며 고개를 갸웃거렸다.

“뭐야? 여긴 또 왜 아침부터 전쟁 통이야?”

슈테판 역시 평소와 다른 아침 풍경에 어리둥절해하며 주위를 돌아보았다.

“두 분, 거기서 뭐 하세요?”

낭랑한 목소리가 들리는 곳으로 고개를 돌린 하인리히의 입이 말릴 새도 없이 쩍 벌어졌다.

“누, 누구야, 저 여자는?”

유유히 하늘을 가르던 매 한 마리가 빠른 속도로 낙하를 시작했다. 매는 테라스에 서 있는 다니엘을 발견하고 그의 머리 위에서 속도를 줄였다. 그러곤 저를 봐 달라는 듯 빙빙 허공을 맴돌았다. 날카로운 매의 울음소리에도, 다니엘의 시선은 멀리 보이는 만년설에 고정되어 있었다. 뒤편에서 들리는 부산스러운 움직임조차 전혀 신경을 쓰지 않은 채 태연히.
“저, 영주님. 준비를 모두 마쳤습니다.”
가볍게 고개를 끄덕이는 것으로 답을 대신하자 사람들이 우르르 몰려 나갔다. 두서없는 발소리에 섞여 익숙한 걸음 하나가 다급히 그를 향해 다가오는 게 느껴졌다. 걸음이 멈추자 다니엘이 여전히 앞을 바라본 채로 고요히 말했다.
“말해.”
“보셔야 할 것이 있습니다, 주군.”
도미닉의 목소리에서 난처한 기색을 감지한 다니엘이 어깨를 틀었다. 급히 씻고 왔는지 도미닉에게서 누릿한 피비린내와 함께 축축한 물 냄새가 났다.
“지금 꼭 봐야 하나?”
“보셔야 합니다.”
어느덧 완전히 돌아선 다니엘이 뒷짐을 진 채 도미닉을 마주 보았다. 다니엘의 얼굴에는 평화로운 아침을 방해받고 싶지 않다는 기색이 역력했으나 도미닉은 물러서지 않았다. 테라스 근처, 아침 식사가 차려진 테이블을 흘깃 쳐다본 도미닉이 묘한 표정을 지었다.
“곧 저 자리에 앉을 분과도 관련이 있습니다.”
다니엘이 말없이 팔을 뻗자 도미닉이 그에게 서신 하나를 건넸다. 서신을 훑던 다니엘은 단번에 문제가 될 이름을 찾아냈다.
“……마틸다?”
하지만 표정을 보니 누군지 전혀 모르겠다는 얼굴이었다. 하긴 다니엘이 이 이름을 알 리가 없지. 긴 한숨을 내쉰 도미닉이 마틸다의 정체를 밝혔다.
“부인의 시중을 맡은 하녀입니다.”
그뿐이면 걱정이 없게. 도미닉은 미간을 찡그리며 한마디를 덧붙였다.
“주방에서 일하는 아델과 함께 부인의 신임이 두터운 하녀 중 하나고요.”
“하녀라.”
다니엘은 기억을 더듬었다. 주방에서 두어 번, 복도에서도 몇 번 마주친 기억이 있다. 그리고 얼마 전엔 프리다의 방 앞을 서성대고 있었지 아마.

"꽤 능력이 있는 쥐새끼군. 네놈의 눈을 피해 성안을 휘젓고 다니다니."

이 사태가 가장 당황스러운 건 도미닉이다. 보일드 남작이 첼리노의 친척에게 편지를 보냈다기에 중간에 가로챘는데 그 안에서 마틸다의 이름을 발견할 줄이야. 보일드 남작의 편지에서 이 이름을 발견한 순간부터 골치가 지끈지끈 아팠다.

<마틸다는 잘 지내고 있습니다. 평소처럼 종종 편지하라고 하겠습니다.>

이건 마틸다가 그동안 외부에 뮌하임 성의 정보를 계속 빼돌려 왔다는 뜻이다. 그토록 조심하고 경계했는데 바로 옆에 첩자를 두고도 몰랐다니. 도미닉의 얼굴이 사납게 일그러졌다.

"죄송합니다, 주군. 신분이 확실한 아이라 제가 방심했습니다."

제 실수는 맞지만 아무리 생각해도 의문점이 한둘이 아니다. 마틸다의 부모는 둘 다 뮌하임 성의 하인이었고, 죽을 때까지 이곳에 머물렀다. 대체 황태후 그 늙은 여우는 어디까지 손을 뻗어 둔 거야? 정말 사람을 한순간도 방심할 수 없게 만드는 여자 같으니라고.

"내가 보일드 남작은 당분간 내버려 두라고 한 것 같은데."

"내버려 둘 겁니다. 하지만 적어도 그가 무슨 내용을 전하는지는 알아야 우리도 대비할 것 아닙니까?"

담담히 편지를 살피던 다니엘이 그것을 다시 도미닉에게 건넸다.

"프리다에 관한 이야기는 다 빼. 한 줄도 남기지 말고."

"네."

편지를 다시 작성해서 보내라는 뜻이었다. 도미닉이 수도 없이 해 온 일이다. 타인의 글씨체를 감쪽같이 흉내 내는 거야 그에겐 숨 쉬듯 쉬웠다. 위조한 편지에 찍을 보일드 가문의 인장도 진즉에 따로 만들어 뒀다.

"하녀는 잡아들여."

문제는 이쪽이다. 당연히 잡아들이는 게 맞다. 언제부터 황태후와 내통을 한 건지 자백을 받아 내려면 겁도 주고 적절한 고문도 해야겠지. 지난 경험으로 보자면 적잖이 애를 먹을 것 같다. 황태후 마그리트는 아주 손이 크고 머리가 좋은 여자라 군데군데 대비책을 만들어 놓으니까.

그런데 이번엔 그보다 더 큰 걱정거리가 있다.

"공작 부인께서…… 충격이 크실 겁니다."

매일같이 얼굴 보고 지내던 하녀가 없어지면 그분 성향상 끝까지 행방을 파고들 텐데. 담담히 도미닉을 응시하던 다니엘이 다시 뒤를 돌아 테라스의 난간을 짚었다.

멀리 알타스의 가장 높은 봉우리가 보이는 장관이 펼쳐졌다. 이 방은 지난 삼 년 동안 굳게 잠겨 있었다. 문을 열 수 있는 유일한 열쇠는 도미닉에게 있었으나, 그는 공작 부인에게 이곳은 열쇠를 발견할 수 없는 방이라 알렸다. 오직 다니엘의 허락이 있어야만 들어올 수 있는 곳이었으므로.

과거 유트레히트의 첫 영주였던 뮌하임 후작의 아내, 마리안 후작 부인의 저주가 깃든 방. 아름다운 풍광과 어울리지 않는 끔찍한 이야기가 있는 방에 아침부터 식탁을 차려 놓고 대체 뭘 하자는 건지.

"주군……."

"잡아들여."

눈을 감은 채 아침 해를 향해 고개를 든 다니엘이 꿈결을 헤매는 사람처럼 느릿느릿, 살랑이는 바람에 목소리를 실어 보냈다.

"내 아내에게 꼬이는 날파리들은 단 한 마리도 살려 두지 마."

인기척을 느끼고 고개를 든 슈테판은 계단 위에 선 여인을 물끄러미 바

라보았다. 그의 눈길 끝에 있는 여인은 리하르트 공작 부인이었다. 그녀는 슈테판 일행이 처음 펜하임 성에 도착했던 날과 같은 자리에서 그들을 내려다보고 있었다. 그런데. 분명 리하르트 공작 부인이 맞는데 뭔가 달랐다.

알타스의 만년설처럼 새하얀 머리칼만 보아도 틀림없는 그녀인데. 흔치 않으나 백금발을 가끔 본 적이 있는 슈테판에게도 리하르트 공작 부인의 새하얀 머리칼은 좀 놀라웠다. 며칠을 보며 눈에 익은 지금도, 볼 때마다 한 번 더 눈이 갈 정도다. 그러니 리하르트 공작 부인이 틀림없는데…….

어째서 저토록 생기가 반짝반짝 빛나는 거지? 달라진 점을 찾기 위해 유심히 프리다를 살피던 슈테판의 눈에 공작 부인의 뒤편에 선 아내가 보였다.

"마틸다."

성큼 계단으로 향하는 슈테판의 뒤를 하인리히가 바짝 따라붙었다.

"공작 부인 이름이 '마틸다'야?"

이 인간이 무슨 소리를 하는 거야? 슈테판은 제게 달라붙는 하인리히의 숨결에 진저리를 치며 옆으로 떨어졌다.

"무슨 소리십니까? 제 아내를 부른 겁니다."

하인리히가 멋쩍은 표정으로 턱을 긁적거렸다.

"어쩐지. 영주의 부인 이름을 지나치게 친근하게 부른다 했네."

마차를 타고 오면서도 느꼈지만, 하인리히는 남의 말을 통 듣지 않는 인간이다. 관심을 가지는 일에만 귀를 기울일 뿐, 다른 일엔 반응조차 안 하다 나중엔 뜬금없는 소리를 툭툭 내뱉었다. 이번에도 계단 위에 눈을 둔 채로 여지없이 헛소리를 늘어놓았다.

"저 여자 진짜 그 하크본 맞아? 첫날하고 완전히 다르잖아. 몰라보겠는데? 우리가 사냥 가 있는 동안 바꿔치기라도 한 거야, 뭐야?"

말이 되는 소리를 하라며 막 타박하려는데 프리다가 그를 불렀다.

"보일드 남작, 일찍 오셨네요."

"예. 간밤에 전하께서 돌아오셨다기에 서둘러 나왔습니다."

실은 계곡가의 소란스러운 소리가 창을 타고 넘어 드는 통에 잠을 깼다. 창밖으로 도미닉 몰리를 보고 나서야 사냥을 떠났던 일행이 돌아온 걸 알았고.

"부인께선 어제도 늦게까지 일하셨다 들었습니다. 피곤하진 않으십니까?"

공작 성에서 보름여를 보낸 지금. 슈테판은 영주인 공작보다 공작 부인을 더 자주 보게 되는 상황에 익숙해지는 중이었다. 그가 아무리 일찍 도착해도 집무실엔 항상 공작 부인이 먼저 와 서류를 살피고 있었다. 어제도 제복의 도안을 바리바리 싸 들고 갔으니 분명 밤을 새웠을 것이다.

봐도 봐도 놀랍다. 모두가 생사조차 의심하던 저 작은 리하르트 공작 부인이 놀랍게도 이 뮌하임 성의 실세였다니. 그뿐만이 아니다. 슈테판은 자신이 성실함, 끈기, 추진력. 그 어느 것으로도 공작 부인을 앞설 수 없음을 일찌감치 인정해 버렸다. 슈테판에게는 대학에서 체계적으로 교육받은 제국에 대한 방대한 지식이 있었으나, 그녀에게는 그 지식과 비교조차 할 수 없는 현명함과 순수한 열정이 있었기 때문이었다.

처음 만찬장은 물론이고, 손님을 맞을 응접실 하나 없는 공작 성을 봤을 땐 황망함에 쿡쿡 쑤시고 마구 지끈거리는 머리를 부여잡아야 했다. 모든 일을 부인과 상의하라는 말만 남기고 사라져 버린 공작 대신 그 부인을 어디서 봐야 하는지도 몰랐다. 영주의 부인과 침실에서 얘기를 나눌 수도 없는 노릇인데 말이다. 하지만 슈테판의 고민은 의외로 쉽게 해결되었다.

그것도 리하르트 공작이 사냥을 떠난 후 혼란에 빠져 있던 그를 공작의 집무실로 부른 공작 부인 덕이었다.

"공작님이 안 계시는 동안은 여기서 뵙죠. 앞으로 날 찾을 일이 있으면 이곳으로 와요. 따로 사람을 보내 확인하실 필요 없어요. 전 항상 여기 있을 테니까요."

그날 이후, 실제로 공작 부인은 슈테판이 결정을 내려야 할 순간이면 언제나 집무실의 그 자리에서 훌륭한 논의 상대가 되어 주었다. 가정 교사 일을 하며 이름 좀 있다는 귀족 가문을 제법 돌아다녀 봤지만, 이런 안주인은 처음이었다.

보통 안주인들은 날이 밝을 때까지 자다 일어나 침실로 식사를 들여 아침을 먹고 노닥대기 일쑤다. 그러다 오후가 되면 티타임을 가지고 손님을 맞는다. 해가 지면 온몸을 주렁주렁 보석으로 치장하고 파티를 찾아다니고.

그런 부인들만 봐 온 그에게 리하르트 공작 부인은 완전히 새로운 타입의 인간이었다. 하인리히의 말대로 슬슬 황태후에게 이곳의 동향을 알리긴 해야 하는데 일이 이렇게 되어 버려 난감해 죽겠다. 본 대로 들은 대로 알리자니 꺼림칙하고, 그렇다고 모른 척 뭉개고 있을 수도 없고. 차라리 리하르트 공작 부인이 다 죽어 간다고 알고 있는 게 나을까 싶기도 하고.

생각을 정리하지 못한 탓에 첼리노에 사는 친척에게 간단한 안부 인사를 보냈을 뿐 쉔달 성에는 아직 서신을 보내지도 못했다. 어쨌든 공작 부인을 마주 보기가 껄끄러워 시선을 돌리는데 마틸다가 계단을 내려오며 그를 불렀다.

"슈테판, 오늘 부인께서 공작 전하와 함께 아침 식사를 하시고 산책을 하신대요. 우리 공작 부인 너무 예쁘시죠?"

아, 공들여 꾸민 이유가 그래서였나. 슈테판은 어느 보석과 비교해도 부족함 없는 예쁜 꽃들로 머리를 장식한 프리다를 찬찬히 살폈다. 몰라보겠다는 하인리히의 감탄은 빈말이 아니었다. 마틸다가 평소 생기를 더해 준다며 볼에 바르는 가루가 있는데 그걸 공작 부인에게 발라 준 게 확실하다. 창백하던 볼에 홍조가 도니 신비로운 보랏빛 눈동자가 진해져 미모가 확 도드라졌다. 계단을 내려온 마틸다가 슈테판의 팔짱을 끼며 뿌듯한 미소를 지었다.

"첼리노의 사교계에 데뷔하셨다면 최고의 미인이란 칭송을 받으셨을 거예요."

미의 기준이야 사람마다 다르긴 하나 남다른 미모인 건 맞다. 정중히 그렇다고 답하려는데 하인리히가 툭 끼어들었다.

"다니엘과 식사를 한다고? 흥. 공작새같이 꾸미고 어딜 가나 했더니……. 으악!"

"어머! 죄송해요, 업다이크 후작 영식. 많이 아프세요?"

마틸다에게 발을 밟힌 하인리히가 있는 대로 인상을 쓰며 주저앉았다. 얼마나 세게 밟았는지 하인리히는 입도 벙긋하지 못한 채 신음만 흘리며 몸을 웅크렸다. 하인리히를 돌보는 시늉을 하던 마틸다가 슈테판만 볼 수 있게 몰래 혀를 삐죽 내밀었다.

'아무튼 짓궂기는.'

장난기 많은 아내의 행동에 슈테판은 피식 웃고 말았다. 계단을 내려오는 발소리가 들린 건 그때였다. 뚜벅뚜벅. 말끔하게 차려입은 다니엘 리하르트 공작이 계단을 내려왔다. 그는 계단 아래의 소란엔 눈길도 주지 않은 채 아내의 곁으로 다가갔다. 팔을 들어 아내에게 내미는 동작은 흠잡을 데라곤 하나도 없는 완벽한 예법 교본 그 자체. 헐겁게 다물어져 있던 슈테판의 잇새로 감탄이 흘러나왔다.

"여기 계셨군요. 모시러 왔습니다, 부인."

심사가 살짝 복잡해 보이는 공작 부인과 달리 공작은 평소처럼 표정이 없었다. 그러나 아내를 에스코트하며 돌아서던 공작과 슈테판의 시선이 얽히던 순간.

"으악!"

섬뜩한 맹수의 기운에 흠칫 뒤로 물러서던 슈테판은 마틸다의 부축을 받고 일어서던 하인리히의 발을 다시 밟고 말았다.

보일드 남작 부인이 공들여 만들어 준 머리는 프리다가 보기에도 무척 예뻤다. 다만 이렇듯 머리부터 발끝까지 꾸민 자신이 어색해 자꾸만 손이 머리로 갔다.

"그냥 아침 식사일 뿐인데 너무 과한 거 아닐까요?"

금실로 장식된 드레스는 프리다가 가지고 있는 것 중 가장 화려한 옷이었는데 보일드 남작 부인은 망설임 없이 이 옷을 골랐다.

"아침을 드시고 산책도 하실 거라잖아요. 그리고 두 분이 마주 보며 하는 첫 식사인데 당연히 최고로 힘을 줘야지요. 저만 믿으세요. 첼리노의 최신 유행 머리로 꾸며 드릴 테니까."

"그래요, 마님. 남작 부인 말씀 들으세요."

두 명의 마틸다가 양쪽에 한 명씩 서서 이른 아침 내내 프리다를 만지작댔다. 완성된 머리가 은근 마음에 들었던 프리다는 정작 다니엘이 별 반응이 없자 이내 시무룩해졌다. 혹시 너무 요란하다고 생각하는 건 아닐까 싶어 자꾸만 다니엘의 눈치를 보게 됐다. 보일드 남작 부인이 이상한 소리를 해 댄 터라 안 그래도 어색한 판에 그를 보기가 더 민망스러웠다.

"남녀 사이엔 적절한 밀고 당기기가 필수예요. 그래야 사내들이 아내에게 안달을 낸답니다."

밀고 당기기라니.

'뭘 밀어? 손이라도 이렇게 밀라는 거야?'

다니엘이 이끄는 대로 따라 걷던 프리다는 엉겁결에 그의 팔을 밀어냈다. 그러자 걸음을 멈추고 머뭇대는 프리다를 물끄러미 내려다보던 다니엘이 그녀의 손을 당겨 다시 제 팔 위에 올렸다.

'어라. 정말로 미니까 당기잖아?'

다니엘이 어리둥절해하는 프리다의 손을 가볍게 토닥였다.

"조금만 참으세요. 거의 다 왔습니다."

퍼뜩 정신을 차리고 보니 두 사람은 계속 마리안 홀의 계단을 오르고 있었다.

"저…… 다니엘, 어디에 가는 거예요?"

성안을 돌볼 인력이 충분하지 않았다 보니, 공작 부부의 방이 있는 3층 위로는 관리하지 않은 지 오래다. 먼지만 가득 쌓여 있을 곳으로 향하는 것이 의아해 눈치를 살폈더니 즉각 답이 돌아왔다.
"보여 드리고 싶은 곳이 있습니다. 그곳에 아침 식사를 준비해 두라고 했습니다."
이상하다. 이 위에 그런 곳이 있었나? 열쇠를 찾지 못한 방은 아예 열어 보지도 못해 뭐가 있는지도 모른다.
"이곳입니다."
방 안으로 들어선 프리다는 햇살이 눈이 부셔 잠시 눈을 감았다. 그러다 천천히 눈을 뜬 순간. 그녀 앞에 천국이 펼쳐졌다.
"와아……."
말보다 감탄이 먼저 나오는 풍경에 절로 입이 벌어졌다. 다니엘이 친절하게 눈앞에 펼쳐진 장관의 이름을 알려 주었다.
"알타스의 가장 높은 봉우리 윔터 호른입니다."
아름다웠다. 맹세코 그녀가 아는 한 이토록 아름다운 경치는 처음이다. 프리다는 하늘 높이 솟은 만년설을 더 가까이 바라보기 위해 테라스가 딸린 창으로 다가갔다. 이 순간만큼은 햇살이 살갗을 찌르는 것도 개의치 않았다.
"정말 너무 아름다워요. 저게 그 유명한 윔터 호른이라고요? 공작 성에서 저 봉우리를 볼 수 있는 줄은 몰랐어요."
워낙 산세가 들쭉날쭉 험한 데다 동쪽인 스베르겐은 서쪽보다 지대가 낮아서 보기 힘들다고 들었는데.
"전 서쪽에서만 보인다고 알고 있었거든요."
"맞습니다. 알타스 동쪽에서 산맥에 가리지 않은 윔터 호른을 볼 수 있는 곳은 이곳이 유일할 겁니다. 제가 아는 한은 그렇습니다."
다니엘이 이리 와 앉으라는 듯 의자를 빼 주었다. 테라스가 딸린 넓은 방엔 식사가 차려진 테이블과 의자 두 개가 덩그러니 놓여 있었지만, 경치만으로도 방이 꽉 찬 느낌이다.
활짝 열린 커다란 아치형의 창문으로 아침 바람이 불어왔다. 여름을 앞

둔 계절이라 그런지 차갑다기보다는 기분 좋게 서늘한 바람이 프리다의 구불거리는 머리카락을 살랑살랑 흔들었다. 생기 가득한 아침 햇살의 끄트머리가 막 테라스를 넘어 식탁 끝에 다다랐다.

프리다가 의자 앞으로 다가와 서자 다니엘이 그녀가 앉기 쉽도록 의자를 밀어 주었다. 이내 제자리로 돌아갈 줄 알았던 다니엘이 손끝으로 프리다의 머리를 장식한 작은 야생화 하나를 만지작거렸다.

"예쁘네요."

그의 손길이 닿자마자 발그레 달아오른 뺨을 감추기 위해 프리다는 푹 고개를 숙였다.

"보일드 남작 부인이…… 솜씨가 좋더라고요. 챔벌린 백작 부인의 시녀로 있었대요."

"그렇군요."

심상하게 답한 다니엘은 천천히 맞은편 그의 자리로 돌아왔다. 그때서야 식탁에 올려진 음식이 눈이 들어온 프리다는 풋 웃음을 터트렸다. 아침 식사라고 하기엔 지나치게 많고 다양한 음식들이 식탁을 가득 채우고 있었다.

"아델이 솜씨를 너무 발휘한 거 같은데요?"

"드십시오."

말을 마친 그가 식사를 시작하자 프리다도 포크를 들었다. 아침부터 부지런을 떨었더니 배가 고팠다. 지난 보름 동안 사라졌던 식욕이 일시에 돌아오기라도 한 건지 음식 하나하나가 다 맛있었다. 긴장했던 것도 잊고 아델의 특제 수프를 반도 넘게 비웠을 즈음 다니엘이 그녀에게 물었다.

"이곳이 맘에 드십니까?"

"이곳이요? 이 방을 말씀하시는 건가요?"

"네. 성의 첫 안주인이었던 마리안 뮌하임 후작 부인의 방이었다고 하더군요."

"어머. 진짜요?"

전혀 듣지 못했던 이야기라 프리다의 눈이 단박에 커졌다. 주위를 두리번거리는 눈이 호기심을 담뿍 담은 채 반짝거렸다.

"전 공작 부부의 침실은 3층인 줄로만 알았는데 아니었나 보군요."

"아내 마리안 후작 부인이 죽자 펜하임 후작이 저 문에 못질을 하고 출입을 금했다고 합니다. 제가 이 성에 처음 왔던 날도 굳게 잠겨 있었습니다."

못을 뜯어내고 이 방에 들어왔던 날이 아직도 생생하다. 몇 년을 썩은 건지 알 수 없는 퀴퀴한 곰팡내새. 방 안을 감싸고 돌던 기괴한 적막. 그것들을 모두 대수롭지 않게 만드는 아름다운 창밖의 풍경. 그리고…… 테라스 구석에서 발견한 한 여인의 처절한 절규.

따지고 보면 끔찍해야 하는 게 맞는데도 이 방에 들어오면 신기하게도 머릿속이 맑아졌다. 벽 하나를 통째로 터서 만든 테라스에 서서 바람을 맞고 있을 때면, 펜하임 후작이 왜 이 방을 아내에게 주었는지 이해가 갔다. 꼬이고 비틀리고 더럽혀진 그 소유욕도. 저와 비슷한 그에게 동질감을 느꼈다고 해야 하나.

"프리다."

"네?"

한결 부드러워진 보랏빛 눈동자가 다니엘의 부름에 답하며 그를 담았다. 세상의 온갖 빛을 다 품은 듯한 저 눈이 그리웠다. 저 눈에 담겨 있는 자신과 시선을 마주치는 이 쾌감이.

"그대는 여전히…… 내가 좋습니까?"

우습게도 대충 넘겨들었던 그 대단치 않은 고백이 내내 머리를 맴돌았

다. 그녀를 볼 때마다, 보지 않을 때조차. 설령 여기서 아니라고, 더는 당신을 좋아하지 않는다는 말을 듣더라도 오직 좋아한다는 말만 기억하게 될지도 모른다는 어이없는 망상을 한다. 다니엘의 눈이 성급히 들썩이는 작고 붉은 입술에 닿았다. 그 입술에 피어나던 싱그러운 미소와 맞닿을 때 느꼈던 보드라운 감촉이 동시에 떠올랐다.

'일 났군.'

다시 깨어난 그의 갈망을 잠재우는 일은 아마도 실패할 모양이다. 무표정하던 그의 얼굴에 일순간 허탈함이 퍼져 나갔다.

"답하기 전에 내 말부터 들어요."

내 손아귀에 완전히 잡히기 전에. 내가 그대를 꽁꽁 옭아매 버리기 전에.

"리하르트 공작 부인의 삶은 당신이 생각하는 것처럼 단순하지 않습니다."

이 같잖은 친절은 덫이다. 당신이 스스로 걸어와 걸리길 기대하고 쳐놓은 견고한 덫.

"황태후는 어머니가 돌아가신 후 지금까지 제 주변을 감시하고 있습니다."

"네? 왜요?"

내가 불쌍하고 안돼 보일수록 그대가 쉽게 마음을 열 것을 알기에 이 싸움은 무조건 내가 이기게 되어 있다. 다니엘 리하르트는 지는 싸움을 하지 않으므로.

"황태후의 노력으로 십이 공작 가문 중 어디에도 더는 황제가 될 만한 멀쩡한 남자 귀족이 남아 있지 않으니까요."

반역을 부추기고, 누명을 씌우고, 그 가문의 여자들에게 은밀한 방법을 동원한 결과였다. 남은 것은 도망자가 된 '아서 노팅겐'과 사생아 '다니엘 리하르트'.

아직 레오폴드가 자식을 낳지 못한 탓에 우습게도 이 두 사람만이 십이 공작의 피를 지닌 채 살아 있는 남자 혈통이 되어 버렸다.

"아마 황태후는 당신이 자식을 낳기 전 죽을 거라고 여겼을 겁니다. 하크본가의 다른 여인들처럼. 그래서 당신이 내 아내로 선택된 거죠."

당연히 이 척박한 땅에서 몇 년 살다 죽을 줄 알았겠지. 하지만 제아무리 황태후라도 인간의 수명을 예측할 수는 없는 법. 프리다는 살아남았고, 이제 다니엘은 그녀의 생명이 꺼지는 걸 볼 뜻이 조금도 없다.

"만약 당신이 떠도는 소문과 다르다는 걸 알게 되면 가만있지 않을 겁니다. 측근을 매수하고, 일거수일투족을 감시하고…… 음식에 약을 탈 수도 있습니다."

대체 마틸다라는 하녀는 언제부터 황태후와 내통을 해 왔던 걸까. 망할 도미닉 자식. 완벽하게 통제하고 있다고 큰소리나 치지 말던가.

"평생을 감시받고 죽음의 위협을 겪으며 사는 것. 그것이 진짜 리하르트 공작 부인의 삶입니다."

두려워하겠지. 공포에 떨며 눈물을 보일지도. 그런 모습을 본다면, 그대를 향한 이 지독한 갈망이 멈춰질까?

"그래도 내가 좋습니까?"

그의 말이 끝나고 침묵의 시간이 시작됐다. 활짝 열어 놓은 테라스 창문을 타고 불어온 바람이 두꺼운 커튼을 흔들며 지나갔다. 오랜 시간 돌보지 않은 커튼에서 나는 묵은 냄새가 거슬려 고요하던 미간에 통증이 찾아왔다.

잠시 후, 손가락으로 꾹 미간을 누르는 그에게 작은 떨림이 깃든 여린 목소리가 들려왔다.

"전 이미 그런 삶을 살아왔는걸요."

약간 얼떨떨한 듯도 하고 평소와 같이 다부져도 보이는 작고 하얀 얼굴이 그를 주시했다.

"좀 다른 의미이긴 하겠지만…… 감시도 지긋지긋하게 받아 봤고, 언제 죽을지 모른다는 공포에 떨어도 봤어요."

프리다의 부모님에겐 자식에 대한 사랑이라는 구실이 있었고, 목숨을 위협받은 건 아니니 황태후가 하는 짓과는 엄연히 다르다는 걸 안다. 그러나 아주 완전히 다른 것도 아니었다.

"공작령에 오기까지 내 삶은 항상 그랬으니까, 그것들은 두렵지 않아요. 다만……."

슬슬 식탁의 중간까지 다다른 강한 햇살 너머로 다니엘의 눈을 찾아낸 프리다가 그와 시선을 맞췄다. 그가 건네는 경고가 두렵기는커녕 기대를 하게 된다. 마치 그녀에게 그 모든 것들을 함께 이겨 내자고 말하는 것 같아서.

"제국에 알려진 소문대로 난 오래 살지 못하고 언니들처럼 죽을지도 몰라요. 아이를 낳지도 못하고, 아내의 의무를 제대로 하지 못할 수도 있고요. 난 언제나 걱정돼요. 이런 내가 뭘 할 수 있을지."

마틸다가 말하는 밀고 당기기가 뭔지는 모르겠다. 그저 말하고 싶었다.

"그래도 난 리하르트 공작 부인으로 사는 이 삶이 좋아요."

내일이면 이 말을 하고 말았다는 걸 후회할지라도, 오늘은 그에게 진실한 제 마음을 고백하는 것이 맞는 것 같았다.

"그리고 난…… 당신도 좋아요. 매일매일 더 좋아하고 싶어요."

언젠가 당신을 떠나야 하는 날이 오더라도, 적어도 지금은 아니니까. 그때까진 열심히 아끼고 사랑하며 살고 싶다고.

"그러니까 내가 너무 싫어서 끔찍한 게 아니라면, 밀어내지 말아요."

동그랗게 커진 보랏빛 눈동자가 흔들림 없는 의지를 담고 그를 마주 보았다.

"난 남은 생을 다니엘 당신의 아내로 살길 원해요."

식탁을 넘어선 햇살이 눈부신지 말을 마친 프리다가 눈을 찡그렸다. 잠시 눈을 찡그렸다가 떠 보니 어느 틈엔가 자리에서 일어난 다니엘이 햇살을 등지고 그녀 앞에 서 있었다. 특유의 담담함이 사라진 얼굴이 뭔가에 쫓기듯 불안해 보였다. 당혹스러워 하는 듯도 했다.

“어쩌자고 당신은…….”

이리도 진심을 숨기지 않고 철철 내보이는 걸까. 왜 그가 만든 그늘을 덮어쓰고도 미치도록 예쁜 걸까. 죽어도 놓기 싫게. 빈틈없이 완벽하게 쳐 놓은 덫에 그녀가 아니라 자신이 빠진 기분이다.

발갛게 상기된 뺨과 그보다 더 붉은 입술에 눈을 주던 그가 서서히 고개를 숙였다. 이 정도면 답은 충분하다.

“이제 부인은 평생 날 못 떠날 겁니다.”

아니, 충분하지 않다.

“내가 안 놔줄 거거든.”

그의 집요하고 편집광 같은 갈망은 이런 소꿉장난 같은 짓으로 채워지지 않을 테니. 하지만…… 오늘은 여기까지만. 다니엘은 반짝반짝 싱그러운 미소가 피어난 프리다의 입술을 머금으며 끓어오르는 갈증을 꽉, 아주 세게 눌러 내렸다.

당장이라도 남쪽으로 향할 것 같았던 황제의 기세를 멈춘 건 뷔테인 남작 부인의 임신 소동이었다. 매일같이 이어지던 헛구역질의 원인은 단순한 복통으로 최종 진단이 내려졌다.

그러나 진단 후에도 뷔테인 남작 부인의 상태가 좀처럼 나아지지 않자 레오폴드는 점점 한계에 다다랐다.

창가에 삐딱하게 기대선 그는 오늘도 침대에서 일어날 생각을 하지 않는 정부를 지그시 굽어보았다. 아파 죽겠다면서도 치장을 게을리하지는 않은 그녀의 금빛 머리칼에서 반짝반짝 빛이 났다. 그 말인즉슨 아파 죽을 정도는 아니라는 거다.

"페트리샤. 깜찍한 짓을 하기엔 그대나 나나 서로를 너무 잘 알지 않나?"

"무슨 말씀을 하시는 건지 잘 모르겠는데요, 폐하."

능청을 떠는 모습이 전처럼 예쁘지 않은 걸 보니 이젠 이 여자에 대한 애정도 어지간히 식은 게지.

"설마 이딴 짓으로 내 발목을 잡을 수 있을 거라고 여겼다니. 내가 그대에게 꽤 물러 터지게 굴었나 보군. 아니면 그대가 날 우습게 봤든가."

"흥."

구질구질한 핑계 대신 새침하게 고개를 트는 걸 보니 말귀가 아직 막힌 건 아닌 듯했다. 하긴 그것마저 막힌 여자면 침대에 들이지도 않았지. 레오폴드는 혀를 끌끌 차며 호출 종을 잡아당겼다. 그 소리를 들은 페트리샤가 득달같이 침대에서 몸을 일으켰다.

"나도 데려가 주세요. 여기 혼자 갇혀 사는 거 너무 지겹단 말이에요. 이 시골구석에서 나 혼자 뭐 하면서 지내냐고요."

"그러게 왜 어머니의 성미를 건드려서 여기까지 쫓겨 와? 당신같이 똑똑하고 약삭빠른 여자가 미련하게."

똑똑. 방문을 두드리는 소리와 동시에 문이 열리고, 레오폴드의 시종 빈더만 자작이 들어왔다.

"부르셨습니까, 폐하."

"유트레히트에 내가 갈 거라는 전령을 보내. 사흘 내로 이곳을 떠난다."

"알겠습니다, 폐하."

빈더만 자작이 나가자마자 페트리샤가 침대에서 힘차게 뛰어나왔다.

"나도 간다고요. 레오폴드, 나도 따라가게 해 줘요."

그가 영지를 떠날 기미가 보이자마자 몸이 아프네, 아이를 가진 것 같네, 갖은 핑계로 골골대며 누워 있더니만 오늘은 힘이 넘치는 모양이다. 레오폴드가 비릿하게 웃으며 가까이 다가온 정부의 턱을 손끝으로 들어 올렸다.

"우리 아가씨, 첫사랑이 보고 싶어 안달이 나셨군."

"그게 언제 적 얘긴데."

홱 토라진 페트리샤가 앙칼진 목소리로 투덜대며 레오폴드의 손을 뿌리쳤다. 황제에게 하는 짓이라고 보기엔 무엄하기 짝이 없었으나 레오폴드는 피식 웃고 말았다. 페트리샤는 제 기분이 내키면 한없이 나긋나긋하게 굴지만, 반대의 경우 까칠하기 짝이 없는 여자다.

그 성질이 마음에 들어 찾는 것이니 싫으면 자신이 발길을 끊으면 그만. 레오폴드에게 페트리샤 뷔테인이 가지는 의미는 딱 그 정도였다. 창틀에 기댄 레오폴드는 청량한 공기를 가슴 깊이 들이마셨다. 번잡스럽지 않고 좋기만 한데 시골구석이 어떻다고 저리 투덜인지.

"다니엘은 그대의 이름은커녕 얼굴도 기억 못 할걸? 절절한 순애보는 당신에게 어울리지 않아, 페트리샤."

퍽. 번개같이 날아든 베개가 레오폴드의 목덜미를 후려쳤다.

"순애보 같은 소리 하시네. 아니라고요! 아니라는데 왜 이래요? 반쪽짜리 사생아 따위 난 기억도 안 난다고요."

"그래?"

베개에 맞아 헝클어진 머리를 쓸어 넘긴 레오폴드가 씩 웃으며 창문 너머로 까닥 고개를 기울였다.

"그럼 뷔테인 남작 부인의 성에 검은 머리 남자 하인들이 득실거리는 건 순전히 우연이시다?"

황제의 명이 전달됐는지 창밖에서 들려오는 부산스러운 소란들이 하나둘 늘어났다. 남자 하인 둘 중 하나는 검은 머리. 그중엔 심심치 않게 다니엘과 닮은 짙은 적갈색 눈동자도 보였다.

"그, 그건…… 이 시골에서 구할 수 있는 하인들이라고 해 봐야 죄다 라파스 출신들이라……."

"쯧. 페트리샤."

레오폴드가 한심하다는 듯 혀를 차며 입꼬리를 치켜올렸다. 페트리샤는 금세 알아차렸다. 뼛속까지 바이첸인 황제의 서늘한 파란 눈은 이 상황을 조금도 재밌어하고 있지 않다는걸.

“난 네가 누구를 침대에 끌어들이든 상관 안 해. 남편은 죽고 자식도 뷔테인 남작가에 뺏긴 그대가 그런 재미도 없으면 어떻게 살겠어? 하지만…….”

다른 사람은 몰라도 그녀는 안다. 저 남자는 제 모친보다 더한 바이첸이라는걸.

“최소한 내 눈앞에선 그러면 안 되지. 누구 씨인지도 모를 검은 머리 자식을 내 새끼라고 들이미는 것도 안 되고.”

온화한 바람에 찰랑이는, 태양처럼 눈부신 금빛 머리칼과 구름 한 점 없는 파란 하늘을 닮은 눈동자를 지닌 이 남자는 피도 눈물도 없는 황태후 마그리트의 아들.

“평생 꽃처럼 살아야지, 페트리샤. 그러려고 애달파 죽던 첫사랑도 버리고, 부자 남편 찾아간 너잖아. 아, 그대 혼자 애달았으니 짝사랑이라고 해야 하나?”

이토록 따스한 봄볕 아래서도 냉기를 뿜어 대는 그는 어쩌면 모친보다 더한 인간일지도. 하긴 그 인간에게 기생해 사는 저도 똑같은 사람이지. 페트리샤의 비틀린 입가가 조소를 머금었다.

“아무튼 나도 데려가요. 여기 더 있다간 정말 미쳐 버릴 것 같아. 당신도 나 없으면 심심할 거잖아. 거긴 여기보다 더 시골이라 변변한 귀족 여자도 없다던데 설마 하녀라도 데리고 잘 거예요?”

훗, 재미는 있겠네. 비틀렸던 페트리샤의 입가가 크게 들썩였다.

“우리 황태후께서 들으시면 기함하시겠네요. 귀족인 나도 꼴 보기 싫어 난린데 하녀 출신 정부라니.”

생각할수록 우스운지 깔깔깔 웃는 소리가 점점 커졌다.

"아, 우스워. 그 얼굴, 꼭 보고 싶네."

깔깔대는 페트리샤를 싸늘하게 바라보던 레오폴드도 결국 같이 웃음을 터트렸다.

"보고 싶긴 하군."

재밌는 일이 잔뜩 일어날 것만 같은 예감에 오랜만에 그의 심장이 세차게 뛰었다.

슈테판은 올해가 반년밖에 남지 않은 이때, 그 안에 끝내야 할 일이 무려 스물다섯 가지가 되었다는 믿을 수 없는 현실과 맞닥트렸다.

"5층을…… 말입니까?"

아직 기사단 서임식 준비도 다 못 마쳤는데 마리안 홀 5층을 손보라니. 거기를 공작 부인의 침실로 꾸미라고? 슈테판은 공작이 저를 늑대 소굴에 던지는 대신 과로사를 당하게 하려는 것이 아닌가 의심스러워졌다. 그나저나 그럴 돈이 있기는 하냐고.

"공작 성의 빈약한 재정 상태를 고려하시어 급한 것부터 차근차근 처리하시는 게 어떠십니까?"

슈테판은 영주의 자존심을 건드리지 않기 위해 말을 돌려 하는 재주 따윈 없는 위인이었다. 그런 재주가 있었으면 첼리노에서도 무리 없이 잘 먹고 잘살았겠지. 가정 교사로 일할 때도 번번이 입바른 말로 그를 고용한 귀족들의 성미를 건드려 쫓겨난 그다.

그때와 다른 점이 있다면, 현재 그의 주군인 리하르트 공작은 도통 감정을 내비치지 않으니 성미를 건드린 건지 아닌지 모르겠다는 거? 화가 난 건지 아닌지 알 수가 없으니 장단을 맞춰 주고 싶어도 그럴 수가 없다.
"물론 성의 안주인이신 공작 부인께서 계실 곳을 단장하는 일은 중요합니다. 다만 서임식도 그렇고, 부인께서 올가을에 아주 큰돈이 들어갈 일을 준비 중이라고 하셨습니다."
심지어 기사단의 제복으로 무려 보라색을 선택하셨다. 보라색 실로 장식만 해도 돈이 얼마가 드는데 망토와 말 장식, 깃발까지 죄다 보라색을 쓰겠단다. 공작 부부의 경제관념에 심각한 문제가 있는 것이 아닌가 의심되는 지점이다.
"도미닉."
오랜만에 책상에 앉은 모습을 보여 준 공작이 도미닉 몰리, 재수 없는 그 이름을 불렀다. 능글능글한 미소를 지으며 기분 나쁘게 웃는 공작의 그림자가 다가와 동글동글 말아진 서류 한 장을 슈테판에게 건넸다.
"읽어 보십시오."
불길한 예감에 눈살을 찌푸렸던 슈테판은 서류의 중간에 다다랐을 즈음 하인리히만큼 눈을 크게 떴다.
"금광을 가지고 계셨습니까?"
고요한 표정으로 슈테판이 올린 보고서를 읽고 있는 공작 대신 도미닉이 답했다.
"네. 주군께서 소유하고 계신 라파스 산 스무 곳 중 열 곳에서 금맥이 발견되었고, 그중 다섯 곳에서 채취된 금을 베네토 공국에서 금화로 만들어 보관하고 있습니다. 들고 계신 서류는 그중 일부에 대한 인출 허가서입니다."
지금 내가 이 서류의 내용을 못 읽어서 묻는 게 아니잖아. 도미닉을 흘깃 노려본 슈테판이 공작의 정수리를 보며 물었다.
"쉔달 성에서도 이 사실을 알고 있습니까?"
여전히 시선을 보고서에 둔 다니엘은 슈테판에게 눈길을 주지도 않았다.

"자네가 알았으니 곧 알게 될지도."

대수롭지 않다는 듯 한마디를 덧붙였다.

"알려도 상관없다는 뜻이다. 충성을 바칠 자를 결정하는 건 자네 마음이니까."

드디어 시작인가. 공작이 저를 시험하고 있음을 깨달은 슈테판은 손에 든 두루마리 종이를 꼭 쥐었다.

"그거면 마리안 홀의 5층 전체를 수리하고도 남을 테니 예산은 해결됐군. 나가 봐."

담담한 축객령. 리하르트 공작은 슈테판이 집무실에 들어온 후 단 한 번도 눈을 마주치지 않았다. 성안에서 우연히 부딪힐 때도 마찬가지였다. 그러다 간혹 등골이 서늘해 돌아보면 멀지 않은 곳에서 그를 노려보는 공작을 발견하곤 했다. 사람을 피 말려 죽이자는 것도 아니고. 이렇게는 도저히 못 살겠다.

"제가 이곳의 동향을 황실에 알리는 임무를 받고 온 건 사실이나 현재 제가 모시는 분은 공작 전하이시니 지시를 내려 주십시오. 금광의 존재를 쉔달 성에 알릴까요, 말까요?"

키득. 옆에서 도미닉 몰리가 웃음을 참는 소리가 들렸지만, 슈테판은 공작에게서 눈을 떼지 않고 기다렸다. 이래 죽으나 저래 죽으나 죽는 건 마찬가지.

각오를 단단히 하긴 했지만, 막상 리하르트 공작이 고개를 들어 그를 보자 흠칫 어깨를 떨고 말았다. 먹잇감을 사냥하는 맹수처럼 번뜩이는 안광이 그를 옴짝달싹 못 하게 붙들었다.

"어디에 충성할지 간을 보는 중인가?"

"그것이 아니라……."

"하던 대로 황실에 충성해. 내겐 그대가 필요 없다, 남작."

키득키득. 도미닉의 비웃음이 커졌다. 길게 한숨을 내쉰 슈테판은 자포

자기한 심정으로 마지막 말을 꺼냈다.

"공작 부인의 침실을 5층으로 옮기는 건 재고해 주십시오. 연약하신 부인께서 드나드시기엔 너무 높고 외집니다. 가뜩이나 허약하신 분이 계단에서 구르기라도 하시면 어쩌려고……."

"준비가 끝나는 즉시 내 아내의 침실을 5층으로 옮겨. 현재 머무는 곳은 그녀의 집무실로 단장하고. 더 할 말 있나?"

한마디만 더했다간 창밖으로 던져 버릴 태세였다.

"……없습니다."

"나가 봐."

슈테판이 인사를 마치고 집무실을 나서자 도미닉이 참았던 웃음을 터트렸다.

"하하하. 내가 뭐랬어요? 우리 새 집사장님, 의외로 까칠하다니까. 보기보다 성질머리가 고약하더라고."

서명을 마친 서류를 도미닉에게 건네며 일어난 다니엘이 창가로 걸어가며 물었다.

"그 하녀에게 자백은 받아 냈나?"

도미닉이 머리를 긁적거리며 곤란한 표정을 지었다.

"그게 좀 이상해요. 자기는 모르는 일이라고 딱 잡아떼는데 영 거짓말 같지 않단 말이죠."

"무조건 알아내. 언제부터 프리다를 감시했는지. 어떤 정보를 황실에 흘렸는지 모두 다. 하나도 남기지 말고."

시끌벅적한 앞뜰을 내려다보던 다니엘의 눈에 나풀거리는 차양이 달린 하얀 모자가 들어왔다. 갑작스레 불어닥친 바람이 모자를 흔들자 자그마한 손이 올라와 모자를 붙들었다. 바짝 붙어 걷던 리카르도가 바람을 막아 줄 요량인 듯 자그마한 여자의 뒤로 자리를 옮기자 다른 용병들도 우르르 프리다의 주변을 감쌌다. 이어서 프리다가 무슨 말을 했는지 용병단의 활기찬 웃음소리가 다니엘이 서 있는 창문까지 타고 올라왔다.

"재단사가 왔나 보군."

다니엘이 중얼거리는 소리를 들은 도미닉이 까치발을 들어 밖을 살폈다.

"그러네요. 다들 보라색 제복이 웬 말이냐며 들떠 있습니다. 그런 걸 입고 싸우면 죽어서도 천국에 갈 것 같다나 뭐라나."

주절주절 떠들어 대는 도미닉의 말은 다니엘의 귀를 스치지도 못하고 사라졌다.

"난…… 당신도 좋아요. 매일매일 더 좋아하고 싶어요."

불안하게 사는 건 싫고 무섭다고, 울고불고 매달려도 놓아줄 수 있을까 고민했는데.

"그러니 내가 너무 싫어서 끔찍한 게 아니라면, 밀어내지 말아요."

사실 그녀가 다니엘을 끔찍하게 싫어한다 했어도 상관없다고 붙들었을지도 모른다. 그의 갈망은 이미 말릴 수 없는 수준까지 치닫고 있었으니까.

"난 남은 생을 다니엘 당신의 아내로 살길 원해요."

원하든 원하지 않든 이제 당신은 영원히 내 아내로 살아야 한다. 내 옆에서 생이 다하는 날까지. 그다음까지도.

"프리다."

옆에 있는 도미닉도 듣지 못한 가늘고 약한 읊조림이었다. 그런데 거짓말처럼 프리다가 고개를 들어 다니엘이 있는 집무실 창문을 바라보았다. 마치 그의 목소리를 듣기라도 한 것처럼. 한 손으로 모자를 잡은 프리다가 반대편 손을 번쩍 들어 올려 그를 향해 손을 흔들었다.

"다니엘!"

그리고 세상에서 가장 듣기 좋은 목소리로 그를 불렀다.

"다니엘!"

한 번 더.

"다니엘! 여기요, 여기."

또 한 번 더. 애타게 손을 흔들며 저를 봐 달라고 애원하는 맑은 목소리가 펜하임 성의 하늘에 울려 퍼졌다. 프리다의 목소리는 짙은 초록색으로 물든 나뭇잎을 타고, 봄바람에 실려 살랑살랑 불어와 말끔히 정돈되지 못하고 흐트러진 그의 머리칼을 스쳤다. 봄을 닮은 여자가 봄바람에 실려 그의 곁에 왔다. 그가 대답을 주지 않자 다니엘을 부르는 목소리는 이내 사그라들었다.

"대답 좀 해 주지 그러세요? 저렇게 애타게 부르는데."

도미닉의 핀잔이 웅웅웅 울리기만 할 뿐 제대로 들리지 않았다. 다니엘, 다니엘, 다니엘. 그의 이름을 부르는 맑은 음성이 하염없이 귓가를 울렸다.

제복의 치수를 재러 온 재단사와 간단한 인사를 마친 프리다는 1층 복도로 들어서며 모자를 벗었다. 자연스럽게 모자를 받아 드는 뮤리엘을 바라보는 그녀의 미간이 잔뜩 좁혀졌다.

"마틸다는 어디에 간 걸까?"

"그러게요. 아델도 전혀 모른다고 하더라고요."

"성 밖에 가족들이 산다고 했었지?"

"네. 동생 셋이 우물가 근처에 산다고 들었어요."

하녀 마틸다가 말도 없이 사라진 지 사흘째. 처음엔 급한 일이 있어서 집에 갔나 했는데 슬슬 걱정되었다.

"연락도 없이 이럴 아이가 아닌데. 뮤리엘, 내일 마틸다의 집에 들러 보고 와. 어디가 아픈 걸 수도 있잖아."

"알겠습니다. 저, 아가씨, 저기 공작 전하가 계십니다."

뮤리엘이 가리키는 계단 끝에서 다니엘을 발견한 프리다가 환하게 웃으며 그에게 다가갔다.

"다니엘. 조금 전에 나 못 봤어요? 내가 막 손 흔들면서 불렀는데."

다니엘은 대답 대신 그녀에게 팔을 뻗었다.

"다니엘?"

왜 이러나 싶어 갸우뚱하면서도 프리다는 순순히 그의 손을 잡았다.

"꺄악!"

손을 잡은 다니엘이 번쩍, 그녀를 안아 들었다.

프리다는 본능적으로 냅다 다니엘의 목을 끌어안았다. 그래도 몇 번 안겨 본 경험이 있어선지 몸이 공중에 붕 뜨는 느낌이 전처럼 낯설거나 두렵지는 않았다.

"다, 다니엘?"

그녀를 번쩍 안아 든 다니엘이 계단 위로 성큼성큼 올라섰다. 할 말을 잃은 채 멀뚱히 선 뮤리엘의 모습이 빠르게 작아지다 이내 기둥 뒤로 사라졌다.

간간이 두 사람 옆을 지나치는 하인들이 엉거주춤 물러서며 꾸벅 인사를 해 왔다. 눈을 둘 곳이 없어진 프리다는 다니엘의 목을 더 꽉 끌어안으며 푹 고개를 숙였다.

"다니엘, 이러지 말고 얼른 내려 줘요. 나 걸어갈 수 있어요."

"피곤해 보입니다."

다니엘의 이마가 프리다의 눈썹 위에 가볍게 닿았다 떨어졌다.

"열도 있고."

귀를 파고드는 낮고 차분한 목소리와 달리 이마에 닿는 숨결이 꽤 뜨거웠다. 흘깃 올려다보니 무심히 말하는 목울대가 꼭 화를 참는 사람처럼 눈에 띄게 불거져 있었다. 좀 피곤하긴 했지만, 그 정도로 안 좋아 보였나? 프리다가 울상을 지으며 되물었다.

"진짜요? 나 많이 아파 보여요?"

어느새 3층까지 올라온 다니엘이 복도를 걷다 말고 걸음을 멈췄다. 그리고 새하얀 속눈썹을 힘없이 축 늘어트린 프리다를 빤히 내려다보았다. 살랑이는 차양을 따라 나타났다 사라지기를 반복하는 하얀 얼굴을 보는 동안 몽롱한 꿈을 꾸는 것 같았다.

"다니엘, 여기요. 여기."

저를 부르는 소리가 하릴없이 허공을 부유하는 나른한 봄바람처럼 귓가를 간지럽혔다. 창을 타고 넘어온 활기찬 음성에 담긴 제 이름이 몹시도 생경해 선뜻 답이 나오지 않았다. 도무지 제 것 같지 않아서.

맑은 하늘 아래 선 프리다는 눈이 부셨다. 어느 것이 빛이고, 어느 것이 그녀인지 구별이 되지 않을 만큼. 그 광경을 보며 현실과 환상의 모호한 경계를 넘나들었다.

눈으로 보고, 귀로 듣고, 심지어 품에 안고 시선을 맞추고 있는데도 어째서 이 여자가 실체가 없는 꿈처럼 느껴지는 걸까.

그래서 불안하다. 막상 손을 뻗으면 잡히지 않고 흩어져 버리는 신기루일까 봐. 만약 정말 신기루라면? 텅 비어 버린 손을 마주한 채 아무것도 하지 못해 절망하는 무기력한 자신을 또 보게 된다면?

도미닉을 살리기 위해 몸을 던졌던 삼 년 전 그날처럼 모든 사고가 일순간에 정지하더니 시야가 어두워졌다. 그를 덮은 암흑이 모든 것을 삼켜 버리려던 찰나.

"다니엘?"

뺨을 감싸는 따스한 온기가 그를 깨웠다. 다니엘은 서둘러 눈을 깜박여 쏟아져 들어오는 빛을 받아들였다. 그 빛 속에서 프리다가 보였다. 마치 자신이 가진 생명력을 나누어 주듯 다니엘의 얼굴에 손을 대고, 가만히 그를 주시하는 그녀가. 나 여기 있어요. 바로 당신 앞에. 그리 말하는 것처럼.

눈에 서서히 초점이 잡혀 갔다. 투명한 보랏빛 눈동자가 이리저리 걱정스레 그를 살폈다. 다니엘은 픽 싱겁게 입술을 터트리고 말았다. 대체 이 몸으로 누굴 걱정하는 건지.

"본인이 얼마나 무리를 하고 있는지 자각이 있긴 한 겁니까?"

그가 입을 열자 안심이 되었는지 프리다의 손이 뺨에서 떨어졌다. 주위를 두리번거리던 그녀는 수줍게 볼을 붉혔다.

"그렇다고 사람들 보는 데서 이러면 어떡해요? 다들 공작 부부의 처신에 대해 수군댈 거라고요. 얼른 내려 주세요."

"안 보는 데서는 상관없다는 뜻입니까?"

"다니엘, 그런 뜻이 아니잖아요."

당황하며 어쩔 줄 몰라 하는 모습을 오래도록 감상하고 싶었지만, 방 앞에 도착한 터라 아쉽게도 더는 붙들고 있을 이유가 없어져 버렸다. 다니엘은 프리다를 조심히 복도에 내려 주었다.

"내가 이러는 게 싫으면 자신의 몸을 잘 돌보세요. 난 부인이……."

그렇다고 완전히 놓아준 건 아니었다. 가느다란 허리에 팔을 두른 다니엘이 프리다를 품 안에 가두고 지그시 내려다보았다.

"프리다 그대가 건강히 지내길 원합니다."

놔 달라며 작은 어깨를 꿈틀대던 프리다가 슬며시 눈을 옆으로 내리떴다.

"싫은 게 아니라……."

하얗고 보송보송한 잔털이 송송 돋아난 뽀얀 얼굴이 만개한 장미처럼 붉게 피어올랐다.

"부끄럽단 말이에요."

다시 눈앞이 어두워졌다. 조금 전과 다른 점이라면 프리다를 중심으로 그 주변이 모두 흐릿해졌다는 거였다. 다니엘의 시야가 첫눈이 내린 설원을 닮은 하얀 얼굴로 가득 찼다. 그 얼굴이 다니엘을 올려다보고, 수줍은 눈웃음을 흘리고, 또 한 번 붉어지고.

그러다 제멋대로 바닥으로 떨어졌다. 손을 들어 작고 가는 턱을 받친 다니엘은 프리다의 시선 안에 다시 그를 밀어 넣었다. 가까이. 조금 더 가까이. 그녀 안에 미처 담기지 못한 자신이 넘쳐흐를 때까지. 살짝 베어 물기만 해도 자국이 생기는 여린 입술을 건드리며 안으로 들어갔다.

여인과 입 맞추는 법 같은 건 배우지 못했으나 저절로 알게 되었다. 자신이 그 안에서 무엇을 찾아야 하는지. 봄볕에 적당히 바삭해진 머리칼을 헤집고 들어가 목덜미를 감싸자 너무 쉽게 한 손에 잡히는 가는 목의 떨림이 느껴졌다.

점점 열기가 더해지는 프리다의 체온과 두근두근 세차게 뛰는 맥박의 감각을 살갗에 새기고서야 깨달았다. 제 현실 속에 그녀가 있음을. 그 사실을 자각하는 순간, 다니엘 안 깊은 곳에서 벅찬 희열이 끓어올랐다.

빛 한 줌 들어오지 않는 깜깜한 어둠뿐인 공간. 마틸다의 귀에 들리는 거라곤 가냘픈 제 숨소리뿐이었다.

"마틸다."

돌연 제 이름을 들었을 때, 그래서 더 놀랐다. 소스라치게 놀란 마틸다는 허리 뒤로 묶인 손을 비틀며 팔로 바닥을 밀었다. 부러진 다리가 아팠지만 소리로부터 조금이라도 더 멀리 떨어지고 싶다는 바람이 더 컸다.

"버텨 봐야 소용없어. 이러면 너만 힘들어져."

그녀가 아는 목소리가 분명한데 한편으로는 전혀 모르는 음성이기도 했다. 저 차갑고 음산한 소리의 주인이 진정 도미닉 님이라고? 재치 있는 입담으로 사람들을 웃기고, 가끔 그녀의 심장을 두근대게 만들던 따뜻한 음성과 저것이 같은 사람의 것이라니. 낯선 도미닉도, 그녀가 처한 이 상황도 모두 다 믿어지지 않아 도리질을 쳤다.

"모, 몰라요. 정말 몰라요! 나, 난 화, 황태후가 누군지도 몰라요. 진짜예요. 흑흑. 나, 나한테 왜 이러세요, 도미닉 님!"

난데없이 끌려와 이곳에 처박혔다. 시간이 얼마나 지났는지, 내가 왜 이러고 있는지 짐작도 하지 못한 채 공포에 떨었다. 그러다 나타난 도미닉 님의 질문이 '언제부터 황태후와 내통해 왔지?'였다. 황태후라니? 황제의 어머니? 시골구석에서 태어나 대대로 하녀로 살아온 마틸다로서는 풍문으로나 접해 본 분이다.

"내통이라니요. 내가 그렇게 높은 분을 어떻게 알겠어요. 흑흑흑. 전 정말…… 아무것도 몰라요."

이곳에 잡혀 있는 내내 하도 운 탓에 눈가리개가 마를 날이 없다. 처음엔 무섭기만 했는데 지금은 서럽다. 도미닉 님이 어떻게 나에게 이럴 수가 있단 말인가. 함께 어울려 지내 온 세월이 얼만데.

"믿어 주세요, 도미닉 님. 전 진짜 그분을 몰라요. 그동안 우리 모두 가족처럼 지냈잖아요. 흑, 제가 왜 내통 같은 걸 해요? 흑흑."

그가 울고 있는 마틸다의 팔을 잡아 일으켰다.

"아악!"

멀쩡하지 않은 다리가 바닥에 끌리자 어마어마한 통증이 밀려왔다.

"마틸다."

그녀를 부르는 도미닉의 음성이 무슨 이유에선지 더 싸늘하게 식어 있었다.

"나도 고통스러워하는 널 보는 것이 편하진 않아. 하지만 네가 착각하는 게 있는데 말이야."

도미닉이 그녀의 코앞까지 가까워졌다. 눈가리개 위에 그의 숨소리가 닿았다.

"나한테 가족은 아버지와 다니엘뿐이란다. 넌…… 아무것도 아니야."

인간 같지 않은 싸늘한 목소리와 달리 숨결에는 온기가 느껴졌다.

"빨리 끝내자. 제발."

그마저도 차가웠지만.

방 앞에서 시작된 입맞춤은 침실에 들어와서도, 침대에 누워서도 계속됐다. 다니엘은 한시도 그녀를 놔주지 않고 입술을 붙여 왔다. 그러다 프리다가 숨이 막혀 올 때 즈음이 되면 잠시 떨어진 입술은 목으로, 어깨로, 풀어헤쳐진 앞섶과 쇄골 사이로 향했다.

밭을 둘러보고 용병단 숙소에 들렀다 오느라 먼지가 잔뜩 묻어 있을 제 몸이 그제야 신경 쓰였다. 프리다는 다니엘의 단단한 어깨를 밀며 그를 불렀다.

"저, 다, 다니엘."

"네."

대답과 동시에 그의 입술이 말랑한 살을 물었다. 아무튼 부끄러운 짓을 너무나 아무렇지도 않게 하는 남자다. 프리다는 조금 세게 그의 어깨를 툭툭 내리쳤다.

"씨, 씻고 싶어요. 우리 씻고 나서 해요. 나 지저분하단 말이에요."

쿡쿡. 그녀의 가슴 위에서 다니엘이 듣기 좋은 웃음을 흘렸다. 프리다와 눈을 맞추려 고개를 세운 그의 입가에 부드러운 미소가 걸렸다.

"씻고 나서 뭘 할 건데요?"

"네?"

장난꾸러기 소년 같은 짓궂은 눈웃음도 함께였다.

"구석구석 깨끗하게 씻고 나서, 나랑 뭘 할 거냐고요."

구석구석이란 말을 꺼내는 부분에서 그의 눈빛이 조금 붉어진 것 같기도 했다.

"그거야……."

할 일이야 딱 하나뿐 아닌가. 빠르게 눈을 깜박이던 프리다가 안 그래도 뜨거운 얼굴을 더 붉히며 떠듬떠듬 입을 뗐다.

"아, 아내의 의무?"

그 말을 들은 다니엘의 입꼬리가 크게 휘어졌다. 남편의 웃는 모습은 충분히 감상할 가치가 있었지만, 우선은 이 민망한 상황을 벗어나는 게 먼저였다.

"하, 하크본가의 유모가 그랬단 말이에요. 아내의 의무를 하기 전에는 꼭 몸을 깨끗하게 하라고."

그 말을 들은 다니엘의 입가가 씰룩인다 싶더니 갑자기 웃음소리가 들렸다.

"하하하."

특유의 저음이 만들어 내는 웃음이 무척이나 듣기 좋았다. 그러나 저와 달리 이런 일에 능숙한지 담담하게 구는 그가 좀 얄미웠다.

"우, 웃지 말아요. 당신과 달리 난 그, 그런 면에선 지식이 부족해서 아는 건 유모의 말이 전부라고요."

뾰로통해진 표정으로 고개를 틀자 뺨으로 입술이 내려앉았다. 웃음을 지워 내지 못한 입술이 그녀의 뺨을 뭉개며 간질댔다.

"유모가 또 뭐라고 했는지 알려 줘요. 아내를 실망시키지 않으려면 나도 대충이라도 알아 둬야 할 것 같으니까."

"그게 무슨……."

다니엘의 말을 이해하지 못한 프리다는 멍하니 그를 바라보았다.

"안타깝지만 내 주변엔 정상적인 부부 관계에 관해 조언해 줄 만한 사람이 없어서 아는 게 거의 없습니다. 의무를 다하기 전에는 꼭 씻는다. 그 다음은요?"

뭐지? 놀리는 건가? 이 말은 꼭 그 역시 저와 다를 바 없다는 말 같잖아? 올해 남편의 나이가 몇이더라. 결혼할 때 스물다섯이라고 했었으니 지금은 스물여덟. 서른이 코앞이다. 삼 년간의 공백이야 그렇다 치고. 설마 그 전에도 여자 없이 지냈다는 건가?

유모가 분명 공작께서 알아서 하실 테니 의무를 해야 하는 날이 오면 그냥 가만히 따르면 된다고 했는데. 프리다의 머릿속을 읽기라도 한 듯 싱긋 웃은 다니엘이 그녀의 찡그린 눈가를 엄지로 다정히 쓸었다.

"말한 것 같은데요. 난 정부 같은 거 둘 생각 없다고."

그 말은……. 진짜, 진실로, 진정으로 지금까지 곁에 둔 여자가 단 한 명도 없었다고?

"하지만 의무 때문이라면, 오늘은 그날이 아니니 걱정하지 말아요."

눈가를 지나친 손가락이 이마 위로 흐트러진 머리칼과 함께 귀 뒤로 넘어갔다.

"그 의무는 당신이 온전히 준비되는 날 하도록 하죠."

"주, 준비요? 어, 어떤 준비를 말씀하시는 건지…… ."

순간적으로 열린 입으로 어버버, 그녀가 듣기에도 처참할 만큼 어리숙한 목소리가 튀어나왔다.

"당신이 날 제대로 받아들일 준비 말입니다."

"그, 그게 언제쯤인데요?"

빠르면 빠를수록 좋겠지만.

"글쎄요. 우선 백 번쯤 입을 맞춰 보고 나서 생각하죠."

피식 웃은 다니엘이 살포시 부풀어 오른 프리다의 입매를 손끝으로 매만졌다. 뜨끈한 눈 맞춤이 이어지고 살갗에 닿는 숨결에 열기가 더해질 즈음 입술이 포개졌다. 그리고 몇 번째인지 모를 입맞춤이 시작되고 시작되다 다시 시작되었다.

멈출 줄 모르는 다니엘의 입술을 받아들이던 프리다가 그의 옷깃을 붙들었다. 숨을 쉬게 해 달라는 신호를 알아챘는지 그녀를 침대 속에 파묻을 기세로 밀어붙이던 다니엘의 어깨가 살짝 떨어졌다. 떨어진 두 입술에서 동시에 가쁜 숨이 흘러나왔다.

땀에 젖은 머리를 쓸어 올리는 다니엘의 눈이 가늘게 좁혀졌다. 오늘은 이쯤에서 관둬야 하나. 아니면 억지로 우겨서라도 그녀의 말랑한 살결을 더 느껴 볼까. 머리는 결정을 내리지 못한 채 혼란스럽기만 한데 본능에 솔직해져 버린 몸이 자꾸만 성급히 그녀 쪽으로 기울어졌다. 슬금슬금 다시 내려오는 그의 어깨를 프리다가 덥석 움켜쥐었다.

“조, 조금만 더요. 더 쉬게 해 줘요.”

당장이라도 울 것 같은 얼굴이 된 프리다가 힘겹게 중얼거렸다.

“너무…… 힘들어요.”

그래. 당신에겐 이만큼도 충분히 힘들겠지. 나는 당신을 배려하느라 머리통이 통째로 뽑혀 나갈 지경이건만. 이대로 멈추자니 허탈하고, 확 밀어붙이고 싶은 마음이 굴뚝같지만 그러자니 걱정스럽고. 이성과 본능, 어느 것 하나 물러서지 않는 팽팽한 줄다리기가 될 줄 알았는데 의외로 몸이 빨리 떨어졌다. 이 와중에도 다행히 이성 한 조각은 남겨 뒀던 모양이다.

그래도 진한 아쉬움이 남는 건 어쩔 수 없었다. 다니엘은 그가 엉망으로 흩트려 놓은 하얀 머리칼을 쓸어 넘기고, 풀어 헤쳤던 옷가지까지 정리해 준 다음 침대에서 내려왔다.

창문 너머 하늘은 어느새 검붉게 변했고, 등을 밝히지 못한 방으로 어둠이 밀려든 지 오래였다. 오후 내내 이 방에서 프리다의 입술을 마시고, 그녀의 체취에 코를 박고 있었다는 얘기다.

‘훗, 제대로 미쳤군.’

헛웃음을 터트린 다니엘은 벽등을 먼저 밝히고 침대 옆 협탁에 놓인 양초에도 불을 붙였다. 심지에 불꽃이 피어오르는 걸 확인한 뒤에 침대로 눈을 돌렸다. 은은한 빛이 퍼져 나가는 허공에서 두 사람의 눈동자가 부딪혔다. 열기가 식지 않은 붉은 눈이 프리다를 찬찬히 훑어 내렸다.

미처 가다듬지 못한 숨소리가 작게 새어 나오는 통통히 부어오른 입술.

어둠 속에서도 달아올라 있는 것이 확연히 보이는 붉은 장미 같은 뺨. 땀에 엉겨 붙어 귀 뒤로 넘어가지 못하고 뺨에 가닥가닥 붙어 있는 새하얀 머리칼. 폭풍처럼 밀어닥친 사내의 열정을 받아 내느라 흐트러진 모습을 보고 있자니 한없이 땅 밑으로 무너지는 기분이다.

마음이 갈피를 잡지 못하고 이리저리 마구 흔들렸다. 이럴 줄 알았다. 그녀가 저를 이리 휘저어 댈 줄 알면서도 선을 밟고 넘어가 버린 건 바로 자신. 얼마 버텨 보지도 않고, 허망하게 백기를 든 건 오로지 그의 선택이었음을 안다. 이 선택으로 인해 그와 프리다 모두 엄청난 곤란에 빠질 수도 있다는 것도.

그 모든 것을 다 예감했음에도, 저를 삽시간에 무릎 꿇려 버린 이 막강한 전투력의 여인을 외면할 수가 없는데 어쩌라고.

침대 옆에 선 다니엘이 시선을 맞춘 채 말이 없자 프리다가 왜 그러냐고 묻듯 고개를 갸웃거렸다. 당혹감을 숨기지 못하는 천진한 눈을 보는 순간, 잠시나마 딱딱하게 굳었던 다니엘의 표정이 살포시 녹아내렸다.

"해가 졌습니다."

프리다의 눈썹 위에 붙어 있는 머리카락 한 올을 떼어 주며 다니엘이 담담히 말했다. 앞으로도 해가 뜨고 지는 평범한 일상을 그녀와 공유할 거란 사실에 왠지 심장이 뻐근해져 왔다.

"네. 그러네요. 저, 그런데 다니엘……."

다소곳이 고개를 끄덕이던 프리다가 난처해하며 말꼬리를 흐렸다. 무슨 얘기를 하려는 걸까 궁금했지만 다니엘은 그녀의 망설임이 끝나길 기다렸다. 그에게 꺼내 놓을 적절한 말을 찾으며 눈을 맞춰 오는 모습이 싫지 않았다.

"저기…… 그러니까요."

다니엘은 입꼬리를 부드럽게 풀어 내린 채 프리다의 말이 끝날 때까지 참아 주었다.

"배…… 안 고파요?"

그녀의 질문을 이해하는 순간, 거짓말처럼 허기가 밀려들었다. 갈망.

집착. 배고픔. 잊고 있던 다니엘의 감각들이 하나씩 차례차례 기지개를 켜고 깨어나 제자리를 찾아간다. 얌전히 숨죽이고 처박혀 있던 맹수가 잠에서 깨어나고 있다. 자신이 한 짓을 알 리 없는 무구한 눈동자가 배고픔을 호소하며 파닥파닥 요란하게 깜박거렸다.

동쪽 국경에서 변경백이 보낸 전서구가 도착한 지 얼마 안 돼 이번엔 챔벌린 백작이 서쪽에서 소식을 알려 왔다. 몇 년 동안 잠잠했던 솔론족이 다시 동쪽 국경을 넘나들고 있다는 내용을 읽을 때만 해도 평온했던 황태후의 표정이 순식간에 일그러졌다.

"대체 첼리노엔 언제 돌아오려고 끝내 거기를……."

애초에 레오폴드가 다니엘에게 갈 것임을 알고 있었기에 챔벌린을 딸려 보냈다. 하지만 막상 그렇게 되었다는 소식을 접하니 예상보다 더 머리가 지끈거렸다.

"음."

신음을 흘리며 미간을 짚자 옆을 지키고 있던 보좌관 클리마 백작이 다가왔다.

"폐하, 의사를 부를까요?"

"아니."

두통의 원인이 확실한 마당에 의사가 와 봐야 귀찮기만 할 뿐이다. 손을 저은 마그리트는 쿡쿡 쑤시는 미간을 주먹 쥔 손마디로 꾹 눌렀다.

"보일드 남작은 조용한가?"

"네. 아직 별다른 소식을 전해 오고 있지 않습니다."

약삭빠르고 행동이 가벼운 인간을 보냈다간 쥐도 새도 모르게 다니엘 손에 죽어 나갈 터. 그 영악한 놈이라면 제 손으로 늑대 굴에 던져 버리고도, 모른다고 시치미를 뚝 뗄 게 뻔하다. 의식을 잃기 전에도 겉으로는 고분고분 황실에 충성하는 것처럼 굴었지만, 점점 뻗대는 빈도가 늘었더랬다.

'지나치게 컸지. 슬슬 치워야 하는데 마땅히 대신할 자가 없으니.'

대안이 없어 우선 감시자라도 붙여 놓자 싶었다. 애써 보내 봤자 죽어 버리면 소용없는 일이라 일부러 진중하고 고지식한 보일드 남작을 선택했건만. 이쪽은 또 느려 터져서 문제다. 아니면 어디에 충성해야 할지 여태 헷갈리고 있는 건가?

"지시한 건 준비해 두었겠지?"

"네, 폐하. 보일드 가문의 저택과 영지에 대한 소유권을 주장할 자와 그 자의 주장을 뒷받침할 가짜 문서를 작성해 두었습니다. 지시만 내리시면 그것들에 대한 시시비비를 가려 달라는 요청이 황실에 접수될 겁니다."

귀족들이 지닌 영지란 원래도 분란 덩어리다. 결혼과 상속으로 넘겨주고 넘겨받는 그 땅들이 누구의 것인지 정확히 판단해 달라며 황실로 들어오는 요청만 한 해에도 수십 건.

황실이 영토 분쟁을 해결하는 데 있어 가장 기본적인 원칙은 공증된 문서의 존재 여부였다. 아무리 별 볼 일 없더라도 귀족의 명맥이라도 유지하자면 영지와 저택은 필수. 그것들이 분쟁에 휘말린 걸 알면 누구라도 황실의 눈치를 볼 수밖에 없다.

"본디 가진 것 없는 자들이 손에 쥔 것에 더 집착하는 법이지."

움직이지 않는다면 움직이게 만들면 된다. 고민하고 있다면 선택하게 해 주면 되고.

"시작하라고 해. 보일드 남작에게 자신이 왜 곤경에 처했는지 알아챌 정도의 머리가 있길 바랄 수밖에. 그마저도 없으면, 우리도 더는 시간 끌 필요 없으니 다른 사람을 찾으면 그만이야."

"네. 알겠습니다, 폐하."

"답답하군. 알아서 제 몫을 하는 인간들이 이리 없어서야."

그녀의 손이 닿지 않으면 무엇 하나 제대로 되는 일이 없으니 갑갑할 노릇이다. 믿고 쓸 사람이 없어도 너무 없다.

"후우."

긴 한숨을 내쉰 황태후는 이마를 짚었다. 시간이 흐를수록 그녀가 했던 실수들이 뼈아픈 후회로 다가왔다.

'다만 몇이라도 살려 뒀어야 했던 건가.'

레오폴드에게 걸림돌이 될 만한 가문들을 모조리 치워 냈더니 예기치 못했던 상황이 발생했다. 적이 될 것들의 뿌리를 뽑긴 했는데, 다 들어내고 나니 남은 사람이 없다. 친정인 바이첸 가문은 대대로 손이 귀했고, 리하르트 또한 레오폴드가 마지막 핏줄이다.

아들만 줄줄이 낳는 것으로 유명한 라이닝겐 공작가에 황후의 자리를 내준 이유는 숫자만 많지, 쓸 만한 남자 형제가 없어서였다. 폰하임 역시 마지막 폰하임 공작이 오늘내일하며 골골대고 있으니 올해 안에 끝장이 날 것 같고.

십이 공작이라는 제국 내의 적은 사라졌지만, 거기서부터 새로운 문제가 시작됐다. 썩은 부분을 도려내는 일에만 집중한 탓에 그 상처 또한 안고 가야 할 몸의 일부라는 걸 간과해 버렸다. 입술이 없으면 이가 보호받지 못하고, 살갗이 없으면 뼈가 드러난다는 단순한 진리를 놓쳤다.

바이첸 최고의 두뇌라 일컬어지는 나, 마그리트가 이런 초보적인 실수를 하다니. 지난 삼백 년간 이어진 스베르겐 제국의 혼돈은 약해진 황권이 원인이라 여겼다. 각기 세력을 키워 나간 십이 공작의 자손들이 황위를 두고 싸우는 한 이 땅에 평화란 있을 수 없다고 생각했었다.

역대 바이첸가의 조상들이 그래 왔듯 마그리트 역시 이 판단만큼은 지금도 잘못이라 의심하지 않는다.

하여 십이 공작 가문들이 순수한 혈통을 유지하겠다며 근친혼을 할 때도 바이첸은 멀찌감치 떨어져 그들과 거리를 두었다. 그래서인지는 몰라도 지난 삼백 년간 바이첸 가문에서는 하이델 공작 같은 미치광이도, 하츠펠트처럼 유전병을 앓는 이도 태어나지 않았다.

대신 집안을 이끌 건강한 사내아이도 몇 없었다. 리하르트 가문의 사내들처럼 전쟁터에 나가서 용맹함을 알리기보단 머리 쓰는 일에 주력했던 건 그 까닭이다. 가문의 귀한 사내들을 전쟁에 보내 희생시킬 순 없었으니까.

바이첸이 삼백 년 만에 근친혼 금지라는 원칙을 깨고 십이 공작 가문 중 하나인 리하르트가와의 혼인을 택한 건 순전히 마그리트 본인의 결정이었다. 리하르트를 황제로 만들고 바이첸은 황후가 되어 완벽한 혈통으로 대대손손 스베르겐 황실의 명맥을 이어 가기 위해.

이제는 때가 되었다는 그녀의 말을 가문의 원로들은 만장일치로 받아들였다. 태어날 때부터 황후로 키워진 마그리트는 두 어깨에 바이첸의 미래를 짊어지고 세상 밖으로 나왔다. 지난 세월 바이첸의 명석한 두뇌들이 모여 세운 결점 없는 계획을 들고.

'라우라, 너만 아니었다면…….'

이마를 짚었던 손이 이내 주먹이 되었다. 무겁고, 어둡고, 차가운 그녀와 달리 존재만으로도 주위를 밝고, 들뜨게 만들던 라파스 출신의 천한 여자. 그 여자와 남편이 제게 준 수모와 치욕은 떠올리고 싶지도 않다.

어미는 원대한 자신의 계획을 물거품으로 만들 뻔하더니 자식은 제 아들의 앞길을 막으려고 했다. 아니. 어쩌면 정말 막았는지도 모르겠다. 레오폴드가 이렇게까지 후사를 보지 못하는 이유가 진정 그때 그 일 때문이라면?

'아니. 아니야, 몇 번이나 확인했잖아. 절대 그럴 일은 없어.'

혹시나 해 아랫것들을 대상으로 실험도 여러 번 해 봤다. 사내든 여자든 에키나시아를 한 번만 먹는 것으로 불임이 된 아이들은 없었다.

당시에도 라우라를 죽이기 위해 일을 크게 벌였을 뿐이니 레오폴드에게 아직 자식이 없는 건 우연이라고 봐야 한다. 한데 이 떨쳐지지 않는 찝

찝한 감정은 뭐란 말인가.

'미련 두지 말고 제 어미와 함께 죽였어야 했어.'

그랬다면 제국의 백성들이 황제인 '레오폴드 볼슈타크 2세'보다 화려한 무용담을 자랑하는 '다니엘 리하르트 공작'의 이름을 더 많이 알게 되는 일도 없었을 텐데. 마그리트는 이마를 짚고 있던 손을 내리고 클리마 백작을 바라보았다.

"유트레히트로 자객을 더 보내. 작은 실마리라도 잡히면 바로 실행할 수 있게 능력이 출중한 자들로."

"하오나 폐하. 아시는 바와 같이 그곳으로 갔다 살아 돌아온 자가 거의 없습니다."

"그러니 더 뛰어난 자들로 골라야지. 황제께서 조만간 그곳으로 가신다니 근위대 속에 숨겨 보내는 방법도 괜찮겠군."

상상도 하기 싫지만, 만약 다니엘이 제 어미처럼 사생아라도 몰래 낳아 기르고 있다면 큰일이다. 끝내 레오폴드가 자식을 보지 못한다면, 반쪽짜리라 해도 그 아이가 유일한 황실의 핏줄.

'그 꼴은 죽어도 못 봐.'

결단코 리하르트 공작 위는 다니엘에게서 끝내야 한다.

"변경백에게 전령을 보내 솔론족의 동향을 더 파악해 보라고 해. 지원군이 필요한지도 물어보고."

무슨 일이 있어도 라우라의 천한 피가 제국을 더럽히게 하진 않을 것이다.

프리다는 그녀의 손톱이 장갑의 레이스를 긁어 끝내 구멍을 냈다는 사

실을 몰랐다. 거친 콧김을 훅훅 내뿜는 어마어마하게 큰 흑마가 눈앞에 있는데 다른 게 보일 리가. 말 옆에 선 프리다는 자신이 조금씩 뒤로 물러서고 있다는 걸 깨닫지 못할 만큼 긴장한 상태였다. 발바닥에 힘을 실어 또 슬쩍 뒷걸음질을 치려는데 머리 위로 커다란 그림자가 드리워졌다.

"얌전하다고 할 순 없는 녀석이지만, 제가 함께 탈 테니 걱정하지 마십시오."

프리다의 어깨를 감싼 다니엘이 그녀를 말 등 쪽으로 이끌었다. 그녀의 등 뒤에서 도미닉의 혀 차는 소리가 들려왔다.

"말은 바로 하셔야지요, 주군. 발자크 놈에게 '얌전하지 않다'가 가당키나 합니까? 세상에서 '얌전'이라는 말이 가장 안 어울리는 녀석인데."

프리다가 이마 위로 덮어쓴 망토의 후드를 슬쩍 뒤로 젖혔다. 불안과 기대가 동시에 깃든 초롱초롱한 눈동자가 다니엘을 올려다보았다.

"정말 괜찮은 거죠, 다니엘? 발자크가 날 떨어트리거나 하진 않겠죠?"

확실한 보증을 해 달라는 간절한 눈빛을 본 그는 잔잔한 미소를 지었다.

"제가 꽉 붙들고 있겠습니다. 걱정하지 마십시오."

"주군, 차라리 평소대로 마차를……."

"됐어."

다니엘이 단호하게 말을 가로막자 도미닉도 더는 참견하지 못하고 입을 다물었다. 성질이 더럽다 못해 난폭하기 그지없는 발자크지만 다니엘에겐 순순히 구니 별 탈은 없을 것이다.

'그나저나 왜 갑자기 공작 부인을 데리고 외출을 하겠다는 거야?'

해가 뜨자마자 다니엘이 난데없이 부인과 함께 성 밖에 나가겠다고 알려 왔다.

"도미닉과 로시발트 경만 따르도록."

눈코 뜰 새 없이 바쁘다고 하소연해 봤지만 묵묵부답. 아무튼 저밖에 모르는 이기적인 자식. 도미닉은 등자를 밟고 훌쩍 말 위에 오른 다니엘을 노려보며 입술을 삐죽거렸다. 곡예하듯 말 아래로 쑥 몸을 숙인 다니엘이 한쪽 팔로 아내의 허리를 감싸 제 앞자리에 올렸다.

"어맛."

무섭다고 양손으로 다니엘을 꽉 붙들면서도 목소리엔 신난 기색이 역력했다. 큰 망토에 몸이 완전히 가려진 탓에 얼굴이 보이진 않았지만, 분명한 웃음소리가 터져 나왔다. 공작 부인은 겁이 엄청 많은데도 신기하게 용감하다. 당최 이 무슨 모순이냐고.

지금만 해도 언제 비명을 질렀냐는 듯 다니엘의 품속에 파묻혀 주위를 두리번거리고 있다. 안절부절못하던 뮤리엘은 프리다가 무사히 말 위에 오르자 그제야 뒤로 물러섰다. 다니엘이 프리다의 자세를 잡아 주는 것까지 확인하고 난 후 뮤리엘도 자신의 말 등에 올랐다. 뭐가 그리 즐거운지 프리다의 웃음이 그치질 않았다.

"이걸 잡으라고요? 다니엘, 이렇게요?"

"네. 당기진 말고, 잡고만 있어요. 허리가 불편하진 않습니까?"

말을 타기 전 초조하던 기색은 어느새 사라지고 말 위에서 보는 광경이 신기하다며 조잘대기 바빴다.

"와, 여기서 내려다보니까 발자크 정수리 털이 진짜 까매요. 봐요, 다니엘! 당신 머리카락보다 더 까만 거 같아요."

끝까지 두 사람을 주시하고 있던 도미닉이 마지막으로 애마의 등에 올라탔다. 공작 부부 사이가 전과 달라졌다는 건 확실하다. 요 며칠 식사도 함께하고, 산책도 즐기는 모습이 종종 발견되는 걸 보면.

무엇보다 다니엘이 입가에 낯간지러운 미소를 걸고 제 아내를 지그시 바라보는 장면이 여러 번 도미닉의 눈에 목격되었다. 게다가 마리안 홀의 5층을 공작 부인의 방으로 꾸미라고까지. 다니엘이 다시 욕망하기 시작했다. 경험상 이는 결코 좋은 신호가 아니다. 위험을 알리는 꺼림직한 경고가 도미닉의 뒤통수를 쿡쿡 찔러 댔다.

어릴 적 다니엘은 주위에서 벌어지는 일에 관심을 보이지 않고, 제 할 일만 하는 조용한 아이였다. 그러나 슬쩍 옆을 스치기만 해도 저절로 사람의 눈을 끌었다.

라파스 남쪽에선 최고의 미남자라 불렸다던 외조부 마시모를 빼다 박은 외모 때문만은 아니었다. 그걸 위압감이라고 표현하는 게 맞을진 모르겠는데…… 아무튼 그랬다. 다니엘에겐 말로 설명할 수 없는, 상대를 압도하는 분위기가 있었다.

귀족 떨거지 주제에 거만하고 무심하게 구는 걸 보면 기분 나빠야 하는데 묘하게 잘 어울려 밉지 않았다. 전형적인 귀족 도련님인 레오폴드가 태생이 던져 준 권력을 바탕으로 충성을 이끌어 냈다면, 다니엘은 그가 지닌 분위기로 다 했다. 뭘 할 필요도 없이 사람들은 그 분위기에 끌려 다니엘을 따랐다.

성안의 사용인들은 사생아인 다니엘에게도 레오폴드 대하듯 깍듯이 굴었다. 마그리트 공작 부인의 눈치가 보였던 라우라 님이 그러지 못하게 당부하셨지만 소용없었다. 가만있어도 입방아에 오르는 날이 많아지니 다니엘 스스로도 조심하느라 꽤 애를 썼다.

그러나 한번 눈이 돌면, 조심이고 나발이고 누구도 못 말리는 녀석이었다. 평소 꾹꾹 억눌러 둔 본성이 폭발하면 아무 말도 들리지 않는 사람처럼 굴었다. 욕심나는 게 있으면 집요하게 목표물을 물고 늘어져 죽어도 안 놓고 버텼다.

그걸 또 사내답다며 칭찬하는 자들도 있었으나, 막상 그 꼴을 보고 나면 지독하다는 말로도 부족하다. 멀리 갈 것도 없이 바로 얼마 전에도 있었던 일이다. 뮤리엘 로시발트에게서 명검 콜다르를 뺏기 위해 제 허벅지까지 서슴없이 내준 놈이다.

설마 그 소유욕이 이번엔 공작 부인에게로 향하고 있는 건가. 다니엘의 강렬한 시선이 발자크의 등 갈기를 조심조심 쓰다듬는 프리다의 정수리에 박히는 걸 보며 도미닉이 푸욱 한숨을 내쉬었다.

"아주 잡아먹겠다. 잡아먹겠어."

어째 등골이 싸한 게, 영 조짐이 불안했다. 성을 출발한 네 사람이 말을 달려 도착한 곳은 공작령이 한눈에 내려다보이는 숲 끝의 절벽이었다. 먼저 발자크에서 내린 다니엘이 말에 태울 때처럼 프리다를 가뿐히 안아 땅으로 내려 주었다.

말을 타고 오는 동안 꽉 붙들고 있던 후드를 놓은 프리다가 깊게 숨을 들이마셨다. 청량하고 시원한 산바람이 가슴 깊숙이 밀려 들어왔다. 휘익 소리를 내며 불어온 바람이 그녀의 후드를 뒤로 날렸지만, 뒤에 서 있던 다니엘이 다시 그녀의 머리 위로 덮어 주었다.

"고마워요, 다니엘."

"햇볕이 강하니 나무 그늘 밑으로 가는 게 좋겠습니다. 이리 와요."

말을 묶어 놓고 돌아온 도미닉이 가슴을 쫙 펴며 기지개를 켰다.

"후우, 마차로 오는 건 어림도 없었겠네요."

길도 없는 산속을 달려오다 보니 왜 다니엘이 마차를 타자는 말에 콧방귀도 안 뀌었는지 알 만했다. 말을 타고도 앞쪽에서 도미닉과 뮤리엘이 울창한 가지를 열심히 베어 내고서야 지나올 수 있었는데 마차가 웬 말이냐고.

'다니엘 저 자식, 그거 시키려고 날 데려왔다 이거지?'

천연덕스럽게 다정한 남편 행세를 하는 행태가 가증스러워 노려보고 있는데 뮤리엘이 그의 어깨를 툭 쳤다.

"눈에 힘 풀어요, 도미닉. 당신은 진짜 죽는 게 안 무섭나 봐요."

"무섭습니다. '백 년 천 년 잘 먹고 잘 살자'가 내 꿈이라고, 말 안 했던가요?"

"그런 사람이 목숨 줄을 쥐고 있는 주군을 그리 살벌하게 노려보면 어떡해요? 나도 느낀 살기를 공작 전하께서 모르실 리도 없는데."

흥. 모르긴 왜 몰라? 알라고 이러는 건데.

"죽음이 두려웠으면 애초에 옆에 있질 말아야죠. 저 인간 못 죽여서 안달 난 인간이 몇인데 위험하게."

"전하를 못 죽여서 안달 난 인간이요?"

고심하며 눈을 찡그리던 뮤리엘이 설마 하며 되물었다.

"누구? 황태후?"

황태후가 리하르트 공작을 못마땅해한다는 건 익히 알려진 얘기지만, 그렇다고 죽이려고 한다니 말도 안 된다. 뮤리엘의 표정에서 하고픈 얘기를 읽어 낸 도미닉이 픽, 싱겁게 입술을 터트렸다. 모시는 아가씨나 호위기사나. 하나같이 순진해 빠져서는. 이 거친 세상을 어찌 살아갈지 걱정이다, 걱정.

"리하르트 공작이 왜 황제의 사냥개라고 불리는지 압니까?"

"그거야…… 시도 때도 없이 불려 다녀서?"

개처럼? 입 모양을 벙긋대며 묻는 뮤리엘을 보며 도미닉이 한 차례 더 피식거렸다. 그는 그늘로 간 다니엘이 프리다에게 물을 건네는 장면을 물끄러미 주시했다.

"사냥이 끝나면 확 삶아 버릴 거니까 분수를 알고 눈치껏 잘하라는 뜻입니다."

그때, 다니엘의 손가락이 까닥하고 구부러지며 저를 찾았다.

"갑시다. 주군께서 찾으십니다."

뛰듯이 보폭을 넓히는 도미닉을 따라 뮤리엘도 성큼성큼 걸음을 서둘렀다. 솔직히 뮤리엘은 묻고 싶은 말이 많았다. 도대체 공작 전하께서 요새 왜 저러시는 건지. 왜 툭하면 우리 아가씨를 찾고 옆에서 떨어지질 않는지.

"남쪽 항구로 이어지는 새 도로를 만드는 일은 앞으로 도미닉과 로시발트 경이 맡아서 진행해."

그러나 갑작스러운 공작의 지시에 하려던 질문들을 몽땅 까먹어 버렸다.

"저 혼자 도로 공사를 맡으라고요?"

도미닉이 산이 떠나가라 목소리를 높이는 바람에 근처에 있던 새들이 나뭇가지를 흔들며 일시에 날아올랐다. 뮤리엘은 흩날리는 나무 이파리를 보며 눈가를 찌푸렸다. 이상하다. 도미닉과 뮤리엘 두 사람이 그 일을 함께 맡으라고 들은 거 같은데.

"혼자라고는 안 했는데."

다행히 그녀가 의아해하는 부분을 공작이 재빨리 콕 찍어 정정해 주었다.

"심지어 이런 일엔 백치나 다름없는 로시발트 경과 함께하라니, 그게 저 혼자 하라는 것과 뭐가 다릅니까?"

'근데 이 인간이 진짜? 나도 순순히 이 일을 맡을 마음 같은 건 손톱만큼도 없다고. 그리고 내가 여기를 오가면 우리 아가씨는 누가 돌보고?'

하지만 백치라니. 프리다가 참으라고 뮤리엘의 망토를 잡아당길 정도로 죽일 듯이 노려보는데도, 정작 도미닉 본인은 관심도 두지 않았다. 오직 공작과의 대화에만 집중하느라 뮤리엘은 신경도 쓰지 않는 눈치였다.

"기억 안 나십니까? 보일드 남작이 오면 저한테 내성의 일은 관두고 용병단 일에 집중하라고 하신 거."

"기억나."

"그런데 도로 공사라니요? 분명히 말씀드렸잖아요. 이건 언제 끝날지 모르는 일이라 차라리 아예 시작을 안 하는……."

그제야 옆에 선 프리다가 보였는지 도미닉이 돌연 입을 닫았다. 그러나 입을 닫았다고 특별히 달라지는 건 아니었다. 불만이 가득한 채 잔뜩 찡그려진 미간이 이어졌을 말을 대신하고 있었으니까.

뒷짐을 지고 있던 다니엘이 오른팔을 들어 절벽 아래, 숲으로 뒤덮인 그의 영지를 가리켰다.

"앞으로 저곳을 지나는 도로를 짓는 건 용병단의 일이 된다. 도미닉 몰리, 넌 리카르도 대신 용병단장을 맡아 그들을 관리해. 로시발트 경은 도미닉이 부재 시 그 자리를 대신한다."

"하지만 다니엘. 도미닉도 새로 서임되는 기사단에 들어가야 하잖아요."

프리다의 말을 들은 다니엘은 가볍게 고개를 저었다.

"아메티스 기사단은 적당히 모양새만 갖출 겁니다. 본디 용병들이란 돈을 따라 모였다 흩어지는 자들. 긴 충성심을 기대하지 말아야 합니다. 진심으로 봉신 기사가 되길 원하는 자들은 이미 리카르도가 명단을 작성해 두었습니다."

인간이고 짐승이고, 습성이란 절대 바뀌지 않는다. 지금이야 어쭙잖은 허영에 들떠 기사가 되겠다며 설레발을 치겠지만, 규율을 따르고 예법을 지키라고 하면 못 하겠다며 집어치우겠다는 인간들이 속출할 거다.

"보일드 남작과 황실의 눈을 피해 일을 진행하려면, 이 일에 관계된 사람을 최소한으로 제한하는 게 좋아."

"어차피 공사를 시작하면 소문나는 건 금방입니다."

"그래서 기사단과 용병단을 분리하는 거다. 용병단원들과 공사에 투입될 인부들은 이곳에 거처를 따로 짓고 성안 출입을 금한다. 모든 연락은 두 사람을 통해서 이뤄질 테고. 그러면 황실에 알려지는 걸 최대한 늦출 수 있어."

꼼꼼하다 꼼꼼해. 언제 이런 것까지 생각해 둔 건지 원. 귀찮아지는 건 딱 질색이긴 한데 그 요란한 기사복을 안 입어도 된다는 점은 대단히 솔깃했다. 너덜너덜한 장식에 오만 화려한 문장이 새겨진 망토까지. 도미닉은 상상만으로도 벌레에 물린 듯 몸이 가려웠다.

'게다가 이름이 아메티스가 뭐야, 아메티스가? 유치하게.'

그 이름이 어디서 나왔는지도 뻔하다. 망토 속에 가려진 프리다의 옅은 보랏빛 눈동자에 도미닉의 눈길이 잠깐 닿았다 떨어졌다. 어쨌든 기사단에 들어가 봐야 지금보다 일이 늘면 늘었지, 줄어들 리도 없고. 차라리 재고 따지지 않는 단순한 인간들과 일하는 편이 나을지도. 도미닉이 슬슬 설득되어 가는 찰나, 프리다가 입을 뗐다.

"저, 다니엘. 이 일은 제가 시작하자고 한 거잖아요. 두 사람에게만 맡기는 건 너무한 것 같아요."

그나마 우리 공작 부인께서 양심 있는 정상적인 분이라 얼마나 다행인지.

"내가 다 알아서 할 테니 걱정할 필요 없습니다."

문제는 이쪽이지만.

"또 원하는 게 있으면 말해요."

절절하다 절절해. 이 자식 눈이 아주 제대로 뒤집혔네.

"내가 더 해 줄 일은 없습니까?"

도미닉은 하마터면 '있으면 그 일 네가 하냐? 내가 하지!'라고 소리를 지를 뻔했다.

'지금만 해도 보라고. 궂은일은 다 내가 하잖아.'

툭. 우지끈, 썩둑. 앞장선 뮤리엘과 도미닉이 시야에 걸릴 만한 나뭇가지를 계속 쳐 냈다. 도미닉은 위쪽, 뮤리엘은 아래쪽. 아주 손발이 착착 잘 맞았다.

두 사람을 보며 빙긋이 웃던 프리다는 흘끔 뒤를 돌아보려다 다시 앞으로 눈을 돌렸다. 남색 망토 바깥으로 뽀얀 뺨이 나타났다 사라지기를 몇 차례나 반복하자 결국 다니엘이 먼저 그녀에게 말을 걸었다.

"할 말이 있으면 해요."

프리다가 기다렸다는 듯 휙 고개를 틀었다. 다니엘이 그녀를 꼭 끌어안고 있어서 옴짝달싹할 수가 없긴 했지만, 고개를 돌려 그와 눈을 마주치는 건 가능했다.

"저, 다니엘. 만약 도미닉의 말대로 도로 공사를 시작만 하고 끝맺지 못하면 어떡하죠?"

"미완성 도로가 되겠죠."

"장난하지 말고요."

침울해진 고개가 아래로 툭 떨어졌다.

"불안하단 말이에요. 당신 돈만 낭비하는 거 아닌가 해서."

"우리의 돈이죠. 난 우리의 돈을, 우리의 땅을 위해 쓰는 겁니다."

다니엘이 과거에 그녀가 했던 말을 흉내 내고 있다는 걸 깨달은 프리다는 뾰로통해졌다.

"아이, 참. 전 심각하다고요. 내가 잘못하고 있는 건 아닌가, 괜한 망상에 사로잡혀 남들을 고생만 시키는 거면 어쩌지? 이런 생각이 든단 말이에요."

조금 전 절벽 아래쪽 숲을 내려다보니 새삼 느껴졌다. 그녀가 하려는 일의 규모가 얼마나 어마어마한지. 도미닉과 대충 둘러봤을 때와는 차원이 달랐다. 저 빽빽한 나무를 다 베어 내고, 뿌리를 뽑고, 돌을 다듬어 길을 내야 한다니. 농지 하나 만드는 거와는 비교도 안 될 만큼 큰 공사였다.

과연 시작할 수 있을까도 의문이지만, 도미닉의 말대로 끝낼 수 있을지도 모르겠다. 일이 년은 어림도 없고, 오 년? 아니, 십 년쯤 걸리려나? 난 완성된 도로를 볼 수 있을까? 혹시 황실에서 끝끝내 승인을 안 해 주면? 몰래 그런 일을 벌였다고 다니엘이 문책당하기라도 하면 어쩌지?

"프리다."

말고삐를 꽉 붙들고 있는 그녀의 손등 위로 다니엘이 제 손을 덮었다. 프리다의 작은 손은 사라지고 다니엘의 갈색 장갑만 남았다.

"도로를 만들고 싶은지 그렇지 않은지, 그것만 말해요. 다른 건 생각하지 말고, 오직 당신 뜻이 어떤지만."

내 뜻? 그거야 당연히…… 하고 싶다. 반드시 만들어야만 한다.

"공작령은 자급자족이 힘든 땅이에요. 그러니 외부와 통하는 도로가 없으면 고립되고 말 거예요. 지금처럼 바이마르에만 무역을 의존하게 되면 약점이 잡히는 건 시간문제고요. 자본과 시간이 있다면 최우선으로 도로를 확보해야 해요. 다만…….”

하지만 그 일로 당신이 곤란을 겪는 게 싫다. 괜히 나 때문에 황실의 견제를 받는 것도. 좋은 아내가 되고 싶어 시작한 일이 당신을 더 힘들게 할까 봐 두렵다.

“당신이 내키지 않으면 그만둬도 돼요. 진심이에요.”

프리다의 머리를 가린 후드 위로 그가 몸을 숙여 왔다. 천 너머로 입술이 닿는 것 같았다.

“바다를 본 적 있습니까?”

“바다요? 아니요.”

책에 그려진 바다를 본 적은 있다. 사방이 소금기 있는 물로 휩싸였다는 그곳은 배를 타야만 지나갈 수 있다고 했다.

“유트레히트의 남쪽 영지 끝에 바다가 있습니다. 거기서 배를 타고 닷새쯤 가면 라파스 산맥 아래에 있는 베네토 공국에 도착합니다.”

“베네토? 금화 두카트를 만드는 곳이요?”

“맞습니다.”

다니엘이 기특하다는 듯 프리다의 손등을 톡톡 두드렸다.

“도로가 완성되면 마차를 타고 당신과 함께 항구로 갈 겁니다. 그곳에서 가장 큰 배를 사서 당신을 베네토 공국에 데려가 줄게요. 거기에 그대가 좋아할 만한 것들이 많이 있을 것 같은데.”

당신은 원하기만 하면 된다.

“난 그대가 뭘 좋아할지 모르겠으니까, 당신이 직접 보고 골라 봐요.”

그저 내 곁에서. 가지고 싶은 것, 하고 싶은 걸 말하기만 하면 다 가져다 줄 작정이다.

“난 하루라도 빨리 그대에게 바다를 보여 주고 싶습니다. 그러려면 도로가 있어야 할 것 같네요.”

도미닉의 일을 도우라고 했으니, 이젠 로시발트도 전처럼 당신 옆에 붙어 있지 못한다. 프리다에게 누군가가 필요한 순간이 왔을 때, 습관처럼 부르는 이름이 '뮤리엘'이 아니라 '다니엘'이 되게 만들 참이다. 그대의 작은 머릿속에 나를, 오로지 나만을 새길 것이다. 하찮은 것들일랑 죄다 지워 내고, 당신의 세상에 내가 전부가 되도록.

손을 더 꽉 쥐려는데 갑자기 허리를 튼 프리다가 다니엘을 끌어안았다. 작은 팔이 고작 그의 허리 일부만을 안았지만, 다니엘은 결박이라도 당한 것처럼 그 자리에 굳어 버렸다. 발자크의 말발굽 소리도 멈췄다. 정체 모를 새들이 울어 대던 나무숲이 일순간 고요해졌다.

"다니엘."

망토를 뒤집어쓴 탓에 얼굴도 머리칼도 보이지 않는 프리다가 그의 품 안에서 떨고 있었다.

"나랑 꼭…… 바다에 같이 가야 해요."

보지 않아도 알 것 같았다. 프리다가 울고 있다는 걸. 왜 우는지도……. 그녀는 자신이 그날을 맞을 수 없을 거라 여기고 있을지도 모른다.

"약속해요. 함께 바다를 보러 간다고."

그럼에도 희망을 포기하지 못하는 스스로가 애처로운 건지도.

"주군, 무슨 일이 있으십니까?"

발자크가 따라오지 않는다는 걸 눈치챘는지 저 멀리서 도미닉이 그들을 불렀다. 다니엘은 대답 대신 그의 머리 위로 지나가는 가지 하나를 당겨 그들의 시야를 차단했다.

"프리다, 고개 들어요."

그의 예상대로 망토 사이로 흘끔 그를 올려다보는 프리다의 양 눈가가 모두 벌겠다. 이로 장갑을 당겨 벗은 손으로 다니엘이 프리다의 뺨을 감싸 쥐었다.

햇살조차 마음대로 쬘 수 없는 나의 작은 아내여. 그대는 모른다. 자신이 결혼한 남자, 다니엘 리하르트가 어떤 인간인지.

"정말 바다에 가고 싶어요?"

이렇듯 천진한 그대가 알 리가 없지.

"나와 함께?"

"네. 다니엘 당신과 함께요."

그러니 모르고 살아. 내가 하는 말만 믿고, 그대가 보고 싶어 하는 나만 보며.

"나는 그대와 함께 바다에 갈 겁니다."

그러면 내가 알아서 그대를 지킬 것이다. 지옥에서 온 악마와 거래를 해서라도, 죽음이 당신 곁에 오지 못하게 막을 것이다. 그대를 지키기 위해서라면, 난 뭐든지 한다.

"맹세합니다. 꼭 같이 가겠다고."

다니엘은 나뭇가지를 붙든 채 프리다에게 입술을 맞췄다. 울먹이는 작은 입술에서 진한 나무 향기가 났다.

스베르겐 황실의 상징인 흰 노르딕 십자가가 새겨진 파란 깃발을 발견한 건 앞장서 가던 도미닉이었다.

"주군!"

"봤어."

레오폴드가 윗동네에 사는 정부에게 벌써 싫증이 난 모양이군. 다니엘은 발자크를 탄 채 뮌하임 성 앞뜰에 서 있는 남자에게 다가갔다. 사내 옆에는 난감한 표정의 보일드 남작과 화가 잔뜩 난 하인리히가 나란히 서 있었다. 황실 근위대 갑옷을 입은 사내가 다니엘에게 예를 갖췄다.

"오랜만에 뵙습니다, 리하르트 공작 전하. 무탈하신 모습을 뵈니 기쁩니다."

다니엘도 몇 번 본 기억이 있는 사내였다. 묵례를 마친 사내의 시선이 잠시 프리다에게 머물렀다 다시 아래로 향했다.

"황실 근위대가 이 산골까지 어쩐 일인가?"

"제국의 태양이신 레오폴드 볼슈타크 2세 폐하의 전갈을 가져왔습니다. 폐하께서 조만간 유트레히트를 방문하실 예정입니다."

"바, 방문? 황제 폐하께서 이곳에 오신다고요?"

깜짝 놀란 프리다의 몸이 앞으로 쏠리자 다니엘이 그녀의 어깨를 붙잡았다.

"잠깐만 기다려요."

발자크의 등에서 내린 다니엘은 프리다의 허리를 안아 조심히 땅에 내려놓은 후 뮤리엘을 불렀다.

"로시발트 경. 아내를 데려가게."

"하지만 다니엘……."

다니엘은 틀어진 프리다의 망토를 바로잡아 주며 당황하는 아내를 달랬다.

"쉬고 있어요. 얘기가 끝나는 대로 곧 가겠습니다."

그러곤 황제의 전갈을 가져왔다는 사내를 불렀다.

"따라오게."

다니엘을 따라 네 명의 남자들이 줄줄이 성안으로 들어섰다. 걱정스러운 눈으로 그들의 뒤를 살피던 프리다도 부리나케 안으로 들어가며 망토를 벗어젖혔다.

"뮤리엘, 들었어? 황제 폐하가 여기에 오신대!"

"들었습니다."

"맙소사. 얼른 아델에게 이 소식을 알려 줘야겠어. 우리 아델, 기절하는 거 아냐?"

"아델은 물론이고 이미 성안 모두가 알 겁니다. 몸은 어떠세요? 처음 말을 타셨으니 여기저기 아프실 거 같은데."

뮤리엘의 말을 듣자마자 거짓말처럼 온몸에 통증이 찾아왔다. 동시에 갑자기 걷지도 못할 만큼 다리가 무거웠다.

"으……. 뮤리엘, 나 못 걷겠어."

절레절레 고개를 흔들며 다가온 뮤리엘이 그녀를 번쩍 안아 들었다.

"충분히 찜질하지 않으면 내일 더 아파요. 안톤에게 라벤더를 가지고 오라고 할게요. 그걸 푼 물에 목욕하시면 좀 나아지실 거예요."

"오호, 그런 것도 다 알고. 이젠 뮤리엘도 제법인데?"

장난스러운 말에 피식 웃던 뮤리엘이 이내 심각한 얼굴이 되었다.

"앞으론 아가씨 곁을 자주 떠나 있을 것 같은데 걱정이네요. 이 와중에 마틸다도 없고."

프리다가 뮤리엘의 목을 꼭 당겨 안으며 그녀의 어깨에 고개를 기울였다.

"난 뮤리엘이 염려되는걸. 그 일이 많이 힘들면 꼭 얘기해. 내가 공작님께 뮤리엘 없으면 안 된다고, 다시 내 옆에만 붙어 있게 해 달라고 막 졸라 볼게."

"싫습니다. 겨우 애 보기에서 탈출했는데. 맘껏 자유를 누릴 겁니다."

"피이. 너무해."

아이처럼 안겨 오는 프리다의 등을 토닥이며 계단을 오르던 뮤리엘은 찌를 듯한 시선을 느끼고 고개를 들었다. 계단 위에 선 다니엘이 그녀를 싸늘한 눈으로 바라보다 방향을 틀었다.

근위대의 기사가 떠난 후 찾아온 집무실의 적막을 깨트린 건 하인리히였다.

"그럼 황제는 언제 도착한다는 거야?"

턱을 만지작대고 있던 도미닉이 대답했다.

"마차를 타고 이동하실 테니 뷔테인 남작 부인의 영지에서 유트레히트까지 오는 도로 사정을 고려하면…… 오늘 출발해도 빨라야 일주일 뒤입니다."

하인리히가 즉시 되물었다.

"말을 타고 올 수도 있잖아."

도미닉이 즉각 고개를 저었다.

"페트리샤 뷔테인이 함께 올 테니 마차를 이용할 겁니다. 예상대로라면 거기서 한 달은 더 머물렀어야 합니다. 그 집착 많은 여자가 이대로 황제를 혼자 보낼 리 없어요."

뭔가를 퍼뜩 깨달은 슈테판이 다니엘에게 물었다.

"혹 전하께선 이 일을 예상하시고 목록에 브라반트 홀의 정비를 적어 두신 겁니까?"

스물두 가지 목록 중 브라반트 홀의 정비 부분에만 '한 달 뒤까지'라고 명확한 시기가 덧붙여져 있었더랬다. 별다른 대꾸 없이 다니엘이 펜을 들었다.

"당장 시작하면 얼마나 걸리지?"

"제일 시급한 건 주문한 가구가 와야 하는데……. 솔직히 그것들이 온다 해도 수행단을 다 감당하기엔 턱없이 부족합니다."

다니엘은 종이에 뭔가를 끄적끄적 적어 도미닉에게 건넸다.

"바로 안드레아 공작에게 가져가. 기간은 닷새. 여기 적힌 이름이 황태후 귀에 들어가는 꼴 보고 싶지 않으면, 무조건 닷새 안에 필요한 것 전부를 가져다 놓으라고. 도미닉, 네가 직접 가서 전하고 와."

다니엘이 준 종이를 본 도미닉이 의미심장한 미소를 지으며 고개를 끄덕였다.

"알겠습니다."

흘깃 종이를 훔쳐본 하인리히가 눈을 게슴츠레 뜨며 중얼거렸다.

"안…… 딘? 그게 누군데?"

종이에 적혀 있는 내용은 슈테판에겐 전혀 관심의 대상이 아니었다. 황제가 침대도 없이 바닥에서 자는 최악의 상황을 피할 수만 있다면, 누구 이름이 적혔든 무슨 상관이란 말인가. 사람이든 짐승이든, 제시간에 황제의 일행을 맞을 수 있게 해 주는 거라면 다 환영이다.

"다행히 제 아내가 쉔달 성에 오래 드나들어 황실 예법에 익숙합니다. 마틸다에게 공작 부인을 도우라고 하겠습니다."

"누, 누구? 마틸다?"

다니엘이 건넨 종이를 들고 방을 나서려던 도미닉이 깜짝 놀라며 슈테판 곁으로 다가왔다. 내내 차분하던 다니엘도 미간을 좁히며 슈테판을 바라보았다.

"방금 뭐라고 했나, 보일드 남작?"

왜들 이러지 싶어 어안이 벙벙해진 슈테판이 두 남자를 번갈아 보며 물었다.

"왜 그러십니까, 전하?"

그의 말이 끝나자마자 도미닉이 끼어들었다.

"마틸다라는 하녀에게 공작 부인을 돕게 하겠다고 하신 거 말입니다. 그 하녀가 어디 있는지 알고 계십니까?"

"무슨 헛소리야, 도미닉?"

다리를 쭉 펴고 의자에 널브러져 있던 하인리히가 심드렁하게 입을 열었다.

"왜 그 이름을 하녀에게 갖다 대? 마틸다 보일드 남작 부인, 우리 집사장님 부인 이름이잖아."

"……."

이런, 젠장. 자신이 무슨 짓을 했는지 깨달은 도미닉은 피가 나도록 꽉 아랫입술을 짓이겼다.

모두가 떠나고 다니엘과 도미닉만 남은 집무실엔 한동안 무거운 침묵이 감돌았다. 부엉, 부엉. 시끄러운 부엉이 울음소리도 방 안의 적막을 깨진 못했다. 바람이 창문을 덜컹하고 치고 지나가는 소리가 난 뒤에야 도미닉이 어렵사리 입을 뗐다.

"죄송합니다. 주군."

변명조차 할 수 없는 명백한 실수였다. '마틸다'가 보일드 남작 부인의 이름이었다니.

'빌어먹을.'

자괴감이 치밀어 오른 도미닉은 이미 너덜너덜해진 입술 안쪽의 살을 한 번 더 꽉 깨물었다. 그리고 이 상황이 기가 막힌 건 다니엘도 마찬가지였다.

"죄송할 만한 일이긴 하군."

<마틸다는 잘 지내고 있습니다. 평소처럼 종종 편지하라고 하겠습니다.>

말 그대로 친척들에게 아내의 안부를 전하는 편지였다. 그걸 비비 꼬아 멋대로 오해한 것도 모자라 애먼 하녀를 잡아들이다니. 한심하기 짝이 없는 짓을 저질러 버렸다.

"하녀의 상태는?"

"……."

따로 답을 듣지 않아도 대충 짐작이 갔다. 며칠째 빛 한 줌 들어오지 않는 지하 감옥에 갇혀 있었는데 멀쩡할 리가 없지.

"목숨은 붙어 있어?"

"네. 하지만 다리를…… 절게 될지도 모릅니다."

다니엘의 눈썹이 미세하게 치켜 올라갔다. 도미닉 몰리가 여자에게 직접적인 위해를 가했다고? 삐딱해진 눈썹의 의미를 알아챈 도미닉이 그건 아니라며 고개를 저었다.

"이동 중 계단에서 굴렀습니다. 급히 치료하긴 했는데 후유증이 있을 거랍니다."

순식간에 벌어진 일이다. 마틸다를 데리고 지하 감옥으로 향하던 길. 그녀를 붙들고 있던 용병단원이 심하게 버둥거리는 마틸다를 놓치고 말았다. 바닥에 나뒹굴며 엉엉 울면서도 아니다, 억울하다 버티기에 이상하다 싶었더니만.

꽉 깨문 입술에서 씁쓸한 피 맛이 느껴졌다. 이유를 불문하고 마틸다를 그 지경에 이르게 한 건 자신. 착잡해진 도미닉이 한숨을 쉬며 손으로 이마를 짚었다.

"제 실수입니다. 끝까지 책임지고 해결하겠습니다."

"까불지 마."

싸늘하게 일갈하는 다니엘의 얼굴에 냉소가 퍼져 나갔다.

"네게 그 하녀를 잡아들이라고 한 것도, 무슨 수를 써서라도 배후를 알아내라고 한 것도 나야. 책임질 일이 있다면 내가 진다."

입에 물린 미소는 시간이 흐를수록 점점 더 차갑게 굳어 갔다.

"내 곁에 남아 있을 거면 그딴 얘기 꺼내지도 말라고 했을 텐데. 그새 잊었나?"

어머니와 주변인들을 잃고 난 후, 다니엘은 스스로를 벌하듯 모든 것을 홀로 감당하고 버텼다. 속죄가 뭔지도 모를 열세 살이었지만 왠지 그래야 할 것 같았다. 잠깐이라도 혼자 있게 되면 죽음을 상상했다.

거머리처럼 따라다니는 몰리 부자만 없었다면, 그 상상은 현실이 됐을지도 모른다. 저희 맘대로 달라붙어서 곁에 남겠다고 부득부득 우길 땐 언제고. 감히 이제 와 어디서 건방을 떨어.

"내 입으로 또 말해 줘야 하나?"

"……아닙니다."

다니엘의 물음에 도미닉이 고개를 떨궜다.

"절대, 어떤 순간에도 주군을 대신해 나서선 안 된다는 거…… 알고 있습니다."

어떻게 잊겠는가. 엄마를 죽였다는 죄책감에 시달려 말까지 잃었던 소년이 피를 토하며 쏟아 낸 처절한 절규를.

"내 곁에 있고 싶으면 날 위해서 아무것도 하지 마. 나만 살라고 하지도 마. 혼자 살아남은 기분이 얼마나 거지 같은지 알아? 나 대신 죽을 각오 같은 거 좀 하지 말라고. 그런…… 거 싫어. 진짜 싫다고! 젠장."

삼 년 전, 다니엘이 도미닉을 향해 날아오는 창으로 망설임 없이 몸을 날린 것도 그래서였을 것이다. 누군가 또 저 때문에 죽는 걸 볼 바엔 자기가 죽는 게 낫다고 여겨서. 욕심 많고, 거들먹거리기 좋아하고, 두들겨 패고 싶도록 재수 없지만…… 더럽게 불쌍한 놈.

다니엘은 도미닉이 유일하게 어머니처럼 여겼던 라우라 님의 마지막 핏줄. 제겐 동생이나 다름없다. 그러니 싫다 해도 다니엘을 대신해 기꺼이 악역을 맡을 거다. 다만 더는 성질을 건드리기 싫어 입을 꾹 다물었다. 책상 위에 두 팔을 올린 다니엘이 깍지 낀 주먹에 이마를 기댄 채 담담히 물었다.

"가족은?"

"성 밖에 동생 셋이 살고 있습니다. 부모님은 모두 돌아가셨고요."

끝끝내 시치미를 떼는 이유가 동생들 때문이라고 생각했었다. 가족을 볼모로 삼아 협박을 일삼는 건 황태후가 자주 쓰는 수법이니까.

"제가 어떻게든 수습하겠습니다. 다만 공작 부인께선 이 일을 모르시는 게 좋을 듯합니다."

다니엘이 이마를 댄 채 끄덕였다.

"몰라야지."

신임이 두터운 하녀라고 했다. 일면식도 없는 영지민들을 위해서도 온갖 유난을 떠는 여잔데, 아끼던 하녀가 그 모양이 된 걸 알면……. 안 봐도 훤하다. 착한 제 아내는 부러진 하녀의 다리를 붙들고 몇 날 며칠을 울며 슬퍼할 게 뻔하다.

"날이 밝는 대로 집으로 데려다줘. 펜하임 성에 돌아오지 않는다는 조건을 수락한다면 원하는 건 다 들어주겠다고 해. 공작령이 아닌 다른 곳에 정착하면 더 좋고."

프리다가 모르는 곳으로, 영영 만날 수 없는 곳으로 보내 버릴까.

"대신……."

겹쳐진 양손 위로 드러난 맹수의 눈이 차갑고 사납게 번뜩였다.

"똑바로 전해. 프리다가 이번 일을 알게 되면, 그날로 끝장이라고."

어둠을 무서워하는 주인 탓에 프리다의 침실 곳곳에 달린 벽등은 성안에서 가장 먼저 불을 밝히고, 가장 늦게 꺼졌다. 그래서 프리다가 잠들기 전 기억하는 마지막 장면은 언제나 흐릿하게 보이는 천장의 물푸레나무 문양이었다.

"열하나, 열둘, 열셋……."

가끔 잠이 오지 않을 때 세곤 하던 천장의 이파리들을 오늘은 잠을 자지 않기 위해 셌다. 문제는 쏟아져 내리는 눈꺼풀이 좀처럼 버텨 주지 못한다는 거였다.

"……여, 열넷. 하…… 암."

하염없이 밀려 내려오는 눈꺼풀을 붙들려 애쓰며 연달아 하품을 쏟아냈다. 그러나 라벤더 향이 나는 탕에 몸을 담그고, 알싸한 민트 맛 차까지 마셨다. 몸이 놀랐을 거라며 뮤리엘이 방을 떠나기 전까지 팔다리를 주물러 주었다. 애초에 졸음을 버틴다는 건 무리였다. 하지만 오늘은 꼭 잠들지 말아야 할 이유가 있었다.

"쉬고 있어요. 얘기가 끝나는 대로 곧 가겠습니다."

다니엘이 오겠다고 했으니까. 그가 오면 들어야 할 얘기가, 하고 싶은 말이 참 많았다. 황제께서 방문하신다니 그 일부터 상의하고……. 오늘 그와 한 약속도 한 번 더 다짐을 받고 싶다.

함께 바다에 가겠다는 말을 못 믿어서가 아니다. 그저 다니엘과 대화를 나누는 시간이 좋다. 제 말에 귀 기울여 주는 모습이, 진지하게 답을 해 줄 때의 차분한 눈빛이 좋다. 드물게 장난을 칠 때가 있는데 그 순간에 보이는 짓궂은 표정도 좋았다.

"열…… 여덟, 열아호옵……."

자면 안 되는데 자꾸만 시야가 흐려졌다. 다니엘이 오면 도로 공사를 허락해 주고, 신경 써 줘서 감사하다는 말도 하고 싶었다. 끝을 기약할 수 없는 일인데도 나를 믿어 줘서 감동했다고.

오늘 성 밖으로 데리고 나가 줘서 고맙다는 인사도 전하려고 했다. 말을 타는 건 처음이라 엄청 두려웠는데 당신이 옆에 있어 줘서 하나도 무섭지 않았다고. 여전히 말을 타고 달릴 때처럼 심장이 두근두근 뛰는데 이건 꼭 말을 타서는 아닌 것 같다고.

묻고 싶은 말도 많다. 내 떨림의 이유는 아마도 다니엘 때문인 것 같은데 당신은 어떤가요? 당신의…… 떨림에도 내가 있나요? 그대와의 입맞춤을 숨겨 주었던 진한 초록색 나뭇잎 사이로 새어 들어온 빛을 기억하나요? 지금껏 햇살을 피하면서만 살아온 내가 본 가장 아름다운 봄볕이었다는 거, 그대는 알까요?

너무 기쁘고 행복한데……. 왜 점점 목이 까끌까끌 아프고, 눈시울이 뜨거워지는 건지 모를 일이다. 몸이 물먹은 솜처럼 축 늘어진다 싶을 때쯤 제 것이 아닌 뜨거운 체온이 얼굴을 감쌌다.

"프리다."

다니엘이 왔다.

"프리다, 정신 차려요. 프리다."

기다리던 그가 왔으니 어서 눈을 떠야 하는데.

"당신 왜 이래? 프리다. 눈 떠 봐. 어서 눈 좀 떠 보라고. 젠장."

눈꺼풀이 자꾸만 더 무거워져만 갔다.

공작령 바이마르의 재무를 담당하는 터너 자작이 건넨 서류에는 딸랑 이름 하나가 적혀 있었다.

〈안딘 프랑코〉

바이마르의 영주 안드레아 공작이 잔뜩 미간을 좁히며 터너 자작에게 물었다.

"이 서신을 가지고 온 자가 누구라고?"

"리하르트 공작의 전령이라는데, 생김새를 보아하니 공작이 데리고 있다는 밀라보 출신 용병 같습니다."

"리하르트 공작?"

아니, 그자가 안딘을 어떻게 안다는 거야? 안드레아 공작은 누가 볼세라 서류를 여러 번 접어 소매 속에 집어넣었다.

"전령은 어디에 있나?"

"문밖에 대기하라고 했습니다."

"들여보내."

안드레아 공작은 초조한 기색을 감추지 못하고 손끝으로 책상을 톡톡톡 두드렸다. 안딘 프랑코는 바이마르와 링겐 제국을 오가는 해상 무역을 담당하는 책임자다. 동방 무역으로 큰돈을 번 안드레아 공작이니 링겐 제국과 무역을 하는 것 가지고는 얘깃거리가 되지 않는다. 문제는 바이마르에서도 극히 일부만이 알고 있는 '안딘 프랑코'라는 인간의 존재를, 다른 사람도 아닌 리하르트 공작이 언급했다는 거였다.

방으로 전령이 들어섰다. 선이 굵은 까무잡잡한 얼굴에 검은 머리칼, 암갈색 눈동자. 터너 자작의 말대로 라파스 남쪽 밀라보 출신이었다. 리하르트 공작이 이런 서류를 들려 보낼 만큼 신임하는 그쪽 출신 사내라면…….

"자네가 그 유명한 '차가운 심장 도미닉 몰리'인가 보군."

짐작이 맞았는지 사내가 피식 웃으며 먼지가 덕지덕지 묻은 검은 머리칼을 쓸어 넘겼다.

"역시 제국의 온갖 정보가 모여든다는 바이마르의 영주다우십니다. 제 소개를 더 드리고 싶습니다만, 시간이 부족하니 용건만 간단히 말씀드리겠습니다."

도미닉이 소매 속에서 꺼내 든 두루마리 종이를 안드레아 공작에게 내밀었다.

"저의 주군이신 리하르트 공작의 요구는 간단합니다. 그 서류에 적힌 물건들을 닷새…… 아, 이제 사흘하고 반나절이 남았군요."

지친다, 지쳐. 마차를 타고 전속력으로 달려도 최소 사흘이 걸리는 거리를 말로 한나절 반 만에 왔다. 한숨을 길게 내쉰 도미닉이 하루 새 자라난 수염을 긁적거렸다.

"제시간 안에 이 물건들을 공작령 유트레히트로 보내 주시면, 안딘 프랑코가 링겐과 바이마르를 오가며 뭘 하는지 쉔달 성에 알려지는 일은 없을 거라고 하셨습니다."

"그게 무……."

안드레아 공작이 입을 떼려 하자 도미닉이 정중히 팔을 들어 그의 말을 막았다.

"뜸 들이지 않겠습니다. 공작님과 룅겐 제국의 변경백 사이에 황실이 모르는 모종의 거래가 있다는 거 압니다. 아마 라파스 산에서 나는 철광석의 독점권이겠지요. 안딘 프랑코가 그 책임자고요."

'다니엘 리하르트, 이 개자식. 어디까지 알고 있는 거야?'

안드레아 공작의 마음속 중얼거림을 듣기라도 한 것처럼 도미닉이 연신 머리를 끄덕였다.

"네네. 다 알고 있습니다. 안딘 프랑코가 룅겐 제국의 황제와 오빠 동생 하는 측근 중의 측근이란 것도. 이쯤 하고 어서 준비부터 해 주시지요. 내일 날이 밝는 대로 길을 나서야 하니까요."

다 알고 왔다니 길게 말할 것도 없었다. 룅겐 제국과의 철광석 거래로 얻는 이익을 바이첸 것들에게 바칠 뜻은 눈곱만큼도 없다. 셈이 빠르고 합리적인 성격의 안드레아 공작은 빠르게 서류를 훑었다.

침대, 가구, 카펫, 태피스트리, 식기까지? 양이 많긴 해도 구하기 어려운 것들은 아니지만…….

"유트레히트에 갑자기 이 많은 것들이 왜 필요한 건가?"

전부터 수상하다고 생각하긴 했었다.

하인을 한꺼번에 몇십 명이나 구해 달라고 하더니, 이번엔 또 무슨 일이지?

"심지어 내일 아침까지 준비하라니. 이것들을 다 준비하려면 아무리 빨라도 최소 일주일은 필요하네."

장갑을 벗은 도미닉이 손을 탈탈 털며 눈살을 찌푸렸다. 바빠 죽겠는데 말귀는 더럽게 느려서는.

"결정하십시오. 전서구가 제 신호를 기다리고 있습니다."

거하게 숨을 내쉰 그가 빼근한 팔을 들어 동북쪽을 가리켰다.

"황실이 대여한 땅을 기반으로 부를 축적한 전하께서는 황실 몰래 독단으로 링겐 제국과 거래하며 은밀히 내통해 오셨습니다."

"내, 내통이라니."

"내통이 싫으시면……."

피곤에 찌든 암갈색 눈동자가 섬뜩한 빛을 뿜어냈다.

"반역은 어떠십니까?"

-2권에서 계속-